Benoîte Groult wurde 1920 geboren. Das Studium der Literatur-
wissenschaften schloß sie 1943 mit dem professeur de lettres ab.
Bis 1953 war sie Journalistin beim RTF; sie ist Mitglied der Jury für
den Prix Femina. Benoîte Groult ist heute mit dem Schriftsteller
Paul Guimard verheiratet, hat drei Töchter und zwei Enkelinnen.
Ehe sie ab 1972 mit eigenen Romanen an die Öffentlichkeit trat,
publizierte sie drei Bücher gemeinsam mit ihrer Schwester Flora.
Mit ihrem Roman »Salz auf unserer Haut« entfachte Benoîte Groult
eine lebhafte Diskussion in der französischen Presse und
Leserschaft.

W9-CPX-388

Von Benoîte Groult sind außerdem erschienen:

»Die Dinge, wie sie sind« (Band 3095)
»Salz auf unserer Haut« (Band 3113)
»Tagebuch vierhändig«
(zusammen mit Flora Groult, Band 2997)
»Juliette und Mamrianne«
(zusammen mit Flora Groult, Band 65040)
»Ödipus' Schwester« (Band 8020)
»Das Benoîte-Groult-Lesebuch« (Band 65020)

Vollständige Taschenbuchausgabe 1986
© 1984 Droemersche Verlagsanstalt Th. Knaur Nachf., München
Titel der Originalausgabe »Les Trois Quarts du temps«
© 1983 Editions Grassel & Fasquetle
Umschlaggestaltung: Atelier ZERO, München
unter Verwendung eines Gemäldeausschnittes
Liegender Akt, 1917/18, von Amadeo Modigliani.
Gesamtherstellung Elsnerdruck, Berlin
Printed in Germany   5   4   3   2   1
ISBN 3-426-65044-4

Benoîte Groult:
Leben will ich

Roman

Aus dem Französischen von Irène Kuhn

Für Paul

Mein Leben liegt nicht hinter mir
und nicht vor mir;
auch nicht im Jetzt.
Ich steh' mitten drin.

Jacques Prévert

I
Das Alter

Ich werde nie alt sein. Seit ich das weiß, fühle ich mich sicher.
»Man muß wohl oder übel ertragen, was man nicht verhindern kann«, pflegte meine Schwiegermutter mit der Bescheidenheit der armen Leute jedesmal zu sagen, wenn ein neues Unglück auf sie eingestürzt war, ob es sich nun um den Verlust eines Kindes handelte – Gott hat es so gewollt –, um den Verlust ihrer Zähne – weil ein Dorfvandale, der sich Zahnarzt nannte, es für richtig gehalten hatte, sie allesamt zu ziehen –, um das jähe Dahinschmelzen ihres mageren Kapitals bei einer sogenannten Spar-Kasse oder schließlich darum, daß bei ihr der vermeintlich schicksalhafte Verfall des Körpers viel zu früh einsetzte. Wissen die armen Leute eigentlich, daß den Reichen deshalb die Kinder nicht einfach wegsterben, weil sie medizinisch besser versorgt werden, daß die Wohlhabenden deshalb nie das Stadium des Klappergebisses erreichen, weil sie es mit Hilfe ihres Geldes zu verhindern wissen, und daß sie sich hüten, ihr Vermögen der Sparkasse anzuvertrauen? Glücklicherweise hatte ihr eine seltene Unsinnlichkeit, gepaart mit einer Art Hingezogenheit zum Unglück, die »Maman« christliche Schicksalergebung nannte, erlaubt, dieses Jammertal mit der kärglichen Befriedigung stets erfüllter Pflicht zu durchschreiten. Aber jedesmal, wenn sie den Wahlspruch der vom Leben Besiegten von sich gab, bestärkte sie mich noch ein bißchen mehr in meinem festen Vorsatz: mich umzubringen an dem Tag, von dem an ich nicht mehr in der Lage sein würde, ein Minimum an Lebensbedürfnissen zu befriedigen – *mein* Minimum, das sich nicht unbedingt mit dem der andern deckt und über das ich allein Richter sein will!
Meine Mutter jedoch wehrte sich gegen jegliche Abhängigkeit, jegliche Demütigung, jegliche Niederlage. Um nicht Zeuge ih-

9

res eigenen Schiffbruchs sein zu müssen, hatte sie es so eingerichtet, daß sie allmählich in Schwindsucht versank; dabei bewahrte sie sich bis zum Schluß die Illusion, eine schöne Frau zu sein, die ihre Umgebung beherrscht. Die Welt verlor in den Augen meiner Mutter in dem Maß an Sinn, wie es ihr nicht mehr gelang, sie wahrzunehmen, und was sie nicht mehr verstand, erschien ihr plötzlich absurd. Sobald sie nicht mehr erkennen konnte, wozu eine Gabel da war, verlor sie jegliches Interesse an diesem Gegenstand und ließ sich mit aristokratischer Herablassung füttern, wobei sie in dem autoritären, selbstsicheren Ton, der ihr immer eigen gewesen war, große, wenn auch unzusammenhängende Reden schwang und sich so vor der gnadenlosen Wahrheit schützte.

Fromm und arbeitsam wie sie war, ist »Maman«, meine Schwiegermutter, alle Stufen bis zur letzten hinuntergestiegen. Nie hat sie sich beklagt, und kaum ein Unglück ist ihr erspart geblieben.

Meine Mutter dagegen, die ungläubige, frivole Frau, ist gegangen, ohne es zu merken, ohne uns an ihrem Sterbebett zu erkennen, uns, die wir abscheulich lebendig waren – was sie sehr schlecht ertragen hätte.

Eine düstere Alternative! Sie überzeugte mich vollends von der Notwendigkeit, einen dritten Weg zu finden: verhindern, was man nicht ertragen kann. Aber die lieben Mitmenschen sind selten einverstanden, wenn es darum geht, was man ertragen kann und was nicht ... Ich empfinde es daher als eine Verpflichtung, den eigenen Abgang selbst vorzubereiten, bevor der Gedanke an den Tod allzu angsterfüllend wird. Also bin ich einer Gesellschaft beigetreten, die sich zwar als philanthropisch versteht, der es aber dennoch nicht an Humor fehlt: Sie nennt sich *Exit* – und prägnanter kann man ihr Programm gar nicht zusammenfassen. Dieser Club hat sich zum Ziel gesetzt, seinen Mitgliedern eine Liste von fabelhaften Tricks zur Verfügung zu stellen, mit deren Hilfe man diese Welt in aller Sanftheit verlassen kann, ohne riskieren zu müssen, daß ein Haus durch Öffnen des Gashahns in die Luft gejagt wird und ohne auf einen Fenstersims steigen zu müssen in der schrecklichen Ungewißheit, man könnte womöglich überleben und dann noch übler dran sein. Die Vorsehung meint es nämlich oft ganz anders mit einem ... Abgesehen davon, daß ich es nie gewagt habe, in den dritten Stock des Eiffelturms hinaufzusteigen, aus lauter Angst vor dem Abgrund: Sterben ist an und für sich schon schwindelerregend, da muß man sich nicht noch einer zusätzlichen Panik aussetzen. Seitdem es nun von mir abhängt, ob ich der Vergreisung entkomme oder ob ich, wenn mir danach ist, meine nähere Umgebung einige Zeit mit ihr belaste, fühle ich mich ruhiger.

Das hat nichts zu tun mit dem traurigen Selbstmord einer Marilyn Monroe, eines Nicolas de Staël oder eines Drieu La Rochelle. Da ist kein Ekel vor sich selbst mit im Spiel und noch weniger vor den andern. Im Gegenteil: Da ist durchaus Freude am eigenen Ich vorhanden – solange das Ich wirklich Ich ist –, und da ist zu viel Respekt vor dem Leben, um es auf Schmalspur leben zu wollen.

Wenn ich einmal nicht mehr lesen kann, nicht mehr meinen Schokoladenheißhunger befriedigen kann, wenn ich nicht mehr bei Flut über die Strände wandern und den Krabben nachstellen kann; wenn man mir den Geschmack am Wein mit vernünftigen Reden endlich ausgetrieben hat; sobald ich eines Morgens beim Öffnen der Fensterläden, wenn das Licht hereinflutet, nicht mehr dieses alberne Glücksgefühl empfinde; wenn ich nicht mehr den Mut habe, gegen das Wetter anzuschimpfen, wie ich es mein Leben lang munter getan habe; wenn ich nur noch fähig bin zu jammern, anstatt lautstark loszulegen; wenn ich keiner Fliege mehr etwas zuleide tun kann, wenn ich an meinen Cholesterinspiegel denke, bevor ich gesalzene Butter mit dem Löffel esse; sobald ich anfange neidisch zu sein auf das, was die andern tun, und es nicht mehr schaffe, auf den Boden hinzuknien, um flüsternd Zwiegespräche mit meinem Garten zu führen; wenn es einmal so weit ist, daß ich mich lieber schlafen lege, als mit meinem besten Freund auszugehen ... Sobald ich also das, was man die Last der Jahre nennt, verspüren werde und jenes unbestimmte Altersgefühl, das man in seinen Träumen hat, plötzlich verschwindet, sobald ich mich vom Urteil des Spiegels abhängig mache, anstatt mich auf meine innere Gewißheit zu verlassen; kurz: wenn ich einmal an meinen Freuden keine Freude mehr habe und statt dessen an meinen Leiden zu sehr leide, dann werde ich aufs Weiterleben verzichten. Denn das Leben, das bin ich. Ich ganz allein.

Das Wichtigste wird sein, nicht in die Falle zu gehen, der großen Verschwörung zu entkommen, mich den schmerzlindernden Beteuerungen und den freundlichen Lügen, auf die sowieso keiner reinfällt, zu verweigern.

»Ach, ihr armen Kinder, es ist so furchtbar, alt zu werden! Ich würde euch ja so gern von meinem alten Gerippe befreien...« – und dabei gibt man munter das dritte Stück Zucker in den Tee.

»Hier ist das Tablett mit dem Essen, Oma. Wir werden dich jetzt in Ruhe lassen. Guten Appetit, und anschließend gutes Mittagsschläfchen. Bis nächsten Sonntag dann!«

Und die Kinder wissen sehr wohl, daß, wenn sie weg sind, der Appetit nie wieder gut sein wird und daß die Mittagsschläfchen fortan nur noch eine Möglichkeit sind, die Wirklichkeit zu vergessen; trotzdem flüchten sie aus dem Zimmer und grübeln bereits über eine Ausrede nach, mit der sie den versprochenen Besuch auf übernächsten Sonntag verschieben werden.

Ich habe zu diesen Kindern gehört und möchte nicht zu einer solchen Mutter werden, obwohl uns alle so tückisch dazu drängen. Selbst ihr tut es, ihr schönen Schriftstellerinnen, die ihr euch so gehorsam habt einreden lassen, mit der Hälfte des Lebens sei für eine Frau das ganze Leben beendet. Du, liebe Colette, deren Léa noch keine fünfzig war, als sie sich alt glaubte und dazu verurteilt, auf die Liebe zu verzichten. Wer würde das heute glauben: noch keine fünfzig! Und du, Beauvoir, »Tochter aus gutem Hause«, die du zugegeben hast, dich kaum je im Spiegel betrachtet zu haben, die du deinen Körper benutzt hast, ohne es zu wagen, ihn zu lieben, und die du mit allzu wachen Augen schon in den ersten Schwächezeichen das Todesurteil gelesen hast. Sogar du hast dich also von jenem System beeindrucken lassen, dessen Mechanismen du so schön analysiert hattest. Du, die Starke, die Gerechte, die außerhalb der Normen zu leben wußte, warum hast auch du mit fünfzig Jahren der Zukunft die Tür verschlossen und die tragischsten Seiten deines Werkes geschrieben? –

»... Nie wieder werde ich, trunken vor Erschöpfung, im duftenden Heu zusammensinken ... Nie wieder ein Mann ... Es ist seltsam, kein Körper mehr zu sein. Es gibt Augenblicke, da läßt diese Absonderlichkeit mich innerlich erstarren, sie hat so etwas Endgültiges ...«

Welche Gnade erspart mir die Angst vor dem »Nie wieder«, wo ich mich doch so oft in meinem Leben schon alt fühlte, fertig und verbraucht? Im Grunde habe ich nie wirklich an meine Jugend geglaubt, armes, naives kleines Mädchen, das ich war, habe so lange mit der Panik gelebt, keine Frau zu sein, mit der Angst vor den Blicken der andern – der Männer, versteht sich, denn die Frauen sind nicht »die andern«. Armes Unschuldswesen, das manchmal glaubte, die Lust an der Liebe und die Lust nach neuen Wünschen verloren zu haben ... als ob nicht jede Sehnsucht etwas Neues wäre. Eine Sehnsucht ist immer, als ob sie nie erfüllt worden wäre. Die Liebe ist jedesmal, als ob man nie geliebt hätte. Dieses junge Mädchen, das Louise hieß und sich für mich hielt, hat fünfundzwanzig Jahre gebraucht, um, wenn nicht eine Frau, so doch etwas ähnliches zu werden. Und nochmal fünfundzwanzig Jahre, um ganz langsam sie selbst zu werden. Wie sollte da jetzt die Rede von Entsagung sein?

Oft, zu oft, habe ich mir wegen meiner eingebildeten Mängel Sorgen gemacht. Heute, da ich sie kenne, lache ich darüber. Es war höchste Zeit. Aber die Zeit, wenn man sie gehörig zurechtweist, tut, was man ihr sagt. Die Zeit ist nichts, schließlich kann man sie totschlagen. Oder man tötet sich selbst.

Dreiviertel der Zeit habe ich in meinem Körper gelebt, als ob ich nicht drin wäre. DER Körper, das war der Körper des MANNES. Mein Körper war nur ein unbestimmter Raum, der darauf wartete, definiert und taxiert zu werden von dem Mann, der ihn wählen würde. Für mich würde die Liebe dann darin bestehen, in IHM aufzugehen, ER zu werden. Wie würde ich ohne Liebe überhaupt existieren können? Welchen Sinn hätte mein Leben ohne Mann? Was würde mein Körper bedeuten? Während jener Wartezeit beschränkte er sich auf einige unerklärliche Teile, die mir bisher nie vorgestellt worden waren: merkwürdige Falten und zweifelhafte Vertiefungen, wobei die Ehre, die Scham und die Würde befahlen, den Anblick dieser Organe unseren Vätern, Brüdern oder Gefährten zu ersparen, später auch unseren Liebhabern, deren Begehren, deren schönes, unwiderlegbares Begehren sonst vielleicht gedämpft würde. Und war es nicht unsere Bestimmung, dieses ihr Begehren zu befriedigen? Was mich betrifft, ich lechzte geradezu danach, mich hinzugeben, um ihm zu dienen. Empfangen, annehmen, daran hatte ich nie gedacht. Geschweige denn verlangen: lieber sterben!

Natürlich habe ich das Glück erlebt, die Ekstase der Liebe, die Fast-Ohnmacht der Lust. Wie die heilige Theresia von Ávila. Opfer, Ehrerbietung, absolute Hingabe. Ohnmacht aber bedeutet, daß man gar nicht mehr vorhanden ist. Wenn man sich nach der Heiligen Kommunion in den Abgrund der göttlichen Liebe wirft, denkt man dann daran, herumzukritteln, den Geliebten zu bitten, er möge einen lieber so als so herum lieben? Er ist herabgekommen in deinen Schoß, gelobt sei der Mann und Friede den Frauen, die keines Willens sind. O meine Seele, bete an und schweig!

Entgegen einer sehr verbreiteten Meinung wird man nicht erwachsen, indem man die Eltern umbringt, sondern indem man das Kind seiner Eltern umbringt, ein viel schwierigeres Ziel! Meine Mutter wollte eine unabhängige, intelligente, gebildete Tochter, brillant, aber auch verführerisch, kokett und fähig, Ekstase zu mimen, ohne sich selbst etwas vorzumachen – das Ganze zu dem Zweck, die Männer zu beherrschen. Nach Abschluß einer niemals aussetzenden Erziehungsprozedur, gepaart mit intensiver Mutterliebe, entließ sie ein ängstliches, vollkommen abhängiges, bis zur Lähmung jeglicher Talente bescheidenes Wesen ins Leben, ein Wesen, das sein Glück in der Unscheinbarkeit fand, das bereit war, aus Liebe alle Schmähungen und jede Herrschaft zu erdulden; ein armes Kind, unfähig, List oder Koketterie an den Tag zu legen, ein unglückliches Kind, das in grenzenlose Dankbarkeit verfiel, wenn man bereit war, es zu lieben. Letztlich ein entarteter Mensch, der ich nie hätte werden sollen. Ebenso hätte meine Mutter, das weiß ich heute, etwas anderes werden können als diese streitsüchtige, brillante, aber frigide Frau, die insgeheim frustriert war, aber allen Schwächen gegenüber hart und bestrebt, Karriere zu machen, um nicht wie alle andern im gepolsterten Grab der Ehe zu versinken. Beide waren wir Opfer, jede auf ihre Art, Opfer der gleichen Ängste, der gleichen Konventionen, der gleichen Moral. Aber beide haben wir letzten Endes unser Leben gemeistert, trotz aller Niederlagen und Irrtümer, trotz Auflehnung und Kummer, denn wir waren, denn wir sind aus dem gleichen Holz geschnitzt, auch wenn wir uns oft schroff die Stirn geboten haben, meine schöne Hermine, meine Mine, meine Mutter und ich.

2
Hermines Hochzeitsnacht

Ja, sie trug den reizvollen Namen Hermine, meine Mutter, genau wie ihre Großmutter; sie blieb sich stets treu, sie war zu keinerlei Kompromissen bereit. 1896 kam sie zur Welt, eine geborene Carteret, und am 23. Mai 1913 wurde sie Madame Adrien Morvan. Noch am selben Abend entdeckte sie »den Mann«, er offenbarte sich ihr in seiner ganzen Abscheulichkeit.

Mein Vater sieht auf den alten Fotos nicht anders aus als alle jungen Ehemänner zu jener Zeit: Mittelscheitel, dunkles Oberlippenbärtchen, stark tailliertes Jackett; er hatte einen scharf gezeichneten Mund und wirkte sehr martialisch. Wie hätte es auch anders sein können.

Die Braut, so scheint mir, ist eher bleich unter dem unerbittlich weißen Tüllschleier. Mit ihrer Nase, die so wie meine etwas zu lang geraten ist, ähnelt sie ein wenig einer bekümmert dreinschauenden Ziege, die man zu kurz angepflockt hat; ihre riesengroßen Augen sind auf den vergilbten Fotos so hell, daß man ihren Ausdruck kaum erfassen kann.

Kennengelernt hatten sich Adrien und Hermine im Eispalast. Walzertaumel kann einem unerfahrenen Körper so etwas wie Verliebtheit vortäuschen, und sie glaubte denn auch, verliebt zu sein. Im übrigen war es an der Zeit; sie hatte gerade die Schule abgeschlossen, jetzt war sie in dem Alter, sich zu verlieben. Ihre um zehn Jahre ältere Schwester Jeanne war von den Eltern bei allen denkbaren zum Zweck der Eheanbahnung vorgesehenen Anlässen in der Gesellschaft präsentiert worden, aber ohne Erfolg. Sie galt in anderen Familien bereits als abschreckendes Beispiel. Sehr jung zu heiraten wurde in der Tat als größter Erfolg gewertet, oder besser gesagt: Es war für ein Mädchen der einzig mögliche Erfolg, erweckte den Stolz der Mütter und den Neid der Freundinnen. Auf daß der Familie die Schmach einer zweiten alten Jungfer erspart bleibe, wurde Hermine mit sehr viel Nachdruck ermutigt, auf die Stimme ihres Herzens zu hören. In Wirklichkeit war allein Adrien verliebt.

Ein paar Wochen später waren sie verlobt, aber sie erhielten niemals eine Gelegenheit, ohne Begleitung miteinander auszugehen; meine Tante Jeanne wachte mit Argusaugen über ihre jüngere Schwester, um so mehr, als sie sie Zeit ihres Lebens aus tiefster Seele gehaßt hatte; nun weckte Hermines Verlobung, da sie vor ihrer eigenen stattfand, eine grenzenlose Eifersucht in ihr – die einzige Leidenschaft, die dieser mürrische und bornierte Charakter hervorzubringen imstande war. Sie versuchte alles, um die Hochzeit ihrer Schwester zu verhindern, sie ließ nichts aus, wobei sie es besonders auf jene »Prüfung« abgesehen hatte, die die Hochzeitsnacht für jedes anständige junge Mädchen darstellte. In dem Buch *Die Physiologie der Ehe* von Doktor Duqueyras, das sie in der elterlichen Bibliothek gefunden hatte, unterstrich sie die Passagen über das »schreckliche Geheimnis« und machte sich einen Spaß daraus, ihr die Geständnisse der jungen Ehefrau laut vorzulesen: »Warum kann ich in meinem Zimmer nicht immer allein sein? Hör zu, Freundin... Von Zeit zu Zeit, zu nächtlicher Stunde, überläuft mich ein Schauer, das Knarren einer Tür gibt meinem Herzen einen Stich wie mit einer kalten, stählernen Klinge... Alles in mir lehnt sich auf, ich möchte davonlaufen, mich aus dem Fenster stürzen... aber er ist mein Mann, es ist meine Pflicht, und ich habe mich zu fügen.«

»Kannst du dir das vorstellen...?« kommentierte Jeanne und beobachtete dabei aufmerksam ihre Schwester, um den Grad ihrer Erschütterung ermessen zu können. »Und dabei ist es ein Arzt, der das schreibt. Wenn du erst hören würdest, was Romanschriftstellerinnen dazu sagen! In den Büchern der Männer ist natürlich nur vom Vergnügen die Rede, aber ich werde dir *Valentia* leihen, da wirst du sehen... Der Autor ist angeblich Daniel Stern, aber in Wirklichkeit wurde es von Marie d'Agoult geschrieben.«

Und am Abend, in dem Jungmädchenzimmer, das sie miteinander teilten, im Schutz der schweren, cremefarbenen Cretonnevorhänge, auf denen rotwangige Schäfer zu Füßen gleichgültiger Schöner die Schalmei spielten, las Jeanne mit der ganzen Inbrunst ihrer verbitterten Seele der Schwester jene Passagen vor, die sie zu diesem Zweck angestrichen hatte: »Es wird unangenehme Augenblicke für dich geben, meine arme Valentia. Du mußt dich fügen ... Das Leben der Frau ist ein Leben des Leids. Ich selbst habe ein langes und qualvolles Martyrium hinter mir, Valentia ...«

»Aber es ist doch überhaupt nicht meine Art, solche Qualen widerspruchslos hinzunehmen«, unterbrach Hermine. »Ich bin sicher, daß, wenn ich Adrien erkläre ...«

»Aufrichtigkeit gehörte noch nie zu den Eigenschaften, die ein Mann an einer Frau schätzt«, erwiderte Jeanne, die auf alles eine Antwort wußte. »Sie wollen belogen werden, sie wollen falsche Geständnisse, unechte Tränen, gespielte Freude. Du wirst so tun, als wärest du glücklich, meine Liebe, so wie alle anderen.«

Trotz ihres heiteren Gemüts begann Hermine sich darüber zu beunruhigen, daß sie in den Büchern, die Jeanne ihr lieh, nichts anderes als vage und erschreckende Andeutungen vorfand, die in keiner Weise zu einer Aufklärung über das »schreckliche Geheimnis« beitrugen, von dem Doktor Duqueyras gesprochen hatte. »Ich fügte mich, bleich und mit geschlossenen Augen ... Als er sich wieder beruhigt hatte, schläfrig, gesättigt und zufrieden war, blieb ich reglos und niedergeschlagen liegen, wie zu Eis erstarrt, ohne ein Gefühl ...«

Wurden Männer denn tatsächlich zu Tieren, wenn sie erst einmal verheiratet waren? Keine der beiden Schwestern wagte es, mit ihren Fragen bezüglich dieser Lektüre zur Mutter zu gehen, denn Madame Carteret hatte nie ein Hehl daraus gemacht, daß sie nichts hielt von all diesen Romanen, deren Inhalt die Phantasie junger Mädchen erregte. Die Mütter damals unterschieden sich letztlich in nichts von jener Madame de Fryleuse, wie sie Gyp beschrieben hat:

Die Herzogin: Wirst du Bertrade warnen, vor dem, was ihr bevorsteht?

Madame de Fryleuse: Um nichts in der Welt werde ich das tun! Das ist keinesfalls Sache der Mutter!

Die Herzogin: Aber der Vater von Hauterive glaubt, Bertrade könnte erschrecken ... und sich weigern, ihren Pflichten nachzukommen ...

Madame de Fryleuse: Natürlich, sie weiß nichts von all dem, was sie nicht wissen soll, aber schließlich ist sie kerngesund ...

War es auch noch nötig, in der Hochzeitsnacht über eine gute Gesundheit zu verfügen? Am Ende wurde Fred, der Bruder von Bertrade, beauftragt, die Braut vorsichtig aufzuklären: »Mein liebes Kind, dein Mann wird wahrscheinlich Dinge von dir verlangen, die ... nun, die dich ein wenig überraschen werden. Du läßt sie geschehen. Du hast ihm zu gehorchen. Anfangs wirst du nicht sehr viel Vergnügen daran finden ...«

Hermine, die keinen älteren Bruder hatte, beschloß, Adrien zu diesem Thema zu befragen. Aber der junge Mann erhielt einfach keine Gelegenheit, ihre Ängste zu zerstreuen. Die Scheu, über Dinge des Geschlechts zu reden, das zusätzliche Hemmnis, das eine gute Erziehung in diesem Fall darstellt, und, nicht zu vergessen, das wachsame Auge der Familie, all das hatte zur Folge, daß die Verlobten bis zu ihrem Hochzeitstag von der Realität, die sie erwartete, ferngehalten wurden.

Hermine und Adrien fanden jedoch kaum Zeit, sich den ersten Gefühlsverwirrungen hinzugeben: Die Aussteuer mußte vervollständigt, der Ehevertrag ausgehandelt werden, und auch die Vorbereitungen der Feier selbst nahmen sie voll in Anspruch; zahlreiche Besorgungen waren zu machen, Kosten mußten errechnet und sonstiger bürgerlicher Kleinkram bewältigt werden, wodurch jegliches Gefühl von Romantik und etwaige Anwandlungen von erahnter Sinneslust schon im Keim erstickt wurden.

Es gab einige wenige Abende, an denen sich Hermines Eltern mit besonders auffälliger Diskretion zurückzogen, »um das junge Paar für einen Augenblick allein zu lassen«. Die Tür blieb dabei rein zufällig angelehnt. Der Vater gab vor, in seinem Arbeitszimmer Unterlagen einsehen zu müssen und machte sich durch lautes Hüsteln bemerkbar; oder es waren aus dem Gang überdeutlich die Schritte der Mutter zu hören, als wolle sie ihren Standort genau bestimmbar machen. Das alles lähmte Adrien so sehr, daß er keine dieser Gelegenheiten zu nutzen wußte, und sei es auch nur, um Hermine an sich zu drücken und endlich einmal zu entdecken, wie sich ihre Brüste anfühlten. Erst als Monsieur oder Madame Carteret wieder auftauchten, fand er den Mut, sich ganz dicht neben seine Verlobte zu setzen, ihre Hand zu nehmen und sie endlos in der seinen zu kneten. Die Liebe dieser beiden Menschen schien sich auf ihre ineinander verschränkten Finger zu konzentrieren und ihren Ausdruck einzig in einer sehr bald unangenehmen Feuchtigkeit zu finden, der keiner von beiden sich dadurch zu entziehen wagte, daß er als erster seine Hand aus der Umklammerung löste.

Hermines schlimme Ahnungen sollten erst am Abend vor der Trauung konkrete Formen annehmen, als sie ihre Mutter beim Herrichten des Brautbettes überraschte. In der kleinen Wohnung, Rue de Courcelles, wo das junge Paar die erste Nacht vor der Abreise nach Venedig verbringen sollte, sah sie mit Erstaunen, wie Madame Carteret sorgfältig eine rosafarbene Gummi-Unterlage an den vier Ecken der Matratze befestigte.

»Glaubst du vielleicht, ich mache vor lauter Ergriffenheit ins Bett?« scherzte sie.

»Nein, meine Kleine, aber Blut gibt Flecken, das weißt du doch. Und die gehen sehr schlecht raus.«

»Aber ich bin doch nicht unpäßlich, Mama!«

»Darum geht es gar nicht, Hermine. Gerade wollte ich mit dir darüber sprechen ... Jeanne hat dir nichts gesagt? Auch nicht deine Freundin Louise?«

Noch hatte Madame Carteret einen schwachen Hoffnungsschimmer, um eine Erklärung jener seltsamen Vorgänge, die sie selbst nie richtig verstanden hatte, herumzukommen.

»Aber Mama, du kennst doch Jeanne. Alles sieht sie in den düstersten Farben! Sie würde sonstwas erfinden, nur um mir Angst zu machen. Sie sagt, wenn man nicht gezwungen wäre zu heiraten, damit man Kinder bekommen kann, dann würde sie nie und nimmer ihr Bett mit einem Mann teilen.«

»Dazu müßte sich erst einmal ein Mann finden, der sie darum bittet«, bemerkte Madame Carteret. »Und Louise? Sie ist doch verheiratet; sie scheint glücklich zu sein, und sie ist deine beste Freundin ... Hat sie dir nie ihre Geheimnisse anvertraut?«

»Ach ja, Lou, aber du weißt doch, daß wir uns sehr selten sehen, seitdem sie verheiratet ist. Robert ist ja auch so alt! Allein bei dem Gedanken, daß er mit seinem grauen Bart in Lous Gesicht herumfährt und daß sie diese Borsten im Mund hat, wenn er sie küßt, da bekomm' ich schon eine Gänsehaut.«

»Auf was für Ideen du kommst, mein Kind! Wie dem auch sei, hör nicht auf deine Schwester. Es gibt überhaupt keinen Grund, Angst zu haben. Junge Mädchen, vor allem die schon etwas reiferen wie unsere arme Jeanne, glauben, in der Hochzeitsnacht passieren Gott weiß was für Sachen, in jeder Beziehung. Es ist weder ein so entsetzliches noch ein so wunderbares Erlebnis, wie immer wieder behauptet wird. Und wenn man sich liebt und wenn der junge Mann einfühlsam ist – und das ist Adrien, davon bin ich überzeugt –, dann geht letzten Endes alles glatt, du wirst sehen.«

»Aber Mama, du hast etwas von Blut gesagt. Woher kommt denn dieses Blut? Man könnte meinen, du richtest ein Opferbett her!«

»Das Blut, das ist ganz natürlich beim ersten Mal«, antwortete Madame Carteret und machte sich am Schrank zu schaffen, um ihrer Tochter dabei nicht ins Gesicht sehen zu müssen. »Glaub mir, es ist weiter nichts. Alle Frauen müssen den gleichen Weg gehen, wenn sie Mütter werden wollen. Laß es einfach geschehen, und alles wird in Ordnung sein.«

Einfach geschehen lassen! Fängt ja gut an, die Ehe! Hermine, gerade sie, war keineswegs der Mensch, der alles über sich ergehen ließ. Der Anblick ihrer Mutter, die nichts anderes mehr war als das schwache Spiegelbild ihres Mannes und ihm in blinder Treue ergeben, die jeden eigenen Gedanken unterdrückte und diese geistige Hörigkeit mit der ruhigen Gewißheit der Pflichterfüllung ertrug, hatte ihr zumindest über eines Gewißheit verschafft: Sie, Hermine, würde sich nicht mit Haut und Haaren von der Ehe verschlingen lassen, so wie ihre Mutter und noch vor ihr die Mutter ihrer Mutter es getan hatten. Madame Carteret glaubte nicht daran, daß man die Welt verändern könnte, wohl aber empfand sie die unerschütterliche Gesundheit der Männer im allgemeinen und die ihres Mannes im besonderen als eine Zumutung. Die Männer hatten nun einmal, das war allgemein bekannt, bedauerlicherweise gewisse starke Triebe; meine Großmutter hatte sich bald damit abgefunden, auf Kommando ihr Nachthemd hochzustreifen und höflich auf das erleichterte und zufriedene Grunzen ihres Mannes zu warten, den sicheren Hinweis, daß er endlich am Ziel seiner Wünsche angelangt war. Weder über ihre Pflichten im Bett noch über ihre Pflichten im Haushalt hat sie sich je beklagt, hat niemals den geringsten Überdruß erkennen lassen. Es muß ihr am Ende sogar gelungen sein, eine gewisse Rührung über dieses immer erneut aufbrechende Animalische im Manne zu empfinden; aus einigen Bemerkungen ihrer Freundinnen konnte sie schließen, daß das wohl ganz allgemein in der Natur des Mannes lag. Wenn Emile gesättigt und zufrieden war und auf ihr liegend einschlief wie ein Säugling an der Brust der Mutter, begann sie zu überlegen, mit wieviel Tagen Schonzeit sie nun aller Wahrscheinlichkeit nach rechnen durfte, und vielleicht, da immerhin eine Spur von verschwommener Erregung in ihr sein mochte, ja vielleicht schloß sie dann ihren Emile in die Arme mit so etwas wie Verlangen, das er jedoch niemals bewußt erfuhr. Er hatte ein für allemal beschlossen, daß seine Frau offensichtlich nicht sinnlich war und daß es so sehr viel besser sei, denn es war eine altbekannte Tatsache: Frauen mit ausgeprägter Fleischeslust sind schlechte Hausfrauen.

Wie sollte man unter diesen Umständen der eigenen Tochter jenes tierische Etwas beschreiben, das der Verlobte in der Hose versteckt und das er durch galante Worte zu überspielen versucht, um erst am Hochzeitsabend das Geheimnis zu enthüllen, dann, wenn es für ein Zurück bereits zu spät ist. Auch verfügte Madame Carteret über keine Vokabel für jenes Etwas, die ihr nicht als zu obszön oder zu abstoßend erschien, und überhaupt handelte es sich hierbei um eine Sache, die mit Worten einfach nicht beschrieben werden konnte, nicht wahr?

»Denk nicht mehr an die ganze Angelegenheit«, sagte sie fröhlich zu ihrer Tochter. »Laß die Natur zu Worte kommen. Freu dich lieber auf das schöne Fest, das dir zu Ehren stattfinden wird.«

Hermine gab auf. Jeanne hatte recht: Ihre Mutter war nichts anderes als eine Madame de Fryleuse, ein Kind in den Händen ihres Mannes und eines Gottes, dessen Absichten ihr nach einem Leben voll Frömmigkeit ebenso unerforschlich wie anbetungswürdig geblieben waren. Aber sie schwor sich: Für sie würde der Braut-Altar nicht zum Opfertisch, ihr Blut würde nicht auf einer Gummi-Unterlage vergossen werden. Im übrigen war es unvorstellbar, daß ein schüchterner junger Mann, der so verliebt war wie Adrien, sie je verletzen könnte.

Als sich Hermine und Adrien mit einemmal ganz allein in ihrer nagelneuen Wohnung befanden, wurden sie alle beide von Panik ergriffen. Ihre Familien, die ihnen niemals erlaubt hatten, miteinander allein zu sein, ließen sie plötzlich einfach im Stich, ohne Gebrauchsanweisung vor einem Bett, dessen Decke bereits zurückgeschlagen war. Wenn man genauer darüber nachdachte: eine Taktlosigkeit!

Adrien, der bisher nur zwei oder drei Mädchen gekannt hatte (während seiner Militärdienstzeit), rekapitulierte fieberhaft die Ratschläge seines Beichtvaters, Jesuitenpaters Heines, der ihm dringend geraten hatte, vor allem nichts zu überstürzen beim Vollziehen des »Aktes«, wie er es nannte. Vor dem Akt: schöne Worte zurechtlegen, viele schöne Worte. Sehr oft sagen: »Wie schön du bist!« – für Frauen ein wahres Sesam-öffne-dich, hatte er behauptet. So schnell wie möglich das Deckenlicht löschen und nur eine kleine Nachttischlampe brennen lassen. Zärtlich, aber entschlossen die Initiative ergreifen, besonders beim Auskleiden der Braut, um ihr zu zeigen, daß sie sich in den zärtlichen, aber sicheren Händen geborgen fühlen könne. Sie immer wieder beruhigen während der ganzen langsamen Vorprozedur, hin und wieder innehalten, psychologische Pausen einlegen gewissermaßen, mehr oder weniger ausgedehnte Pausen, je nach Temperament der jungen Frau.

»Du weißt, wie sehr ich dich liebe, mein Liebling«, flüsterte Adrien, mehr um sich Mut zu machen. »So lange hab' ich auf diesen Moment warten müssen. Hab keine Angst, ich möchte dich endlich entdecken. Komm, sage jetzt nichts, laß es geschehen . . .«

Wie es die Mutter vorausgesagt hatte, fast die gleichen Worte! Unwillkürlich verkrampfte Hermine sich, aber Adrien streichelte sie behutsam, machte tausend Umwege, bevor seine Hände sich zu ihren winzigen Brüsten vorgetastet hatten und sie endlich umschlossen. Als Hermine sich der gewaltigen Kluft bewußt wurde, die zwischen einem flüchtigen Kuß irgendwo im Hausflur und einem langsamen Aufeinanderzugehen von zwei Menschen liegt, die die ganze Nacht und das ganze Leben vor sich haben, wurde sie von einem Gefühl erfaßt, das neue Wege in ihr eröffnete. Adrien bemühte sich inzwischen, so zufällig wie nur möglich die zwölf Knöpfe an der Bluse seiner Frau zu öffnen, und seine nostalgischen Gedanken bewegten sich in Richtung Orient. Dort gab es Frauen ohne Schnüre und Knopfleisten, ihre Rundungen verbargen sich unter Schleiern, die sich von selbst öffneten ... Zu seiner großen Erleichterung verkündete seine Frau, daß sie sich allein ausziehen würde, nebenan im Badezimmer.

Zunächst einmal wollte sie unbedingt das traumhafte Nachthemd vorführen, das eigens für diesen Zweck angeschafft worden war. Adrien rechnete sich bereits aus, welche weiteren Anstrengungen es ihn kosten würde, dieses neue Hindernis zu überwinden, und er verfluchte seine Unfähigkeit, einfach über sie herzufallen oder zumindest mit Hilfe sanfter Gewalt schneller zum Ziel zu kommen. Er versuchte sich auszumalen, wie wohl der Held eines Romans an seiner Stelle vorgehen würde: Leidenschaftlich, aber erfahren mußte er wirken, die Überzeugungskraft seiner Lippen würde jeden Widerstand im Keim ersticken, flinke Finger würden sich des Korsetts annehmen, schließlich würde er seine Frau besiegen, indem er sich über betörend weiße Röcke hinabtastete, um die geheimsten Stellen zu liebkosen, jedoch ohne zu drängen, denn junge Mädchen müssen alles erst erlernen, sogar das Verlangen nach dem Verlangen.

Hermine war eine ganze Weile unschlüssig hinter der Badezimmertür gestanden und hatte sich nicht ins Zimmer zurückgewagt. Es wollte ihr einfach nicht gelingen, sich nun halb nackt, nur mit einem Nachthemd bekleidet, einem Mann zu zeigen, der bisher nicht einmal ihre Beine gesehen hatte; sie empfand diese Situation keineswegs als natürlich. Schließlich beschloß sie, ihre Spitzenhose wieder anzuziehen, und fühlte sich gleich um einiges sicherer.

Von ihrem Wiedereintreten wurde Adrien in dem Augenblick überrascht, als er gerade sein seitlich geschlitztes, mit einer Borte aus rotem Kreuzstich besetztes Nachthemd hervorziehen wollte, das er unter der Bettdecke versteckt hatte. Er hielt es für unschicklich, das Kleidungsstück schon jetzt herzuzeigen. Es ging darum, den Ablauf dieses Abends als eine Reihe von plötzlichen, unwiderstehlichen Einfällen darzustellen, während er doch nur eine lange Folge von Gewohnheits-Nächten einleitete, die mit dem Segen der Kirche, der Gesellschaft und dem der Kaufhäuser, aus denen die Aussteuer stammte, bedacht worden war.

Hermine erschien ihm unwiderstehlich in ihrem langen, cremefarbenen Nachthemd, und einen Moment lang bedauerte es

Adrien, daß Männer ohne ein solches Paradestück zu ihrem ersten Degenstoß antreten mußten. Im Augenblick stand er hüllenlos vor ihr, nackt, wie die Natur ihn geschaffen hatte, und Hermine machte aus ihrer Überraschung, ihn in dieser eigenartigen Montur zu sehen, kein Hehl. Obwohl jeder weiß, daß es, wenn man heiratet, wohl früher oder später zu einer Begegnung mit der Nacktheit des anderen kommen wird, kann sich den Schock, den diese Blöße bewirkt, kein Mensch im voraus ausmalen. Sie erkannte ihren Verlobten förmlich nicht mehr. Über diesem mit einem Mal so auffälligen Körper mit der nackten Haut, ohne die vertrauten Kleidungsstücke, war selbst sein Kopf vollkommen verändert. Er war nicht mehr der junge Mann aus gutem Hause, sondern ähnelte einem Barbaren, der im Begriff war, sein Opfer an den Haaren ins Bett zu zerren. Wie magisch angezogen, glitt ihr Blick schnell an ihm herab, über das dichte schwarze Gestrüpp zwischen seinen Schenkeln hinweg, nach unten. Mein Gott, wie behaart so ein Mann doch war! An der Stelle, wo sich der süße, kleine Piepmatz hätte befinden müssen, der ihr vertraut war, weil sie ihn oft fröhlich hatte auf- und niederhüpfen lassen, wenn sie ihren kleinen Bruder badete, genau dort stieß sie auf ein überdimensionales Monstrum. Ihre Augen wurden immer größer: Dieser männliche Körper, der ihr ohnehin schon genug Angst machte, war überdies noch mit einem absolut extravaganten Fortsatz ausgestattet. Ganz bestimmt hatte Jeanne so etwas noch nie gesehen! Der Piepmatz konnte, wie schon der Name sagte – und einen anderen Namen kannte sie nicht –, doch nicht mehr sein als ein süßes, hin- und herpendelndes Schwänzchen und nicht solch ein längliches Ding, rotgeädert und dick geschwollen, das von allein aufrecht stand und nicht zu Adriens Körper zu gehören schien. So etwas hatte bestimmt nicht jeder Mann, das hätte sich herumgesprochen. Und dann, wie sollten sie das wohl in der Hose unterbringen? Nein, das war eine Abnormität, ähnlich wie bei Cyrano. Oder ein Abszeß. Natürlich. Es konnte nur ein Abszeß sein. Armer Adrien! Und das am Tag seiner Hochzeit!

Adrien war ihrem Blick gefolgt. Er versuchte ihr zu erklären, daß ... aber er fand weder die richtigen Worte, noch eine Geste, um ihr verständlich zu machen, daß diese Schwellung ein Zeichen von Liebe war. Zunächst einmal war es wohl das wichtigste, die ganze Geschichte möglichst schnell unter seinem riesigen Nachthemd zu verstecken.

Hermine hatte sich inzwischen etwas beruhigt; die ungeheuerliche Vermutung, die sie in Angst und Schrecken versetzt hatte, erschien ihr plötzlich so unfaßbar, daß sie sich nicht länger von ihr beeindrucken ließ. Sie schmiegte sich an ihren Mann; aber der unmittelbare Kontakt mit dem zweifelhaften Objekt, das er in diesem Augenblick sehr nachdrücklich gegen ihren Körper preßte, weckte erneut ihr Mitgefühl.

»Sag mal, tut dir das nicht weh?« fragte sie ihn zärtlich.

»Weißt du, Hermine«, setzte er zu einer Erklärung an; das umstrittene Objekt war jedoch bereits in Auflösung begriffen, so daß die Notwendigkeit einer Erklärung hinwegschmolz wie Schnee in der Sonne.

Adrien hielt es für das Vernünftigste, noch einmal bei Null anzufangen, aber Hermine wurde von einem nervösen Lachanfall erfaßt, der ihrem Partner endgültig den Mut nahm.

»Entschuldige bitte«, konnte sie endlich, noch immer nach Luft ringend, zwischen zwei Lachsalven herausbringen. Das Gelächter wirkte außerordentlich befreiend auf sie, denn die seltsame, namenlose Angst war seit dem Gespräch mit ihrer Mutter nicht von ihr gewichen. »Weißt du, ich wurde immer schon von solchen Heiterkeitsausbrüchen geplagt, sogar in der Schule.«

»Ich hoffe, ich habe nichts von einem Lehrer an mir«, rechtfertigte sich Adrien und überlegte, wie eine Situation gemeistert werden konnte, die in seinem Handbuch *Der christliche Bräutigam* von Pater Linars nirgendwo vorgesehen war.

Hermine antwortete mit einem Kuß. In Wirklichkeit erhofften sich beide einen Aufschub. Schließlich war es bisher zwischen ihnen noch kaum zu einer richtigen Umarmung gekommen. Nie hatte einer dem anderen etwas über sich erzählt, ihm etwas zugeflüstert in der warmen, intimen Atmosphäre eines Bettes. Das war doch wider die Natur, einer jungen Braut einfach ihre Kleider über den Kopf zu ziehen und in ihr tiefstes Inneres ein Ding hineinzuschieben, das sie bis zu diesem Zeitpunkt noch nie zu Gesicht bekommen hatte! Sie bescherten einander eine Nacht voller köstlicher Zärtlichkeiten, was zur Folge hatte, daß sich Madame Carteret, als sie am nächsten Morgen das strahlende Gesicht ihrer Tochter sah, leicht angewidert die Frage stellte, ob

Hermine vielleicht zu jenen Frauen gehörte, die man als »sinnlich« bezeichnete.

In Venedig, wo sie nur eine Woche verbrachten, nahmen die Anstrengungen der Reise, die Streifzüge durch die Museen, die Begeisterung über die plötzliche Freiheit zu zweit sie so in Anspruch, daß sie am Abend vollkommen erschöpft in ihr eheliches Bett fielen. Adrien begnügte sich mit zärtlicher Vorarbeit und beglückwünschte sich zu seiner Geduld und dem wachsenden Vertrauen seiner Frau.

Kaum waren sie jedoch von der Hochzeitsreise zurückgekehrt, hielt es mein guter Vater, ein gewissenhafter, vernunftbetonter Wissenschaftler, für seine Pflicht und Schuldigkeit, die Dinge nun ernsthaft anzupacken. »Die intime Vereinigung zwischen Mann und Frau kann nicht gleich von Anfang an vollzogen werden«, hieß es in seinem Handbuch. »In höchstem Maße töricht handelt jedoch derjenige, der auf eine formelle Zustimmung wartet.« Anstatt die äußeren Merkmale seiner Männlichkeit weiterhin zu verbergen und Hermine allmählich zu zähmen – durch Liebkosungen, die ihr mit einer fast beunruhigenden Selbstverständlichkeit vollkommen zu genügen schienen –, änderte er nun seine Taktik.

Da die Ratschläge von Pater Linars keinerlei Wirkung zeigten, fragte er nun seinen älteren Bruder um Rat, einen forschen Schürzenjäger, der ebenfalls im väterlichen Betrieb tätig war (Präparieren von Tieren, wissenschaftliches Material) und der die Meinung vertrat, daß junge Bräute vor vollendete Tatsachen zu stellen seien, insbesondere deswegen, weil bei ihnen selten Anzeichen spontaner Bereitschaft zur »Begattung« – so nannte es dieser Zoologe – erkennbar seien.

Als sich mein zukünftiger Vater zum zweiten Mal klar zum Gefecht, das heißt das Gewehr im Anschlag, seiner Frau präsentierte, da war ihr nicht im mindesten mehr zum Lachen zumute. Wozu sollte dieses mächtige Ding nur dienen, mit dem sie hier erneut konfrontiert wurde? Irgendwie schwante ihr, daß sich hier jene »Prüfung« anbahnte, von der Jeanne gesprochen hatte; gerührt über Adriens Geduld beschloß sie, sich nicht weiter zu wehren, sondern der Dinge zu harren, die da kommen würden. Mein armer Vater hielt den Augenblick ihrer Kapitulation für gekommen, und ohne sich diesmal bei längeren Vorspielen aufzuhalten, drängte er sich in einer Art, die leidenschaftlich wirken sollte, die sie jedoch für brutal hielt, zwischen ihre Schenkel, ergriff ihre Arme, hielt sie weit vom Körper entfernt fest, um jede Gegenwehr so von vornherein unmöglich zu machen, und erkämpfte sich schließlich die günstigste Position, um »von seiner Gefährtin Besitz zu ergreifen«, wie es im Handbuch hieß. Zu langes Warten und zu viele Mißerfolge ließen ihn wohl mit einer gewissen Roheit handeln, jedenfalls wurde das Entsetzen in Hermines Augen immer größer. Nun war es über ihr, das Ungeheuer, vor dem ihre Mutter und die Klosterschwestern sie gewarnt hatten. Anstelle des jungen Mannes mit dem bittenden, flehenden Blick, sah sie einen widerwärtigen Satyr mit verbissenem Mund, stierem Blick und einer über die Stirn herabfallenden Haarsträhne; überdies schien er noch vom Veitstanz besessen und schickte sich an, sie mit Hilfe seines mächtigen Pfahles zu durchbohren. Zum Teufel, was sollte das alles? Wollte er sie denn umbringen?

»Hör auf, du tust mir weh«, rief sie, doch er schien sie gar nicht zu hören. Um keinen Preis der Welt wäre sie dazu imstande gewesen, Adrien so zu quälen. Mit welchem Recht fügte er ihr diese Schmerzen zu und diese Erniedrigung? Da fiel ihr wieder ein, was Jeanne ihr einmal gesagt hatte: »Es gibt nur eine einzige Sache, die sie an den Frauen interessiert, du wirst früh genug dahinterkommen.«

Sie kämpfte verzweifelt, um diesen frenetischen Stößen zu entkommen, und es war ein langer Kampf auf dem verwüsteten Bett. Adrien hatte sehr wohl bemerkt, daß es nun an der Zeit war, direkt auf sein Ziel zuzusteuern, wenn er sich die Zukunft nicht selbst verbauen wollte. Und dann, ganz plötzlich, erfaßten ihn Ärger und die Wut der Enttäuschung. Widerfuhr anderen Männern auch solche Ungnade? Er löste seine Arme, mit denen er sie umklammert hatte, so, als würde er die Tür eines Käfigs öffnen. Mit zerzausten Haaren, zitternd vor Empörung, lief Hermine ins Bad, wo sie lange Zeit auf dem Bidet verbrachte und mit frischem Wasser versuchte, die Schmerzen an ihrer intimsten Stelle etwas zu lindern.

Monate vergingen, ohne daß es zu irgendwelchen spürbaren Veränderungen auf dem Kriegsschauplatz gekommen wäre. Hermine war zu keinerlei Zugeständnissen bereit, und Adrien hoffte noch immer, daß sich ihm nach einem noch traulicheren Abend, einem noch gehaltvolleren Wein und einem noch zärtlicheren Vorspiel in der intimen Atmosphäre ihres Schlafzimmers endlich die Gelegenheit bieten würde, seine Frau ganz zu erobern; aber er eroberte nur einige Vorposten, immer die gleichen, und das führte zu nichts.

Es fiel ihm schwer, diese Enthaltsamkeit zu ertragen, aber dafür wurde er immer verliebter. Das Unerreichbare hat schon immer große Anziehungskraft ausgeübt, und letztlich ordnete sich Adrien in die Reihe jener Ritter aus höfischer Zeit ein, die sich endlosen Bewährungsproben unterziehen mußten, bevor die Dame ihres Herzens sie erhörte. Mein Vater war, solange ich mich erinnern kann, meiner Mutter gegenüber stets liebevoll und aufmerksam: Er bemühte sich, zu gefallen und brannte darauf, ihr zu dienen. Nie war es eine Frage der Gewohnheit oder der Pflicht, daß er meine Mutter liebte, nein, er blieb sein ganzes Leben lang hoffnungslos in sie verliebt.

Er war ein stiller, verschlossener Mann, der mit seinen Büchern lebte und nur wenige Freunde besaß. War es ihm, der alles gelesen hatte, wohl ein Trost, festzustellen, daß der große Michelet ein ähnliches Schicksal erlebt hatte? Wußte er, daß es bei Jules und dessen geliebter Athénaïs mehr als ein Jahr gedauert hatte, bis die Ehe tatsächlich vollzogen wurde? Genau wie Athénaïs, so führte auch Hermine für ihre Verweigerung physiologische Gründe ins Feld, irgendein körperliches Hindernis, wovon sich Adrien auch hatte überzeugen lassen. Nur hatte Michelet nicht fünf Jahre lang gewartet. Er wollte seine Frau nicht durch eine ärztliche Untersuchung demütigen, er zog es vor, sich in einer Bibliothek anhand von Bildtafeln über die Anatomie der Frau zu informieren. Dort entdeckte er mit nahezu sakralen Empfindungen das »innere Bildnis« der Frau, die er anbetete: »Die Gebärmutter, ihre zarte, so eindeutig überirdische Form und alles, was sie umgibt: Eileiter, Eierstöcke, Scheidengewölbe, einzigartig gestaltet, zart und zerbrechlich, anbetungswürdig ... O süßes, heiliges, göttliches Geheimnis.« Er, Michelet, kam zu demselben Schluß wie Doktor Duqueyras, nämlich daß es sich um ein Geheimnis der Schöpfung handelte; daher beschloß er, sich mit einem großen Maß an Liebe und Geduld zu wappnen. Mein Vater tat das gleiche, nur waren seine Liebe und seine Geduld noch um einiges umfassender. Denn Hermine war noch weniger als Athénaïs bereit, sich zu fügen, sie sah jeder Nacht mit düsteren Erwartungen entgegen. Für sie wurde das eheliche Schlafgemach zu einer Kampfstätte, und jede hier gezeigte Schwäche kam ihr vor wie eine Kapitulation. Allein der Wortschatz auf diesem Gebiet, war das nicht Hinweis genug? Man sprach doch von Sturmangriff, Unterwerfung, Sieg? Zwei Jahrhunderte nach der Prinzessin von Clèves stellten das »Sich-Verweigern« und das »Sublimieren« noch immer eine ehrbare Lösung dar, und der Mythos von der unberührten Frau, der Lilien-Frau, hatte vor allem deshalb ein so zähes Leben, weil die Männer selbst es waren, die dazu beitrugen, ihn zu erhalten; schließlich gab es für sie immer die Möglichkeit, ihre kleinen und größeren Lüste anderweitig zu befriedigen. Hermine, die Leidenschaften weckte, ohne sie zu befriedigen, genoß es durchaus, hofiert zu werden, entdeckte sehr bald den Reiz der Koketterie und den Triumph der Verweigerung.

Um den Spötteleien seines Bruders ein Ende zu machen, benahm sich Adrien so, als hätte er sein Ziel erreicht. Dies wäre jedoch nur unter Anwendung von Gewalt möglich gewesen, wozu er sich aus Achtung vor seiner Frau außerstande sah. »Ich bitte dich, gib dich hin«, beschwor er sie mitunter. Hingeben, was denn hingeben? Sie hatte ihm doch ihre Lippen geboten, ihre Brust, ihr blondgelocktes Vlies, das er oft zärtlich liebkoste, ohne zu wagen es zu öffnen – übrigens wußte er genausowenig wie sie selbst, was unter diesen geschlossenen Lippen verborgen lag, und was sie möglicherweise beide hätte retten können.

Bei Tag, als wenn das natürliche Hindernis der Kleidung ihr eine Sicherheit geboten hätte, fühlte Hermine in den Armen ihres Mannes ihre Abwehr schwinden, und es wäre nicht mehr als ein wenig Geschicklichkeit nötig gewesen, um ihr Verlangen zu wecken. Kaum war jedoch der Abend gekommen, genügte allein der Anblick des Bettes und das damit verbundene bedrohliche Herannahen von Handlungen, die, wie stets, in einer Sackgasse enden würden, um in Hermine eine gespannte Abwehrhaltung zu erzeugen, die Adrien schier verzweifeln ließ; er schämte sich, diesen schmalen, fast knabenhaften Körper mit Gewalt verfügbar zu machen. Man sprach doch in diesem Zusammenhang von einer »Schmach« – wen sollte es da noch wundern, daß sie sich erniedrigt fühlte?

Die Mobilmachung am 2. August 1914 brachte zumindest den Vorteil mit sich, daß die Aufmerksamkeit auf wichtigere Dinge gelenkt wurde. Darüber hinaus verlieh sie Adrien den Nimbus des Vaterlandsverteidigers, den Glorienschein des Helden: Vielleicht würde das den Ausschlag geben und Hermine endlich zu einer Sinnesänderung bewegen.

Adrien Morvan war wegen eines rheumatischen Herzleidens vorläufig zurückgestellt worden. Er meldete sich jedoch freiwillig und rückte am 7. August 1914 als Soldat zweiter Klasse ins 28. Infanterie-Regiment in Evreux ein. Ende August wurden die ersten Soldaten zur Verstärkung in die Kampfgebiete geschickt, und er kam an die Front, in die Nähe von Laon.

Seine Frau war aufrichtig bekümmert und weinte, aber sie blieb Jungfrau. Nach einem Jahr vergeblicher Liebesmühe in einem Klima steigender Nervosität war sie überzeugt, daß das Hindernis physiologischer Natur war. Adrien tat ihr leid.

Er zog in den Kampf, die Blume am Gewehr, die Liebe im Herzen, aber dieses Herz bewahrte ein Geheimnis, das keiner von beiden einem anderen Menschen zu offenbaren gewagt hatte.

3
Die zwei Freundinnen

Hermine schien vorauszuahnen, daß das Alleinsein und die Freiheit Glücksfälle sind, die sich im Leben einer Frau nur selten einstellen; und wenn, dann zu spät. Sie war noch keine zwanzig, aber klug genug, nicht ins Haus ihrer Eltern zurückzukehren. Immerhin würde ihr dieser Krieg zumindest eine zweite Chance bieten, ihre Jugend zu leben, jenen kostbaren Lebensabschnitt, in dem noch nichts verloren, in dem noch kein Weg endgültig verschlossen ist; andererseits galt dieser Zwischenzustand von jeher als kompliziert und gefährlich für eine junge Frau. Hermine hatte in der Tat schon als kleines Mädchen Verhaltensweisen gezeigt, die in höchstem Maße besorgniserregend waren. »Ich will nicht, daß aus meiner Tochter ein Halb-Kastrat wird«, hatte Emile Carteret kategorisch erklärt, als Hermine verkündete, sie fühle die zwingende Berufung zur Operetten-Sängerin.

Es gab die allergrößten Schwierigkeiten, sie von der Musik überhaupt abzubringen. Welche Möglichkeiten würden sich einem Mädchen denn bieten, abgesehen von Klavierstunden, mit denen sich bereits Jeanne ihr Jungfern-Dasein ausfüllte? Hinzu kam, daß für unreife, ein wenig »nervöse« Menschen – so bezeichnete Doktor Duqueyras die etwas eigenwilligen jungen Mädchen in seiner *Physiologie der Ehe,* in der Madame Carteret öfters Rat suchte, wenn es um Erziehungsfragen ging – »Musik die Gefahr birgt, sie in einen Strom von Gefühlen und äußerst gefährlichen Beziehungen hineinzuziehen«.

Da jede Art von kaufmännischer Betätigung für eine Frau in diesen bürgerlichen Kreisen ebenso ausgeschlossen war, blieb nur noch die Malerei übrig, über die der Familien-Ratgeber zu sagen wußte, daß sie »das Nervensystem beruhigt und die innere Heiterkeit sowie die Neigung zu einem zurückgezogenen Leben weniger stört«. Und noch ein Vorteil: Man konnte die Malerei als eine künstlerische Betätigung betrachten, die man ganz inoffiziell, aus Freude an der Sache, betreibt und deren Erzeugnisse nur im engsten Familienkreis bekannt werden. Hermine, die schon einmal an einer privaten Kunstschule eine Zeitlang im Zeichnen unterrichtet worden war, erhielt also die Erlaubnis, diesen Unterricht fortzusetzen.

Und weil auch das Alleinsein für eine so junge Frau als eine eher unschickliche Lebensform betrachtet wurde, ermutigten die Eltern sie, zu ihrer Freundin Louise zu ziehen, die ebenfalls plötzlich ganz für sich war in der riesigen Wohnung ihres Mannes, eines Notars, der als Oberst der Artillerie Dienst leisten mußte.

Lou war zwei Jahre älter als ihre Freundin, und nur ihr grenzenloser Egoismus in Verbindung mit einer unerbittlichen Oberflächlichkeit hatte es ihr ermöglicht, zehn Jahre Klosterschule und vier Jahre Ehe schadlos zu überstehen. Diese Ehe war eine reine Vernunftehe, denn der Notar war bereits ein alter, nicht einmal mehr lüsterner Mann, dessen Gesicht ein behaartes Feuermal zierte, von dem das ganze Auge bis hinunter zur Wange umrahmt wurde und das ihm im Profil das Aussehen eines borstigen Keilers verlieh.

Ihre dunklen, an den Schläfen gekräuselten Haare trug Lou zu einem dicken Zopf geflochten, der fast bis zum Rocksaum herabfiel; ihr Teint erinnerte an den einer Kreolin; die wachen Augen waren tiefschwarz und glänzend, der Blick wirkte zugleich ironisch und verschreckt, wie bei einem Eichhörnchen; ihre Taille war unglaublich schlank, und ihre derbe Ausdrucksweise klang manchmal sehr erstaunlich für ein anständiges junges Mädchen. All das machte Lou zu einem Wesen, das den Kriterien ihres Milieus, ihres Geschlechts und denen jeglicher Logik zuwiderlief. Sie bewegte sich durchs Leben mit der Anmut einer undressierbaren Katze, einer Heidin, die sich in die Welt der Erbsünde verirrt hat. Gleichgültig, aber auch leidenschaftlich, wild und doch verletzbar, obszön, aber mit einer gewissen Unschuld – sie faszinierte jeden, und die Männer sahen in ihr den Inbegriff alles Weiblichen.

Als einzige Tochter einer mittellosen Witwe hatte sie mit sechzehn Jahren der Heirat mit dem schon überreifen Notar zugestimmt, und es war ihr sogar gelungen, jegliche Ansteckung zu vermeiden, und sei es die durch seine Spermatozoiden. Sie zu schwängern hatte er nie geschafft, und schon begann er die Investition zu bereuen, die er durch die Verehelichung mit einem jungen Schoß zu tätigen geglaubt hatte. Noch immer war ihm kein Erbe beschert worden, obwohl er sich nun schon seit mehreren Jahren einmal wöchentlich darum bemühte.

Keine der beiden jungen Frauen hätte geglaubt, daß man so glücklich leben könnte: weder bei Tag noch bei Nacht standen sie jetzt unter der Fuchtel eines Oberschullehrers von Ehemann. Der Bericht über die Hochzeitsnacht ihrer Freundin verblüffte Lou maßlos. Wen sollte sie mehr bewundern, Adrien, weil er nicht mit Gewalt vorgegangen war, oder Hermine, weil sie ihm widerstanden hatte? Sie selbst hatte den Kampf in den frühen Morgenstunden aufgegeben, wie die Ziege von Monsieur Seguin, und darüber hinaus hatte sie, weil sie gut erzogen war, so getan, als würde ihr die ganze Sache Freude machen – wenn man zum Essen eingeladen wird, sagt man hinterher ja auch nicht, es sei ungenießbar gewesen. Aber es gab noch einen Grund: Schließlich hatten alle ihre frischverheirateten Freundinnen die gleiche hochbeglückte Miene an den Tag gelegt. Warum auch nicht? Sinnloses Aufbegehren gegen Dinge, die nicht zu ändern sind, verursacht mit Sicherheit größeren Schmerz. Jedenfalls entdeckten die beiden Freundinnen bald, daß eine Ehe ohne Ehemann so etwas wie einen Idealzustand darstellt. Für Lou war Hermine die Verkörperung einer noch interessanteren Variante: einer Ehe, die nicht vollzogen worden war!

Der Wegfall der häuslichen und ehelichen Pflichten, die man ihnen als den schönsten und wichtigsten Sinn ihres Daseins eingeredet hatte, zwang sie, sich nach neuen Beschäftigungen umzusehen. Ganz selbstverständlich wurden ihre Kindheitsträume wieder lebendig und mit ihnen die Zukunftspläne, die von ihren Eltern auch eine Zeitlang zum Schein unterstützt worden waren, denn damals hatte noch kein Grund bestanden, sie ernstzunehmen. Die Eltern hatten genau gewußt, daß sich diese Anwandlungen von Talent, diese weiblichen Ambitionen am Tag der Hochzeit ganz von selbst auflösen würden, daß sie erstickt würden von tödlich sanfter Liebe und Geborgenheit, um eines höheren Zieles willen: der Mutterschaft.

Nun waren die Männer weitab vom Schuß, Hermine und Lou

hatten keine Kinder, und schon hieß ihre Bestimmung nicht mehr Léon und auch nicht Adrien. Lou schloß alle persönlichen Dinge Léons mit gleichgültiger Miene in das Arbeitszimmer ein, in dem der Notar die meiste Zeit seines Lebens verbracht hatte, und verwandelte den großen Salon in ein Atelier. Hermine stellte dort ihre Staffeleien auf, während Lou mit Hilfe ihrer Mutter, die seit dem Tod ihres Mannes als Näherin arbeitete, damit begann, für ihre Freundinnen Kleider zuzuschneiden und zu nähen. Gemeinsam genossen sie eine Unabhängigkeit, die sie sich nie hätten träumen lassen, und beide waren überglücklich, problemlos miteinander leben zu können, denn keine machte der anderen den Rang streitig, es gab keine Zwänge; ihre Leben waren sanft miteinander verstrickt, aber die Maschen waren zart und locker.

Unter Frauen kann es vorkommen, daß sie die Bedeutung von Zärtlichkeit nicht rechtzeitig erkennen. In jenem Winter war es sehr kalt, und Lou schlug Hermine vor, mit ihr das Zimmer zu teilen, um Kohle zu sparen.

In dem großen Ehebett, das am Kopfende mit prunkvollen Schnitzereien versehen war, tauschten sie unter nicht endenwollendem Gekicher Geheimnisse aus, genau wie früher im Mädchenpensionat, und stellten fest, daß die Ehe sie eigentlich kaum verändert hatte. Lou war im Grunde nicht weniger jungfräulich als Hermine. Beide waren auf Grund ihrer tadellosen Erziehung überzeugt davon, daß sie ihre vollkommene Entfaltung nicht im Bett finden würden, sondern erst in der Mutterschaft; also hielten sie sich nicht für unglücklich. Es kommt mitunter vor, daß man nicht glauben kann, was man fühlt. Sie wagten kaum, sich die unerklärliche Erleichterung einzugestehen, die sie beide verspürten, seit Léon und Adrien im Krieg waren. Die zaghaften Vorstöße Adriens, seine bisweilen auch etwas heftigeren Attacken und das gelegentlich unmäßige Verhalten des Notars, alles hatte die jeweilige Frau völlig kalt gelassen. Hermine hatte Schuldgefühle; Lou dagegen betrachtete sich als Opfer, denn weder die Familien, durch die ihre Ehe in die Wege geleitet worden war, noch den Pfarrer, der seinen Segen dazu gegeben hatte, auch nicht den alten Arzt, der sich schon von frühester Kindheit an um Lou gekümmert hatte und der vorgab, sie zu lieben wie ein Vater, keinen hatte es gestört, daß ein junges Mädchen von sechzehn Jahren einem Sechzigjährigen ausgeliefert wurde; ihre erste Bekanntschaft mit der Liebe hatte sie also mit einem häßlichen alten Mann gemacht, der ihr Großvater hätte sein können, einer Jammergestalt, und es sah ganz so aus, als würde ihr nie das Glück beschieden sein, die Liebe in den Armen eines jungen Mannes zu erleben.

Trotzdem hatten sie nie daran gedacht, die Liebe in den Armen einer Frau zu suchen. Waren selbst durch den Ritus der Hochzeit geweihte Männerhände denn nicht tausendmal bedrängender, gewaltverheißender, als die Hände einer Frau?

Eigentlich war Lou von Natur aus ein sehr gefühlsbetonter Mensch, aber in ihrer Ehe hatte sie nie Gelegenheit gehabt, irgendwelche sinnlichen Empfindungen aufkommen zu lassen; ihre Gefühle lagen brach, und so war es nicht verwunderlich, daß sie als erste anfing, Erregung zu spüren. Bis zu diesem Zeitpunkt war das, was man als Liebe zu bezeichnen pflegte, eine Handlung, die vom übrigen Tagesablauf vollkommen abgegrenzt wurde. Sie fand statt zu bestimmten Zeiten, bei gedämpftem Licht, und sie war an einen bestimmten Ort gebunden; es wurden Blicke ausgetauscht, die ebenso zum Zeremoniell gehörten wie bestimmte Bewegungsabläufe. Zwischen den beiden Frauen trat das genaue Gegenteil ein: die Kontinuität bestimmte ihr Leben. Alles ging ineinander über, ein gemeinsamer Tag führte zu einer gemeinsamen Nacht, aus Zärtlichkeit wurden Liebkosungen, und nach der Arbeit folgte der gemeinsame Zeitvertreib. Es waren keine speziellen Worte nötig, es mußte keine bestimmte Atmosphäre geschaffen werden, und so erschien ihnen alles ganz natürlich.

»Kann man denn je mit einem Mann zu einer solchen Harmonie gelangen?« fragte sich Lou, für die ein Ehemann nur ein alter, griesgrämiger Mensch war, der von Zeit zu Zeit im Schutz der Dunkelheit ein häßliches kleines Tier hervorholte, das er bei Tag jedoch niemals erwähnte. Nun entdeckte sie plötzlich, gemeinsam mit Hermine, daß es nicht zwei Welten gab, sondern nur eine einzige, und daß alles schön sein konnte.

Und so trieben sie ihre kleinen Liebesspiele, ohne sich dessen wirklich bewußt zu sein. Was hatte diese sanfte, zärtliche Erforschung der Körper gemein mit dem brutalen Eindringen, das Lous Meinung nach für jeden Mann das höchste Ziel der Ehe war?

In meiner Fantasie stelle ich mir die beiden so vor, wie ich sie von einem Foto her kenne: Hand in Hand auf einem halbmondförmigen, gestreiften Sofa sitzend; die Dunkelhaarige mit einem runden Kragen und einem Jabot aus gepunktetem Taft, meine blonde Mama mit Pagenkopf: In aller Unschuld entdeckten sie die Kunst, zu lieben und sich gegenseitig Freude zu machen. Keine von beiden zweifelte übrigens auch nur im geringsten daran, daß diese Episode nicht mehr als eben ein kleines Zwischenspiel war und daß sie nach dem Krieg zum wahren Leben zurückfinden würden. Sie hatten keinen Augenblick lang das Gefühl, ihre Männer zu betrügen: Von ihnen hatten sie nie ähnliches bekommen, von ihnen hatten sie so etwas auch nie verlangt. Es war Krieg; und wie alle Menschen lebten sie in einem Ausnahmezustand.

Die Karten und Briefe von der Front kamen in unregelmäßigen Abständen. Sie verliehen den Männern eine Aura von Heldenhaftigkeit, die sie in den Augen ihrer Frauen irgendwie begehrenswert erscheinen ließen, um so mehr, als Hermine und Lou nach und nach vergaßen, was die Liebe gewesen war.

Die Briefe des Notars waren – wie sollte es anders sein – Notarbriefe. Adrien schickte seiner Frau die Tagebuchaufzeichnungen über sein Leben als Infanterist; wenn die beiden Freundinnen sie abends gemeinsam lasen, fanden sie sich immer wieder bestätigt in ihrer Meinung, daß Krieg ein absurdes und blutiges Unternehmen sei, dessen Akteure töteten und selbst getötet wurden, ohne zu wissen, warum. Adriens Briefe endeten stets mit dem gleichen Satz: »Ich schließe Dich in die Arme, mein Liebling, mit der ganzen Kraft meiner Liebe.«

Am 7. August 1914 war Adrien eingerückt, am 17. September wurde er in Loivre unweit von Reims verwundet. Eine Woche darauf holte sich der ältere Bruder, der heißblütige Schürzenjäger, in der Champagne für immer kalte Füße.

Der tägliche Lagebericht meines Vaters, den Hermine aufbewahrt hat, sieht ihm sehr ähnlich: kurz und bündig, verschämt, unbeholfen; er lehnte jegliche Lyrik und jegliche Selbstgefälligkeit ab; aber er war auch ein begeisterter Soldat, der, wie so viele Soldaten zu Beginn des Ersten Weltkriegs, die Deutschen, die »boches«, gründlich haßte.

Hatte er sich freiwillig gemeldet, um jener unhaltbaren Situation mit Hermine ein Ende zu machen? Ich bin überzeugt davon, daß dem nicht so war. Er war verliebt in sie. Er war immer verliebt, egal, ob sie ihm die Treue hielt oder ihn betrog, egal, ob sie sich kokett gab oder verführerisch, ob sie ihm feindselig oder liebevoll gegenüberstand, ob sie jung war oder alt, ob sie zu auffallend geschminkt oder auffallend häßlich war – und, unter uns gesagt, das war sie am Morgen für uns alle, wenn sie aufstand, und sie wußte es auch: den Kopf voller Lockenwickler, eingehüllt in einen alten Morgenrock undefinierbarer Farbe, dessen Kragen von dem Hautöl glänzte, mit dem sie sich immer den Körper einrieb.

Hatte er denn keine Augen im Kopf? Aus seinem Mund habe ich niemals ein Wort der Kritik vernommen, nein, im Gegenteil, sie war es, die ständig an ihm herumnörgelte:

»Du kriegst einen Bauch, Adilein; ich werde dich auf Diät setzen.«

»Halt dich gerade, Adilein, ich möchte mich nicht eines Tages mit einem Buckligen verheiratet sehen!«

»Hör endlich auf zu rauchen wie ein Schlot, Adrien, du stinkst wie ein alter Aschenbecher!«

Adrien schien diese kleinen Standpauken seiner Frau für besondere Aufmerksamkeit und Liebesbezeugungen zu halten.

Nein, es war keine Flucht vor seinem Eheproblem, er tat es für Frankreich, für Elsaß-Lothringen. Das allein war der Grund, weshalb mein Vater mit zweiundzwanzig Jahren als einfacher Soldat in den Krieg zog und sich zur Infanterie meldete, der »Königin aller Schlachten«, wie er sagte, der dumme kleine Gefreite. Der »Königin der Blutbäder«, ja. Genauso wie es in seinen Aufzeichnungen steht, wo er in seiner kleinen, zierlichen Schrift über das tägliche Leben des einfachen Soldaten berichtet, der den furchtbarsten aller Kriege miterlebt, ohne ihn wirklich wahrzunehmen, jederzeit bereit, sich töten zu lassen, der nur vom schlechten Essen, vom Oberst und von den Schnürstiefeln spricht, in denen er sich die Füße wundläuft, und der, wenn einmal von seinem »lieben kleinen Weib« die Rede ist, nur die Worte von Maurice Chevalier findet.

»Ankunft in Evreux am 11. August, Unterbringung im ehemaligen Kloster der Ursulinen. Jeder bekommt eine Hose aus blauem Tuch, ähnlich wie sie die Gärtner tragen, sie wird über die rote Hose drübergezogen. Meine Frau kam, um mir Adieu zu sagen, denn wir rücken aus, zur Verstärkung an die Front. Ich habe Schwierigkeiten, den Hügel zum Bahnhof hinaufzukommen mit meinem Sturmgepäck und dem Rucksack, den Hermine mit Socken, Taschentüchern und allerlei Vorräten vollgestopft hat. Mein armes kleines Mädchen weint. Der Bahnsteig ist schwarz von Menschen: Trauer auf den Gesichtern unserer Frauen. Freude und Hoffnung in unseren Herzen, die die Gefahr nicht fürchten.«

Wußte denn mein Herr Vater in seinem jugendlichen Heroenleichtsinn, daß er in Gemeinschaft mit einer Million ahnungsloser Franzosen gegen eine Million sechshunderttausend ahnungslose Deutsche vorrückte, zu kommenden Schlachten in Ackerschollen und dreckigen Gräben? War ihm bekannt, daß der »Feind« Luxemburg bereits eingenommen und Belgien besetzt hatte und daß es für diese beiden Länder bereits das Ende einer Welt bedeutete, wenn nicht den Untergang der Welt?

Wußte er, daß am 31. August, genau zu dem Zeitpunkt, als seine Kompanie gerade ihre Stellung bezog und noch kein einziger Schuß gefallen war, die wie vom Teufel besessenen Soldaten der Gegenseite mit Kriegsgeheul die Oise überschritten hatten und bereits ins Herz Frankreichs vorgestoßen waren? Die berüchtigten Rumpler-Tauben flogen über Paris, um Bomben abzuwerfen und Flugblätter, in denen die Bevölkerung aufgefordert wurde, sich zu ergeben. Die Regierung hatte Paris verlassen und war nach Bordeaux gegangen. Ein einziger Monat hatte genügt, schon standen die Deutschen vor den Toren der Hauptstadt. Ein Alptraum kommt selten allein! Indessen sang mein Vater noch immer die *Marseillaise* und wunderte sich, daß ihm ständig Truppenteile begegneten, die in die andere Richtung marschierten!

»Man könnte tatsächlich den Eindruck haben, das dritte Korps befände sich auf einem panikartigen Rückzug. Eine Zuaventruppe kommt uns entgegen, in weißen Pluderhosen, dunkelblauen Jacken, den roten Fez auf dem Kopf, ihnen folgen algerische Schützen, Soldaten des 224. Infanterie-Regiments, dann einige von Kugeln durchlöcherte Krankenwagen. Ein führungsloser Haufen, so scheint es. Ständiges Kanonengedonner. Wir aber setzen unseren Marsch fort, die ganze Nacht hindurch, ohne zu wissen wohin. Ein Oberleutnant vom 28. berichtet, er sei einer der letzten überlebenden Offiziere. Es wird gemunkelt, ein General sei vor das Kriegsgericht gestellt und standrechtlich erschossen worden. Ein wüstes Durcheinander überall, Disziplinlosigkeit und Erschöpfung. Jetzt verdienen wir es wirklich, geschlagen zu werden.«

Lou und Hermine, die *L'Intransigeant* und *L'Illustration* lesen konnten, waren sehr viel besser informiert als Adrien auf dem Kriegsschauplatz. Sie gewöhnten sich auch an die makabren Formulierungen der Berichte von der Front. Es war die Sprache der Angst, für die kommenden vier Jahre sollte sie zur Alltagssprache werden. »Die Schlacht von Sarrebourg ist als verloren anzusehen. Das 15., 16. und 20. französische Armee-Korps sind aufgerieben worden.«

»Ein aufgeriebenes Armee-Korps entspricht der Vernichtung von wie vielen männlichen Körpern?« – so fragten sie sich, umgeben von den sicheren vier Wänden ihres Boudoirs, in dessen leicht süßlicher Atmosphäre jede Schreckensnachricht unwirklich wurde.

Innerhalb kürzester Zeit hatte mein lieber Vater jeglichen Glauben an den Sieg, ja sogar den Glauben an das Leben verloren, er, der noch vor einem Monat voller Begeisterung und voller Hoffnung zu den Fahnen geeilt war. Worin nur war die Ursache dafür zu suchen, daß er so schnell den Mut verlor? Auch später, seiner Frau gegenüber, zeigte sich bei ihm immer wieder dieser Hang zur Resignation. Hatte es mit jener uneingestandenen Niederlage der ersten Ehejahre zu tun? Ich glaube, daß es ihm nie gelang, sie zu »besitzen« und daß ihm dieser Mißerfolg ein ganzes Leben lang nachhing.

»Ich, für meinen Teil, ziehe jetzt mit der Überzeugung ins Gefecht, dort mein Leben zu lassen. Zehn Tage ohne Verpflegung, der Mangel an Schlaf und vor allem der Mangel an klaren Befehlen haben uns zermürbt. Der Sieg, der mir so sicher erschien, ist fragwürdig geworden. Disziplin und Pflichterfüllung sind bei den meisten meiner Kameraden nicht vorhanden.«

»Gestern hab' ich in einem Geschäft ein paar trockene Kekse kaufen können, während Oberleutnant Desormeaux sein Pferd beschlagen ließ. Es gibt nur noch ein halbes Kommißbrot pro Mann und Tag.«

Aber siehe da, in dem Augenblick, wo gekämpft wird, ist Adrien wieder ganz der alte:

»Das 24. Infanterie-Regiment ist mit uns für das Gefecht zusammengefaßt worden. Die Männer sehen zum Fürchten aus, abgemagert, zerlumpt und völlig abgestumpft. Wir überschreiten die Marne auf der Hängebrücke bei Dormans, während die Pioniertruppe beginnt, sie zu verminen; unsere Aufgabe ist es, die Brücke so lange zu sichern, bis das 10. Korps, das wir am anderen Ufer den Hang herunterkommen sehen, sie passiert hat. Um uns herum detonieren Granaten, die vier harten Schläge unserer Fünfundsiebziger, aber auch die Schrapnelle der Boches. Ich habe keinerlei Angstgefühle, ja ich empfinde sogar Freude, tiefe Freude. Noch habe ich niemanden von uns fallen sehen, der Krieg bleibt unwirklich. Ganz anders die Müdigkeit. Meine Füße sind in einem entsetzlichen Zustand. Das Blut dringt allmählich durch die Stiefel. Mein Gepäck ist verlorengegangen, und ich hab' nichts zum Wechseln. Den ganzen Tag nichts gegessen und nichts getrunken. Total erschöpft von einem langen Marsch nach Süden, Richtung Seine.«

Armer kleiner Soldat, der die meiste Zeit mit Marschieren verbringen muß, einmal nach Süden, einmal nach Norden, je nachdem, wie der Befehl lautet, über bestellte Felder, das zukünftige »Feld der Ehre« für die gefallenen Helden der Schlacht an der Marne, das bald getränkt sein wird mit dem Blut von siebenhunderttausend Soldaten; ein kleiner Teil dieses Blutes wird von Adrien Morvan sein. Noch aber ist es nicht soweit; noch spielt er Krieg wie ein kleines Kind, das dieses Spiel schon zu oft gespielt hat, um es tragisch zu nehmen.

Sonntag, 5. September

»Endlich haben wir unsere Stellung bezogen und sind gefechtsbereit. Um uns herum ein schreckliches Getöse. Ein dumpfer Knall, das ist der Abschuß der Granate, ein peitschendes Pfeifen, kurz darauf der Einschlag hinter den feindlichen Linien. Einfach großartig. Bei uns kein Schaden, keine Verluste. Ich hatte Zeit, in einen Bauernhof zu gehen und eine Kuh zu melken: in meinen Trinkbecher – gar nicht so einfach!

Die Boches, die unsere Jäger gegen sie anstürmen sehen, schießen wie verrückt, aber sie treffen nicht. Es ist schon etwas Tolles, so ein Kampf, es knallt an allen Ecken und Enden, bei uns herrscht Hochstimmung. Endlich tut sich was, wir kämpfen!

Unsere Jäger kommen zurück, sie bringen Lanzen von Ulanen mit und Brot, das sie ihnen abgenommen haben. Es lebe die Offensive! Angeblich haben wir einen Keil in die deutschen Reihen getrieben. Dubonnet klettert aus seinem Graben heraus, um im dichten Kugelhagel sein Geschäft zu verrichten. Klappt vorzüglich. Applaus für ihn.

Das Gefecht hat sich zu unserem Vorteil entschieden, wir haben unsere Stellung gehalten. Die ganze Nacht über war das Geknatter der Maschinengewehre zu hören.«

Zu Hause, in den sicheren vier Wänden, lief Lou und Hermine jedesmal ein kalter Schauer über den Rücken, wenn sie in ihren Illustrierten auf eine der Heldengeschichten stießen, die mit den eigentlichen Frontberichten keineswegs übereinstimmten. »Auf Übermüdung und Mangel an Verpflegung kann im Augenblick keine Rücksicht mehr genommen werden«, hatte General Maunoury der VI. Armee in Ecouen soeben erklärt. »Jede Einheit, die nicht mehr vorrücken kann, muß von jetzt an eher bereit sein zu sterben, als den Rückzug anzutreten« – so lautete der Befehl von General Joffre am Morgen einer Schlacht, von der das Schicksal von Paris und damit das Frankreichs abhing. Und die beiden jungen Frauen fragten sich, wie Millionen hungriger Adriens, durch deren Schuhe das Blut drang, diese heroisch kämpfende französische Armee bilden konnten, der man mit der größten Selbstverständlichkeit der Welt befahl, entweder zu stürmen oder zu sterben.

Meinem Vater gelang es, das eine wie das andere zu vermeiden – dank einer Befehlsverweigerung, die ihm jedoch eine lobende Erwähnung im Tagesbefehl des 28. Infanterieregiments einbringen sollte und im übrigen sein Leben rettete – und damit auch das meine.

»Während wir uns stärken, wird unser Fest von einem deutschen Angriff gestört: Kugeln pfeifen uns um die Ohren. Oberleutnant Mouton wird verletzt. Brunot, der Chef der Kompanie, erhält Befehl vom Oberst, daß wir entlang der Uferböschung in Deckung gehen, den Rückzug aber erst dann antreten dürfen, wenn die Stellung unhaltbar wird. Der Befehl wird sogleich ausgeführt. Es knallt von allen Seiten, aber die Gefahr ist nicht sehr groß. Schon eine knappe Stunde später jedoch erklärt Brunot die Stellung für »unhaltbar« und gibt Befehl, den Rückzug anzutreten. Ich mache ihm gegenüber geltend, daß ich die Stellung nicht für unhaltbar halte und daß ich folglich bleiben werde. Ménard, mein Zugführer, ist derselben Meinung wie ich und verkündet, auch er werde bleiben. Die anderen nennen uns Trottel, aber das macht uns nichts aus, wir bleiben.

Im gleichen Augenblick bemerke ich auf der anderen Seite des Kanals Infanteristen, die ununterbrochen drauflosballern. Ich sage zu Ménard: ›Was ist, geh'n wir's an? Ich hab' Lust zu schießen.‹ Schließlich waren wir nicht hierhergekommen, um ein Mittagsschläfchen im Grünen zu halten. Als ich mich näher herangeschlichen habe, entdecke ich ein paar Boches genau in Reichweite meiner Knarre, die ich ohnehin gerade in Anschlag gebracht hatte. Ich gebe eine Reihe von Schüssen ab. Ich glaub', ich hab' meinen ersten Deutschen abgeschossen. Ich ging als erster, aufrecht wie in der Schützenlinie, Ellbogen in Schulterhöhe, da verspüre ich plötzlich einen stechenden Schmerz im Arm — er schien von hinten her verursacht. Ich beginne meinen Kameraden zu beschimpfen: ›Du blöder Hund, du hast mir einen Schuß in den Ellbogen verpaßt!‹

›Spinnst du‹, antwortet er, ›das kommt von drüben!‹

Ich versuche noch einen Schuß abzugeben, aber mein rechter Arm versagt den Dienst. Ich bin wütend. Ménard ist gezwungen, mich nach hinten zu bringen, wo mich der Major notdürftig verbindet und mich dann in das Lazarett nach Saint-Maixent bringen läßt, das von Ordensschwestern geführt wird. Ich hatte einen zermatschten Ellbogen und konnte den Arm nicht mehr ausstrecken. Die Kugel war natürlich von vorn gekommen und hatte den Arm durchschlagen, dabei den Ellbogen-Nerv verletzt und Ellbogenhöcker und Oberarmknochen zersplittert, wie sich später auf dem Röntgenbild herausstellen sollte.«

Mein Vater konnte nie mehr wieder an die Front zurück, was ihn sehr betrübte. Von jetzt ab hielt er sich für einen Drückeberger und sah keinen Grund mehr, sein Tagebuch fortzuführen; er beschränkte sich auf eine abschließende Zusammenfassung, indem er den Wortlaut einer Eintragung in seinem Militärpaß zitierte, die ihn insgeheim sehr glücklich machte, davon bin ich überzeugt, deren pompöse Lyrismen ihm jedoch in keiner Weise zu dem, was er erlebt hatte, zu passen schienen:

»Ausgezeichneter Soldat, in den Tagen zwischen dem 1. und

dem 17. September ein Beispiel für Initiative und Mut. Wurde schwer verwundet bei dem Versuch, einem zahlenmäßig weit überlegenen Feind heftigen Widerstand zu leisten.«

Eigentlich, so sagte er, habe er nichts anderes getan, als sich einem Befehl zu widersetzen.

Für Adrien gab es niemals eine »unhaltbare Stellung«. Auch nicht gegenüber Hermine; er blieb auf seinem Posten, sein ganzes Leben lang – ihrer beider Leben lang, denn es sollte bei beiden innerhalb derselben Woche zu Ende gehen: Meine Mutter folgte ihm nach drei Tagen ins Grab, so als ob sie, ausnahmsweise, seinem Ruf einmal Folge geleistet hätte.

Ende Oktober kam er auf Genesungsurlaub nach Paris. Seine Hand blieb steif, sein Arm im Ellbogen rechtwinklig gebeugt, aber, als hoffte er noch immer, an die Front zurückkehren zu können, er zwang sich zwecks Wiedererlangung seiner Beweglichkeit dazu, an seinem kaputten Arm einen Eimer zu tragen, den er durch tägliches Hinzugeben einer gewissen Menge Sand allmählich schwerer machte.

Er hatte viele seiner Kameraden fallen sehen, und auch sein Bruder war gerade erst umgekommen, nachdem er zwei Tage lang in einem schlammigen Erdloch mit dem Tod gerungen hatte. Es sah ganz so aus, als würde dieser Krieg noch eine ganze Weile andauern. Die weibliche Welt, die sich Hermine und Lou geschaffen hatten, erschien ihm wie ein friedlicher, sanfter Zufluchtsort, und ohne jeden Argwohn betrachtete er die zärtliche Beziehung der beiden Frauen. Erschöpft von der Genesung, gab Adrien sehr bald seine nächtlichen Kämpfe mit Hermine auf. Sie hätte übrigens sofort und auf der Stelle nachgegeben bei dem Gedanken, er könnte sterben, ohne seine Frau »besessen« zu haben; aber sie war ernsthaft überzeugt davon, daß sie sich vorher einer Operation unterziehen mußte. In den Monaten des regnerischen Winters, als die Schlachten im Argonnerwald und in der Champagne stattfanden, war ihr die Lächerlichkeit ihres Widerstandes durchaus bewußt. Sie weinte in den Armen ihres Mannes und versprach ihm, einen Facharzt zu konsultieren.

Da Adrien von nun an für die Infanterie untauglich war, ging er im Januar in die Gegend des Artois, um dort die Reserveoffiziersschule der motorisierten Einsatztruppe zu absolvieren.

In Paris, wo man sich über das Schicksal »unseres Lieblingsehemannes«, wie Lou ihn nannte, keine Sorgen mehr zu machen brauchte, kehrten die beiden Freundinnen mit uneingestandener Erleichterung zu ihrem Leben und ihrem gemeinsamen Schlafzimmer zurück. Lou stellte eine Näherin und ein Lehrmädchen ein, und das Geschäft begann zu laufen. Hermine verkaufte ihr erstes Bild.

4
Lous Briefe

Es war der 7. Juni 1915, als Léon Bourgeois-Gavignot auf einem Abhang bei Quennevières auf eine Mine trat.
»Am 6. Juni kam es zwischen den beiden Flüssen Oise und Aisne zu schweren Gefechten zwischen der französischen und der deutschen Artillerie«, hieß es im offiziellen täglichen Bulletin.
Am 7. waren die Franzosen um einhundert Meter vorgerückt und hatten zwei Bauernhöfe zurückerobert.
Am 8. meldete man viertausend Tote und ebenso viele Verwundete »für etwas, das letztlich nicht mehr als der Versuch eines Durchbruchs war«.
Erst einige Tage später wurde Lou davon in Kenntnis gesetzt, daß sich auch ihr Mann unter den viertausend Verwundeten des unsinnigen Durchbruchversuchs befand.
Léon hatte die Detonation der Mine zwar überlebt, aber sein rechtes Bein war zerfetzt worden, und sein Bauch hatte etliche Splitter abbekommen; darüber hinaus hatte er Atembeschwerden – in Ypres war bei den Angriffen zum ersten Mal Giftgas eingesetzt worden. Eine Katastrophe, in jeder Hinsicht. Lou konnte einem leidtun: Ihre Geschäfte waren gut angelaufen, und sie wollte gerade eine Boutique eröffnen. Hermine hatte sich auf Porträts spezialisiert und malte in Gefangenschaft geratene Ehemänner, Gefallene und Vermißte nach fotografischen Vorlagen. Sie verdienten Geld und wurden sich nach und nach bewußt, wie sehr sie aneinander hingen und wie schwierig es sein würde, wieder mit einem Mann zu leben.
Was diese Liebe wirklich für sie bedeutete, das wurde mir erst Jahre später klar, als ich die Truhe aus geflochtener Weide öffnete, die mir Hermine lange vor ihrem Tod anvertraut hatte. Was wollte sie vor ihrem Adrien verbergen? Er wußte wohl im gro-

ßen und ganzen Bescheid, aber es war ihm lieber, nicht zu wissen, daß er etwas wußte. In der Truhe befanden sich in buntem Durcheinander Lous erste Kleider, Dinge, deren Geschichte ich nie erfahren werde, ihr in rotes Saffianleder gebundenes Tagebuch mit der schönen steilen Schrift. Diese Schrift hatte sie während des Krieges von einem Tag auf den anderen angenommen, als ob die zierliche, schräge Schrift, die zur Uniform der religiösen Mädchen-Pensionate gehörte, eine ihr aufgezwungene Maske gewesen wäre, wie die marineblaue Pelerine und die bürgerliche Moral. Und schließlich die Briefe, alle Briefe. Die von vor 1914: *Liebe Mama, Meine liebe Kleine, Liebe Schwester,* drei blasse und einander ähnliche Handschriften. Während des Krieges dann die verrückten Briefe von Lou. Danach auch Briefe von Männern, von Künstlern, Schriftstellern, die sie geliebt hatten, einige von ihnen mit großer Leidenschaft. Vor Frigidität hatte offensichtlich keiner Angst. Eher war das Gegenteil der Fall. Auch einige Antwortschreiben waren darunter, für die sich Hermine die Mühe gemacht hatte, sie erst einmal aufzusetzen; diese Konzepte hatte sie sorgfältig aufbewahrt, denn, wie wir alle, träumte auch sie davon zu schreiben. Der Schlüssel zu ihrem Geheimnis waren für mich die Briefe von Lou, Hunderte von Briefen, über Jahre hinweg, ein ganzes Leben lang. Briefe, die beweisen, daß das, was Adrien lieber für eine leidenschaftliche Freundschaft hielt, nichts anderes war als Liebe, die einzige wahre Liebe, glaube ich, die meine Hermine je empfunden hat.

Ich war auch so ein Unschuldslamm. Das Wort »lesbisch«, das erst sehr viel später einmal in meiner Gegenwart fiel, paßte meiner Meinung nach zu untersetzten, lauten Frauen mit kurzgeschnittenen Haaren und Ponyfransen, die dunkle Nadelstreifenkostüme trugen, darunter seidene Hemdblusen, dazu plumpe Sportschuhe. Keines dieser für meine Begriffe typischen Merkmale war auf meine Mutter anwendbar. Sie trug hochhackige Pumps, haßte jede Art von sportlicher Betätigung, konnte nicht Auto fahren und maß der Verehrung von männlicher Seite größten Wert bei. Ebenso Lou, die sich aufputzte wie ein weiblicher Sultan und die uns immer wieder erzählte, wie sie diesen Idioten von Z betrog und den Trottel X verrückt machte.

Mit Sicherheit hat Adrien der Realität niemals ins Auge gesehen. Er betete Lou an: Sie war vom gleichen Sternzeichen, Skorpion, und sie gehörte zu den wenigen Menschen, die ihn zum Lachen bringen konnten. Er nahm sie nie ernst, selbst dann nicht, als sie eine Menge Geld verdiente, und zweifellos hielt er es auch nicht für notwendig, Gefühlen zwischen zwei Frauen irgendeine Bedeutung beizumessen.

Die erste Frau, die von Lou eingekleidet wurde, so wie kleine Mädchen mit ihren Puppen spielen, das war meine Mutter. Es machte Lou so viel Freude, daß sie den Rest ihres Lebens damit verbrachte, Kleider zu entwerfen, Kleider, deren einziger Sinn und Zweck darin lag, die Männer zu verführen, herauszufordern, zu betrügen und verrückt zu machen; und sie liebte die Männer auch nur dann, wenn sie verrückt waren, verführt, herausgefordert und betrogen.

Das ganze Leben hindurch verstand sie es, ihre Umwelt nach ihren Vorstellungen zu formen; es gelang ihr, das Gefühl für sogenannten bürgerlichen Anstand, zu dem sie unfähig war, als scheinheilig oder idiotisch abzutun. Schlechtes Gewissen kannte sie nicht; sie war frei von allen gesellschaftlichen Moralvorstellungen, wie sie frei war in ihren intimen Beziehungen. Ihr eiserner Wille, sich nur um die Dinge zu kümmern, die sie interessierten, verschaffte ihr Bewunderung und Anerkennung.

Mitten im Krieg wagte sie es, sich ganz offen über den Chauvinismus zu mokieren, über den Patriotismus, überhaupt über jeden -ismus. Wohl hätte sie sich nur im Linksradikalismus gefühlt, denn der bringt es fertig, unsere Gewißheiten über den Haufen zu werfen. Ohne Zweifel war es ein ganz merkwürdiges, modernes Gefühl, das sie mit Hermine verband: eine ziemlich perfekte Form der Liebe, die sehr wahrscheinlich nur zwischen Frauen möglich ist.

1. Juli 1915

»Ich kann mich einfach nicht an Schmerzen und Leiden gewöhnen, meine süße kleine Ratte. Ich möchte mit Dir und mit meinem Hund Ubu auf dem Mond sein. In diesem Krankenhaus der hunderttausend Leiden ist alles tragisch und dumm. Welch sinnloses Gemetzel! Würden die Männer mit ebensoviel Begeisterung und dem Wunsch zu töten losziehen, wenn sie vorher erst einmal für eine Woche, nur für eine Woche, ein solches Lazarett erleben müßten?

Léon hat sehr viel Blut verloren und fühlt sich sehr schwach. Er leidet entsetzlich und stöhnt ununterbrochen. Die Verbrennungen in der Lunge sind nicht so schwerwiegend, aber die Wunden an seinem Bein haben sich entzündet. Möglicherweise muß man es ihm abnehmen.

Täglich kommen ganze Züge mit neuen Verwundeten an. Und in den Straßen von Verdun sieht man junge Mädchen, Krankenschwestern in Weiß oder Bräute in Zivilkleidung, die verwundete Soldaten am Arm oder in kleinen Wagen spazierenführen. Sie wirken eher stolz als unglücklich. Mit einem Mann an seiner Seite, der noch unversehrt ist, erntet man nur feindselige Blicke. Jetzt beginnt für die Frauen der Krieg: Ihr Ruhm und ihre Ehre besteht darin, einen eigenen schönen Krüppel zu besitzen, ein ganzes Leben lang. Wer aber verleiht ihnen dafür das Verdienstkreuz?«

5. Juli 1915

»Léons Zustand ist unverändert schlecht. Er leidet Tag und Nacht. Aber da jeder leidet, tröstet man sich damit, daß es anderen noch schlechter geht. Es gibt immer noch größeres Leid. Die mit den Gesichtsverletzungen im Raum nebenan verfolgen mich noch im Traum. Ein ganzer Saal voll junger Männer, die entsetzlich leiden und stöhnen, ich hätte nie gedacht, daß das so unerträglich sein kann. Einige von ihnen weinen, wenn sie noch Augen haben, um zu weinen. Die wenigsten haben ihre Angehörigen um sich; nur die Anwesenheit der Krankenschwestern hilft ihnen, ihren Lebenswillen zu erhalten. Was mich betrifft, so weiß ich jetzt, daß ich mir die Mühe, mich in Krankenpflege ausbilden zu lassen, sparen kann: Ich wäre gar nicht in der Lage, so viel Leid um mich herum zu ertragen. Ich muß ein Ungeheuer an Egoismus sein. Na und, was kann man schon dagegen tun? Es ist so wie mit der griechischen Nase: Man hat sie oder man hat sie nicht. Ein jeder hier tut unter heldenmütiger Aufopferung seine Pflicht. Du aber kennst meine Einstellung zu Heldentum, Du weißt, wie ich es hasse.

Léon erscheint mir als der Älteste von allen hier im Saal, mit seinem ungepflegten Bart, den grauen Haaren auf seiner Brust und den fiebrig glänzenden Augen. Ich wurde gefragt, ob ich meinen Vater pflege! Die anderen sind meist junge Burschen in meinem

Alter. Einige haben Augen wie waidwunde Tiere, so schön! Leiden macht entweder schön oder widerwärtig, ein Mittelding gibt es nicht. Ich möchte sie am liebsten alle in meine Arme schließen. Aber ich muß in der Nähe von Léons Bett bleiben, ihm Frontberichte vorlesen, damit er sich am Tod der anderen aufrichtet, aber auch an meiner Jugend und an meiner Gesundheit. Was wird aber danach für mich selbst bleiben, was bleibt für mich zum Leben?«

20. Juli 1915
»Léons Bein wurde heute morgen amputiert, oberhalb des Knies.«

September 1915
»Ganz langsam geht es aufwärts mit ihm, auch um seine Stimmung ist es nicht schlecht bestellt. Schließlich braucht ein Notar nicht unbedingt zwei Beine, um zu arbeiten. Wenn man sieht, daß einem Schreiner ein Arm abgenommen wird, einem Uhrmacher die Finger oder einem Landbriefträger der Fuß, da kann man eigentlich noch ganz zufrieden sein.
Ich komme sehr selten in die Stadt. Dort sieht man übrigens nur Khaki und Blau. Aus den Blicken der Männer, die ewig keine Frau mehr zu Gesicht bekommen haben, spricht Begierde, bestialisches Verlangen. Das verleiht Verdun den Anstrich eines einzigen großen Bordells.
Es wird ein Genesungsurlaub in Biarritz oder Nizza in Betracht gezogen, wo ich mich dann natürlich ebenfalls werde niederlassen müssen. Dort aber könntest Du mich besuchen, meine Hermine. Für uns ist der Krieg zu Ende, aber es beginnt auch ein anderes Leben, ein Leben, das nicht vergleichbar sein wird mit dem, was vorher war. Wir haben zwar überlebt, aber der Sinn des Daseins ist verlorengegangen. In diesem Krieg hat nur die vollkommene Liebe Bestand.
Ich fühle mich alt und verbittert, meine kleine Ratte, denn die Entfernung zu dem Wertvollsten, das ich besitze, die Entfernung zu Dir ist so groß.
Ich habe Dein Selbstporträt erhalten und bin verzaubert. Wie liebe ich Dein Gesicht, Deinen ehrlichen, geraden Blick. Ohne Angst. Und wie schlank Dein Hals ist, meine geliebte Freundin.

Unter Deiner femininen Erscheinung verbirgst Du viel Durchsetzungsvermögen, Du bist härter als ich, mehr Du selbst. Ich, ich gebe nach und spiele im Augenblick die ergebene Gattin, die ich nicht bin. Ich hasse mich in dieser Rolle, und Deine Briefe sind für mich ein Lebenselixier. Mir wird immer stärker bewußt, daß ich auf Luxus und auf die kleinen Annehmlichkeiten im Leben nicht verzichten kann.

Mein Wunsch ist es, daß wenigstens Du, mein Lebenstrunk, Erfolg hast und mit dem Malen Geld verdienst. Und wenn ich von Geld spreche, dann möchte ich damit sagen, daß nur Geld wichtig ist, sonst nichts. Auf jeden Fall für uns. Trotz der Kriege und gerade wegen der Kriege.«

Ende September 1915

»Ich kann es kaum erwarten, das Ende dieses Alptraums zu erleben und das Krankenhaus zu verlassen. Die neue Offensive hat begonnen, die ›entscheidende‹, heißt es. Aber von hier aus sieht man nur die Kehrseite des Krieges, und über allem stehen die glorreichen Communiqués. Mir begegnet nur Leid und Tod. Es vergeht kein Tag, an dem nicht mehrere Männer in meiner unmittelbaren Umgebung ihren letzten Kampf gegen den Tod antreten. Ich komme mir vor wie in einem Gefängnis, in das die Sonne keinen Einlaß findet und auch die Tiere nicht. Nur die Blumen, die mitgebracht werden, wenn die Menschen gestorben sind und sich nicht mehr an ihrem Duft erfreuen können. Es ist etwas ganz Neues, dieses Gefühl, das ich jetzt mit Blumen verbinde. Sie symbolisieren das Leben, von dem hier nur so wenig zu spüren ist. Diese Empfindung ist so stark, daß ich bereit bin, denen alles zu geben, denen das Glück beschieden ist, noch Wünsche zu haben. Ein Engländer, dem ich auf der Straße begegnete, hat mich zum Tee eingeladen. Er war sehr vornehm, aber aus der Nähe gesehen wirkte er schmutzig, es war der sehr besondere Schmutz des Krieges. Natürlich wollte er gern mit mir schlafen, und soll man das einem Alliierten verweigern? Ich hab' ihm den Gefallen getan, ohne großes Vergnügen, auf die ganz simple Art, ohne lange Geschichten, nur um etwas zu tun für diesen Mann, in dessen Augen die Angst vor dem Tod zu lesen war. Er kam aus Amiens. Seine Kompanie zählte vor einer Woche zweitausend Leute, seit gestern sind es nur noch vierhundertdreißig. Aber sie sind ›vorgerückt‹. Auch wenn sie jetzt den Rückzug antreten, sie werden nie wieder zweitausend sein.«

November 1915
»General Joffre hat die Kampfhandlungen in der Champagne und im Artois vorläufig eingestellt. Der Tod hat sich, zumindest für den Augenblick, ausgetobt.
Ich glaube, meine einzig geliebte kleine Ratte, daß wir sehr bald schon nach Nizza fahren werden. Ich bin erschöpft. Ich habe meine Tage. Meine Tage, welch ein schöner Ausdruck! Es ist der einzige Ausdruck, den ich nicht ändern möchte. Alle anderen schiebe ich lustlos hin und her, an diesem Ausdruck aber hat keiner zu rühren.
Gibt's was Neues von unserem Adrien? Eigentlich würde ich gern sagen: von unserem Mann, denn ich bin ja auch Deine Frau! Ich hab' von ihm geträumt: Er lag auf einem Feld, auf dem Boden, und schlief inmitten von Kanonen und Verwundeten. Er war abgemagert und schmutzig, und ich hatte das Gefühl, ihm sehr nahe zu sein, halb Schwester, halb Geliebte, und ich empfand fast so etwas wie Liebe für ihn, denn er liebt Dich ja auch.«

Nizza, Dezember 1915
»Ich hab' mich wieder drangemacht, Modelle zu entwerfen und Kleider zuzuschneiden. Meine Zukunft besteht wohl darin, entweder zu sterben oder Kleider zu entwerfen. Aber Paris fehlt mir wegen der Eleganz. In Nizza Ideen zu haben ist nahezu unmöglich. Was jedoch das Sterben betrifft, das kann man überall tun.
Léon verfügt in diesem Erholungsheim für Offiziere über ein großes Zimmer mit einem kleinen Kämmerchen daneben, für mich; dort habe ich Deine Fotos und Deine Aquarelle aufgehängt. Eine Prothese kann Léon erst bekommen, wenn sein Oberschenkel gut verheilt ist. Die Wunde an seinem Bauch ist noch nicht ganz geschlossen. Alles tut ihm weh. Das, was er nicht mehr hat: das Bein; und das, was er noch hat: von Splittern durchlöcherte Gedärme. Ich bin sehr geduldig mit ihm, ich lese ihm vor, aber mein einziger schöner Gedanke ist, Dich wiederzusehen.«

1. Januar 1916

»Meine Liebe gilt ausschließlich den Dichtern, das weiß ich nun ganz genau. ›Die einzig mögliche Steigerung der militärischen Wissenschaft ist ihre Abschaffung‹, hat Victor Hugo gesagt.

Ein schreckliches Jahr ist zu Ende, der einzige Lichtblick darin bist Du gewesen, Du, meine teure Freundin; und wir stehen am Anfang eines neuen Lebens, das kaum besser zu werden verspricht. Léon scheint eine Art bitteren Trost darin gefunden zu haben, daß dieser Krieg von Tag zu Tag grauenvoller wird. Auf riesigen Karten, die er in seinem Zimmer aufgehängt hat, verfolgt er die Kämpfe an allen Fronten und führt Buch über die Zahl der Toten und Verwundeten auf beiden Seiten.

Weißt Du, daß er genau wissen wollte, wofür die viertausend Soldaten von Quennevières gefallen sind, wo auch er verwundet wurde? Jene viertausend Toten, die mit einbezogen werden müssen in die Liste der fünfundsechzigtausend gefallenen Franzosen einer fehlgeschlagenen Offensive, mit der die deutsche Front durchbrochen werden sollte. Die Front wurde nicht durchbrochen, aber die Toten, die sind mit Sicherheit tot. Aber, wie Léon schon sagt: ›Taktisch gesehen war diese Offensive immerhin ein Erfolg für Joffre. Indem wir für ›Beschäftigung‹ der deutschen Armee sorgten, haben wir verhindert, daß man die russische Front verstärkte.‹ Wie könnte er auch den Gedanken ertragen, so viele Kameraden und sein eigenes Bein in einer sinnlosen Metzelei verloren zu haben? Er steht auf dem Standpunkt, die Offensive muß weitergehen, um jeden Preis!

Ich habe eine ganz simple Rechnung aufgestellt: Im Dezember 1915 hatten wir bereits fünfhunderttausend Tote, Verwundete und Gefangene. Man geht davon aus, daß der französischen Armee fast drei Millionen Männer zur Verfügung stehen werden, die Musterungsjahrgänge 14 und 15, die in diesem Jahr eingezogen werden, mitgerechnet. Also können wir uns den Luxus leisten, sechs Jahre lang Krieg zu führen, bevor auch der letzte außer Gefecht gesetzt ist. Wer aber soll das französische Territorium noch bewohnen? Wer soll sich um die Saat kümmern? Wer soll in uns den Samen legen? Nach den Rüstungsfabriken wird man Fabriken brauchen zur Produktion von Kindern.

Jeden Morgen lese ich Léon die Zeitungen vor, weil ihn das Lesen noch zu sehr anstrengt, und ich habe nun die Entdeckung gemacht, daß diesem Gemetzel, das sich von den Ufern des Ärmelkanals bis zum Orient erstreckt, eine düstere Schönheit anhaftet. Abends schreibe ich Gedichte, die ich Dir schicken werde. All die Namen der Schlachtfelder kommen vor, Worte wie Souain, la Main-de-Massiges, les Marais de Saint-Gond, Mortefontaine, Sambre-et-Meuse, besonders la Meuse, und Maubeuge. Welches Wort kann schöner sein als Maubeuge? Aber nichts reimt sich auf Maubeuge. Ich hab' in meinem Reimlexikon nachgesehen. Es ist ein einsames Wort.

Und dann, all die Dörfer, deren Namen kaum ein Mensch gekannt hatte, ganz plötzlich treten sie aus der Dunkelheit hervor und machen Geschichte, blutige Geschichte: La Fontaine-aux-Charmes und La Fontaine-Madame, Ville-sur-Tourbe ... Wie soll man sich nicht fürchten vor einem Tod auf den kahlen Höhen, in den düsteren Wäldchen, auf den sanften Kuppen und in dunklen Hohlwegen, die da alle brav und genau bezeichnet werden? Schrecken umweht sie, all diese Namen aus dem Osten Frankreichs ... Nun, in unseren Geographiebüchern ist es nachzulesen, sie waren ja immer schon ›die natürlichen Wege für Invasionen‹.«

Februar 1916
»Wir haben das Sanatorium am Meer verlassen und werden jetzt einige Zeit in der Nähe, im Haus von Léons Schwager, in den Hügeln von Cimiez verbringen.

Der Himmel ist wolkenverhangen und grau, und das erfüllt mich mit seltsamer Freude. Ich kann eben meine nördliche Herkunft nicht verleugnen. Es könnte sehr schön hier sein, wenn das Haus nur nicht so düster wäre: Es ist eben ein typisches Notarshaus; die Möbel und das Silber erdrücken mich, und die riesigen hölzernen Fensterläden bleiben die meiste Zeit geschlossen. Jeder hier hat Angst vor dem Licht. Es heißt, das Licht würde ›an den Farben zehren‹, so sagt meine Schwiegermutter, die mindestens einhundertfünfzig Jahre alt ist und seit hundert Jahren Witwe. Überall verglaste Bücherschränke, die nie geöffnet werden, noch weniger werden die vielen in Leder gebundenen Bücher geöffnet. Aber es ist ein alleinstehendes Haus inmitten eines wunderschönen Parks, und die Atmosphäre behagt mir: sie ist chaotisch. Nicht einmal der Hund ist mehr derselbe. Der andere ist gestorben. Der neue ist sechs Monate alt, sein Vater war ein echter Wolf. Er hört auf den Namen Loup, fast wie ich. Aber ich fühle mich nicht sehr zu ihm hingezogen, denn ich habe noch immer den rührenden und treuen Blick des anderen Hundes vor Augen. Dieser Loup hat einen heimtückischen Blick und will nicht, daß man ihn streichelt. Er ist eine Herausforderung für mich, und ich habe mir in den Kopf gesetzt, ihn herumzukriegen und von ihm anerkannt zu werden. Immer wenn ich mit Ubu spazierengehe, nehme ich ihn mit. Ich merke, daß er es als eine außerordentliche Gnade betrachtet, denn schon Stunden vorher wartet er an der Tür. Ich hingegen warte auf die erstbeste Gelegenheit, ihm eine Tracht Prügel zu verpassen. Vielleicht ist er danach ein bißchen *mein* Hund.

Mein Mann hingegen ist weniger mein Mann, als der Sohn seiner Mutter. Ach, könnte sie ihn doch zurücknehmen! Sie findet offensichtlich, daß ich viel zu jung bin, um einen schwerverwundeten Helden zu pflegen. Ich finde, sie hat recht! Aber was bleibt mir anderes übrig! Hier gibt es nur häßliche Bartstoppeln oder zahnlose Kiefer. Alles, was schön ist, ist weit weg, dort, wo man sich abschlachten läßt. Meine süße Geliebte, wie sehne ich mich nach Schönheit! Unser kleines gemeinsames Leben und unsere Freiheit erscheinen mir wie ein Traum, der nie wiederkehrt. Von jetzt an bin ich nur noch die Frau eines Notars ... eines halben Menschen, nicht einmal eines jungen. Wer hat die meisten Wunden davongetragen in dieser Geschichte? Nur Dir, meiner einzigen Freundin, nur Dir kann ich so etwas Entsetzliches schreiben. Aber es tut mir gut. Du hast mir immer nur gutgetan.«

März 1916
»Léon ist wieder zu Kräften gekommen, und ich kann ihn hin und wieder alleinlassen. Ich hab' ein paar Bekanntschaften gemacht. Ich hab' ein kesses jugendliches Weib von hier kennengelernt, eine dicke Blonde mit einem Busen wie ein Zeppelin, die mir, zusammen mit ihrer alten Mutter, ein wenig die Gegend zeigt. Ich mag alte Mütter sehr gern, ich finde sie rührend. In den etwas abgelegenen Dörfern im sehr schönen Hinterland sieht man viele Mulis. Sie sind sehr gepflegt, die Mulis. Vermutlich hast Du noch nie welche gesehen, es gibt sie weder in Paris noch

in Saint-Lunaire. Sie haben einen sehr hübschen Kopf und große, sanfte Augen. Sie sind sehr schreckhaft. Erschrockene Mulis sind entzückend: sie ähneln den Frauen auf Deinen Bildern.«

April 1916
»Mit meinem Leben geht es wieder ein bißchen aufwärts, und die stille Schönheit dieser Landschaft läßt mich ein wenig vergessen, daß in den Schützengräben weiter gestorben wird und daß die Jahreszeit der Offensive wieder da ist. Ich fahre den Notar in seinem Rollstuhl spazieren. Er unternimmt auch erste Gehversuche, aber er hat noch keine Prothese.
Wann kommst Du? Du hattest mir versprochen, im Frühjahr. Die Sehnsucht, die ich nach Dir habe, tut mir richtig weh. Ich schick' Dir ein Kleid, das ich für Dich wie ein Gedicht gemacht habe. Die Frauen hier inspirieren mich nicht dazu, Kleider zu entwerfen. Sie sind alle gleich, eine wie die andere, und sie sind laut in allem, was sie tun. Was mich bei den Menschen im Norden anzieht, ist, daß sie zurückhaltend und wortkarg sind. Auch wenn sie vielleicht ein bißchen schwerfälliger sind, ich mag sie lieber.
Ein Glück, daß ich Ubu habe. Er ist köstlich. Er hat seinen Platz bei Tisch und seinen Platz – Deinen Platz – in meinem Bett und ist immer glücklich und zufrieden: auf der Straße, im Haus, beim Fressen, beim Schlafen und wenn er sein Geschäft verrichtet. Er ist ein richtiger Hund.
Ich fange an, mich ein bißchen nach den Männern umzusehen, aber die von hier sind mir zu dunkelhaarig und zu sehr von sich überzeugt. Wenn ich bloß nicht diese fast körperliche Abneigung empfinden würde gegen alles, was zu romanisch ist, da wäre nämlich ein Südamerikaner, der sich sehr wohl in mich verlieben könnte. Aber mir ist schon vorher angst und bange, wenn ich mir ausmale, zu welchen Exaltiertheiten diese Menschen in Sachen Liebe neigen. Meine kleine Ratte lebt also keusch und züchtig. Welch eine Verschwendung! Wenn wir uns wiedersehen, werde ich sehr gefährlich für Dich sein.
Du weißt, es gibt genug Platz in diesem großen Haus, und Léon würde sich freuen, Dich zu sehen. Wir sitzen jeden Abend unter den Orangenbäumen, die gerade zu blühen beginnen, und unterhalten uns. Aber seine Diskurse über Krieg, Geschichte und

Politik langweilen mich. Du weißt, mein Liebes, wie unwichtig mir der Geist ist. Was zählt, ist das Herz. Ich suche ein Herz. Léon fühlt sich gelegentlich von mir angezogen, das spüre ich, aber Liebe, nein Liebe ist das nicht. Ich bin fest davon überzeugt, daß er mich gar nicht kennt. Für ihn bin ich eine Frau wie jede andere.

Ich brauche die Erinnerung an Dich, an uns. Bitte, komm mich besuchen, jetzt, wo Du Dir um Adrien nicht mehr so große Sorgen zu machen brauchst. Ich sehne mich danach, Dein Gesicht zu betrachten, wenn Du Lust empfindest. Ich denke oft daran. Ich habe versucht, mich dabei zu sehen. Du hast einmal gesagt, Du würdest Dich daran erinnern, möchtest Du es nicht zeichnen? Ich liebe Dich so sehr, ich zehre davon, und ich warte auf Dich.«

Im Mai 1916 kam sie dann, Hermine. Immerhin wurden ihnen diese Tage, diese Nächte beschieden, die sie einem Leben abknapsen mußten, das ihnen wenig Gelegenheit bot, in aller Freiheit zusammenzusein. Aber, was weiß ich schon Genaueres darüber! Hermines Briefe sind verschwunden. Ich habe Adrien im Verdacht, sie verbrannt zu haben. Die von Lou waren bereits in meinem Besitz und damit in Sicherheit vor seiner eifersüchtigen Erinnerung. Aber in dieser Partitur fehlt eben doch jede zweite Note, und die Musik, die sich daraus ergibt, ist eine schwermütige Musik; es stimmt mich traurig, daß ich diese andere Frau, die meine Mutter eben auch sein konnte, nie kennengelernt habe.

»Ich fühle mich elend, jetzt, wo ich wieder allein bin, ohne Dich, meine himmlische Braut«, schreibt Lou ein paar Tage später. »Siehst Du, ich brauche eben ein eigenes Haus, nach dem Krieg. Und wenn Du willst, wird es ganz allein für Dich sein. Ein Haus ohne Mann. Mit Dir ist alles so schön, so zärtlich. Dort werden wir endlich unsere Ruhe haben. Ich weiß noch genau, bei Dir zu Hause, wenn ich mich am Morgen heimlich in Dein Bett schlich und Dich betrachtete, während Du schliefst, dann störte mich der Gedanke, Deinen Mann im Nebenzimmer zu wissen.

Und Du, hast Du mich einmal beim Schlafen betrachtet? Beantworte bitte diese Frage. O meine Äffchenbrüste, meine so unendlich zarten Äffchenbrüste, warum seid ihr verheiratet, und warum bist Du so weit weg?«

»Welche Freude war das, als Dein langer Brief kam! Léon war in der Nähe und wunderte sich, daß Du so oft schreibst, dabei zog er seine Altmänneraugenbrauen zusammen. Was wollen die denn bloß? Daß wir uns aufhängen? Daß wir schweigen? An allem nehmen sie Anstoß. Sie wollen uns besitzen, mit Haut und Haaren. Ja, und was machen sie dann mit uns?

Ich hab' mir den Brief ans Herz gelegt. Wenn ich ihn mir nur auf eine ganz andere Stelle legen und damit das Feuer lindern könnte, das mich zu verbrennen droht ...

An die Leute hier kann ich mich einfach nicht gewöhnen. Wenn ich hier bleiben müßte, würde ich jeden Tag ein bißchen sterben. Die dicke Blonde (Blondgefärbte, natürlich), die ich Dir vorgestellt habe, Du weißt schon, die mit dem Zeppelin-Busen, die hab' ich mir nochmal aus der Nähe angesehen. Unmöglich. Viel zuviel Parfum. Mir wurde schlecht. Und ich hab' auch Angst vor ihrem Menschenfresser-Blick und ihrem Kassiererinnen-Kopf. Dabei zählt sie, zumindest hier in Südfrankreich, zu den ›feinen Leuten‹. Kleidung und Dummheit zeugen von Luxus und Verschwendung. Aber sie hat so gar nichts Wildes, Animalisches an sich. Ach, hätte sie doch ein bißchen was von einer Katze, von einem Affen ... ja selbst von einem Muli. Aber sie hat männliche Züge, trotz ihrer Schminke.

Ich hab' wieder Kleider genäht, vor allem aus Baumwolle und Leinen. Beim Schneidern bin ich allein mit meinem Hund. Ich werde Dir ein Kostüm nähen, aus Alpaka. Das ist ein Stoff, der mir gut gefällt, weil er steif ist und etwas altmodisch. Es soll ein Kostüm werden, in dem Deine Bewegungen besonders zur Geltung kommen. Du mußt es mit einem kleinen Schleier tragen. Ich mag Schleier: sie schützen vor Insektenstichen. Ich finde, daß Rüschen und Falbeln Dir nicht stehen: Du wirst nie wie eine Puppe aussehen, obwohl das sehr hübsch sein kann, aber es wäre eher mein Stil. Für Dich stelle ich mir eine amazonenhafte Weiblichkeit vor.

Im Augenblick ist mein Interesse mehr auf die Kleider gerichtet als auf die Schützengräben, vor allem deshalb, weil in Nizza wirkliche Eleganz ein unmöglicher Luxus ist. Für mich jedoch ist Kleidung etwas Lebendiges und Notwendiges, wie die Kunst. Natürlich denke ich an all die Männer, die noch sterben werden.

Aber es sind nicht viele unter ihnen, die nähen können! Und dann gelange ich mehr und mehr zu der Überzeugung, daß auch der häßlichste Hund immer noch besser ist als der schönste Mann. Umarme Deinen Soldaten-Mann. Und schreib mir jeden Tag einen Brief, Du mein kostbares Lebenselixier.«

Juli 1916
»Meine arme traurige Diana, mein geliebtes Kind, Du hast mich so tief gerührt, daß ich den Eindruck habe, Du wärst meine Tochter, geboren vor zehn Jahren. Das Gefühl, allein zu sein auf dieser Welt, das Bedürfnis, einfach loszuheulen ... oh, das kenn' ich nur zu gut. Als ich in Deiner Lage war, lief mir nur ein alter gräßlicher Lustmolch über den Weg, um mich zu trösten und mich in seine Arme zu nehmen. Aber Du kennst ja meine Schwäche gegenüber Männern. Sie sind so dumm, und doch kann man nicht auf sie verzichten. Aber der Inhalt, der Sinn meines Lebens bist nur Du. Und dabei gibt es in Nizza eine ganze Gesellschaft, die ihrem Vergnügen lebt. Viele Ausländer. Und ich habe Erfolg, obwohl ich mich im Moment ziemlich häßlich finde. Die Menschen sind lebenslustiger denn je, und sie haben sehr viel Geld auszugeben. Ich werde Dir ein paar reiche Weiber schicken, zum Porträtieren, die gibt es hier massenweise. Eine alte Herzogin, die sich jede Woche ein Kleid nähen läßt, hätte so einen Ersatzmann für Dich. Wenn man liebt, verhält man sich zwangsläufig immer ein bißchen wie ein alter Ehemann ... Die alte Schachtel hat mich richtig schockiert mit diesem Wort. Was soll's. Es ist ein reicher Geschäftsmann, der für Dich ein idealer Kunde wäre. Was die Herzoginnen betrifft, so sind, wie überall, die häßlichsten auch die reichsten.«

5. August 1916
»Meine geliebte kleine Ratte, Du schreibst mir, daß Du drei Bilder verkauft hast, ich bin stolz auf Dich!
Mit mir geht es wieder bergauf, ich fühle mich besser und treffe mich mit Männern. Einer von ihnen kommt mich oft besuchen: ein Offizier auf Genesungsurlaub, ein Freund von Léon, nur in sehr viel besserem Zustand als er. Wir unternehmen gemeinsame Spaziergänge im Park. Vielleicht wäre das eine Gelegenheit. Er ist alles andere als häßlich. Ich hab' zu lange wie ein Engel gelebt.

Léon, der für mich sowieso schon immer ein Greis war, ist zum chronisch Dahinsiechenden geworden. Ich frag' mich, ob wir je wieder als Mann und Frau leben können.

Ich hab' mich für Dich photographieren lassen. Ein Photo für den Steckbrief! Schick mir doch auch ein neueres Photo von Dir.«

10. August 1916

»Es hat sich erneut eine Gelegenheit ergeben. Es war zauberhaft, noch schöner als beim ersten Mal. Er hat mir ein Armband mitgebracht, und meine Liebe braucht Geschenke, damit sie einen Hauch von Sentimentalität bekommt. Wir haben einen Spaziergang gemacht. Wir waren ein schönes Paar. Stell Dir die Wassergeister von Henri Heine vor, jenes Paar, bei dem jeder versucht, sich dem anderen gegenüber als gewöhnlicher Sterblicher auszugeben, dabei sieht jeder den Fischschwanz des anderen! Wir machen uns gegenseitig eine Menge Komplimente. Meine Haare sind stark gekräuselt, kleine kurze Löckchen, die am Ohr herabhängen, über der goldenen Haut. Nun ja: weniger häßlich im Augenblick. Eines aber steht fest: daß ich eine Frau immer mehr lieben werde als alle meine männlichen Liebschaften. Lange Zeit war es Mama, und jetzt bist Du es. Adieu, mein Allerteuerstes, mein Liebes.«

20. August 1916

»Mein Ein und Alles,

wie sehr wir uns doch ähnlich sind! Von Männern umgeben fühl' ich mich nie ganz wohl in meiner Haut. Seit drei Tagen habe ich einen Anfall von Depression. Ich liebe niemanden, nur Dich und die Hunde. Und weißt Du, mein Schätzchen, ich muß Dir noch was erzählen: Ich hab' herausgefunden, daß man sich ganz allein auch recht glücklich machen kann. Rein zufällig habe ich das entdeckt. Das beruhigt die Nerven und stärkt den Geist ungeheuer. Vor allem hat man den andern gegenüber ein Geheimnis. Bitte schicke mir die Gedichte von Renée Vivien. Und fromme Bücher, auch wenn sie langweilig sind. Denn ich sehe meine Zukunft nicht gerade in einem rosigen Licht.

Du weißt, wie ich mich immer mit dem Tod beschäftigt habe. Jetzt denke ich an das Altwerden; besonders, weil ich hier so viele hübsche junge Frauen sehe, frisch und duftend. Ich denke daran, daß ich eines Tages nicht mehr frisch und duftend sein werde und auch nicht mehr hübsch. Nur noch nach Parfum werde ich duften. Und so vergeht mein Leben, ich vertrockne an der Seite von Léon, weit entfernt von Dir und ohne einen richtigen Mann. Es gelingt mir nicht, Freundinnen zu gewinnen hier. Die Frauen im Süden sind eben ganz anders, ihr einziges Interesse gilt ihren Kindern und den Männern. Steckst Du zwei, vier oder sechs solcher südlichen Puppen zusammen, wirst Du spüren, wie enttäuscht sie sind und wie sie sich langweilen. In dem Augenblick aber, wo ein Mann auftaucht, egal ob Hotel-Portier oder Marquis (im Prinzip ist es dasselbe, der Portier ist lustiger), dann wachen sie plötzlich auf und werden munter. Es fallen ihnen schier die Augen aus dem Kopf, wenn sich unter der Hose etwas sehr bemerkbar zu machen beginnt. Ob sie nun sechzig Jahre alt sind oder fünfzehn, ist egal. Das Dienstmädchen meiner Schwiegermutter, die alte Nebelkrähe, wird puterrot, wenn sie ein Mann nur anspricht. Selbstbefriedigung wird großgeschrieben hierzulande, das kannst Du Dir nicht vorstellen. Daran ist der Krieg schuld. Eins aber ist sicher, sie stören keinen Menschen damit und schon gar nicht das Universum wie jene, die glauben, sie müßten denken. Aber ich habe Angst vor diesen Frauen mit ihrer aggressiven Koketterie. Was wir als primitiv empfinden, ist für die Kerle hier unwiderstehlich. Da kann man noch so überzeugt davon sein, daß es auf diese Weise nie läuft, und plötzlich ist der Mann, für den Du eben noch die Hand ins Feuer gelegt hättest, schon fest umgarnt. Er steht sich die Beine in den Bauch und wartet, daß seine Angebetete vorbeigeht. In Paris würde man sie lächerlich finden. Hier aber wirkt er, der Typ der südländischen Kleinen. Große Augen, ja das ist wahr, die haben sie, die Mädchen hier, und einen niedlichen Mund und wunderbare Zähne. Hände und Füße jedoch sind von einer dicken weißen Fettschicht überzogen, das üppige lange Haar macht einen so robusten Eindruck, daß es aus der Nähe betrachtet nicht mehr anziehend wirkt. Er aber, der Kerl, ist noch immer da, auf seiner Bank, und wartet. Sie geht an ihm vorüber, die Dame mit dem zu tief sitzenden Hinterteil, und sie wirft ihm einen Blick zu. Das, ja, das ist ihre Stärke: große schwarze Kuhaugen, nichts von einer Katze und nichts von einem Adler ist darin zu erkennen.

Aber er reagiert, und der Elefantenrüssel gerät in Bewegung. Sie hat es gesehen. Sie ist zufrieden. Dieser Tag war nicht verloren. Siehst Du, so ist das hier.«

30. August 1916
»Meine einzigartige kleine Ratte, schon wieder hat sich eine Gelegenheit geboten. Es macht mir zwar Angst, aber auch Spaß. Wenn lesbische Liebe mich auch so erzittern ließe, ich glaube, dann würde ich überhaupt nur noch Frauen lieben. Er sieht gut aus. Groß, schlank. Spricht wenig, was mir in solchen Momenten sehr angenehm ist. Trotzdem war es möglicherweise das letzte Mal, denn dieser Mensch hat zwei großartige Besonderheiten: die Angst, sich eine Krankheit zu holen, und die Angst, seine Frau zu betrügen! Das Unglaubliche daran ist, daß sich seine Frau einen Dreck darum kümmert und daß er in seiner männlichen Eitelkeit fest davon überzeugt ist, sie hätte nur Augen für ihn. Ich finde mich widerlich, wirklich widerlich, meine kleine Ratte. Mit Dir war alles so schön! Aber weißt Du, hier, das ist das Gegenteil von Paris. Geht eine Liebe verloren, findest Du keine andere mehr. Mit dem da hätte ich in Teufels Küche kommen können: Ein Jahr Enthaltsamkeit hat mir die Männer wieder attraktiver erscheinen lassen, mit ihrem schönen Glied. Aber Du rettest mich aus all diesen schmutzigen Geschichten. Ich finde Dich so viel besser als ihn!
Er war hin- und hergerissen von Dir, in Paris. Es gefällt mir sehr, daß Du den Männern gefällst. Aber Du solltest schon ab und zu auch einen kleinen Flirt einlegen, mein Küken. Du mußt mich ersetzen. Für Dich ist das doch einfach, denn Du bist klug. Und, das ist komisch, meine kleine Ratte, wie dumm ich bin und wie ich nur fühle, was die Leute sagen, ohne es wirklich zu verstehen. Ein etwas längeres Gespräch über ein x-beliebiges Thema endet für mich wie die Beschreibung einer Dampfmaschine: Ich kann nicht mehr folgen. So ist das mit den Picquarts. Sie sind sehr einfühlsam und leiden für die anderen aus Solidarität, aus Sozialismus und einem Haufen demokratischem Zeug. Das einzige, was sie damit erreichen, ist, mir meinen Luxus zu verleiden. Nur Unnützes, nur die Träume und die Poesie können meine innere Unruhe etwas lindern. Und noch etwas: zu wissen, daß Du glücklich bist und gut gelaunt und daß Du Deine kleinen Freu-

denschreie ausstößt. Ich liebe Deine Schreie wie Deine hellen, klaren Augen, die mein ganzes Glück ausmachen. Liebes, mein Allerliebstes.

Deine Lou«

September 1916
»Ich esse gut, ich schlafe gut, ich langweile mich ganz gut, und ich leide immer noch an Verstopfung. Ich glaub', es ist die Langeweile, die verstopft. Mit wahrem Heldenmut nehme ich jeden Morgen Karlsbader Salz. Das ist man seiner Schönheit schuldig, sie ist sowieso das einzige, was mir geblieben ist. Schön bin ich noch immer, aber ich wirke nicht mehr mädchenhaft. Ich glaube, ich habe zu viel Seele, um jung zu bleiben.
Ich bin auf der Suche nach einem Geliebten, nach einem sinnlichen Geliebten. Aber nicht fürs Leben, nein. Ich hab' genug von Käfigen. Léon spricht manchmal von einer Rückkehr zu unserem früheren Leben, aber er kennt mich wohl nicht, wenn er glaubt, ich könnte wieder in meinen Käfig in der Avenue Niel zurückkehren. Ein richtiges Gefängnis würde ich noch als unterhaltsamer empfinden.
Was meine kleinen Vergnügungen betrifft, von denen ich Dir erzählte, die sind vorbei, leider. Anscheinend wirkt sich das auf den Gesundheitszustand aus, vor allem auf die Nerven. Und da meine Nerven noch nie die besten waren ... Weißt Du, meine morgendlichen Halluzinationen sind wieder da: Ich sehe auf dem Boden liegende Menschen und Tote. Tränen steigen mir in die Augen. Du kannst Dir nicht vorstellen, wie oft ich im stillen vor mich hinheule. Am Nachmittag bin ich dann schon weniger unglücklich, und am Abend, bei Sonnenuntergang, geht es mir manchmal sogar gut. Ich unternehme ausgedehnte Spaziergänge mit Ubu und Loup. Aber Leben, das heißt Kleider nähen, das ist mit Léon unmöglich. Ich kann nicht mehr atmen unter seinem Blick, und ich fühle mich schlimmer als ein Tier, das in die Falle gegangen ist. In Nizza soll es einen sehr guten Arzt geben für Leute, die mit den Nerven zu tun haben. Diese fortwährenden Gedanken an den Tod, davon kann man anscheinend geheilt werden.
Mein Allerliebstes, stell Dir vor, ich bin durch Zufall zwei Männern aus dem Norden begegnet, sie messen beide zwei Meter

und kommen aus zwei neutralen Ländern, wie günstig! Zwei lange Kerle, ruhig und mit blasser Haut unter dem blauen Himmel des Mittelmeeres. Der eine ist fünfundzwanzig, unverdorben, sportlich, Student. Der andere ist wesentlich älter, aber vor allem ein wunderbarer Trunkenbold. Ich werde heute abend mit dem jungen ausgehen, denn er langweilt sich. Allerdings, mein Hund ist geistvoller. Ich stehe auch am Anfang eines Abenteuers mit einem Amerikaner, er ist kreuzhäßlich, hat aber unheimlich energische Gesichtszüge. Haare hat er keine mehr, dafür aber außergewöhnlich lebhafte Augen. Er reizt mich sehr. Wenn ich ihm in einer stillen Gasse begegnen würde, wäre ich nicht zu bremsen, ich würde mich glatt auf ihn stürzen. Aber da ist eben keine stille Gasse!

Hinzu kommt, daß es noch nie einem Mann gelungen ist, eine Frauenfreundschaft zu ersetzen. Das Merkwürdige ist, daß ich mit einem Mann immer den Eindruck habe, es liegt ein Esel neben mir. Manchmal ein lieber Esel, der in freudiges Geschrei ausbricht und wie wild in meinen Leintüchern herumstampft, manchmal ein sturer Esel, der unbedingt seinen Kopf durchsetzen muß. Ein Esel aber ist es immer.

Das Dumme ist nur, wenn ich erregt bin, dann wird es doch etwas ärgerlich. Ich weiß nämlich nicht, was ich mit diesem komischen Glied anfangen soll, das sich mir da mit einem Mal entgegenstreckt und das umsorgt sein möchte. Blöderweise werd' ich mit einem Mann immer gleich sentimental, und das sind Perlen vor die Säue geworfen. Natürlich könnte man sich auch nur um seinen Hintern kümmern. In Kriegszeiten genügt das vollkommen, die Soldaten stellen keine großen Ansprüche. Aber ich möchte lieber auf etwas raffiniertere Gelegenheiten warten. Und da gibt es ja noch Dich. Mit welchem Mann hätte ich denn so schöne Liebesbriefe austauschen können wie mit Dir? Wie hab' ich nur früher ohne all das leben können? Meine Liebe zu Dir ist so groß, daß wir, Du wirst es erleben, noch ein Kind zusammen haben werden!

Mein einziger Trost ist es, Gedichte zu schreiben, jetzt, wo die Dichter im Krieg sind. Eines hab' ich gerade fertig, über uns, die Menschen, die nichts weiter sind als winzige Sandkörnchen und die absolut nichts bewirken können.

Adieu, mein über alles geliebtes Sandkorn. Schreib mir, so oft

Du kannst. Berichte mir, was es Neues gibt von unseren kriege-
rischen Freunden. Ich küsse Dich, wo wir das Licht der Welt er-
blicken.«

September 1916
»Bei diesen vielen Toten, mein Mehr-als-alles-auf-der-Welt,
muß ich immer an Kinder denken. Ich träume so oft, daß Du
schwanger bist. Du mußt es werden, mein Schatz. Du mußt ein
Kind bekommen. Meine Freundin, die schöne Engländerin, die
vor einem halben Jahr ein kleines Töchterchen verloren hat, ist
im zweiten Monat schwanger. Ich hatte sie ein Jahr lang nicht
gesehen, und ich wußte sofort Bescheid, als ich ihre strahlenden
Augen sah. Ich möchte dann die ganze Zeit über in Deiner Nähe
sein.
Tief in meinem Innersten empfinde ich es als eine Ungerechtigkeit der Natur, aber ich bin jetzt ziemlich sicher, daß ich keine
Kinder bekommen kann. Das ist auch der Grund, weshalb mir
mein Leben gleichgültig ist. Ich bin frei, ich kann sterben. Und
dieses Exil in Nizza, die Tatsache, daß ich nicht zu Hause leben
kann, bringt mir den Gedanken an den Tod noch näher. Nur die
Gürtel und die Schleifen halten mich zurück. Und Du.
Spürst Du den Unterschied zwischen einer Frau, die keine Kinder haben kann, und den anderen Frauen? Ich glaube, ich würde
Dich nicht so sehr lieben, wenn Du steril wärest. Vielleicht spüre
ich gerade deshalb, weil ich steril bin, das Leben bei den anderen, den Menschen und den Tieren, so stark. Als Kind hat mir
kein Geschenk etwas bedeutet. Ich wollte nur etwas Lebendes
haben. Ich blies meine Puppen an, damit sie sich bewegten, und
ich hatte meine helle Freude daran, ihre Haare flattern zu sehen.
Heute weiß ich, daß es auf Erden nichts Schöneres gibt als liebevolle Zuneigung, vor allem die Liebe einer Mutter. Du, Du
kennst das, denn Du liebst mich mütterlich. Ich kann vor Deinen
Augen Pipi machen, und Du findest das reizend, wie früher meine Mutter. Ein Mann wird das nie so sehen. Er müßte schon sehr
raffiniert sein, um sich zwischen uns zu drängen. Aber weißt Du,
Adrien mag ich sehr gern. Er war immer wie ein Bruder zu mir.
Und zu Dir wie ein brüderlicher Ehemann. Dazu sind nur wenige Männer fähig. Gib unserem Kavalier ein Küßchen von mir,

wenn er, wie Du sagst, demnächst auf Urlaub kommt. Und tu Deine Pflicht, Hermine. Ich hab' gehört, wie eine verheiratete Frau es einmal ihren ›körperlichen Frondienst‹ nannte. Du siehst, Du bist nicht die einzige.«

Oktober 1916
»Mein Teures!
Trauriges kommt selbst bis hierher. Ich wollte niemals mit Dir über Krieg reden, wo wir uns doch auch deshalb schreiben, um ihn zu vergessen. Aber ich muß Dir noch einen Todesfall mitteilen: Léons letzter Bruder ist auch gefallen, in Douaumont. Er war nur leicht verletzt worden, aber er hat sechsunddreißig Stunden in einem Granattrichter im Wasser gelegen und starb bei seiner Ankunft im Lazarett. Der andere Bruder, Emile, ist in Gefangenschaft geraten; damit hat die Familie keine Krieger mehr zu vergeben. Die Kämpfe bleiben im Schlamm stecken, und ein Ende ist nicht abzusehen.
Zum Glück ist unser Adrien – den ich jetzt nicht mehr meinen kleinen Fronthasen nennen kann, nachdem er zum Quartiermeister befördert wurde – nun endgültig für die Infanterie untauglich. Vielleicht kommt er zur Abteilung Kraftfahrzeuge, dann brauchst Du keine Angst mehr um ihn zu haben.
Stell Dir vor, eine Russin, die hier in Nizza lebt, himmelt mich an. Sie hat eine sehr vaterländische, sehr republikanische, sehr jüdische Einstellung, aber ihre Reden langweilen mich entsetzlich. Gestern wollte sie mich dazu zwingen, an die Gleichheit zwischen den Menschen zu glauben und es auszusprechen. Dabei weißt Du, wie piepegal mir solches Zeug ist. Ich hab' davon keine Ahnung, und seitdem Krieg ist, wird auch die kleinste Sache, die erzählt wird, für ein politisches Manöver gehalten, und das ärgert mich sehr. Trotzdem finde ich nicht, daß alle Menschen gleich sind. Jedenfalls gibt es wenig Frauen, die meinesgleichen sind.
Dem Quartiermeister meinen herzlichen Glückwunsch; und Dir einen dicken Kuß.«

Im November 1916, als Adrien auf Urlaub kam, fand er eine Hermine vor, die keine Zweifel mehr hatte bezüglich ihrer Anatomie, und die entschlossen war, ihren ehelichen Pflichten nachzukommen. Ich weiß nicht, ob sie einen Arzt zu Rate gezogen oder es mit einem anderen Mann versucht hatte. Ich hoffe, es war ein Mann. Auf jeden Fall war im April 1917 bereits der Grundstein für meine Existenz gelegt. Wenigen Kindern ist das Glück beschieden, von drei Personen gleichzeitig gewünscht, erwartet und ausgetragen zu werden. Lou aber war diejenige, die mich vor allen anderen gezeugt hat, in ihrem Herzen.

»Diesmal, meine kleine Ratte, ist es also sicher? Du bist schwanger? Dein Brief ging mir durch und durch, und ich war tief gerührt. Du bist die Frau, die ich sein möchte. Ich halte Heiraten für blödsinnig, aber, Du siehst, so eine Ehe hat doch ihren Sinn.
Du fragst mich, ob ich mich wirklich freue? Für viele Jahre, ja ich glaube für ein Leben lang, wird mein Interesse an Dir immer größer sein als an allen Kindern, die Du noch haben magst. Und wenn ich, wie Du ganz richtig gespürt hast, nicht ganz und gar glücklich bin, so nur deshalb, weil ich mich nicht Deiner Nähe erfreuen kann, Deine Augen nicht sehen kann, nicht die so unendlich zarte Haut meiner geliebten kleinen Brüste berühren kann. Eine schwangere Frau erweckt in mir stets ganz zärtliche Gefühle und eine außerordentliche Aufmerksamkeit. Alles kann sie in Tränen ausbrechen lassen, besonders in den ersten Wochen, selbst ganz grobe Frauen können in dieser Zeit äußerst feinfühlig empfinden. Welcher Mann wird das jemals verstehen?«
War es das Alleinsein? In der Familie umgab sie gerührte Aufmerksamkeit, aber Adrien und Lou waren weit entfernt, und so begann die Frau, die sich anschickte meine Mutter zu werden, ihrem neuen Zustand mit dem Zweifel zu begegnen, der die Frauen – wie es heißt – so sehr verändert. In einem einzigen Brief von ihr, den ich in dem Weidenkorb wiedergefunden habe, konnte ich ihren Weitblick bewundern, ihre Unbeugsamkeit den Umständen gegenüber, die sie schon immer, so weit ich mich zurückerinnern kann, auszeichnete. Welche andere junge Frau hätte es 1917 gewagt zu denken und zu schreiben, daß Schwangersein nicht nur Glück und Stolz bedeutet, nicht nur Hingabe an die edelste Funktion einer Frau?
»Mir ist schwindlig, Lou, seitdem mein Leben seine Einheit und seine Richtung verloren hat. Vorher war ich eine Siegerin – meine Stimme war klar und mein Körper unversehrt. Heute bin ich

ein trächtiges Weibchen, eine Frau mit einem befruchteten Bauch, mit traurigem Blick, eine Frau, die zu jeder Feigheit fähig ist. Mutterschaft! Welch eine Verzweiflung für eine Frau! Jede ermißt, ganz für sich allein, die für alle Zeiten veränderte Situation, mit der sie sich abzufinden hat, das Ende ihrer Freiheit. Und der Mann, von dem sie geschwängert wurde, ist überzeugt davon, sie endlich zur Frau gemacht zu haben, und er wird nie das Drama des Fleisches erfassen, das sie erlebt. Du warst es, Lou, die mich zur Frau gemacht hat. So viele werden zu Müttern, die niemals zu Frauen geworden sind.«

Kriegsschwangerschaft, einsame Monate. Lou war besorgt und spürte »geradezu männliche Teilnahme und Interesse« an dem Kind. Sie schrieb es ihrer »himmlischen Gattin«, ihrem »geliebten Bauch«, ihrer »übergroßen Liebe« zu:

»Ich sitze wie auf Kohlen. Auch ich erwarte Dein Kind. Ich seh' mir die kleinen Mädchen auf der Straße an. Am liebsten würde ich mich zu ihnen hinabbeugen, um sie wie Blumen zu pflücken. ›Léonard‹ finde ich für einen Jungen sehr edel. Aber was soll ich denn mit einem Jungen reden? Reden kann man nur mit Frauen. Also wird es ein Mädchen. Ich wußte, daß Du es Louise nennen möchtest. Und Louise wird blond sein und Deine blauen Augen haben. Das ist mein Wunsch, seitdem ich nur noch von diesen schwarzen Haaren und den Kuhaugen umgeben bin.«

Hermine suchte während der letzten Monate Zuflucht bei ihrer Mutter, auf dem elterlichen Besitz in Poissy. Bei Verdun schlug man sich immer noch. Amerika war gerade in diesen Krieg eingetreten, Rußland stand im Begriff, mit Deutschland einen Waffenstillstand zu schließen; aber es mußten erst noch eine Million Menschen ihr Leben lassen, bevor die Kämpfe ein Ende nahmen. Unterdessen kam im Januar 1918 ein kleines Lebewesen mehr zur Welt. Sein Name: Louise Adrienne Félicité.

5

Die Ruchlosen

Louise-Adrienne war ein problemloses Baby gewesen, und nun wurde sie zu einem Musterkind, das heißt, sie wies alle Symptome der glücklichen Einfalt auf. Von Natur aus gehorsam, ohne jeglichen Sinn für Kritik, schluckte sie alle Reden der Erwachsenen, war in der Schule und im Katechismus-Unterricht stets unter den fünf Besten; sie liebte ihre Eltern, wie es sich gebührte, ebenso ihre Lehrerinnen, das Herz Jesu und die Heilige Mutter Gottes; sie liebte die braven Kinderzeitschriften, alle Autoren, die auf dem Lehrplan standen, eben weil sie auf dem Lehrplan standen; und sie liebte pflichtschuldigst die Ehe, die Mutterschaft – vorausgesetzt natürlich, das erste Kind war ein Sohn –, die Arbeit, die Anstrengung, die natürlich auch immer belohnt wird, die Natur und das Leben im allgemeinen. Eine echte Katastrophe.

Darunter litt sie verhältnismäßig lange nicht, es sei denn in Form einer unüberwindbaren Schüchternheit und später einer Unfähigkeit, der Welt die Stirn zu bieten; dahinter standen unendliche Zweifel an sich selbst und die – begründete – Überzeugung, daß sie niemals in der Lage sein würde, ihrer Mutter auch nur das Wasser zu reichen.

Das hübsche, pummelige kleine Mädchen mit dem geraden Pony und den hellen Augen unter den schwarzen Wimpern wurde zu einer langen, unnatürlichen Bohnenstange, die sich in ihre Bücher flüchtete und ihren Körper nicht wahrhaben wollte. Von ihrer Mutter war sie angebetet und mit einem nicht zu entmutigenden Aktivismus behütet oder besser eingedeckt worden. Hermine hatte beschlossen, aus ihrer einzigen Tochter ein brillantes, unabhängiges, selbstverständlich auch reiches Wesen zu machen – reich an Geist und vor allem an Koketterie, denn das war in ihren Augen für eine Frau die Grundbedingung zum Überleben. Und nun konnte sie sich nicht damit abfinden, in Louise ein ernstes, glanzloses, bescheidenes und ängstliches Mäuschen zu entdecken. Sie betonte es gerne, daß sie selbst »ihr Leben erfolgreich gemeistert« hatte: Sie war erfolgreich als Malerin – ihre Bilder verkauften sich gut, und sie verdiente mehr Geld als ihr Mann –, erfolgreich als Ehefrau, denn sie hatte Adriens Liebe bewahren können, ohne daß sie ihm ihre Freiheit, ihre Neigungen, ihre Launen geopfert hätte; und schließlich erfolgreich als Mensch, denn das Alter schien keinerlei Angriffspunkt bei ihr zu finden, und Hermine (ihre Bilder signierte sie mit *Hermine*) wurde in Künstler- und Schriftstellerkreisen, die sie in Paris und London frequentierte, nach wie vor als eine tonangebende Persönlichkeit betrachtet. Für sie kam dieses In-Mode-Sein gleich nach dem Geld-Verdienen: Es war der unwiderlegbare Beweis für Erfolg, denn in ihren Augen waren die angeblich mißverstandenen Künstler, die Besiegten, die Kranken, die Glücklosen nichts anderes als willensschwach.

»Man hat das Glück, das man verdient«, pflegte Adrien seiner Tochter zu sagen und sich somit feige und schulmeisterlich auf die Seite seiner Frau zu schlagen, wenn es innerhalb der Familie zu einer Diskussion kam – ganz als ob er die heimliche Komplizenschaft, die ihn mit Louise verband, sobald er der magnetischen Gegenwart von Hermine entkam, verleugnen wollte.

Mit sich selbst und mit ihrem Leben zufriedene Menschen sind so selten, daß ihre Zufriedenheit förmlich unanständig erscheint. Der Fall Hermine verstimmte die Anständigen, reizte all jene, die keinen Erfolg hatten, und erdrückte Louise, die sich von vornherein unter die Rang- und Namenlosen einordnete. Selbst in ihren persönlichen Neigungen wurde sie unsicher, denn sie mußte sich immerzu fragen, in welchem Maße diese nicht ein reines Mittel der Opposition gegen die Mutter darstellten. Die kaum verborgene Geringschätzung, die Hermine für alle empfand, die »nicht das beste aus ihren Begabungen machen«, die »nicht mit ihrem Steinchen zum großen Gebäude beitragen«, hielt Louise davon zurück, ihre bescheidenen kleinen Interessen zuzugeben; und Adriens grundlegender Egoismus, gepaart mit der steten Bemühung, ja keine Auseinandersetzung mit seiner Frau heraufzubeschwören, machte ihn unfähig zu ahnen, daß er seine Tochter vermutlich gerettet hätte mit dem offenen Eingeständnis, daß man ganz anders als Hermine und dennoch eine akzeptable Persönlichkeit sein konnte.

»Du weißt ja, daß sich meiner Meinung nach deine Mutter besser auskennt in Sachen Erziehung«, argumentierte er, um nicht Partei ergreifen zu müssen. »Wenn du ein Junge wärst, wäre das eine andere Sache. Aber so gebe ich ihr hier Vollmacht.«

»Dein Vater ist mathematisch-naturwissenschaftlich veranlagt«, sagte Hermine mit liebevoller Herablassung, als wolle sie das etwas merkwürdige Verhalten eines Kindes entschuldigen, weil es mongoloid ist. »Und Erziehung hat nichts mit Naturwissenschaften zu tun, Erziehung beruht auf Instinkt und Einfühlung.«

Was die Einfühlung betraf, so erklärte sich Adrien von vornherein geschlagen; er war hocherfreut darüber, daß ihm auf diese Weise das Verstehen und das Eingreifen erspart blieben.

Die wissenschaftliche Veranlagung verlieh ihm, so empfand es Hermine, eine Überlegenheit nur in Bereichen, die ihr vollkommen egal waren: Zoologie und Botanik, Buchhaltung, ein Auto fahren oder ein Boot steuern, das Verstehen des Phänomens Elektrizität. Im übrigen neigte sie eher dazu, den wissenschaftlichen Geist für ein Handicap zu halten, und sobald es um Psychologie oder Diplomatie ging, ums Geldverdienen oder ums Erobern einer Stellung in der Gesellschaft, betrachtete sie ihren Ehemann als lieben Trottel, zumal da es ihm nicht gelungen war, sich in seinen eigenen Geschäften durchzusetzen. Hermine hatte des öfteren versucht, ihn dahingehend zu beeinflussen, daß er jenes Familienunternehmen verließ, das mit eiserner Faust von seinem Vater und einem Vetter geführt wurde, die aus Adriens mangelndem Ehrgeiz Kapital schlugen und sich die Führung und den Löwenanteil der Gewinne vorbehielten. Aber in diesem Fall war Adrien vernünftig genug gewesen, Hermine Widerstand zu leisten. Er liebte seine Aufgabe als wissenschaftlicher und technischer Leiter der Firma, denn als solcher konnte er sich der Welt des Wettbewerbs entziehen und sich in sein Labor flüchten, und kein Mensch erwartete unmittelbare Ergebnisse von seiner Arbeit.

Er fühlte sich in jenem alten Gebäude der Rue du Bac zu Hause, wo die anhand eines einzelnen Backenzahns wiederhergestellten

Dinosauriergerippe herumstanden, wo Schmetterlinge, Muscheln, Greifvögel, Seepferdchen, Achate, Quarze, Amethyste noch in ihren Drusen, Kristalle und Versteinerungen herumlagen: ein kurioses Sammelsurium in einer prähistorischen Höhle im Herzen von Paris, wo man die Weltgeschichte zu entziffern versuchen konnte. Die verstaubten Anschauungsstücke waren in schlecht beleuchteten Vitrinen aufbewahrt und wurden beaufsichtigt von Arbeitern in grauen Kitteln, die selber wie Dinosaurier aussahen und alle schon mindestens fünfundzwanzig Jahre in der Firma gearbeitet hatten; sie waren halb Wissenschaftler, halb Museumswärter und sorgten dafür, daß die vier baufälligen Etagen des alten Bürgerhauses aus dem 18. Jahrhundert wie eine Arche Noah wirkten, gerettet vor Modernisierungen und kommerziellen Zwängen. Ein magischer Ort, ein Ort, an dem Louise als Kind viele Donnerstagnachmittage bei ihrem Vater verbracht hatte: Damals war sie in den von stummen, auf ihren Stangen sitzenden Vögeln bevölkerten Gängen auf- und abspaziert, hatte sich über lange Reihen von grünen oder goldschimmernden Insekten in ihren Glassärgen gebeugt und war zum Schluß immer bei ihrer Lieblingsattraktion gelandet: Am Ende stand nämlich immer ein ritueller Besuch bei der Muskelfigur mit ihrem beeindruckenden Netz von Venen und Arterien auf dem Programm. Zur größten Freude von Louise nahm Adrien Stück für Stück die Organe auseinander, bis hin zum heimlichsten, verborgensten. Wenn sie nach Hause kam, versuchte sie erfolglos ihre Puppen zu zerschneiden; stets wurde sie enttäuscht, denn deren Innenleben reduzierte sich auf ein wenig Stroh oder auf einen lächerlichen Mechanismus, der das Öffnen und Schließen der Augen dirigierte. Aus der Faszination, die dieser künstliche Muskelmensch auf sie ausübte, entstand in ihr wohl sehr früh der Wunsch, Medizin zu studieren. Aber Hermine wies sie darauf hin, daß es höchstwahrscheinlich, ja wünschenswert sei, daß sie vor dem Abschluß der sieben Studienjahre heiraten, also so lästige Beschäftigungen ablegen würde, die ja sowieso nur zum Titel »Frau Doktor« führten, der bekanntlich jeden Ehekandidaten in die Flucht schlägt.

Eine Zeitlang hatte Louise geglaubt, sie könne sich auf ein Bündnis mit Lou stützen, die auf derselben Etage wie ihre Eltern, in einer entzückenden, ganz in Schwarz und Rosa gehaltenen Wohnung lebte (»So räche ich mich dafür, daß ich als Marienkind gehalten und stets nur in Hellblau und Weiß gekleidet wurde«, behauptete sie). Wie aber hätte sie sich auf Lou verlassen können? Lou gehorchte stets nur inneren Impulsen, und Kinder hassen irrationales Verhalten. Louise war ein moralisches, gerechtigkeitliebendes Kind und konnte solche Albernheiten nicht gutheißen. Sie empfand es als unziemlich, daß eine Erwachsene sich wie ein verwöhntes Kind benahm. So gut es ging, schützte sie sich vor ihr wie vor einem gefährlichen wilden Tier, vor dem man sich selbst dann in acht nehmen muß, wenn es schmusen will. Und dennoch hatte sie, ein folgsames kleines Mädchen, sich immer von Lou einkleiden lassen, ohne jemals ihren eigenen Geschmack zu gestehen – der vermutlich nicht besonders gut war, stimmte er doch nicht mit dem Geschmack von anerkannten Künstlern überein –, so lange, bis der beglückende Zwang, die dunkelblaue Uniform der Zöglinge von Sainte-Marie, es ihr endlich möglich machte, sich nicht mehr von ihren kleinen Freundinnen zu unterscheiden. Aber auch zu diesem Zeitpunkt gaben sich Lou und Hermine noch nicht geschlagen: Es gelang ihnen, einen blauen Faltenrock ausfindig zu machen, der eben nicht wirklich marineblau war, oder eine Bluse, die nicht ganz den Vorschriften entsprach, oder einen Mantel, der durch ein winziges Etwas den leichten Touch von Haute-Couture bekam: Somit unterschied Louise sich doch von der Herde und erntete die Mißbilligung der Direktorin. Sie beneidete die Banalen, die »Anständigen«, diejenigen, deren Mütter unauffällig und grau waren und nicht den Eindruck vermittelten, sie seien geradewegs dem Glanzpapier von *Harper's Bazaar* entsprungen. »Da kann man nichts machen, dieses Kind hat einfach keinen Pfiff«, stellte Lou fest und war um so betrübter, als für sie »keinen Pfiff haben« den allerschlimmsten Makel darstellte.

Lou liebte nicht Louise, sondern ein kleines Fantasiewesen, das sie geformt und gewissermaßen mit Hermine zusammen ausgetragen hatte. Sie liebte das Gefühl, das sie für dieses Kind empfand. Sie liebte sich selbst in ihrer Rolle als Beimutter. In Wirklichkeit interessierte sie sich weder für Kinder – die sie als langweilige Entwürfe von Erwachsenen betrachtete – noch für Erwachsene, außer wenn sie für den einen oder anderen (beziehungsweise für die eine oder die andere) zufällig eine momentane Leidenschaft empfand.

Lou lebte allein; manchmal mit einer Freundin, aber nie für lange. Sie war umgeben von Anbetern, denen es aber nie gelang, in ihrer kleinen Wohnung oder gar in ihrem Herzen Fuß zu fassen. Und so schaffte sie es, durchs Leben zu gehen, ohne sich zu verletzen, mit dem sicheren Instinkt eines Tieres. Sie hatte sich mit einer ungeheuer tüchtigen Frau zusammengetan, die ihre Haute-Couture-Firma verwaltete, während sie ihre Modelle, ihre Stoffmuster und die Fläschchen zeichnete, die das Parfum enthielten, das ihren Namen trug; es gelang ihr, für ihre Firma die Avantgarde-Position zu halten, sowohl durch ihr Talent als auch durch die Aura des Skandals, mit der sie ihr Leben zu umgeben wußte. Für Louise war Lou noch unverständlicher als Hermine und verkörperte den anderen, genauso unerreichbaren Pol der Weiblichkeit.

»Da kann man nichts machen, unsere Tochter ist eben keine Künstlerin. Sie wird eine kleine Lehrerin werden«, sagte Lou zu Hermine. »So was muß es ja auch geben.«

»Sie wird einen braven Mathematiklehrer heiraten, einen mit Schuppen auf dem Kragen; sie wird viele Kinder kriegen und die schönsten Jahre ihres Lebens mit Wäschewaschen verbringen«, fügte Hermine boshaft hinzu.

Sie glaubten »ihre Tochter« mit solchen Sticheleien zu stimulieren und merkten nicht, daß sie damit die gegenteilige Wirkung erzielten: eine wachsende Lähmung ihrer Verteidigungsreflexe und ihrer Intelligenz. All die »Künstler«, die in den beiden Häusern ein- und ausgingen, Maler oder Bildhauer mit slawischem Akzent, Dichter mit Künstlerschleife, immer gefolgt von furchterregenden »Künstlerfrauen«, oder, schlimmer, »Gefährtinnen«, mit glattem Haar, zeitlosen Kleidern und vollkommener Blindheit für alles, was nicht das Werk des Großen Mannes betraf. Sie schienen ihr aus dem seltsamen Garten, aus der Tiefe des Brunnens heraufgestiegen zu sein, dorther, wo der Dodo, der Hase mit den rosaroten Augen, der irre Hutmacher und die Herzkönigin zu Hause waren, jene unverschämten Figuren aus *Alice im Wunderland,* die sie in ihrer Kindheit so eingeschüchtert hatten. Aber Lewis Carroll hatte man zu mögen. Alle besseren Leute mochten *Alice im Wunderland.* Louise hütete sich, die Langeweile und den Widerwillen zuzugeben, die sie dieser schrecklichen kleinen Vernunftbestie Alice gegenüber empfand. »Komm in den Salon gute Nacht sagen«, befahl Hermine munter bei jedem ihrer Empfänge. »Später wirst du einmal sagen können: Ich bin den größten Künstlern meiner Zeit begegnet!«

Aber was fällt einem schon ein, wenn man mit fünfzehn Jahren den großen Männern der Zeit gegenübersteht? Louise war nicht so redegewandt wie das Luder Alice. Louise wollte auch nicht begabt sein. Das war zu schwierig. Ja nicht eine Künstlerin werden, bei der alle Welt auf jedes einzelne Wort, jede neue Hervorbringung lauert. Diese Welt von Überbegabten machte ihr Angst. Aber das durfte sie nicht zugeben, das hätte Hermine Kummer bereitet.

»Wenn du gewußt hättest, daß sie es nur zu einer Postmamsell bringt, dann hättest du dir die ganze Mühe sparen können«, sagte Lou eines Tages zu Hermine, als sie glaubte, es höre niemand zu.

»Ich werde dich schon zwingen aufzublühen, mein kleiner Dickkopf«, sagte Hermine manchmal, wenn sie einen guten Tag hatte und zu Zärtlichkeiten aufgelegt war.

»Das kann doch nicht wahr sein! Man hat sie mir in der Klinik ausgetauscht!« rief sie jedesmal, wenn sie gegen die unverständliche Passivität ihrer Tochter wie gegen eine Mauer stieß. »Du bist doch jemand. Hinter dieser bockigen Stirn versteckt sich was, das weiß ich«, prophezeite sie und stürzte Louise in einen Abgrund von Ratlosigkeit. Jemand, gewiß, aber wer? Louise erkannte niemanden in sich, der den Forderungen der Mutter Genüge getan hätte.

Vorläufig hielt sie sich krampfhaft am Noch-Kindsein fest: Sie weigerte sich, hohe Absätze und seidene Strümpfe zu tragen, sie verweigerte auch die erste Dauerwelle, die den endgültigen Schritt in die Weiblichkeit bedeutete; sie hielt sich an den von Großmutter gestrickten Kniestrümpfen mit Bommeln und an den flachen Sportschuhen mit Doppellasche fest, die ihr Lou bei »Old England« kaufte – zwei Wörter, die sie für den Taxichauffeur bewußt mit französischen Nasalen aussprach, zur immer erneuten Bestürzung von Louise.

Ihre Pubertät kam sehr spät zum Ausbruch und schmückte sie mit einer jugendlichen Akne, derer die Wässerchen und Cremes nicht Herr wurden, und mit zerkauten Fingernägeln, die die Familie zur Verzweiflung brachten. Als selbst die Aloe-Tinktur keine Erfolge brachte, da eine einzige üppige Knabbermahlzeit acht Tage bitterster Entbehrungen zunichte machte, zögerte Hermine nicht, zu radikalen Mitteln zu greifen: Jeden Morgen wurde ein Baumwollhandschuh am Handgelenk der Missetäterin zugenäht. »Sag halt, du hättest gerade einen Ausschlag«, flüsterte ihr Adrien mitleidig zu, als er sah, wie entsetzt sie war bei dem Gedanken, in der Schule mit den Handschuhen einer Erstkommunikantin anzutreten. Diese brutale Methode änderte jedoch absolut nichts an der Lage, leider. Wie alle Nagetiere arbeitete Louise unbewußt: sie wußte gar nicht, wie ihr geschah, und wunderte sich über das Ergebnis. Also gab sie sich weiter ihrem einsamen Laster hin, aber mit Schüchternheit, wie sie alles anging: nie nagte sie bis aufs Blut.

Nichtsdestotrotz mußte sie wohl oder übel einmal sechzehn werden und eine neue Pflicht in ihr Leben integrieren: das Verführtwerden. Latein und Griechisch waren ja schön und gut, aber vollkommen nutzlos, wenn nicht sogar schädlich im Leben eines jungen Mädchens. Tanzen können, zum Beispiel, schien unendlich viel wichtiger. »Man kann alles lernen, sogar die Anmut«, dozierte Hermine und meldete Louise in einer der besten Tanzschulen von Paris an, wo ein gealterter Turniertänzer einem Dutzend Plumpsäckchen ihres Kalibers, denen jegliche natürliche Grazie versagt geblieben war, ein sinnliches Wogen beibrachte. Nach einigen Wochen wurden die Kandidatinnen dann für reif erklärt, ihren Eintritt in die Welt zu wagen, das heißt ab sofort auf Bällen vor männlichen Wesen herumzustolzieren, die das fürstliche Privileg hatten, nach oberflächlicher Betrachtung zu entscheiden, welche würdig waren zu tanzen und welche nicht.

Die Vorstellung, fortan abhängig zu sein von der Fähigkeit, einen Jungen zu verführen, widerte Louise derart an, daß es ihr als ein geringeres Übel erschien, ins Kloster zu gehen. Dort würde es ihr möglich sein, sich unter einem anonymen Schleier zu verbergen, den Lou nicht umgestalten könnte, und niemand würde von ihr Höchstleistungen erwarten.

Zwei Sommer lang hatte sie in einem Kloster in Surrey verbracht und war den Reizen einer jungen sommersprossigen Nonne ausgesetzt gewesen, die Katherine Hepburn in *Little Women* ähnelte, wenn sie mit hochgeschürzten Röcken durch die englische Landschaft lief. Sie schien glücklich in ihrer erstarrten Sonderwelt, aus der das erregte Diesseits ausgeschlossen blieb, einer Welt, in der es nicht nötig war, begabt oder die Schönste zu sein, um vom Lieben Gott geliebt zu werden; denn der Liebe Gott machte keinen Unterschied zwischen seinen Schäfchen. Louise würde sowieso niemals lernen, irgend jemanden zu beherrschen. Warum also sollte sie nicht von vornherein den vollkommenen Frieden, die vollkommene Liebe wählen?

Lou fand diese Berufung entzückend:

»Ich kann sie mir ganz gut als Nonne vorstellen, unsere Louise«, sagte sie, und Hermine stieß es sauer auf. »Schon als Erstkommunikantin sah sie aus wie eine kleine Nonne mit ihren großen himmelblauen Augen und ihrem heiteren Gesichtchen. Und Klöster können ja so entzückend sein . . .«

»Gerade deshalb sind sie gefährlich. Louise neigt sowieso schon zur Entsagung. All diese Nonnen sind doch lebende Tote, sie sind mumifiziert unter ihren groben Gewändern. Ich verstehe gar nicht, daß du, eine Frau, die so viele Männer geliebt und das Leben so sehr genossen hat, es in Erwägung ziehst, meine Tochter mit achtzehn Jahren ins Kloster zu sperren.«

Eine Maßnahme drängte sich auf: Man mußte etwas finden, was den subtilen Charme von Sister Mary Aemilia in Vergessenheit geraten lassen würde. Hermine verließ sich nie auf die Zeit oder auf den Zufall, um die Dinge in Ordnung zu bringen, sondern auf den schnellen Gegenschlag: In diesem Jahr stellte sie in Rom aus und schenkte ihrer Tochter statt eines braven Ferienaufenthalts im Kloster eine Reise nach Venedig zusammen mit Adrien. Gott erschien ihr nicht als eine gute Partie, oder wenn, dann höchstens nach einem voll ausgelebten Leben, wie bei Cécile Sorel.

Ich, Louise, Schwester und Fremde meiner eigenen Jugend, habe mich oft gefragt, wo sich wohl jene Energie verbarg, jener Unabhängigkeitsdrang, jene Willenskraft, die mir später erwuchsen. Kann man die eigene Persönlichkeit derart abwürgen, daß an der Oberfläche nur Nichtigkeit, Ergebenheit, Entsagung erscheinen? Billigt man die Dressur, der man unterzogen wird, so sehr, daß man nicht mehr weiß, wer man ist und weshalb, in wessen Namen man dagegen aufmucken sollte? Es wäre zu einfach, eine Mutter anzuklagen, deren bezwingende Vitalität all diejenigen, die ihr nicht ähnlich waren, zu willensschwachen, kränkelnden Figuren abstempelte. Diese Entschuldigung lasse ich nicht gelten. Wie aber kann ich dich denn dann verstehen, dich, die Louise von damals, die doch auch in mir wohnt, die sich so lange für mich gehalten hat?

Dein Geheimnis kann ich erst heute benennen: Es war die Angst. Die Angst vor dem Leben. Die Angst, dich an der Welt, an den Männern, an der Herausforderung deiner Mutter zu messen. Alles erfüllte dich mit Angst: Die Wortgewandten, die Schuldirektoren, die Prüfer, die Verführer, die Erfolgreichen, die Selbstsicheren. Wohl fühltest du dich nur mit deinen Büchern, in Gesellschaft von toten Schriftstellern, und diese Angst lähmte deine Sinne und erstickte deine Intelligenz.

Und du, Adrien, mein zärtlicher und feiger Komplize, wie sollte ich dir dafür böse sein, daß auch du keinen Widerstand geleistet hast? Heute fällt mir auf, daß du immer auf der Couch im Eßzimmer geschlafen hast, unter dem Vorwand, Hermine zeichne nachts im Bett und schlafe morgens lange; und das andere Zimmer, das schöne, das auf den Garten hinausging, das wolltest du mir überlassen, damit ich meine Prüfungen in Ruhe vorbereiten könne. Wir fanden das ganz normal, Hermine und ich. Ich bin sicher, daß du mich wirklich geliebt hast, aber nur, wenn deine Frau abwesend war, und du hast es verstanden, diese Gelegenheiten zu vermehren. Wenn wir am Wochenende mit Rucksack und Fellen an den Skiern zu Bergtouren starteten, hatten wir das Gefühl, die Schule zu schwänzen wie zwei böse Kinder. Auch wenn wir einen Monat lang gemeinsam die Ferien verbrachten, während deine Frau mit Lou nach Châtel-Guyon zur Kur ging und wir uns nach Kerviglouse, in eine schlichte bretonische Strohhütte zurückzogen. Es gelang dir, dieses unkomfortable, melancholische Häuschen zu halten, obwohl Hermine es wegen des feuchten Klimas, des Schlamms und des Fischgeruchs nur haßte und böse Spottnamen dafür erfunden hatte. Wir fühlten uns wie Komplizen, wenn wir in deinem uralten Boot mit nur zu einem Drittel aufgezogenem Segel ein bißchen herumkreuzten; wenn wir in den Dünen Pflanzen sammelten, besonders jene grauen Disteln, die es heute nicht mehr gibt, oder wenn du für mich in Waffeldosen Totenkopfschwärmer zum Ausschlüpfen brachtest. Wir kamen gut miteinander aus und waren's zufrieden bis zu dem Tag, wo Hermine anreiste – ausgeruht, forsch, elegant, von geradezu dramatischer Eleganz, mit blutroten Fingernägeln und suchendem Blick: Sofort entdeckte sie, daß ich mein Bett nicht ordentlich gemacht hatte, daß der Herd verschmutzt war und unter dem Tisch Krümel lagen ... Plötzlich bemerkten wir, daß unsere Fingernägel nicht gerade sauber waren, daß es im Häuschen kein fließendes Wasser gab, daß es wirklich nach Mist roch und daß unser Nachbar, der weißhaarige Barde, der uns Geschichten aus seiner fast mythischen Kindheit erzählte, nur ein alter, unrasierter Alkoholiker war ... Es blieb uns nichts anderes übrig, als das Boot abzutakeln, die Netze und die Angeln zu verstauen, die klapprigen Fensterläden zu schließen – wobei wir uns vornahmen, sie nächstes Jahr unbedingt neu zu streichen. Wie war es uns nur gelungen, an einem so verkommenen Ort so glücklich zu sein? Adrien wurde wieder zum Satelliten des Planeten Mutter, ich zu einem erloschenen Stern. Die Ferien waren zu Ende.

Den Winter hindurch blieb uns die Komplizenschaft des Studiums. Ach, wie habe ich es geliebt, wie haben wir es beide geliebt, mein Studium! Auch da mischte sich Hermine nicht ein, aber der Wettlauf um Diplome betrübte sie sehr, war er doch in ihren Augen nichts als ein Alibi. Ich muß ja auch gestehen, daß es mir fast gleichgültig war, wenn ich durchfallen sollte. Ich studierte, um Studentin zu bleiben.

»Wissen Sie, was diese alten Krokodile meine zwanzigjährige Tochter bei der mündlichen Lateinprüfung gefragt haben?« erzählte Mama in dem Jahr, als ich mein Staatsexamen machte, den Salons herum. »›Was wissen Sie über Lygdamus und Sulpicia, die mutmaßlichen Autoren von Tibulls letzten Elegien, Mademoiselle?‹ Und sie hat bestanden! So eine Art von Wissen muß ja einfach sterilisierend wirken auf deine Tochter!« fügte sie hinzu und sah dabei Adrien an, den sie für meine geisteswissenschaftlichen Neigungen verantwortlich machte. »Ein bißchen Geist, statt Geisteswissenschaften, das wäre vonnöten.«

»Du bist eben ein Spätzünder«, sagte Mama, um mich zu trösten. »Du wirst schon sehen, Eitelkeit ist ein Instinkt bei Frauen. Damit wird es dir genauso wie den anderen gehen, mein Schätzchen. Es gibt ja keinen Grund ...«

Nein, es gab keinen Grund, ich war weder debil noch anderweitig behindert. Aber der Knoten ging bei mir nicht auf. Das wahre Leben wollte sich nicht einstellen. Im übrigen mißfiel mir das Leben, das ich führte, keineswegs. Im Schatten der tristen Mauern der Sorbonne konnte ich mich mit meiner geliebten Freundin Agnès für Probleme begeistern, durch die wir nicht in Frage gestellt wurden. Ich konnte mich in Diderot oder in Lamartine verlieben, ohne daß Hermine spitze Bemerkungen machte: »Ach, dein Freund Denis hat dich ja seit acht Tagen nicht angerufen!« oder: »Alphonse macht sich lustig über dich, mein armes Kind.«

Im übrigen stand mein Schicksal auf der Sorbonne ein für allemal fest: Der Frauenbestand zerfiel in zwei Teile: die Seriösen und die Hübschen. Die meisten Hübschen fielen durch oder gaben ihr Studium zwecks Heirat auf; fast alle Seriösen waren häßlich oder machten sich nach Herzenslust häßlich. Es war sehr schwierig, von einer Kategorie in die andere überzuwechseln. Natürlich gehörte ich zu den Seriösen, aber insgeheim träumte ich davon, zur anderen Gruppe zu gehören, ohne es jedoch zu wagen, das dazu Nötige zu unternehmen. Denn die Verführerin zu spielen, das hätte mich automatisch in den Clan der Messalinas und Circen eingereiht, all dieser Dirnen, dieser Luder, dieser geilen Hexen, der Töchter Evas, deren Sünden die Kinder Mariä vor Scham erröten lassen. Mußte ich da nicht meine Lust verstecken, meine Augen niederschlagen und meine Brüste verbergen, ernsthafter arbeiten als die anderen, eine absolut ehrbare, unzweideutige Haltung einnehmen, um jene beschämende Verwandtschaft vergessen zu lassen?

Und dabei warst du damals so wenig Luder und kaum Eva, meine arme Louise! Mit zweiundzwanzig Jahren schämtest du dich noch, eine Frau zu sein, und insgeheim graute es dir davor, deiner Mutter zu ähnln. Deiner Mutter, für die Lust und Wollust ein und dieselbe Krankheit waren, die sie mit einem einfachen Namen belegte: Feuer im Arsch. Bei der geringsten sexuellen Wahrnehmung, der geringsten Empfindung, die sich unterhalb der Gürtellinie abspielte, hast du dir eingebildet, wie auf einem Bild von Hieronymus Bosch von grinsenden Männer verfolgt zu werden, während aus deiner Hose die Flammen schlugen.

Da du keinerlei Wertschätzung für deinen Körper empfandst, wie hättest du dir vorstellen sollen, daß die Jungen ihn auf andere Weise begehren könnten, als um ihrem eigenen Körper Erleichterung zu verschaffen? Schleimiges Geschlecht, Wunde, halboffener Mund von unanständiger rosa Farbe, Schamritze mit merkwürdigen Falten, Scheide, Schamlippen, alles feuchte, düstere Wörter, niemals laut ausgesprochen, ungeeignet für jegliche Poesie, Wörter, die in den medizinischen oder pornographischen Bereich abgedrängt waren, Gegenstand des Ekels oder des zotigen Lachens, sobald sie ihren Zweck erfüllt hatten ... Wie hätte man die jungen Männer nicht beneiden sollen, ihre liebevollforsche Vertrautheit mit ihrem Geschlechtsteil? Hatten sie nicht ein unglaubliches Glück, anerkannte Organe zu besitzen, die beschrieben, die in Stein gehauen worden waren, die manchmal sogar vergöttlicht wurden? Wie aber hätte man ein Loch bildlich darstellen sollen? Du warst eben nicht auf der richtigen, der sauberen Seite zur Welt gekommen, und daran bist du immer wieder erinnert worden:

»Sag niemandem, daß du deine Tage hast, nicht einmal deinem Vater. Das interessiert keinen, am allerwenigsten einen Ehemann!«

»Laß auf keinen Fall eine Damenbinde herumliegen. Es gibt nichts, womit du einen Mann mehr und für alle Zeiten anwidern könntest ...«

»Zeig dich niemals einem Mann in natürlichem Zustand. Sie sagen immer, sie mögen keine Schminke, aber das sagen sie nur ihren eigenen Frauen; verlieben tun sie sich immer in die aufgedonnerten ...«

»Glaub mir, wenn du ein Kind bekommst, laß deinen Mann ja nicht bei der Geburt dabeisein, selbst wenn er es möchte. Laß ihn erst dann zu dir, wenn du wieder frisiert bist und ihm ein lächelndes Gesicht zeigen kannst. Die Geburt ist das Gegenteil von Liebe, und eine auseinanderklaffende Scheide ist widerwärtig. Es ist besser, wenn man das *vorher* weiß.«

Welcher Sohn wird jemals seinen Vater predigen hören: »Vermeide es, auf allen vieren unter dem Bett nach deinen Pantoffeln zu suchen. Von hinten gesehen sind deine Eier wirklich nicht besonders attraktiv ...«?

Männer haben nichts zu verbergen. Sie sind einfach da, unanfechtbar und unangefochten, und sie genießen ein angeborenes Recht auf Sicherheit, Schönheit, Privilegien, wie der Adel im Ancien Régime.

Die Disziplin und die Prüderie, die Hermine dir eindrillte, wurden von ihr selbst ein Leben lang praktiziert. Sie legte sich niemals hin unter dem Vorwand, sie habe ihre Tage, und die Hitzewallungen der Wechseljahre überspielte sie mit stolzer Überlegenheit. Ihr ganzes Leben hindurch gestattete sie sich nur einige wenige, ganz ehrbare Krankheiten, solche, an denen auch Männer leiden, und sie war viel seltener unpäßlich als Adrien, der ausgefallene Krankheiten förmlich sammelte: Mundfäule, Heuschnupfen, Gallenfieber. Hermine fand ihn entsetzlich ungeschickt! Sie verachtete die Kranken: Leute, die dumm genug waren, krank zu werden!

Zum Glück, liebe Louise, hattest du wenigstens eine der Eigenschaften deiner Mutter geerbt: ihre provozierende Gesundheit.

Im Laufe der Jahre zog Louise letztlich doch die Aufmerksamkeit einiger bescheidener Stellvertreter des männlichen Geschlechts auf sich: Schließlich stieg sie jeden Tag zur gleichen Stunde an der Station Solférino in die Linie S, besuchte regelmäßig die Vorlesungen für gemischtes Publikum an der Sorbonne, ging in die Tanzschule zu Georges und Rosy und wagte sich zu Abendeinladungen, die von den Eltern genehmigt waren.

»Du erntest wirklich nur unmögliche Exemplare«, jammerte Hermine, wenn sie die kärgliche Parade abnahm, die aus lauter jungen Männern bestand, von denen keiner auch nur annähernd ihren Kriterien entsprach: tüchtige Arbeitersöhne, die dank ihrer Strebsamkeit an die Universität gekommen waren, deren Kaufhausanzüge jedoch Hermines lautes Entsetzen hervorriefen, noch ehe der jeweils Gemeinte die Tür wieder hinter sich zugezogen hatte, und junge unbekannte Skribenten oder zukünftige Dichter, die aber im Augenblick arm und unrasiert waren, denen Hermine – die nur an gehaltene Versprechen glaubte – flugs ein Versagerschicksal voraussagte und dabei vergaß, daß die »richtigen« Künstler auch immer die toten Künstler sind.

»Wenn ich dir einen gewissen Amadeo anschleppen würde, Mama, einen armen, schwindsüchtigen Alkoholiker, glaubst du, du würdest Modigliani erkennen?«

»Mein armes Kind, soviel verlange ich gar nicht von dir. Es dürfte doch nicht so schwierig sein, einen guterzogenen Jungen ausfindig zu machen, der weder Alkoholiker noch Syphilitiker noch schwindsüchtig ist und nebenbei auch noch kein Trottel!«

Aber wenn sie keine Alkoholiker waren, waren sie Juden, wie zum Beispiel Rabinowitsch (»Bist du wahnsinnig? Stell dir mal vor, du heißt Louise Rabinowitsch!«), und wenn sie keine Juden waren, dann hatten sie einen provenzalischen Akzent. (»Louise, dein Marius-Olive möchte dich sprechen«, rief Hermine jedesmal durchs Haus, wenn Jean-Loup am Telefon war.)

Einige Kandidaten bekamen einen kleinen Aufschub: Manchmal war Hermine noch im Atelier, wenn der eine oder andere aufkreuzte, um Louise abzuholen, und Adrien gab sich herzlich, wenn er von seiner Frau keine gegenteilig lautenden Anweisungen bekommen hatte. Aber es genügte, daß Hermine beim nächsten Besuch sagte, Dingsda sehe aus wie ein fliegender Händler und Bumsda sei halt doch nur ein Vorarbeiter, auch wenn er sich als Ingenieur ausgebe, und schon wechselte Adrien das Lager und gab noch eins drauf, um seine mangelnde Wachsamkeit zu entschuldigen: »Im Grunde war er ja wirklich unmöglich, dein kleiner Grieche. Timeo Danaos et dona ferentes.«

Louise machte ihrem Vater diesen Verrat nicht einmal mehr zum Vorwurf. Was war sie denn anderes, mit ihren dreiundzwanzig Jahren, als eine arme Zurückgebliebene, die einerseits nicht den Mut hatte, ihre eigenen Vorstellungen durchzusetzen, und andererseits nicht die Mittel, sich Männer an Land zu ziehen, die dem Geschmack ihrer Mutter entsprochen hätten. Also brachte sie immer nur Kandidaten an, die über kurz oder lang für die mütterliche Guillotine bestimmt waren; bestürzt wohnte sie dann der Hinrichtung bei, der sie zum Schein auch noch Beifall spenden mußte, um nicht den Respekt ihrer Familie zu verlieren. »Du wirst doch nicht behaupten wollen, Louise, daß dieser Junge, der sich die Fingernägel bis aufs Blut abknabbert, dein Herz höher schlagen läßt. Diese feuchten Wurstfinger, die er dauernd im Gesicht hat – oder gar anderswo (angewiderte Grimasse oder anzügliche Blicke) –, also ich könnte das nicht!« Nein, dies wollte ich nicht behaupten, so mutig war ich nicht!

Ich weiß heute, daß mich meine Mutter bewundert hätte, wenn ich aggressiv gewesen wäre, bereit, meinen Willen durchzusetzen, ihr die Stirn zu bieten, aber ich war feige, schwach, beeinflußbar. Und ich haßte mich selbst dafür, daß es mir nicht gelang, ihr zum Trotz mein Leben zu leben – viel mehr, als ich sie dafür haßte, daß sie mich beherrschte.

Und dabei hast du diesen François zum Beispiel doch geliebt, Louise, oder? Ja, Louise, den wollte ich haben. Damit man ihn mir nicht vor der Ruhepause der Sommerferien kaputtmachte, zeigte ich ihn erst nach dem mit ihm und ein paar anderen Freunden verbrachten Campingurlaub zu Hause vor. Aber auch er überstand dann den Eintritt in das familiäre Klima nicht.

»Weißt du, Mama, ich habe wunderschöne Ferien verbracht. François vermittelt mir so ein Gefühl von Sicherheit und Sanftheit ...«

»Was? Jetzt schon? Das ist ja beängstigend. So sollte Liebe nicht beginnen, mein Schätzchen. Du redest ja wie eine Rentnerin. Ich kann ihn mir schon vorstellen mit Filzpantoffeln und Rheumaunterwäsche, deinen François!«

»Und wenn ich unfähig wäre, Begeisterung und Leidenschaft zu empfinden? Wenn ich noch lange darauf warte, geht das Leben an mir vorbei ...«

»Daß ich nicht lache, mein Mäuschen. An dem Tag, wo dich die Leidenschaft packt, wirst du dir keine Fragen mehr stellen, und es wäre doch schade, wenn du dann mit Herrn Spießbürger verheiratet wärst! Aber du mußt es wissen, mach, was du willst, mein Schätzchen.«

Was ich wollte? Ach Gott! Es war einfach unmöglich, das, was ich von ihr in mir trug, zu unterscheiden von dem, was wirklich Ich war – falls Ich überhaupt vorhanden war.

Ich weiß nicht einmal mehr, wann und wo ich entjungfert wurde vor lauter gescheiterten Versuchen, ich weiß nicht, was mehr schuld war, das verwirrte Herz oder die zusammengepreßten Beine. Auf jeden Fall nicht von François, so viel weiß ich. Ihn raffte jedesmal die Erschöpfung dahin, wenn er endlich das vierfache Hindernis überwunden hatte: meine Sittsamkeit, meine Angst, schwanger zu werden, meine Panik, ich könnte mir die Syphilis holen, und meine Furcht, ihn zu enttäuschen. Von Manuelo? Ganz bestimmt nicht. Meine schlimmste Erinnerung, ein Fiasko! Dabei war er das absolute Gegenteil von François: ungebildet, ohne jegliche Einkünfte, spanischer Typus, schwarzes Haar – zu viele Haare, nach Mamas Geschmack: Das wirkte viril, und viril zu wirken galt bei uns nicht als Vorzug. Außerdem hatte er auch noch die Frechheit, schön zu sein, von finsterer Schönheit: Einem jungen Bürgermädchen konnte er leicht den Kopf verdrehen, zumal da der Krieg ihn in einen sehr romantischen Anzug gesteckt hatte: die Gebirgsjägeruniform – und somit hatte er auch eine eingestehbare Beschäftigung. Seine Küsse zogen mir den Boden unter den Füßen weg, sein Desparado-Blick zerbrach mir das Herz, aber ohne eigentlich zu wissen warum, leistete ich ihm Widerstand wie ein mutiger kleiner Soldat.

Wie brav von dir, Louise! Du warst ja erst dreiundzwanzigeinhalb, mein armes Kind ... – Sei still, Louise, laß mich weitererzählen.

Mit meinen Briefen heizte ich ihm ein. Vor dem geschriebenen Wort habe ich noch nie Angst gehabt. Das ging so lange gut, bis er 1941 versetzt wurde und mir nur noch vorgedruckte Feldpost schicken konnte. Diese Formulare waren nur für kranke, verletzte oder gar gefallene Briefpartner gedacht, es ging nur um Lebensmittel oder Geldbeschaffung, und man durfte sich zwischen »Herzliche Grüße« und »In liebem Gedenken« entscheiden.

Eines Tages, ohne mir seine Rückkehr angekündigt zu haben, stand er plötzlich vor der Tür, braungebrannt, in Uniform, das schmucke Barett schräg über dem Ohr – unwiderstehlich. Wenn er seine Uniform anbehalten hätte, wenn er sein Cape um mich gerafft hätte, wenn er mich, schnell und heftig – schließlich war ja Krieg – im Namen des Vaterlandes genommen hätte, dann, ja dann vielleicht ... Aber er zog sich aus und wollte mich nackt haben. Da war er nicht mehr der schöne Eroberer, wir waren nur noch ein Mann und eine Frau, und das gefiel mir weniger.

Schließlich trafen wir ein Abkommen: Ich würde mich ausziehen, mich auf sein Bett legen, aber unter Rock und Pullover würde ich einen Badeanzug tragen – und anbehalten. Es war immerhin ein Zweiteiler. Entweder oder, so und nicht anders. Er entschied sich für das Entweder.

Ich war fest entschlossen, diese absurde Verkehrsordnung nicht zu überschreiten, die damals das Verhalten der »anständigen« jungen Mädchen regelte und die sehr genau festlegte, was erlaubt, was noch geduldet und was verboten war. Das Küssen? Im freien Verkauf. Der Busen? War schon rationiert. Man durfte ihn anfassen, drücken, ja kneten, unter der einen Bedingung, nicht allzu lange auf den Spitzen zu verharren, um jede Reaktion zu vermeiden, die unter Umständen den Willen geschwächt hätte. Das Streicheln zwischen den Beinen hatte leicht und undeutlich zu bleiben; das Erforschen der geschlossenen Zonen war verboten. Ein-, zweimal ein sachtes Darüberfegen von unten nach oben über das ... Ja, wie sollte man das nennen? Aber bei der ersten Lustwelle: Panik – der Laden wird dichtgemacht!

Das Zimmer mit dem aufdringlichen Waschbecken, im sechsten Stock eines kleinen Hotels des Quartier Latin, wo Manuelo wohnte, war schäbig. Mein Zweiteiler war hellblau mit weißen Blümchen, und das Unterteil glich einer Pumphose. Wir hatten November, und ich kam mir absolut grotesk vor. Ich war es auch. Aber Manuelo hat sich nicht über mich lustig gemacht, leider, er hat nicht versucht, mir das Höschen oder das Oberteil auszuziehen. Er folgte genau den Etappen, die auf meiner Landkarte vorgesehen waren, und respektierte die Halteverbote; schließlich ergoß er sich auf meinen Schenkel, und ich besaß die ungeheure Frechheit, es widerlich zu finden.

Louise, ich muß mich ja schämen wegen dir. Hermine jedenfalls war zumindest in bezug auf sich selbst immer konsequent! – Laß mich in Ruhe, Louise. Wenn ich nur anders hätte sein können!

Nach mehreren äußerst anstrengenden Unternehmungen dieser Art, bei denen Manuelo sich erfolglos bemühte, seine lächerliche Badende zu rühren, fühlte ich mich moralisch verpflichtet – ich haßte mich in meiner Rolle als unreine Jungfrau –, ihm einen Gegendienst zu erweisen. Wie alles, was sich in diesem Bereich abspielt, trug die Sache einen abscheulichen Namen: Ich beschloß, ihm einen zu blasen – ein Ausdruck, den Hermine hin und wieder gebrauchte, und zwar mit der ironischen Grimasse, die sie stets zog, wenn sie über Sexualität sprach. Zumindest wurde man nicht schwanger durch den Mund! Um Manuelo nicht zu kränken, schluckte ich alles, bis auf den letzten Tropfen, aber es war mir speiübel. An diesem Tag schwor ich mir, einen Mann niemals einem solchen Ekel an meiner Person auszusetzen. Und dabei liebte ich ihn doch, diesen schmalen, schlanken Körper, diese goldene Spanierhaut, seine leidenschaftlichen Gesten. Warum gelang es ihm nicht, die stets anwesende Zuschauerin in mir zu vernichten, die meiner Mutter ähnelte und mir alle Lust verdarb?

Ich habe Hermine oft sagen hören, Sperma schmecke nach Trüffel. Natürlich fügte sie immer hinzu, sie hasse Trüffel. Darüber wurde viel gelacht in den Salons.

»Trüffel ... ach! Daran habe ich noch nie gedacht ...« sagten die kecksten unter den Damen mit nachdenklicher Miene!

Die Herren lachten sehr laut, zu laut:

»Ach diese Hermine, sie ist einfach urkomisch!«

Und ich setzte den einfältigen Gesichtsausdruck derjenigen auf, die nicht zu wissen hatten, wonach Sperma schmeckt. Dieser Witz erschien mir typisch für die Art meiner Mutter, geistreich zu sein – mir war sie verhaßt: Egal was, Hauptsache die Zuhörer sind entsetzt, oder sie lachen. Und siehe da, vierzig Jahre später entdecken deutsche Forscher, warum die Mutterschweine Trüffel ausgraben, selbst wenn sie einen Meter tief in der Erde stecken: Sie enthalten ein sehr geruchsintensives Hormon, das viel Ähnlichkeit hat mit dem Hormon, das der Eber ausscheidet. Ach Hermine! Du wirst nie aufhören, mich in Staunen zu versetzen.

Wie dem auch sei, ich hatte weder den Mut, diese Verbindung abzubrechen, noch den Mut, Manuelo nachzugeben, und ich fragte mich, wie lange dieser Zustand andauern sollte: Die fade Zwischenmahlzeit, in der unsere Liebesbemühungen endeten, hinterließ in mir ein Gefühl der Scham und des Widerwillens. Das Schicksal war es schließlich, das, wie üblich, für mich entschied: Manuelo mußte mit seiner Gebirgsjäger-Kompanie nach Briançon abziehen, und so konnte ich mich wieder frei in meinem Lieblingsbereich bewegen: dem Studium. Endlich konnte ich meinen Badeanzug wieder in den Ferienkoffer werfen.

Und dann kam der Sommer '42.

Das Leben verläuft stufenweise, nicht wie ein Fluß in der Ebene. Mal breitet es sich aus in weiten Mäandern, von denen man glaubt, sie würden nie zu Ende gehen, und plötzlich ändert sich das Gefälle, und dann überstürzt es sich in unerwartete Stromschnellen. Wenn man am Verzweifeln ist und alles zu stagnieren scheint, ändert sich plötzlich die Landschaft, und der Lauf der Dinge kehrt sich um. Nichts wird dann jemals wieder so sein, wie es war.

Im August 1942 veränderte sich der Lauf von Louises Leben an dem Tag, als sie auf Schloß Ingrandes zu den Ruchlosen stieß.

Da die Küstengebiete von den Besatzungsbehörden gesperrt waren, beschloß Louise, die ein altes Kanu besaß, die Loire hinunterzupaddeln. Natürlich nicht allein, sondern mit einer Clique von Kommilitonen, die in der Gegend genügend Leute kannten, um der ganzen Bande Verpflegungs-Stationen zu sichern. Versorgungsmöglichkeiten waren damals ein ausreichendes Reisemotiv. Für Louise kam noch ein weiteres hinzu: vor Ingrandes wie eine Wikingerfrau im Drakkar auftauchen, um zu plündern, zu erobern und – wenn möglich sich vergewaltigen zu lassen. Auf Ingrandes verbrachte ihr Cousin Bernard die Ferien mit seinen unzertrennlichen Freunden, vier Medizinstudenten wie er, brillant, voller Arroganz, ungezogen, wie man es zu sein wagt, wenn man aus guter Familie kommt, wahllose Herzensbrecher. Sie nannten sich ganz offen »die Ruchlosen«, eine Herausforderung, die bei den Damen immer fabelhaft funktionierte: Sie platzten vor Eifersucht, wenn sie geschickt manipuliert wurden, verrieten sich gegenseitig und überboten sich an Kriecherei in der einzigen Hoffnung, aus der Anonymität der Herde hervorzutreten, um dann zu jenen zu zählen, die man – fälschlicherweise – die »glücklichen Auserwählten« hätte nennen können. Jedenfalls kämpfte man, um dazuzugehören.

Über Bernard war Louise schon länger in diesem Kreis zugelassen, und trotz aller Warnungen des Cousins hegte sie ein heimliches Gefühl für den zynischsten und ruchlosesten der Ruchlosen.

Hugo hatte Ähnlichkeit mit Heathcliff. Von düster umwitterter Schönheit, wußte er alle Register zu ziehen: aus Sturmhöhen-Romantik wechselte er in Rastignac-Zynismus, wurde plötzlich zärtlicher als Chatterton oder frauenfeindlicher als Barbey d'Aurevilly, sein Lieblingsautor. Der Trick der Ruchlosen bestand eben darin, ihre Ruchlosigkeit vorbehaltlos zuzugeben. Louise hatte von Hugo nie andere Zeichen der Gunst erhalten als das übliche Gebräu aus offenen und versteckten Demütigungen, das manchmal mit himmlischen Überraschungen gewürzt war: zum Beispiel mit so vollkommenen Abenden, daß selbst die Mißtrauischste die Waffen gestreckt hätte – aber am nächsten Morgen wurde sie dann wieder in die Niederungen der Gleichgültigkeit zurückgeworfen und war überzeugt, sie habe ihr Glück nur geträumt. Um ihren Stolz zu schonen, machte sie die kollektive Disziplin der Ruchlosen für diese ständigen Umschwünge verantwortlich und hoffte, während des kommenden Aufenthalts Hugo dazu zu bringen, daß er seine Gefühle selbst enthüllte. Sie zweifelte nicht daran, daß sie günstig für sie waren, obwohl sie diese Gewißheit mit mehreren anderen jungen Damen teilte, die in den vorangegangenen Monaten ebenfalls ausgezeichnet worden waren. Eine längere Anwesenheit, ein gewisses Abflauen der Disziplin in den Ferien, häufigere Gelegenheiten zu Gesprächen unter vier Augen als bei den Pariser Partys – diese Aussichten machten ihr Mut, und sie ging optimistisch in das Abenteuer.

Sie wurde von ihren »Kumpels« von der Sorbonne nicht enttäuscht, insoweit sie sie eher wegen ihrer Verbindungen zur Landwirtschaft ausgesucht hatte als wegen ihres persönlichen Charmes. Die Bootsfahrt auf der Loire in Gesellschaft von Agnès, der Tochter ihres Griechischlehrers, erfüllte sie mit dem friedlichen Glück, das sich stets einstellte, sobald sie der familiären Sphäre entkommen war. Sie entdeckte wieder, wie Butter schmeckt, wenn man in der Lage ist, zuviel davon auf genügend Brot zu schmieren, sie genoß den Luxus, jeden Tag Fleisch zu essen, auf Rebenholz gebratenes Fleisch; sie liebte die langen abendlichen Gespräche mit Agnès, am Ufer der Loire, umgeben vom Duft von Sand und Wasser.

Nach so vielen gemeinsamen Jahren auf der Schulbank und an der Universität waren das die ersten Ferien, die sie gemeinsam verbrachten, und beide berauschten sie sich an Freundschaft, Poesie und Zukunftsplänen, mit dieser leicht melancholischen Inbrunst junger Mädchen, die sehr wohl wissen, daß ein Mann kommen wird oder besser: eine Ehe, in die sie ihre ganze Liebesfähigkeit und ihre ganze Lebenszeit werden einbringen müssen – und wollen. Louise mochte Agnès, weil auch sie etwas zurückgeblieben war, was die Männer betraf, und weil sich ihr Gesicht und ihr Verhalten nicht veränderten, sobald ein junger Mann im Blickfeld auftauchte. Agnès war ein dickes, schüchternes Mädchen, das sich kleidete, um sich zu verbergen, und so tat, als interessiere sie sich nicht für das Spiel von Liebe und Zufall, und dabei kam sie fast um vor Gefühl. Seit dem Tod ihrer Mutter führte sie den Haushalt und beendete gerade ihr Studium an der Ecole des Chartes, der Hochburg der alten Pergamente. Sie schien zufrieden zu sein in einer Welt, in der Isokrates, Alkibiades oder Pindar eine greifbarere Realität darstellten als der Marschall Pétain oder die Lebensmittelrationierungen. Sie tanzte nicht Lambethwalk, ruderte schlecht, lief wie eine der Gänse vom Kapitol, konnte weder Sonne noch kaltes Wasser vertragen; aber unter der Kapuze ihres altmodischen Mantels, in die sie mühsam die roten Strähnen ihres zu feinen Haares stopfte, hatte sie eine berückende Ähnlichkeit mit einer Figur aus einem anderen Jahrhundert, aus einem englischen Roman oder einem Bild von Renoir mit dem Titel: *Junges Mädchen mit Sommersprossen.*

Louise und Agnès freuten sich um so mehr darüber, daß sie in einem Kanu fuhren – im Gegensatz zu den anderen Mädchen, die einen männlichen Steuermann bevorzugten –, als die Freunde jeden Abend, wenn sie auf die Insel kamen, wo sie ihr Zelt aufstellen wollten, einen Staffellauf von rituellen Witzen veranstalteten, »um ein bißchen Spaß zu haben«. Sie redeten laut, nannten sich gegenseitig Mistvieh und altes Schwein und zerstachen die wunderbar schillernde Seifenblase des Sommerabends mit Wortspielereien und Anzüglichkeiten, die regelmäßig in eine Runde Hinternzwicken ausarteten, worauf die Mädchen mit Siouxgeschrei reagierten, was natürlich ein Ansporn war, weiterzumachen. Für die Jungs waren die Mädchen »komisch«, die Landschaft war »kolossal« und dieser ganze Ausflug auf dem Wasser »fabelhaft«.

Die Flußfahrt, die in Beaugency begonnen hatte, sollte in Ponts-de-Cé enden. Dort würde Agnès wieder in den Zug steigen, um den Rest der Ferien in Tours bei ihrer Großmutter zu verbringen. Die anderen würden nach Paris zurückfahren. Aber für Louise würde das Abenteuer dann erst beginnen. Sie fühlte sich ausnahmsweise eher hübsch, geschmückt wie sie war mit der Ehre, die ihr die Leistung verlieh, zweihundertfünfzig Kilometer im Paddelboot auf der Loire zurückgelegt zu haben. Jetzt oder nie würde Hugo dran sein, egal, ob er sie liebte oder nicht.

Die Ruchlosen hatten in der Tat den Ruf, selbst die verknöchertsten Jungfrauen rumzukriegen. Eine gute Sache für Louise, die sich so lange in die Defensive zurückgezogen hatte und unfähig geworden war, *ja* zu sagen. Es gab noch einen anderen Vorteil: Im schlimmsten Fall war es immer noch besser, von einem zukünftigen Arzt geschwängert zu werden als von einem promovierten Geisteswissenschaftler oder einem Elite-Ingenieur, da Erstgenannter nicht wertvolle Wochen damit zubringen würde, einem Benzo-Gynestrol oder Chinin zu verabreichen. Und schließlich boten die Ruchlosen eine zusätzliche Garantie: Sie waren dafür bekannt, daß sie ihr Feuerwerk auf den Rasen schossen.

Die letzten vierzig Kilometer legten Agnès und Louise im Gegenwind zurück, in einem Boot, das überladen war mit allem übriggebliebenen Proviant – man konnte ihn schließlich nicht den Raben zum Fraß überlassen – und auf einem Fluß, der soeben um die Nebenflüsse Indre und Vienne angewachsen war. Bei Montjean kenterten sie fast in einem Strudel und mußten anhalten, um das Boot leerzuschöpfen; in Ingrandes kamen sie dann erst in der Abenddämmerung an und mußten ihr Zelt beim Licht der Taschenlampen in einer feuchten Wiese aufbauen. Aber Louise schlief den Schlaf der Glückseligen, jenen Schlaf, der sich einstellt, nachdem man gegen die Elemente gekämpft hat, oder der entscheidenden Kämpfen vorausgeht.

Am nächsten Tag brachte sie Agnès im Morgengrauen zum Bahnhof, zog ihr Boot aufs Trockene, holte aus der wasserdichten Tasche ihr letztes sauberes Kleid und schritt beklommen in Richtung Höhle der Verruchten, ein kleines Schloß am Loireufer, mitten in den Reben, wo eine verarmte adelige Dame zahlende Gäste aufnahm. Sie war Witwe und bevorzugte Gäste männlichen Geschlechts unter dem Vorwand, diese könnten ihr bei der Weinlese helfen – ein Tages-Alibi für nächtliche Betätigungen, die der Wein- und Feigenblätter durchaus entbehrten. Neben der zierlichen, blonden Schloßherrin, die sehr lebhaft und humorvoll war und Juliette hieß, auf Grund ihrer fünfundvierzig Jahre jedoch »die Alte« genannt wurde, logierten in dem Schlößchen noch ein paar Mädchen aus dem üblichen Gefolge der Ruchlosen – so wie früher die Armeen Marketenderinnen und Huren mitführten –, ein Teich, aus dem sich jeder nach Lust und Laune das Passende vom ständig erneuerten Bestand herausfischte und das benutzte Objekt anschließend wieder zur allgemeinen Verfügung stellte, gemäß Paragraph eins der Satzung: »Liebe gibt es nicht.«

Dieses Grundprinzip wurde von Paragraph zwei ergänzt – »Das Adjektiv *intelligent* bezieht sich niemals auf weibliche Wesen« – und rechtfertigte die gemeinschaftliche Nutzung der Damen, die unbekümmerte Weitergabe aller einschlägigen Informationen und den offenen Zugang zum gemeinsamen »Archiv«, einer Sammlung von Briefen, die Jean-Marie, der Literat der Gruppe, zusammengestellt hatte; es waren Musterbriefe für jedes denkbare Stadium: erstes Stelldichein, spielerisches Präludium, feurige Liebeserklärung, Eifersuchtsszene, nicht eingehaltene Verabredung, gespielte oder endgültige Trennung. Auf diese Weise waren die Ruchlosen, ohne etwas von ihrer wertvollen Zeit zu verlieren, allen Situationen gewachsen. Es genügte, den Vornamen der Betroffenen auszuwechseln.

Die jungen Mädchen waren damals sehr zahm. Es ging um Leben und Tod. Je mehr man sich wehrte, desto tiefer wurde man erniedrigt. Unvermeidlich sauste sie hernieder, die Peitsche der Montherlant-Zitate: Hatte er nicht meisterhaft bewiesen, daß eine Frau nur entweder eine Andrée Hacquebaut sein konnte, intelligent zwar, aber häßlich, oder eine Solange Dandillot, hinreißend, aber dumm? Von Aristoteles, Molière, Rousseau und den anderen waren sie bereits zu ihren Töpfen verwiesen worden, noch bevor sie das Lesen gelernt hatten – welchem Mädchen wäre es eingefallen, das Selbstverständliche solcher Klassikerweisheit anzuzweifeln? Sie wagten es nicht, sich auf die männerverzehrende George Sand zu berufen, die ihre Liebhaber schwindsüchtig machte, und auch nicht auf die intelligente, aber eben häßliche Germaine de Staël, die so unglücklich war – sie gibt es selber zu ... Auch auf Colette wagten sie sich nicht zu berufen, der man Willys Laster anhängte, zusätzlich zu ihrem eigenen, dem Lesbischsein. Was blieb ihnen denn anderes übrig, um trotz allem geheiratet und wenn möglich sogar geliebt zu werden, als die Intelligenz einer Andrée Hacquebaut, falls vorhanden, zu verbergen unter der Schönheit von Solange Dandillot, falls vorhanden? Was sollten sie anderes tun, als dieses ideale, ängstliche, nach Herzenslust masochistische Beutetier zu werden oder von Geburt an zu sein: dieses sanfte Beutetier, dessen Herzchen ein wenig höher schlagen zu lassen so angenehm ist, diese unterjochte, gezähmte, geliebte Kreatur, ja geliebt, das war die Tragik, dieses Haustier, das sie sich ins Bett steckten, ein wenig streichelten – ich lieb' dich, ich lieb' dich nicht ... ich lieb' dich, ich lieb' dich nicht – und dem sie schließlich, falls es zahm und treu zu sein versprach, ein Halsband mit ihrem Namen schenkten, im Tausch gegen sein Leben.

Louise hatte viel gelesen, aber zum Glück wenig nachgedacht. Sonst hätte sie am selben Tag noch ihr Kanu wieder startbereit gemacht. Aber mit jener naiven Sorglosigkeit, jenem selbstmörderischen Heldenmut der Frauen, wollte sie die öffentlichen Schmähungen vergessen, mit denen die Ruchlosen alle überschütteten, die von Liebe sprachen, an allererster Stelle *The King*, der Erfinder der Ruchlosen, der seinen intellektuellen Terrorismus über der ganzen Gruppe walten ließ. Sie bewunderte seine Intelligenz, seinen Mut, seine Schönheit und sogar seine Gemeinheit. Sie wollte Hugo nicht unter der Bedingung haben, daß er sie liebe, sie wollte Hugo nur ganz einfach haben.

Er war sehr groß und ging etwas gebeugt; in der Mähne des Fünfundzwanzigjährigen schimmerten vereinzelt schon weiße Haare. Mit seinem großen, sinnlichen Mund, dessen Lippen gleichmäßig geformt waren, seinen moosfarbenen Augen und dieser Art ... dieser kaum zu beschreibenden Art ... war er in der Tat der große Unwiderstehliche, dachte Louise, als sie ihn in einer Umgebung wiedersah, die für ihn geschaffen zu sein schien.

Ingrandes erfuhr durch den Krieg eine unerwartete Aufwertung. Dieses sanfte Dorf im Anjou, das in normalen Zeiten nichts aus seiner milchigen Schläfrigkeit am Loireufer hätte herausreißen können, wurde in diesem Sommer zu so etwas wie einem modischen Badeort, den die Pariser scharenweise in Shorts heimsuchten. Die sandigen Ufer hatten auf einmal den Status eines Meeresstrandes, es wuchsen überall Sonnenschirme aus dem Boden, und die Bauern bekamen plötzlich die Folies Bergères ins Haus: Tiefdekolletierte Damen – brustfreie Damen, sagten sie – mit zu kurzen Röcken kamen auf den Hof und kokettierten um den Misthaufen herum, nur um sich ein Viertel Butter oder zwei Pfund Kartoffeln zu erhandeln.

Braungebrannt, muskulös, von den Produkten des Landes gestärkt, kam Louise auf dem Schloß an und wurde dort nicht wie die begabte Philologin von der Sorbonne aufgenommen, die sie normalerweise verkörperte, sondern wie eine schöne Abenteurerin. Die Ruchlosen empfingen sie mit Pauken und Trompeten, sie liebten es, frische Opfer ankommen zu sehen. Aber der Versuch, ein Mitglied der Gruppe zu isolieren, erwies sich als riskant, denn das oberste Prinzip der Ruchlosen war es, sich niemals vom Clan zu entfernen. Mit Ausnahme von kurzen Tête-à-Tête-Szenen – sie nannten es ihre »Abende der Ausschweifung«, und es bedeutete kaum mehr als die Zeit für einen Kuß oder sogar eine schnelle Vögelei, wenn die Frucht reif war – vermieden sie alles, was einer bevorzugten Verbindung hätte ähneln können, einer dauerhaften Bevorzugung dieses oder jenes Opfers. Es war Brauch, allen Mädchen richtig einzuheizen und sie anschließend zu verlosen. Zu verlosen oder auch dem Geschmack der einzelnen entsprechend zu verteilen: So landeten bei Hugo die Leidenschaftlichen und die Romantischen, bei Julien, dem engelhaften Musiker, die Idealistinnen und die Halbwüchsigen, und Jean-Marie, der Mundharmonika spielende Dichter, ließ sich die Sentimentalen kommen. Bernard, der sportliche Witzbold, nahm sich die Lustigen, die es in jeder Clique gibt. Die beiden anderen, die nicht so gut aussahen, mußten sich mit dem Rest begnügen, sie sorgten für Nachschub und für ein reibungsloses Funktionieren dieser Gewerkschaft für Gegenseitige Bewunderung.

Nicht zuletzt weil der Loire-Wein sehr mundet, gab es während dieser Ferien zahlreiche »Ausschweifungen«, und die Ruchlosen zeigten sich von ihrer besten Seite: Musik, Humor, Spaß am Feiern, Freundschaft, die zur Kunst erhoben und gefestigt wurde durch eine ausnahmslose Verachtung alles Weiblichen, große Ideen im Mondschein ... Man konnte nur noch zerfließen vor Liebe. Zumindest würde man nicht für Mittelmäßige leiden.

»Sie sind so schön heute abend«, flüsterte ihr Hugo manchmal beim Tanzen ins Ohr. »Fast würde ich mich in dich verlieben, wenn ich das dürfte ...«

»Wer hindert Sie daran?«

»Mein Ehrgeiz ... eine persönliche Disziplin. Manchmal finde ich es schade«, fügte er hinzu, schmiegte sich noch etwas enger an sie, den Mund in ihren Haaren.

Du spielst den Sturmumwitterten, den Leidenden, den Untröstlichen, aber warte nur, dir werd' ich's zeigen, wenn du mit mir schläfst; du weißt ja gar nicht, wie sehr du dich vor mir in acht nehmen mußtest, dachte Louise voller Selbstvertrauen. Seit mehr als einem Monat war sie den abkühlenden Sarkasmen ihrer Mutter nicht mehr ausgesetzt und fühlte sich nun von köstlichen Versuchungen durchströmt.

Die Dorfkirchweih von Ingrandes fiel in jenem Sommer auf den 22. August. Die Ruchlosen beschlossen, auf dem Dorfplatz ein Konzert zu geben, und der Bürgermeister, der Bruder der Schloßherrin, erklärte sich bereit, die Ausgangssperre an diesem Abend zu ignorieren. Es wurden Bach und Gershwin, Sekt und Saumurwein vermischt, man vergaß den Krieg und verliebte sich nach Herzenslust. Louise sah, wie Hugo mehrmals mit der Alten im Gebüsch verschwand; man sah dieser aristokratischen Dame die Neigung zum anderen Geschlecht deutlich an, und ihr offensichtlich hoher Konsum an Männern verbannte Louise in die Randzonen der faden Tugendhaftigkeit oder der jugendlichen Unschuld – was auf dasselbe hinauslief.

Hatte Hugo an jenem Abend seine Macht delegiert oder hatte Jean-Marie sich freigenommen? Jedenfalls tanzte sie vorwiegend mit ihm, wobei sie aber jedesmal, wenn sie an Hugo vorbeikam, diesem feurige Blicke zuwarf, aus denen sie sorgfältig jede Nuance von Vorwurf oder Melancholie verbannte, denn die Ruchlosen haßten weibliche Nervensägen.

Jean-Marie sah aus wie ein blonder Eskimo. Er war eher klein und untersetzt, hatte eine hohe schräge Stirn und blaue Schlitzaugen. Er war überhaupt nicht ihr Typ, aber er tanzte wie ein junger Gott, und außerdem war es wichtig, sich einen Verbündeten zu schaffen, denn das Veto eines einzigen Ruchlosen konnte den Rausschmiß einer Kandidatin bedeuten. Vermutlich würde er seine bekannte Nummer mit den Gedichten abziehen. Julien, genannt der Cherub, hatte die Masche mit den Bachchorälen drauf, am liebsten auf einer Orgel irgendwo in einer Dorfkirche. Die Mädchen fielen reihenweise um, wenn sein zerstreutes Engelsgesicht – daher sein Spitzname – plötzlich aufleuchtete und er mit dumpfer Stimme und spanischem Akzent deutsche Texte sang. Hugo begeisterte seine Opfer mit der Nummer der Lebensangst und des Weltschmerzes; aber statt dessen würde sich Louise diesmal mit amerikanischem Jazz und Gedichten von Laforgue begnügen. *Saint James Infirmary* auf der Mundharmonika, in einer lauen Sommernacht, wenn das Herz vor Liebe für einen anderen weint, das hat schon auch seinen Reiz, das hat bittersüßen Schmelz ... Außerdem wollte sie über Hugo reden hören, aus dem Mund seines besten Freundes.

»The King, das ist der genialste unter uns«, erklärte ihr Jean-Marie. »Wenn einer von uns eines Tages große Dinge leisten wird, dann er. Es wäre schade, wenn ein Mädchen ihn mit Beschlag belegen würde. Da sehe ich ihn schon lieber zusammen mit der Alten. Das ist ohne Risiko. Und außerdem weiß sie, was sie an ihm hat.«

»Risikofreudig seid ihr ja nicht gerade«, warf Louise ein.

»Weil immer fünf andere dabei sind und aufpassen. Außerdem suchen wir uns am liebsten dumme Gänse aus – die richten weniger Schaden an. Am schlimmsten sind die, die sich für Intellektuelle halten.«

Zack! Das hatte gesessen. Aber schließlich kommt man zu den Ruchlosen nicht, um Süßholzraspeln zu hören.

»Aber was passiert, wenn sich einer von euch wirklich mal verliebt?« fragte sie in einem gewollt unbekümmerten Ton.

Jean-Marie lachte laut auf.

»Kennen Sie Paragraph eins? Und im Falle eines Falles haben wir freie Hand, um einzugreifen. Wenn Sie das Gefühl haben, Sie sind zu sentimental, dann sollten Sie sich lieber nicht hier bei uns herumtreiben«, fügte er fast zärtlich hinzu.

Louise spürte, wie eine Träne über ihre Wange kullern wollte. Zum Glück war es dunkel. Hatte ihm Hugo etwas gesagt? Ja, natürlich. Diese Saukerle erzählten sich doch alles.

»Wir hassen Herzensangelegenheiten wie die Pest«, fuhr Jean-Marie fort. »Es gibt kein besseres Mittel, um eine Freundschaft zu zerstören . . . und um durchs Abschlußexamen zu sausen.«

»Wird euch das nicht furchtbar langweilig, alle Mädchen wie Schuhabkratzer zu behandeln?«

»Sie sehen doch, daß wir wahnsinnig glücklich sind. Und im übrigen *sind* Mädchen Schuhabkratzer!«

»Natürlich, ihr sucht sie euch ja danach aus!«

»Komisch, es will Ihnen einfach nicht einleuchten, daß die Mädchen, die Liebe und das ganze Brimborium für uns wirklich nebensächlich sind. Das heißt nicht, daß wir dem weiblichen Körper feindlich gesonnen sind«, fügte er nach einem längeren Schweigen hinzu, und dabei streichelte er sehr sanft mit einem Finger über das nackte Bein von Louise, die im Gras lag. »Zum Tanzen, zum Träumen . . . um die Illusion zu pflegen, daß es die Liebe gibt. Schließlich sind wir nicht aus Stein.«

Diese dumme Gewohnheit, »wir« zu sagen, als hätten sie wirk-

lich alle zusammen nur ein Herz! Und »ihr«, als wären die Mädchen ein homogenes, konturloses Gemisch ... Ja, sechs Portio-
nen davon bitte für heute abend!

»Die Ehe ablehnen, einverstanden. Aber warum müßt ihr euch
so rüpelhaft benehmen? Braucht ihr das für eure Selbstbestäti-
gung?«

»Ich weiß, auf wen Sie anspielen«, sagte Jean-Marie. »Aber ich
glaube, daß die Flegelhaftigkeit unentbehrlich ist. Sie schützt vor
Herzensschwäche. Wissen Sie, Mädchen sind nämlich unglaublich. Je widerlicher wir uns ihnen gegenüber benehmen, je weniger wir unsere Auffassung verbergen, desto mehr sind sie von
uns angetan.«

»Finden Sie, ich sei verrückt, weil ich nach Ingrandes gekommen
bin?«

»Nicht unbedingt – vorausgesetzt, Sie sind ohne Illusionen gekommen.«

Sie schwiegen. Jean-Marie begann ein paar Takte von *Stormy
Weather* auf seiner Mundharmonika zu spielen. Er hatte nicht
versucht, seine Nummer mit den Gedichten anzubringen, und
letztlich war sie ihm dankbar dafür. Als hätte er ihre Gedanken
erraten, warf er ein:

»Ich sag' Ihnen das alles, weil ich Sie gerne mag, wissen Sie. Viel
Stärkere als Sie sind an Hugo elendiglich gescheitert.«

Er hatte recht. Tag für Tag hatte Hugo sein böses Spiel mit ihr getrieben: Mal umschlang er sie zärtlich und küßte sie beim Tanzen, als liebte er sie, und dann vergaß er sie wieder ganz ostentativ oder warf ihr einen seiner verletzenden Sätze ins Gesicht.
Wie aber, wenn er Angst hätte vor seinen Gefühlen? Vielleicht
war gerade das die Erklärung. Unter ihren Komplexen verbarg
Louise eigentlich eine ziemlich hohe Meinung von sich selbst.
Hugo konnte sie nicht auf eine Ebene stellen mit all diesen hirn-
losen Gänsen, mit denen er sich aus Vorsicht beschäftigte. Allerdings gab es da die Alte, die keineswegs hirnamputiert war und
die das Feld beherrschte, genauer gesagt Hugos Körper, und das
mit einer Schamlosigkeit sondergleichen. Es war hoffnungslos.
Am Wochenende würde sie abfahren, um ihre Würde zu wahren.

Aber am anderen Morgen fand Louise einen Zettel an ihrem
Zelt:

»Habe erfahren, daß Sie am Sonntag abreisen. Darf ich Sie heute abend zum Essen einladen?«

Sie trafen sich in einem kleinen Wirtshaus am Loireufer, und Hugo hatte nicht, o Wunder, im letzten Augenblick einen zweiten Ruchlosen mitgebracht, oder, schlimmer, eine seiner Geliebten.

»Warum hauen Sie so schnell wieder ab? Ich hatte gehofft, Sie würden bis zum Ende der Ferien bleiben!« (Er hatte gehofft ... Er war besorgt ... Hatte er also doch Absichten? Ihr Herz schlug augenblicklich höher.)

Sie versuchte, mit ihren Augen das auszudrücken, was sie nicht über die Lippen brachte: Feurige Worte bohrten sich lustvoll durch ihren Magen, ihren Bauch und noch tiefer. Los, Louise, sag es ... Sie öffnete den Mund, fest entschlossen.

»Es ist wahr, wir hatten kaum Zeit, miteinander zu reden«, stotterte sie verzweifelt.

Hugo betrachtete sie mit einem zärtlichen und zugleich zynischen Blick. Sie kämpfte hilflos hinter der schweren Rüstung ihrer guten Erziehung und vermutlich ihrer hoffnungslosen Jungfräulichkeit. Er zog das Schweigen in die Länge, um sie noch mehr aus der Fassung zu bringen.

»Ich wollte Sie fragen«, fuhr sie mutig fort, »Sie haben mir eigentlich nie gesagt, was Sie von diesem Buch halten, das ich Ihnen in Paris mal geliehen habe: *In vino veritas*. Ist das nicht ein großartiges Buch?«

Da die direkte Kommunikation mit Worten und Gesten für sie, wie für viele Mädchen ihrer Zeit, unmöglich war, nahm sie Bücher zu Hilfe, um verschlüsselte Botschaften auszuschicken. Man schenkte *Sparkenbroke* oder Rainer Maria Rilke, wenn man sagen wollte: Ich liebe dich. Mit Hilfe von Vigny oder Baudelaire antwortete man: Ich liebe dich nicht.

»Ich hatte noch keine Zeit, es zu Ende zu lesen«, sagte Hugo mit seiner schönen, tiefen Stimme, »aber ich habe es heute abend mitgebracht, damit wir darüber reden können. Ich muß gestehen, daß ich mit Kierkegaards Thesen durchaus einverstanden bin, vor allem was die Frauen betrifft ... Ich wundere mich sogar«, fügte er perfide hinzu, »daß es Mädchen gibt, die masochistisch genug sind, um ihren boyfriends so was zu lesen zu geben, aber ... nun denn. Sie liefern mir Argumente gegen Ihresgleichen. Ist das Boshaftigkeit von Ihnen?«

»Aber das sind nicht meinesgleichen«, erwiderte sie heftig. »Genausowenig wie ich Sie mit Göring oder mit dem Bürgermeister von Ingrandes in einen Topf schmeiße.«

Hugo sah Louise an. Nanu, sie liebte ihn ja wirklich! Sie trug alle Stigmata der aufgewühlten Jungfrau. Sie gefiel ihm jetzt übrigens besser als in Paris, sie war weniger gestelzt, weniger Blaustrumpf, sie war verletzbarer. Es versprach lustig zu werden. Höchste Zeit, daß die sich ein wenig entkrampfte. Eine Intellektuelle! Die allerschlimmste Rasse, weil die sich ständig selber zusehen, anstatt ihre Weiblichkeit auszuleben – mit dem Ergebnis, daß sie mit fünfundzwanzig Jahren noch immer fragen: Soll ich vögeln, Mama?

»Sie müssen auf jeden Fall zugeben, daß es ganz angenehm ist, wenn man feststellt, daß man mit einem Herrn Kierkegaard einer Meinung ist! Darf ich Ihnen mal einen besonders lehrreichen Abschnitt vorlesen? Ich habe ihn angestrichen, weil Sie mir gesagt haben, Sie mögen Bücher mit Anmerkungen.«

Er schlug das kleine grüne Buch auf: »Frauen sollten niemals an Festen teilnehmen, denn Essen und Trinken spielen dabei die wichtigste Rolle, und sie sind unfähig, sich zu benehmen. Und selbst wenn sie dazu fähig wären, es würde ihnen an Ästhetik mangeln.«

»Warum umgeben Sie sich dann mit so vielen Mädchen bei Ihren Festen?«

»Moment, ich lese weiter«, unterbrach sie Hugo. » ›Es ist Eigenart des Mannes, unbedingt zu sein, absolut zu handeln, das Absolute auszudrücken. Die Frau ist Ausdruck der Relativität. Wenn man sie nicht als solche betrachtet‹, fuhr er fort und betonte jede Silbe, »kann sie unheilbaren Schaden anrichten.‹ Sie sehen, die Satzung der Ruchlosen läßt sich auf beste Quellen zurückführen.«

»Aber es genügt doch wohl, die Augen aufzumachen, um festzustellen, daß die Frauen viel öfter die Opfer als die Henker sind!«

»Sagen wir mal so, sie spielen die Opfer, und sie können besser weinen, das ist alles. In Wirklichkeit haben die Männer alles zu verlieren mit den Weibern: ihre Karriere, ihr Talent, ihr Genie, falls sie welches haben. Deshalb sind diejenigen Frauen, die denken – wie Sie zum Beispiel, meine Liebe –, äußerst gefährlich.

Zum Glück sind Sie nicht von atemberaubender Schönheit. Ich nehme an, ich kränke Sie nicht, wenn ich Ihnen das sage. Diese Feststellung haben Sie wohl selbst machen können, indem Sie sich in Ihrem Spiegel angeschaut haben . . .«

Louise hatte die Fähigkeit, einiges zu schlucken. Warum sollte sie sich auch beleidigt fühlen angesichts einer Tatsache, die ihr sowieso jeden Morgen ins Gesicht sprang?

»Sie haben recht, ich gehöre nicht zur Kategorie der Vamps. Aber Sie scheinen den Vamps nicht gerade aus dem Weg zu gehen . . .«

»Je blöder sie sind, desto besser. Und das ist meistens der Fall. Wir wollen ganz allgemein nur harmlose, unterhaltsame Frauen. Wenn sie sich verknallen, werden sie unerträglich langweilig!«

»Sind Sie denn der Meinung, daß die Männer harmlos und unterhaltsam sind?«

»Das haben sie nicht zu sein, Louise. Sie wollen sie hartnäckig auf eine Ebene mit den Frauen stellen. Männer müssen im Absoluten handeln, sie sind Weltenschöpfer. Ihr Frauen, ihr könnt nur Menschen schaffen. Und selbst die entgleiten euch. Die wahre Größe für die Männer wäre eigentlich, auf die Frauen zu verzichten. Das hat Kierkegaard getan: Die Frau, die er heiraten wollte, hat er aufgegeben, obwohl er nie aufgehört hat, sie zu lieben. Das war der Preis für sein Schaffen.«

»Musset, Balzac, Hugo haben ihr Werk geschaffen, ohne auf die Frauen zu verzichten . . .«

»O.k., aber das ist nur möglich unter der Bedingung, daß man mehrere nebeneinanderher liebt, um dem Einfluß einer einzigen zu entkommen. Beeindruckt Sie das denn überhaupt nicht, diese Übereinstimmung aller Philosophen, Dichter, Wissenschaftler, von Aristoteles bis Nietzsche? Wo Sie doch gerade zu denen gehören, die lesen? So viele intelligente Leute können sich doch nicht geirrt haben!«

»Ach, wissen Sie, so viele intelligente Leute waren der Meinung, Neger hätten keine Seele oder die Erde sei flach wie ein Brett . . .«

»Ja schon, aber sie haben ihre Meinung geändert! Über alles hat man im Lauf der Zeit die Meinung geändert, nur nicht über die Frauen! Soll ich Ihnen mal was sagen! Trinken Sie zuerst einen

Schluck, denn so was ist hart zu hören für ein Mädchen wie Sie.«
Er füllte ihr Glas mit dem Wein, der sie so sanft einlullte. »Sie
werden niemals glücklich sein, solange Sie versuchen, sich auf
eine Ebene mit den Männern zu stellen.«

»Wenn man so tun muß, als sei man ihnen unterlegen, um geliebt zu werden, dann verzichte ich lieber auf die Männer«, sagte
Louise pathetisch.

»Oh, Sie werden es auch nicht anders machen als die anderen«,
versetzte Hugo lachend. »In den meisten Fällen ist es sowieso
ganz überflüssig, so zu tun als ob – das ist es, was Sie nicht verstehen wollen. *In Kierkegaard veritas,* hören Sie doch mal folgen-
des: ›Welch ein Unglück, eine Frau zu sein. In Wirklichkeit jedoch besteht für eine Frau das Unglück darin, daß sie ihr
Unglück nicht versteht.‹ «

Vermutlich war Hugo der Ansicht, er habe nun genügend Eis an-
gehäuft; jetzt öffnete er die Warmwasserschleuse. Er nahm Louises Hand und machte Samtaugen:

»Warum haben Sie mir dieses Buch geliehen? Gestehen Sie, daß
Sie damit etwas sagen wollten. Das ist es, was ich bei den Frauen
nicht verstehe, diese Lust am Leiden. Ich dachte, Sie seien in dieser Hinsicht anders als die anderen ... Das ist es sogar, was mich
an Ihnen immer interessiert hat.«

Ein sanftes Schweigen entstand. Hugo schaute ihr in die Augen.
Das geringste Kompliment aus seinem Mund ließ tausend
Frechheiten verblassen.

»Ich habe Ihr Buch noch nicht ganz zu Ende gelesen, aber wenn
Sie es zurückhaben wollen ...«

»Nein, nein, lesen Sie es zu Ende; Sie sind sowieso nicht mehr
zu retten«, sagte Louise mit einem resignierten Lächeln.

»Wollen wir noch ein Gläschen Marc de Champagne trinken,
um diesen glänzenden verbalen Zweikampf abzuschließen?«

»Ich glaube, ich habe genug getrunken«, antwortete Louise,
»ich lasse mich angreifen und werde nicht einmal mehr wütend ...«

»Haben Sie Angst vor sich selbst? Sind Sie etwa schüchtern,
Louise-Adrienne? Er steht Ihnen sehr gut, dieser Name. Es ist
ein Name aus dem 19. Jahrhundert, und Sie selbst sind auch
noch aus dem 19. Jahrhundert, obwohl Sie sich so emanzipiert
geben. Das Dumme ist nur, daß es keine Männer aus dem
19. Jahrhundert mehr gibt ...«

» ›Dieses dumme 19. Jahrhundert‹ hat Léon Daudet einmal gesagt. Das ist kein Kompliment, was Sie mir da machen.«

»Ach, wissen Sie, ein Schubs genügt, um das Jahrhundert zu wechseln. Wichtig ist nur, daß man sich nicht darin verbarrikadiert. Sie sind immer in der Defensive, als ob Sie Angst hätten, daß man Ihnen etwas wegnimmt. Selbst wenn man mit Ihnen tanzt, spürt man, daß Sie in Ihrem Mißtrauen ganz steif werden. Und wenn man Sie küssen will ... Und dabei haben Sie einen ganz sinnlichen Mund.«

Er führte einen Finger über Louises Lippen und schnippte ihr dabei mit dem Zeigefinger unter das Kinn. Sie mochte es nicht, wie ein kleines Mädchen behandelt zu werden, aber sie ließ es geschehen. Man fühlte sich insgeheim immer geschmeichelt, wenn man seine Sinnlichkeit von jemandem bestätigt bekommt.

»Trinken Sie, es kann Ihnen auf keinen Fall schaden. Das ist ein Rezept! Und außerdem bringe ich Sie zu Ihrem Zeltlager zurück, mein liebes Fräulein Wildfang. Wir werden den Treidlerpfad zurückgehen, Sie werden sehen, er ist wunderhübsch. Es ist eine so schöne Nacht, daß man Kierkegaard besser vergißt, finden Sie nicht?«

»Wenn ich richtig verstanden habe, ist es sowieso besser, wenn ich ihn vergesse!«

Hugo lächelte und legte ihr seinen Arm um die Schultern:

»Sie sind keine Spielverderberin, das ist selten bei einer Frau.«

Immer das gleiche Schaukelspiel. Wo war denn nur der wahre Hugo, wenn nicht in diesem Gesicht, dessen besorgte Züge sie so liebte, in der Wärme dieser Hand, die auf der ihren lag? Sie gingen langsamer. Obwohl es dämmrig war, wurden seine Augen noch grüner, und es spiegelte sich in ihnen jene fragende Angst, die sie immer als einen Hilferuf interpretierte. Sie wünschte sich nichts sehnlicher, als ihm zu helfen. Es würde ihr so gut gelingen ...

Er konnte wunderbar küssen, ohne schmatzende Geräusche von sich zu geben, ohne den Staubsauger zu spielen, ohne seine Partnerin bis zum Kinn naß zu machen. So mochte sie es: Eine ganz langsame Wiegebewegung, Mund an Mund. Er duftete nach Lavendel und ein wenig nach Tabak, wie die Männer in den Frauenzeitschriften, aber sie roch auch, fast mit frommer Hingabe, den intimen Duft des Mannes, in den sie verliebt war; als wäre es seine Signatur. Ein Duft nach Unterholz im Herbst, feucht, ein Duft nach Kräutern, erregend.

Er schob seine Hand unter ihre Bluse, und sie war froh, daß sie an diesem Tag keinen Büstenhalter angezogen hatte. Sie hatte sich immer auf ihren Busen verlassen. Trotz der Entbehrungen des Kriegs hatte er nicht gelitten. Sie wagte es nicht, an Hugos Hemd zu ziehen, um es aus der Hose zu befreien und ihre Hände über seine Haut gleiten zu lassen. Sie begnügte sich damit, seine schmalen Hüften zu streicheln. Das Schmale berührte sie immer bei einem Mann. Bei einer Frau übrigens auch; aber vielleicht zogen Männer doch Amphoren oder Gitarren vor, die geborgenheitspendenden, mütterlichen Hüften?

Plötzlich ließ Hugo sie los:

»Schlafen Sie in Ihrem Zelt heute nacht? Oder haben Sie das Zimmer angenommen, das Ihnen Juliette angeboten hat?«

»Nein ... Umziehen für eine Nacht würde sich nicht lohnen ... Und außerdem schlafe ich gerne im Zelt. Da hat man was von der Morgendämmerung, man hört, wie die Vögel wach werden. Man verpaßt vieles, wenn man in einem Zimmer schläft.«

Hugo legte seine fahrradreifenprallen Lippen wieder auf Louises Mund, und so aneinandergeschmiegt blieben sie eine lange Zeit stehen.

»Ich muß gehen«, sagte er plötzlich, und es war, wie wenn man ein Licht auslöscht. »Wir proben für das Konzert am Sonntag, fast hätte ich es vergessen. Um zehn bin ich mit Julien in der Kirche verabredet. Bis später, Louise-Adrienne?«

»Bis später«, antwortete sie und preßte ihn stärker an sich, um ihm zu verstehen zu geben, daß sie ja sagte, zu allem ja sagte.

Gegen Mitternacht wurden im Schloß die letzten Lichter gelöscht, und Louise, die ihren Rucksack in Anbetracht ihrer bevorstehenden Abreise bereits gepackt hatte, begann zu warten; sie lag in ihrem Schlafsack und lauerte in der geräuschvollen Dunkelheit des Sommers. Frösche quakten in einem nahegelegenen Teich. Sie dachte an Froschschenkel à la provençale, und dabei fiel ihr ein, daß sie in ihrem Schlafsack die Beine nicht würde spreizen können. Da hörte sie, wie jemand mit dem Fingernagel an dem Stoff des Zeltes kratzte. Sie kniete sich hin, um den Reißverschluß des Zelteingangs zu öffnen – wie man eine

Hose aufmacht, dachte sie und lächelte. Eine kauernde Gestalt kam zur Öffnung herein und robbte bis zu ihr hin. Wie berauschend es ihr schien, die Jungfräulichkeit, oder das, was davon noch übrig war, zu verlieren! In der freien Natur, auf der Erde, wie eine Höhlenfrau aus der Steinzeit! Diese verdammte Jungfräulichkeit, die vielleicht schon lange nicht mehr vorhanden war – angeblich bluten manche Frauen kaum. Wahrscheinlich war es letztlich doch der Ägypter, der sie defloriert hatte. Noch so ein schreckliches Wort. Sie hatte keine »Blume« verloren. Die Blume, das ist die Liebe, die man verschenkt, die Erfüllung der Lust. Das hatte nichts zu tun mit jener seltsamen Zweiersitzung am Abend nach Bekanntgabe der Prüfungsergebnisse für das Philologieexamen – sie hatte es geschafft, er war durchgefallen. Sie, die gute Seele, wollte ihn trösten, wollte, daß er, der Fremde, der von Hermine verhöhnte »Ausländer« ihr ihren Erfolg verzieh, wo er doch nicht die gleichen Chancen gehabt hatte: Sie glaubte sich verpflichtet, ihm endlich nachzugeben und mit ihm nach Hause zu gehen. Wie, wenn das, was sie aufbewahrte, nicht einmal ein Schatz wäre? Nicht einmal ein Geschenk? Erbärmlich, sich betasten und betätscheln zu lassen mit der fixen Idee von dem Punkt, der nicht überschritten werden durfte. Das nennt man einem Mann einheizen, es gab nichts, was ihr verhaßter gewesen wäre. Also folgte sie ihm in seine Studentenbude. Der Ägypter streichelte sie sehr geschickt, aber kaum zwei Minuten lang, nur um sie in Schwung zu bringen, und genau in dem Moment, als sie sich zu wünschen begann, daß er weitermachte, ging er zum Wichtigsten über, zu seiner eigenen Wollust. Plötzlich veränderte sich sein Gesicht, und wortlos kam er zur Sache, schmerzverzerrt, wie ihr schien, bevor er über ihr zusammenbrach und Kopf und Schultern schüttelte wie ein erschöpftes Pferd.

»Wie ist das denn jetzt? Bin ich noch Jungfrau oder nicht?« hatte sie ihn gefragt, während sie sich wieder anzog; sie war erstaunt, daß sie sich nicht verändert fühlte.

»Seltsame Frage, wenn man aus dem Bett eines Herrn steigt«, hatte der Ägypter grinsend erwidert.

Sie öffnete ihre Arme und war innerhalb einer Sekunde eng an den Körper des Jungen geschmiegt. Hände streichelten sie ohne Überstürzung, und ein Kopf vergrub sich an ihrem Hals. Wie sanft er war. Wie er sich Zeit nahm! Er hatte es noch nicht einmal eilig, seine Hose aufzumachen ... Aber zum ersten Mal hatte Louise nicht das Gefühl, sie müsse nun schnell die Initiative ergreifen und dem Mann diese Arbeit abnehmen.

Man behauptet, daß sogar ein Weinkenner den Unterschied zwischen Weißwein und Rotwein mit geschlossenen Augen nicht schmeckt. Im Dunkeln erfordert es vermutlich auch etwas Zeit, nur durch Berührungen den Mann wiederzuerkennen, den man am hellichten Tag geliebt hat. Es war der Duft, der Louise stutzig machte. Die Haut, die sie beschnupperte, roch nicht nach Unterholz, sondern künstlicher. Vielleicht hatte er sich mit einem Gesichtswasser eingerieben, bevor er kam? Aber wo blieb der Tabakgeruch? Sie suchte vergeblich nach dieser Duftkomponente. Sanft führte sie ihre Hand über die Haare des Jungen, und es dauerte einige Sekunden, bis sie sich ganz sicher war: Nein, das war nicht die dichte Mähne von Hugo, sondern feines, seidiges Kinderhaar. Erschrocken griff sie zur Taschenlampe.

»Nein, bitte machen Sie kein Licht. Wozu auch? Sie wissen ja schon, daß ich nicht Hugo bin.«

Louise versuchte, sich aus der Umklammerung zu befreien. Aber es ist schwierig, die Beleidigte zu spielen, wenn man fast nackt unter einem Herrn liegt.

»Und gehn Sie auch nicht weg. *Please*«, sagte Jean-Marie zärtlich. »Bleiben Sie neben mir liegen, dann wird es nicht so schwierig sein; ich muß es Ihnen erklären.«

»Ich kenne die Taktik der Ruchlosen«, unterbrach ihn Louise. »Sie brauchen sich keine Mühe zu geben!«

»Diesmal war es kein abgekartetes Spiel, ich schwöre es Ihnen. Hugo mußte bei Juliette bleiben, um sie zu beruhigen. Sie hat heute abend einen Anfall gekriegt, weil er mit Ihnen beim Essen war. Einen echten hysterischen Tobsuchtsanfall, richtig mit Tränen und Kofferpacken. Und die gepackten Koffer, das waren die von Hugo; sie hat ihn aufgefordert, das Haus sofort zu verlassen. Und Hugo ist nicht der Typ, der sich so was zweimal sagen läßt, Sie kennen ihn ja ... Während er dann in seinem Zimmer die letzten Sachen zusammenpackte, ist sie buchstäblich zusammengebrochen. Sie ist total verknallt in ihn, die Arme. Er mußte ihr eine Beruhigungsspritze verpassen. Er machte sich fast Sorgen um sie.«

»Sie werden mir doch nicht einreden wollen, daß Hugo Mitleid hatte mit einer weinenden Frau?«

»Nun, ich glaube, daß er sie irgendwie mag. Im Grunde schätzt er es, von einer älteren Frau ausgehalten zu werden. Das schmeichelt ihm, und er kann dann auch so gut zynisch sein. Kurz und gut, ich nehme an, sie trinken gerade Champagner, und anschließend wird er sich freundlich von ihr vergewaltigen lassen. Er hatte gerade noch Zeit genug, mich zu bitten, ob ich Ihnen nicht Bescheid sagen könnte . . .«

»Oh, darüber bin ich mir im klaren: Er hat gesagt: ›Vögle sie an meiner Stelle.‹ «

»Ja, das hat er gesagt. Na und? Nichts hätte mir mehr Freude machen können, denn ich habe wirklich Lust, mit Ihnen zu schlafen, und zwar schon seit langem. Aber ihr habt ja alle nur Augen für Hugo. Das ist echter Masochismus! Die Liebe gehört nicht in seinen Lebensplan, er ist der allerzäheste von uns allen. Aber gerade ihn müßt ihr alle lieben! Erklären Sie mir das doch einmal, Louise, wo Sie doch für ein kaltes, klarsichtiges Mädchen gehalten werden . . .«

»Es gelingt mir nie, eine wirkliche Liebesgeschichte zu erleben, wenn ihr das meint mit kalt und klarsichtig; ich halte das vielmehr für ein Gebrechen. Aber Sie sind Zeuge, so gehen meine Geschichten immer aus. Dabei war ich diesmal wirklich entschlossen . . .«

»Trinken wir auf Ihr Gebrechen, Louise«, sagte Jean-Marie und zog eine kleine Flasche aus seiner Tasche. »Ich hab' ein bißchen Schnaps aus dem Schloß mitgebracht, um Sie wegen der schlechten Nachricht zu trösten. Ich wollte es Ihnen gleich sagen, als ich kam, und dann . . .« – Er strich schüchtern über Louises lange Haare – »ja, und dann war da Ihr Duft, ich sah Ihre liegende Silhouette im Dunkeln, da haben die bedingten Reflexe wieder die Oberhand gewonnen. Ich bekam Lust, mit Ihnen zu schlafen. Ich *habe* Lust, mit Ihnen zu schlafen, Louise.«

War es schändlich, Hugo zu lieben und sich ersatzweise Jean-Marie zwischen die Beine zu zerren?

»Eigentlich waren Sie der einzige, der heute abend frei war, und deshalb sind Sie hier: Sie haben eine Nacht zu verlieren!« sagte sie mit einem letzten Aufbäumen ihres Stolzes.

»Hören Sie auf, solche Dummheiten zu sagen, um sich zu verteidigen«, flüsterte Jean-Marie.

Er stützte sich auf seine Ellbogen und betrachtete Louise. Sie mochte seine blonden Haare sehr gern, deren leichten Schimmer sie in der Dunkelheit erkennen konnte, sie mochte sein Muschik-Gesicht. Nach dem Ägypter ein Eskimo ... Wenn schon ruchlos, dann gleich ganz verrucht.

Sie tranken einen großen Schluck Schnaps aus der Flasche, und Jean-Marie legte Louise sanft auf ihren Daunenschlafsack. Er war weder brutal noch ungeschickt, aber auch nicht allzu geschickt. Sie sagte sich immer wieder, daß sie ja diesmal nicht gekommen war, um nein zu sagen, und ganz fügsam nahm sie die Froschposition ein.

6
Jean-Marie

Die Ruchlosen fanden Louise alles in allem »annehmbar« und erlaubten Jean-Marie, mit ihr weiterzumachen. Sie ihrerseits fand Gefallen an ihrem neuen Freundeskreis, und die Stunden, die sie mit Jean-Marie allein verbrachte, waren für sie auf ungeahnte Weise beglückend. Sie wurde also seine feste Squaw, was viel Verzicht und ein eingeschränktes Sexualleben bedeutete. Es mußte eingezwängt werden zwischen den Nachtwachen im Krankenhaus, den Vorlesungen an der Uni, den sonntäglichen Musiknachmittagen und der bei dem einen oder anderen stattfindenden abendlichen Büffelei für die Assistenzarztprüfung, deren Termin immer näherrückte. Diese Umstände wurden noch erschwert durch die Ausgangssperre (und es war zu jener Zeit und in diesen Kreisen ausgeschlossen, daß ein Mädchen, auch wenn es schon volljährig war, die Erlaubnis bekommen hätte, auswärts zu übernachten) und durch das Fehlen eines geeigneten Ortes. Die ganze Situation entpuppte sich als wenig günstig für große Gefühle.

Außerdem war auch noch das Problem Hugo in Ordnung zu bringen. Nach jener Nacht mit Jean-Marie hatte er so getan, als fühle er sich betrogen. In Paris stand er eine Woche lang jeden Abend bei Louise vor der Tür, faselte von Selbstmord, schickte ihr den vorgefertigten Brief Nr. 4 (»Große Eifersuchtsszene«), verbrachte eine Nacht auf ihrem Fußabtreter und klaute schließlich ihr Tagebuch aus ihrem Schlafzimmer an dem Tag, als er kam, um eine Beziehung abzubrechen, die nie bestanden hatte.

Frau Mutter hatte großen Gefallen an ihm gefunden, als er ihr erklärte, ihre Tochter sei nur ein Blaustrumpf, das Studium habe ihr Herz ausgetrocknet und ihre Weiblichkeit abgetötet. Außerdem könne er sich nicht den Luxus des Leidens gönnen, da er sein Examen noch vor sich habe. Er trete seinen Platz nun an Jean-Marie ab in der Hoffnung, dieser werde nicht so töricht sein, sich in Louise zu verlieben.

Jean-Marie gefiel bei weitem weniger. Zwar war er wie Hugo Mediziner, ansonsten aber zeigte er einige Mängel. Erstens maß er nur 1,69 Meter, und Hermine konnte sich Männer nur als »groß und schön« vorstellen. Man sagt »ein großer, schöner Mann«, aber niemals »ein kleiner, schöner Mann«! Zweitens war er zwei Jahre jünger als Louise, und seine hellblonden Haare ließen ihn kindlich erscheinen. »Man könnte meinen, du gehst mit deinem kleinen Bruder aus«, bemerkte Hermine ironisch. »Er sieht nicht aus wie ein Mann, sondern wie ein Milchbubi!« fügte Adrien hinzu, vergaß dabei aber, daß er im gleichen Alter geheiratet hatte. Drittens, um das Maß vollzumachen, hatte der »Milchbubi« auch noch einen gnomenhaften Vater, ein Unikum, das zwar Professor für Literatur des Mittelalters an der Sorbonne war, aber stets Anzüge trug, die ihm zwei Nummern zu groß waren, und den Hermine nur »Professor Nimbus« nannte.

Louise hütete sich, ihrer Mutter zu erzählen, wie sie durch Zufall mit Jean-Marie verkuppelt worden war. Was die Liebe betraf, hatte Hermine keine Ahnung von Leidenschaft. Liebesdramen schätzte sie jedoch über alles, und ihre Tochter, die sich noch immer auf den Lorbeeren ausruhte, die sie durch den »Verrat« an Hugo erworben hatte, dachte nicht daran, sie eines Besseren zu belehren.

Ihre Anfänge als Squaw waren ziemlich unerquicklich, aber sie sah keinen anderen Weg, um sich an den Ruchlosen zu rächen und sich vor sich selbst zu rehabilitieren, als Jean-Marie total den Kopf zu verdrehen. Sie trafen sich jeden Sonntagnachmittag zu den Konzerten im Konservatorium, begeisterten sich für Theaterstücke von Anouilh, schenkten sich Erstausgaben von Michaux und tanzten die ganze Nacht hindurch Swing, wenn die Ruchlosen einmal im Monat einen »Abend der Ausschweifung« veranstalteten, wobei sie Unmengen von mit Schokoladenraspeln bestreuten Kartoffelpüree-Törtchen verschlangen, ein Rezept, das 1942 sehr in Mode war.

Aber die Zeit verging, und die Festung der Freunde blieb uneinnehmbar. Der verletzliche und leidenschaftliche Jean-Marie, von dem sie manchmal ein Signal auffing, versteckte sich so oft wie möglich hinter seinem Double, dem Pessimisten, dem Zyniker, dem Komplizen des nihilistischen Hugo und der uneingeschränkten Verachtung für alles, was nichts mit den Ruchlosen zu tun hatte, insbesondere die Frauen. Bernard wiederholte ständig seine mitleidigen Warnungen: »Du hast keine Zukunft bei uns, meine Alte. Zieh Leine.«

Aber es gab eben auch Signale wie von einem anderen Planeten oder aus den Tiefen eines Kerkers. Es gab diese Abende, an denen Jean-Marie sie in sein Schlafzimmer mitnahm, um sie zu »vernaschen«; und manchmal weinte er, während sie sich liebten. Sie liebte seine Zartheit und alles, was vorher kam und alles danach. Das »Vernaschen« selbst langweilte sie eher, aber sie tat so, als sei sie ganz verrückt danach, weil sie entsetzliche Angst hatte vor allem, was sie in den Augen der Ruchlosen zur frigiden Intellektuellen stempeln würde. Angst auch vor all denjenigen, denen die Ruchlosen diese Neuigkeit unverzüglich mitteilen würden. Aber wie sollte sie sich öffnen in einer Wohnung, die von fünf Männern bewohnt wurde und in der so ziemlich alles dazu angetan war, eine Atmosphäre von Intimität nie aufkommen zu lassen?

Das Schlafzimmer von Jean-Marie war schlecht geheizt. Es gab nur ein ebenso altes wie stinkendes gußeisernes Ölöfchen. An der Decke brannte eine miese Funzel. Das hohe altmodische Bett war ganze neunzig Zentimeter breit, die Matratze ächzte bei der geringsten Bewegung, und die sperrigen Teile rechts und links machten jegliche seitliche Bewegung unmöglich. Es fehlten nur ein paar Zentimeter und ein Deckel, dann hätte man dieses Bett für einen Sarg halten können. Begleitet von unmißverständlichen Geräuschen, die den Bewohnern der Nachbarzimmer nicht entgehen konnten, und jedesmal unterbrochen von Flüchen, wenn die Holzplanken des Bettes einen der beiden zur Ordnung riefen, gelang es der Liebe nur mühsam, die widrigen Umstände zu überwinden und auch nur ein Minimum an Ekstase zu erreichen.

Das Nachspiel artete sowieso in Flucht aus. In jener für die Frau prähistorischen Epoche konnte man sich nur auf einen hastigen Rückzug ins Badezimmer verlassen, wo man sofort Spülungen vornahm, um das Schreckgespenst einer Schwangerschaft zu vertreiben. Kaum hatten sie den Höhepunkt des Programms hinter sich, stürzte Louise zur Tür, eingewickelt in die Tagesdecke aus buntem Baumwollstoff, den Schlüpfer in der Hand, und spähte vorsichtig hinaus, ob die Luft rein war, bevor sie in das einzige Bad rannte, das am Ende eines Flures lag, von dem die Zimmer der vier Brüder abgingen. Und Jean-Marie, der wohlig warm unter seiner Decke lag, witzelte: »Worauf wartest du noch? Es weiß doch sowieso jeder, daß wir gerade gevögelt haben!«

Gepeinigt von dem Gedanken an die Millionen Spermien, von denen eines womöglich schon am Ziel angekommen war, aber wie gelähmt von der Horrorvision, den spöttischen Blicken von François, Vincent oder Philippe und ihrer unvermeidbaren Freunde zu begegnen, zitterte Louise vor Angst wie ein Infanterist, der seinen Schützengraben verlassen und ein freies Feld überqueren muß, bevor er sich in Sicherheit bringen kann. All diese Umstände hätten wahrlich ausgereicht, auch die heißesten Sinnlichkeitsanfälle abzukühlen!

Trotz allem entdeckte sie ein unerwartetes Vergnügen daran, sich in dieser Männerwirtschaft aufzuhalten. »Professor Nimbus« lebte mit seinen vier Söhnen in sehr unbürgerlichen Verhältnissen und in erfrischender Ungezwungenheit, verglichen mit der pieksauberen und erlesenen Wohnung von Hermine. Hier war alles scheußlich, wacklig, nutzlos. Was für eine Erholung! Altersschwache Sessel, auf die man sich nicht mehr setzen durfte, aber die aus Gewohnheit da stehenblieben, wo sie waren, laut tropfende Wasserhähne, die nie repariert wurden, ein sechzig Jahre alter Gasofen im Bad, der wie ein Explosionsmotor funktionierte, eine unter Staub mumifizierte Bibliothek – man spürte schon am Eingang, daß sich seit ziemlich langer Zeit keine Putzfee über diese Wohnung hergemacht hatte. Putzfrauen, die hin und wieder über Vermittlungsbüros angeheuert wurden, regierten eine Zeitlang über diese kuriose Sippe und kapitulierten dann vor dem ungeheuren Ausmaß der Aufgabe, der Unwilligkeit der Jungen, den ungeregelten Arbeitszeiten, dem allgemeinen Chaos und dem Fehlen einer Madame, die ihnen die Daumenschrauben angezogen hätte. Nach ein paar Monaten warfen sie das Handtuch und verschwanden. Bei dieser Gelegenheit ließen sie meistens ein paar Nippes oder einen silbernen Gegenstand mitgehen, deren Fehlen erst Wochen später entdeckt und mit Resignation kommentiert wurde.

Louise kam über die Familie Henninger wie Manna über die Wüste. Die unbedeutendste kleine Besorgung, ein einfacher Liter Öl oder ein Kilo Zucker, die sie an Adriens wachsamem Auge vorbeigeschmuggelt hatte, war für die Nimbus-Männer wie ein Wunder, und Louise galt, ohne daß es sie große Anstrengung gekostet hätte, als ein Haushaltsgenie.

»Seht nur, Schneewittchen geht zu den fünf Zwergen den Haushalt machen«, spöttelte Hermine jedesmal, wenn sie sah, daß sich ihre Tochter auf den Weg zu Jean-Marie machte.

Selbstverständlich hatte von den Nimbus-Männern keiner Zeit, sich für Lebensmittel anzustellen. Auf dem Schwarzmarkt einzukaufen war für den Professor aufgrund seiner Moralvorstellungen ausgeschlossen. Daher stellten sie eine der seltenen Familien dar, die ausschließlich von ihren Lebensmittelmarken lebten; die aber waren für Franzosen berechnet, von denen man wußte, daß alle eine Tante auf dem Land hatten, einen Freund mit einem Lebensmittelladen oder einen Cousin, der im Hallenviertel arbeitete. Am Boulevard Malesherbes gab es einen Fraß, den der Hund von Hermine nicht angerührt hätte, aus Rübensirup, Eipulver und Steckrüben, was mehr oder weniger widerlich vom gerade amtierenden Hausmädchen zusammengepanscht wurde. So betrachtete jeder von den Nimbussen das Essen, jene bei den Morvans hochheilige Handlung, als eine lästige Pflicht, die es möglichst schnell hinter sich zu bringen galt. Wenn in der Zeitung zwanzig Gramm Käse gegen die Marke Nr. 2 angeboten wurden, sah die Familie Nimbus hundert Gramm für fünf solche Marken bestenfalls dann auf den Tisch kommen, wenn Armelle oder Maryvonne in der Küche ihrem Heißhunger hatten widerstehen können. Sich bei einer Milchfrau anbiedern? Der Professor hatte sowieso nichts zu tauschen als Privatstunden über das Mittelalter! Keiner von ihnen hätte sich zu irgendwelchen dunklen Geschäften herabgelassen; sie gaben das als Sorge um ihre Würde aus, in Wirklichkeit war es aber nichts anderes als eine tiefe Verachtung für alles, was sie als Frauensache ansahen. Keine Frau? – Keine Lebensmittel. Sie waren ziemlich stolz auf ihr asketisches Leben und ihre Gleichgültigkeit gegenüber weltlichen Gütern. Für den Professor zählte nur der berufliche Erfolg seiner Söhne: »Keine ernsthafte Bindung, bevor ihr nicht eine Assistentenstelle habt«, predigte er den zwei Großen, »und keine Hochzeit vor Abschluß des Studiums.«

Er war ein Mann der Linken, ein Bewunderer von Léon Blum, Befürworter der freien Partnerschaften und Atheist. Weil er ihnen freie Entscheidung über ihren Glauben lassen wollte, hatte er sich geweigert, seine Kinder taufen zu lassen. Nachdem seine Frau gestorben war, hatte er nicht noch einmal geheiratet. Es machte ihm nichts aus, wenn seine Söhne, regelmäßig oder sporadisch, ihre kleinen Freundinnen mit nach Hause brachten, die an dem kargen Familienmahl teilnahmen, bevor sie in einem der Schlafzimmer verschwanden oder sich hitzigen Diskussionen über die Collaborateure oder den Maréchal Pétain hingaben, die immer im Flur stattfanden, einem weniger ungastlichen Ort als dem Salon, wo sich nie jemand aufhielt.

Der Professor mißtraute Louise ein wenig. Diese jungen Mädchen aus guter Familie, die in Klosterschulen großgeworden sind und aussehen, als ob sie kein Wässerchen trüben könnten, entpuppen sich am Ende immer als Männer-Fresserinnen. Er war nicht unzufrieden damit, daß die Prinzipien der Ruchlosen Jean-Marie vor sich selbst schützten und vor dieser scheinheiligen Maus, für die er dennoch einige Sympathie empfand.

Aber in jenen unsicheren Jahren wurden Prinzipien leicht über den Haufen geworfen, und Gefühle ergriffen selbst von starken Herzen viel unvermuteter Besitz als in Friedenszeiten. Louise hatte noch nie gesagt: Ich liebe dich. Es war an einem Winternachmittag in dem tristen Zimmer von Jean-Marie, als ihr diese Worte plötzlich ganz von selbst über die Lippen kamen. Es ging das Gerücht um, daß die Deutschen sogar Studenten zum Arbeitsdienst einziehen wollten. In der Familie hatten sie den ganzen Tag darüber diskutiert. Wenn Jean-Marie sich der Widerstandsbewegung anschloß, riskierte sein zweiter Bruder, zur Strafe nach Deutschland verschickt zu werden. Sich de Gaulle anzuschließen war auch eine verlockende Idee, aber noch gefährlicher. Hinterher in ihrem Zimmer erfüllte die Unsicherheit ihres kleinen Glückes, das sie dem Krieg gestohlen hatten, die beiden mit Selbstmitleid. Jean-Marie machte sich fertig, um ins Krankenhaus zu gehen, wo er zur Nachtwache eingeteilt war; Plötzlich hielt er Louise auf Armeslänge von sich weg, als wolle er sich ihr Gesicht einprägen. Keiner sagte ein Wort. Es war einer der Momente, in denen das Schicksal zögert. Und dann wurde es für sie zur Gewißheit: Sie liebte den Jean-Marie, den sie auf dem Grunde dieser Augen erkannt hatte, hinter seinen geliebten Ruchlosigkeiten, hinter seinem Spott für große Gefühle und hinter seiner Überzeugung, daß das Leben und die Liebe nur den »schwarzen Stücken« von Anouilh gleichen konnten. Sie ahnte das traurige Kind, das verliebt war in die Vision des Absoluten. Sie mußte einfach das Risiko eingehen, ihn zu lieben.

Als sie ging, hinterließ sie auf dem Kamin einen kleinen Zettel, auf den sie gekritzelt hatte: »Jean-Marie, mir ist etwas Schreckliches passiert; ich glaube, ich liebe dich.«

Er rief sie zwei Stunden später von der Wachstation an und flüsterte einfach: »Danke, daß du es als erste gesagt hast.«

Als es Hermine schwante, daß sich ihre Tochter ernsthaft in diesen Burschen verknallt hatte, beschloß sie, ihn näher kennenzulernen, um den Feind besser im Visier zu haben.

»Wie alt, sagst du, ist er? Neunzehn?« fragte sie Louise und tat dabei jedesmal so, als hätte sie vergessen, daß er zweiundzwanzig war und im vierten Jahr Medizin studierte.

Die Familie hatte zwei Hühnchen von einem Bauernhof aus dem Morbihan bekommen, wohin Adrien, der im allgemeinen Interesse gebeten worden war, das Rauchen aufzugeben, regelmäßig seine mit den Tabakmarken erstandenen Rationen schickte. Also wurde beschlossen, Jean-Marie mit seinem Vater und zweien seiner Brüder einzuladen. Louise saß wie auf Kohlen: Sie wußte, daß sie an diesem Abend ihre lieben Nimbus-Männer mit den Augen ihrer Mutter sehen würde. Der Begegnung wurde solche Bedeutung beigemessen, daß man Lou herbeirief: sie erschien in einem »kleinen Schwarzen« von atemberaubender Einfachheit. Louise selbst öffnete dem Professor die Tür, und er kam ihr an jenem Abend noch kleiner vor als sonst. Die Manschetten seines Hemdes rutschten ihm über die Hände ... Hermine würde kein gutes Haar an ihm lassen am nächsten Tag, wenn sie ihre Eindrücke während des Mittagessens in einer geistreichen Nummer zusammenfassen würde: ungewichste Schuhe ... sicher Löcher in den Socken ... achtlos gekaufte Anzüge von der Stange ... und hast du seine Krawatte gesehen? Und wie die Jungen ihr Messer halten?

»Der Vater ist ein kultivierter Mann«, würde Adrien einwenden.

»Ich bin völlig einer Meinung mit ihm, was seine Auffassung des Mittelalters betrifft als einer von Leben überquellenden

Epoche, die viel weniger finster war, als man allgemein annimmt.«

»Ich frage mich, ob er nicht Kommunist ist!« würde Hermine erwidern.

Entsetztes Schweigen: Ein Roter!

»Aber keinesfalls«, würde sich Louise ereifern, »er ist ganz bestimmt Sozialist, er ist ein Bewunderer von Léon Blum!«

»Ein intelligenter Mensch, dieser Léon Blum, aber verlogen wie alle Juden.«

»Also wißt ihr, ob Sozialist oder Kommunist«, würde Lou mit ihrer betont kindlichen Stimme sagen, »ich mißtraue allen diesen Typen, die den anderen das große Glück bescheren wollen!«

Aber das würde sich alles erst morgen am Familientisch abspielen. Jetzt war erstmal Adrien dran, der eine Anleihe bei seinem Vorrat an zerlassener, gesalzener und in einem Steintopf im Keller eingelagerter Butter gemacht hatte. Feierlich trug er sein Kunstwerk herein: Hühnchen im Teigmantel, dekoriert mit echten Federn, die er ihnen an den Steiß gesteckt hatte. Was Hermine betraf, so ließ sie ihren ganzen Charme spielen. Jeder Mann war in ihren Augen die Mühe wert, verführt zu werden, und sei es auch nur zum sportlichen Vergnügen.

Jean-Marie ließ sich natürlich becircen, und Louise ärgerte sich, daß sie ihm nicht eindringlich genug erklärt hatte, wie wenig es einem bei ihrer Mutter einbrachte, die Waffen zu strecken: Sie konnte wohl einen Moment weich werden, aber Achtung hatte sie ausschließlich vor den Starken, die ihr Herz zu verbergen wußten – oder ihre Herzlosigkeit. Er hatte keine Erfahrung mit dieser Sorte von Frauen, und der Tod seiner Mutter, als er zwölf Jahre alt war, hatte ihn besonders verletzbar gemacht.

Als die Nimbusse gingen, hatte Hermine sie alle um den Finger gewickelt. »Was für eine charmante Frau, deine Mutter«, sagte der Professor später zu ihr, der arme Kerl. »Und eure Freundin Lou ist eine echte Persönlichkeit!«

In jenem Winter arbeitete Jean-Marie wie ein Verrückter. Jeden Abend büffelte er mit den Ruchlosen, vormittags im Krankenhaus, nachmittags an der Uni. Louise ihrerseits gab für ein mageres Salär Latein- und Englischstunden in der Klosterschule Sainte-Clotilde und bereitete sich auf ein Biologie-Zertifikat vor, »einfach so zur Überbrückung«, wie ihre Mutter es nannte, ohne genauer zu formulieren, was sowieso alle wußten.

»Wie alt ist denn Ihre große Tochter inzwischen?« fragten die Damen, die Hermine im Atelier und bei ihren Ausstellungen traf.

»Es dauert gar nicht mehr so lange, bis sie fünfundzwanzig wird.«

»Tut sich immer noch nichts?« insistierten die Böswilligsten und mimten mitleidiges Erstaunen.

»Ach, wissen Sie, Louise hat es nicht eilig. Sie ist eine Intellektuelle«, fügte sie fast entschuldigend hinzu, als müsse sie einen heimlichen Makel eingestehen.

Die Damen nickten: Eine Intellektuelle, das weiß man ja, ist auf dem Markt nicht besonders gefragt. Wenn sie weniger studiert haben, fühlen sich die Jungen minderwertig, und das mögen sie gar nicht. Wenn sie selbst Intellektuelle sind, wozu sollen sie sich dann mit einer Intelligenzbestie belasten, die sich womöglich erdreistet, ihnen die Stirn zu bieten? »Mein Kind, wenn du intelligenter bist als sie, wärst du ein Idiot, wenn du es sie merken lassen würdest«, war Lous ständige Rede. »Die Intelligenz einer Frau besteht darin, sie nicht zu zeigen.«

Inzwischen rückte der Termin der Bewerbung um die Assistentenstellen immer näher. Die Ruchlosen, die seit einem Jahr planten, sich alle gemeinsam ins Freie Frankreich abzusetzen, fragten sich, ob es nicht klüger wäre, bis dahin zu warten. Die Besatzungsbehörden hatten die Zusicherung gegeben, daß die Hilfsassistenten an Ort und Stelle zum Dienst verpflichtet würden und ihnen der Arbeitsdienst erspart bliebe. Um in den Genuß einer zusätzlichen Garantie zu kommen, hatten sie sich als Blutspender eingetragen: Zweihundertfünfzig Kubikzentimeter Blut zweimal im Monat berechtigte zu einer Lebensmittelkarte für Schwerarbeiter, ein beachtlicher Vorteil, und stellte einen, so hieß es, von der Arbeit in Deutschland frei. Aber alles konnte sich mit einem simplen Erlaß der Deutschen ändern. Bernard, vielleicht weil er weniger Aussichten hatte, eine Assistentenstelle zu bekommen, war dafür, sofort zu verschwinden. Ein Buchhändler in Bordeaux, den sein Vater kannte, kannte einen Fluchthelfer, der einen Übergang in den Pyrenäen kannte, über den man nach Spanien und von dort über einen zweiten illegalen Weg nach Afrika gelangen konnte. Das war teuer, aber relativ sicher. Der Fluchthelfer nahm jeweils nur zwei »Kunden« mit, da man das Gebirge im Schnee mit Rucksack überqueren mußte, ohne die Aufmerksamkeit der Patrouillen auf sich zu lenken.

Louise wagte nicht, die Entscheidung von Jean-Marie zu beeinflussen. Sie hatte nur die Wahl zwischen zwei typisch weiblichen Rollen, die ihr beide gleichermaßen unerfreulich erschienen: zu versuchen ihn zurückzuhalten wie eine egoistische Ehefrau, die auf das Unglück des Vaterlandes pfeift; oder die edle Heldengattin spielen und ihn wegzuschicken, damit er seinen Hals riskierte, während sie selbst sich zu Hause in Sicherheit wiegte.

Die Gerüchte, daß die Studenten eingezogen würden, verdichteten sich, und der Fluchtweg konnte ganz plötzlich durch eine Indiskretion oder eine Denunziation abgeschnitten sein. Sie mußten sich entscheiden. Von einem Tag auf den anderen verließen die Ruchlosen die Schutzzone des Studentseins und wurden Gesetzlose auf Abruf. Sie losten um die Reihenfolge der Abreise und versprachen sich, in Spanien aufeinander zu warten. Bernard und Hugo brachen als erste nach Bordeaux auf, wo sie falsche Papiere und Instruktionen für die Flucht erhalten sollten. Einige Tage später rief ein Unbekannter an und meldete, daß »die Pakete unversehrt ihren Bestimmungsort erreicht« hätten. *Da waren's nur noch vier,* wie es in dem Kinderlied heißt. Der Cherub und François, Jean-Maries Bruder, bildeten den zweiten Trupp. Der Professor hatte nicht gewollt, daß seine beiden Söhne zusammen gingen; er versuchte das Risiko aufzuteilen. *Da waren's nur noch zwei.*

Jean-Marie bereitete sich darauf vor, drei Tage später mit Alain zu folgen, dem fünften der Ruchlosen, aber es schien Probleme zu geben. Die Zollpatrouillen an der spanischen Grenze waren soeben verstärkt worden, und das Gebirge war wegen der schlechten Witterung unpassierbar. Die Expedition wurde um eine Woche verschoben.

Große Entscheidungen vertragen sich schlecht mit kleinen Hindernissen. Hermine, die überwältigt war von Mitgefühl für den kleinen Jungen, der in den Krieg zog, diesmal in den echten, und Adrien, der darüber verzweifelte, daß er zu alt war, um ihn zu begleiten, hatten schon dreimal die Abschiedsszene wiederholt. Das Abenteuer war nun schon so weit gediehen ... alle fanden, daß jetzt allmählich etwas passieren mußte!

Endlich kam das verabredete Signal. Der Professor und Louise begleiteten Jean-Marie und Alain zur Gare d'Austerlitz. Es war mehr als ein Abschied: Es war eine Trennung. Die einen brachen zu einem unbekannten Ziel auf, die anderen blieben in der Ungewißheit einer Besatzung zurück, deren Ende nicht abzusehen war, ohne Hoffnung, Nachricht zu bekommen. Wie in dem Lied von den »Zehn kleinen Negerlein« waren die Ruchlosen nun alle verschwunden.

Es bestätigte sich sehr schnell, daß in dem mysteriösen Mechanismus, der von Bordeaux nach Französisch Äquatorial-Afrika führte, etwas klemmte. Jean-Marie ließ Louise und seinem Vater einen ziemlich ratlos klingenden Brief zukommen. Auch er fand, daß heroische Entscheidungen mühsam sind, wenn man sie in kleinen Dosen hinter sich bringen muß.

»Das Schlimmste ist das Warten. Aus der Ferne hört sich das wahrscheinlich albern an, aber ich gestehe Euch, daß es mich vor Angst zerreißt bei dem Gedanken, über die Pyrenäen Bockspringen zu spielen. In der schwarzen Nacht mit den Wolfshunden Verstecken zu üben, das versetzt mich nicht in Begeisterung. Nein, meine Heißgeliebten, Ihr braucht nicht zu glauben, daß wir frohen Herzens dort hinunter gehen – oder besser gesagt, in diese Richtung, da wir ja die Nuancen lieben. Aber gerade deshalb wollen wir dorthin, weil man seine eigenen Grenzen überschreiten muß – das alte Lied! Die braven Bürger können nicht genug Worte finden, um einen zu dieser einfachen Sache zu ermutigen: sich de Gaulle anzuschließen. Haben sie sich jemals gefragt, was man dabei empfindet, wenn man die Tür hinter sich schließt und zum letzten Mal die Treppe hinuntersteigt? Über große Entscheidungen denkt man nicht nach, man trifft sie. Ich habe meine getroffen, aber es soll keiner von mir erwarten, daß ich den furchtlosen Helden spiele. Aber ich werde meine Pflicht tun, seid unbesorgt.«

Vier Tage später erfuhren Jean-Marie und Alain, daß der Fluchthelfer geschnappt worden war. François und dem Cherub war es wie durch ein Wunder gelungen, den französischen Milizen zu entkommen und sich auf die spanische Seite durchzuschlagen. Aber nun, da das Verbindungsnetz aufgeflogen war, galt es, Bordeaux schleunigst zu verlassen.

Nichts ist demütigender, als nach Hause zurückzukehren, wenn man aufgebrochen ist begleitet vom zukünftigen Ruhm und vom Respekt der Angehörigen. Man hat den Mut gehabt, alles aufzugeben, das Schlimmste schien überstanden ... und dann hat man plötzlich das Schlimmste noch vor sich: wieder in den Zug der Besiegten steigen, wieder ein Franzose im besetzten Land werden. Jean-Marie haßte sich dafür, daß er in Sicherheit war, haßte sich für die Liebe von Louise, während seine Freunde vielleicht in einem spanischen Lager verreckten – man sprach von Miranda – oder im Tschad kämpften. Mit verzweifelter Verbissenheit machte er sich wieder an die Arbeit. Aber ohne die anderen sich auf die Assistentenprüfung vorzubereiten, erschien ihm ebenfalls wie eine Form von Verrat.

Das Schicksal ersparte ihm weitere Gewissenskonflikte. Im September '43 entdeckte man bei einer medizinischen Routineuntersuchung einen verdächtigen Fleck auf seiner rechten Lunge. Röntgenaufnahmen, Tomographien, das Lied kannte er, da er ja als Hilfsassistent auf der Tuberkulose-Station des Hôtel-Dieu arbeitete. Er trug immer noch den weißen Kittel und das Käppchen, aber das Undenkbare war eingetreten: Er befand sich plötzlich auf der anderen Seite, bei den Kranken.

Das Urteil ließ nicht lange auf sich warten: Kaverne.

Es war bisher nur »ein begrenzter Substanzverlust«, wie es der Chefarzt formulierte, aber die Diagnose ließ keinen Zweifel offen. In den »Expektorationen« wimmelte es von Koch-Bazillen, die man unter Kollegen BK nannte. Die mythischen Krankheiten sondern ihr eigenes Vokabular ab; es wird verwendet in der Hoffnung, das Übel auszutreiben, indem man vermeidet, es beim Namen zu nennen. Nach der Lepra und vor dem Krebs war es damals die Tuberkulose, die aus ihren Opfern Verdammte machte. Über Nacht hatte sich für Jean-Marie das Blatt gewendet. Keine Rede mehr von Studium, von einer brillanten Assistenzarztstelle, von Befreiungsarmee oder Résistance. Mit zweiundzwanzig Jahren keine Rede mehr davon, seine Kräfte zu verausgaben, jung zu sein, verrückt zu sein. Keine Rede mehr von Familie, Liebe oder Mundharmonika. Er würde gezwungen sein, sich auf sich selbst zu besinnen, sich zu schonen, sparsam zu atmen, einen langen Winterschlaf zu beginnen und sich in einer dieser Leprastationen, die damals die Gebirgssanatorien darstellten, einsperren zu lassen. Wenige Wochen vor der großen Prüfung mußte Jean-Marie seiner Zukunft den Rücken kehren: Auch er zog in den Krieg, aber es war eine ruhmlose Schlacht.

»Mein Schicksal verdient nichts anderes als Verachtung«, schrieb er an Louise. »Die einzig korrekte Haltung in diesem Moment ist, sich auf dem Feld der Ehre töten zu lassen oder es wenigstens zu versuchen. Für mich geht es nur darum, nicht zu sterben.«

Ein paar Tage später wurde er auf das Hochplateau von Assy in Savoyen verschickt, weil im Studenten-Sanatorium kein Bett mehr frei war. Dort fand er sich plötzlich in absoluter Einsamkeit. Nicht nur besiegt, sondern auch schuldig. Schuldig der Fahnenflucht, schuldig weil er die Hoffnung seines Vaters enttäuscht hatte und seinen Freunden nicht hatte folgen können. In seiner Verzweiflung begann er, jeden Tag an Louise zu schreiben. Und was sicherlich niemals passiert wäre in dem Zimmer, das auf den Flur hinausging, in jener Atmosphäre, wo jeder Ruchlose eifersüchtig den anderen bewachte und wo die Vorbereitung auf die Prüfungen alle Kräfte beanspruchte – hier passierte es. Hier begann das verbotene Gefühl, die Liebe, ganz zart aufzublühen.

Wenn man plötzlich in einem Krankenzimmer liegt mit einem kleinen Loch in der rechten Lunge, einem Loch in der ureigenen Substanz, einer Zersetzung der ureigenen Materie, wenn man auf unbegrenzte Zeit an diesen Ort verdammt ist, an ein Bett gefesselt und unzählige Tage des Schweigens vor sich hat, dann wird man mit einem Schlag erwachsen. Dann erscheinen einem die strahlenden Fahnen der Jugend bald wie bedeutungslose Wimpel. In einer solchen Untergangsstimmung bleiben einem nur die Poesie und die Liebe. Jean-Marie entschuldigte sich dafür: »Es gibt Worte, die man idiotisch findet, bis sie einem selbst über die Lippen kommen.«

Louise, die ihre ganze Ehre dareingelegt hatte, nur ja nicht den Eindruck einer »Liebesdienerin« zu erwecken, was die Ruchlosen so sehr verachteten, entdeckte, daß Jean-Marie sie viel mehr brauchte als sie ihn. Auch sie war allein, dem mitleidigen Geschwätz ihrer Eltern ausgeliefert, die ihre Erleichterung kaum verbergen konnten. »Er *war* wirklich reizend, aber er war kein Mann für dich«, sagte Hermine, für die die Angelegenheit mit diesem mörderischen Imperfekt abgeschlossen war.

Louise erwiderte nichts darauf und schloß sich in ihrem Zimmer ein, um an Jean-Marie zu schreiben.

Ende September wurde entschieden, daß ein Pneumothorax gesetzt werden mußte. Das war eine der unerfreulichen Seiten dieser Krankheit: Sie ließ einen in die Kindheit zurückfallen. Man war nicht mehr Herr über seinen Körper. Der Chefarzt des Sanatoriums, die Chirurgen und sein Vater bestimmten ohne Jean-Marie, welcher Behandlung er unterzogen werden sollte, wieviel Besuch er bekommen durfte, wieviel Aktivität ihm zugestanden wurde und welche Gefahr die Anwesenheit von Louise für ihn darstellte. Es blieb ihr etwas wie die Patenschaft für einen Kriegsgefangenen, das heißt, es blieb ihr nichts anderes mehr zu tun, als wöchentliche Päckchen zusammenzustellen. Das bedeutete mühsame Beschaffungsaktionen, zu denen sich die Nimbusse natürlich außerstande erklärten. Sie hatten keine Zeit dafür.

Ende Oktober rief der Professor Louise mit feierlicher Stimme an, um sie zum Abendessen einzuladen. Sie ahnte schlechte Nachrichten voraus; Jean-Marie weigerte sich hartnäckig, ihr in seinen Briefen von seinem körperlichen Zustand zu berichten. Vielleicht »hatte er Auswurf«? Funktionierte sein Pneumothorax nicht?

Es berührte sie sehr, als sie das Zimmer ihres frechen Jungen wiedersah und die rauhe Art seiner Brüder wiederspürte. Der jüngere hatte den Mund von Jean-Marie; am liebsten hätte sie diesen Mund geküßt, zur Erinnerung. Nach dem Essen, das wie immer ausgesprochen ekelhaft war, bat der Professor sie in sein Arbeitszimmer. Die Nachricht mußte ernst sein. Er setzte sich hinter seinen Schreibtisch und bedeutete ihr, auf dem unbequemen Sessel mit dem abgewetzten Bezug Platz zu nehmen, in dem immer seine Studenten saßen. Er hatte nie Talent zu Inszenierungen gehabt.

»Also ... also«, sagte er umständlich und schob nervös seinen Federhalter und das offenbar leere Tintenfaß hin und her. »Ich wollte mit dir sprechen, meine Kleine ...«

Seine blauen Augen, die leicht vorstanden, schienen feucht zu sein, und sein Schädel glänzte unter der Kupferlampe mit dem ovalen Schirm – dunkelgrün mit goldenem Mäander, wie es Akademiker besonders mögen. Er sah verloren aus in seinem albernen König-Dagobert-Sessel im Stil des Mittelalters. Auf dem Kamin waren die faden Porträts seiner vier Söhne aufgereiht, dank des Kunstfotografen ohne jegliche menschliche Regung in den Augen. Daneben stand das Foto seiner verstorbenen Gattin, mit bravem Haarknoten und herzförmigem Mund, deren nackte Schultern durch eine künstliche Aufhellung sanft mit dem weißen Papier verschmolzen. Mitten in diesem Stilleben eine Hängeuhr mit Schäferinnen aus Bronze, die selbstverständlich stand, und in einer Ecke, wo kein Mensch je auf die Idee gekommen wäre sich hinzusetzen, ein Sofa, das mit rotem Rips bezogen war, die Farbe derer, die nicht wissen, für welche Farbe sie sich entscheiden sollen. Louise dachte träumerisch an den kleinen kuscheligen Salon ihrer Mutter, der ganz von allein eine Atmosphäre für Vertraulichkeiten schuf. Abgesehen von den gelben Regalen an der Ostwand für die griechischen Autoren und den orangefarbenen an der Westwand für die Römer, schienen hier alle Dinge eine Strafe abzubüßen. Intellektuelle, die über den Dingen stehen? Männer, die meinen über ästhetische Probleme erhaben zu sein? Angeborener Defekt, wäre Hermines vernichtender Kommentar gewesen.

Der Professor drehte einen Brief zwischen den Fingern, auf dem Louise die Handschrift von Jean-Marie erkannte, ungleichmäßig, schräg, fast weiblich.

»Hat Ihnen Jean-Marie etwas über seine Krankheit gesagt, das er mir nicht zu schreiben wagte?«

»Ganz und gar nicht, im Gegenteil: Die letzten Befunde sind negativ. Er hat ein bißchen Auswurf, aber kaum der Rede wert. Nein. Nicht über seine Gesundheit wollte ich mit dir sprechen, sondern über seine Gefühle. Du weißt, daß ich durch die Umstände − und aus Schwäche vielleicht − auch seine Mutter bin, nicht nur sein Vater. Nun, als Mutter will ich dir etwas gestehen: Ich glaube, daß er dich braucht, um gesund zu werden.«

Ängstlich sah er zu Louise auf.

»Aber er hat mich doch«, sagte sie. »Sie wissen, daß wir uns jeden Tag schreiben.«

»Das habe ich ihm auch gesagt. Aber er will dich noch mehr.« − Er zögerte und stieß dann schnell hervor: »Ich glaube, er möchte dich heiraten. Auf jeden Fall hat er mir das in seinem Brief gesagt, und weil er nicht kommen kann, um dir persönlich einen Antrag zu machen, bin ich es, der heute abend wie ein Idiot dasitzt und . . .«

»Aber ich habe immer geglaubt, daß Sie gegen die Ehe seien, Ihre Söhne sollten einmal nicht an der Kette liegen, keinen Klotz am Bein haben?«

»Ich bin gegen eine Heirat mit zweiundzwanzig Jahren, das stimmt ... Aber ich bin für dich. Und für die Genesung von Jean-Marie. Und ich glaube, wenn seine Zukunft dein Gesicht hat, wird ihm das helfen gesund zu werden.«

Louises Herz begann schneller zu schlagen. Sie war zugleich ergriffen von Rührung, von Zärtlichkeit für diesen Mann, der sie genügend schätzte, um ihr seinen Sohn anzuvertrauen, und von Panik bei dem Gedanken, ihren Eltern gestehen zu müssen, daß sie sich mit »diesem armen Jungen, der was an der Lunge hat«, verloben wollte.

»Hier habe ich auch einen Brief für dich. Aber er wollte, daß ich zuerst mit dir spreche. Er war sich nicht ganz sicher, wie du reagieren würdest. Und außerdem bestand er darauf, daß ich dich warne: Die Tuberkulose, das ist eine ganz große Schweinerei, weißt du. Es wird Monate dauern, bis man weiß, ob der Heilungsprozeß sich stabilisiert. Ich glaube nicht, daß es von ihm aus gesehen sehr fair ist, sich festlegen zu wollen, vor allem nicht, dich festzulegen. Aber wenn mein Sohn mich um etwas bittet, kann ich es ihm nicht abschlagen«, sagte er, verlegen und entzückt zugleich. »Du bist ja auch volljährig, und schließlich kenne ich dich gut genug, um zu wissen, daß ... Nun, du wirst es dir überlegen ...?«

Er war hin und her gerissen zwischen Rührung und den brummigen Scherzen, hinter denen er gewöhnlich seine Gefühle verbarg.

»Es ist schon alles überlegt«, sagte Louise, ohne zu überlegen.

»Das konnten Sie sich wohl denken ...«

Der Professor strahlte über das ganze Gesicht.

»Ich habe mir schon immer eine Tochter gewünscht, und ich bin sehr glücklich, daß du es sein wirst, du verrücktes Frauenzimmer.« Eine Träne war auf die Schreibunterlage getropft, und die Feder und das Tintenfaß mußten noch dringender von einer Seite auf die andere geschoben werden.

»Aber da ich jetzt dein Vater bin, muß ich dir eines sagen: Überlege gut, meine kleine Tochter. Es sind nicht gerade schöne Aussichten, die Jean-Marie dir zu bieten hat, und du wirst Willen und Zuversicht haben müssen für zwei.«

Ja, es war wirklich eine traurige Verlobungszeit: Trübselige Abendessen bei den Nimbussen, wo das neueste Krankheitsbulletin oder der neueste Kriegsbericht besprochen wurde, während man um markenfreien Preßkopf herumsaß; einsame Nächte, in denen Louise leidenschaftliche Briefe an Jean-Marie schrieb; peinliches Schweigen gegenüber ihrer Mutter, weil sie sich nicht dazu durchringen konnte, ihr ihren Entschluß einzugestehen. Am Ende war es der Professor, der das Geheimnis lüftete: Als er ihr eines Tages am Telefon von Jean-Maries Fortschritten erzählte, fügte er, ihre Kälte spürend, ganz selbstverständlich hinzu:

»Ich fühle, daß Sie in Sorge sind, Madame, aber ich möchte Sie beruhigen. Jean-Marie hat Verantwortungsbewußtsein, und von Heirat wird keine Rede sein, bevor seine körperliche Beeinträchtigung nicht völlig behoben ist.«

Hermine ließ sich am Telefon nichts anmerken, aber sie explodierte noch am gleichen Abend, als Louise von der Vorlesung zurückkam. Was? Sie geruhte nicht einmal ihre eigenen Eltern von der wichtigsten Entscheidung ihres Lebens in Kenntnis zu setzen? Sie verriet ihre Familie für die des Professors, der noch nicht einmal imstande war, seine eigene anständig zu ernähren: Das kam also dabei heraus, wenn man auf intellektuell machte! Jean-Marie sei doch noch ein Kind, und obendrein labil, sie habe seine Schrift von einem Graphologen untersuchen lassen, mit dem Ergebnis: »Leidenschaftlicher Junge, zu sensibel, manchmal zu übertriebenen Reaktionen neigend.« Es gibt doch auch Leute, die sich auf ihr Examen vorbereiten, ohne dabei krank zu werden! Es wurde einer der blutigsten Kämpfe, die sie je miteinander ausgefochten hatten, und auf beiden Seiten gab es Unmengen von Tränen.

Daß ihre Tochter verliebt war, bewegte Hermine mehr, als sie nach außen hin zugeben wollte. Aber sie hielt es für ihre Pflicht, diese Begeisterung für einen zu jungen Studenten abzukühlen, der noch lange nicht seinen Lebensunterhalt verdienen würde und der zudem auch noch lungenkrank war. Bei den Morvans wurde das Wort *Tuberkulose* nie ausgesprochen, aus Angst vor einer Art metaphysischer Ansteckung.

»Du mußtest vierundzwanzig Jahre alt werden, um dich zu verlieben, und jetzt, wo es endlich passiert ist, führst du dich auf wie im Delirium und verlierst den Verstand!«

Adrien, den Krankheiten im allgemeinen tief beeindruckten und die, die man die »Weiße Pest« nannte, ganz besonders, versäumte nicht, darauf hinzuweisen, daß die alten Heiratsgesetze bei den Hindus Mitgliedern höhergestellter Kasten verboten, eine Frau aus einer tuberkulösen Familie zu heiraten, »so reich sie auch sein mochte an Rindern, Kamelen, Schafen, Getreide oder anderen Gütern, denn sie war unrein«.

»Zunächst einmal wirst du dich einem Intrakutantest unterziehen und dir die Lunge röntgen lassen«, fügte er hinzu.

Auch Louise fühlte sich in die Kindheit zurückversetzt. Und wenn sie nun mal das Risiko eingehen wollte, mein Gott. Er war ja schließlich nicht pestkrank!

Ich habe eine gewisse Zuneigung für dich, für die Louise von damals; so entschlossen hast du dich in die überschwengliche Liebe eines Jean-Marie gestürzt, des von einem Tag auf den anderen in die Gefängniswelt von Assy Verbannten; dort war die Tuberkulose allgegenwärtig, wie der Krieg; hinter jedem Fenster, in jedem Blockhaus wachte ein Kranker, auf der Lauer nach einem unsichtbaren Feind.

Aber bewundern kann ich dich nicht: Die Leidenschaft ist eine Stimmung, in der du zu leben verstehst. Bis heute frage ich mich jedoch: Wie hast du es angestellt, um vor unserer Mutter das Verhalten einer Novizin der Oberin gegenüber beizubehalten? Warum hast du es nie geschafft, ihr freundlich und liebevoll »Leck mich …« zu sagen? Warum hast du dich damit begnügt, die bitteren Vorwürfe in dein Tagebuch einzutragen, das du noch nicht einmal zu verbergen imstande warst? Dabei kanntest du ihre grundsätzliche Neigung, sich in die Angelegenheiten anderer einzumischen. Wenn ich mein Gejammere nicht wiedergefunden hätte, das ich im Jahre 1943 in ein schwarzes, in Kunstleder gebundenes Heft eingetragen hatte, würde ich glatt abstreiten, daß ich jemals ein so feiges, unterwürfiges, altes kleines Mädchen war; aber es ist *meine* Handschrift, *unsere* große dicke Girlanden-Schrift, die so schön gerade ist und so selbstsicher wirkt.

»Wie einfach alles wäre, wenn ich keine Eltern hätte«, hast du da unvorsichtigerweise geschrieben.

Natürlich hat Hermine – die es einfach nicht für möglich hielt, daß man in seinem Herzen ein bestimmtes Gefühl und gleichzeitig sein genaues Gegenteil beherbergen kann – diese Zeilen »zufällig« entdeckt, als sie gerade »Briefumschläge suchte«. Immerhin benötigte sie einen Vorwand, um im Schreibtisch ihrer Tochter zu stöbern. Dramen zu veranstalten war für sie ein Mittel, um zu herrschen – das Schreiben auch. Es gab keine Auseinandersetzung, keine wichtige Entscheidung, die bei uns nicht mit Briefen geendet hätte. Nachts in der Erregung oder im Zorn geschrieben, unter das Kopfkissen gelegt, durch den Türspalt geschoben: Solche Botschaften säumen meinen endlosen Weg hin zum Erwachsenwerden und zwingen mich, dich, kleine Schwester, auf die ich beileibe nicht stolz bin, als mich selbst zu erkennen, und auch dich, Hermine, meine Mutter. An jenem Tag schriebst du mir wieder einmal, mit deiner schönen, festen Schrift, der die meine so ähnlich sieht wie eine arme Verwandte aus der Provinz.

»Nun weiß ich es, ich habe es gelesen: Am liebsten würdest Du mich lebendig begraben. Du findest kein anderes Mittel, mich zum Schweigen zu bringen, und Du willst mir nicht mehr zuhören. Hat das nicht vielleicht damit zu tun, daß ich recht habe? Du möchtest, daß Deine Hochzeit mit Begeisterung gefeiert wird. Aber ich kann mir ja nicht die Augen ausstechen unter dem Vorwand, daß Du blind bist! Ich kann mir nicht helfen, aber mit der vorstädtischen Spottlust Deines Jean-Marie, seiner herausfordernden Arroganz, seiner gewollt volkstümlichen Gewöhnlichkeit kann ich nichts anfangen. Es bleibt noch zu viel vom ›Ruchlosen‹ an ihm haften, und Du tust nichts, um ihn mir näher zu bringen, im Gegenteil. Je mehr Du ihn liebst, desto mehr fühlst Du Dich verpflichtet, mich zu verleugnen. Aber es geht nicht um mich, es geht um *Dein* Glück, es geht um *Deine* Selbstverwirklichung. Ich fürchte jedoch, Du kümmerst Dich nur um Jean-Maries Verwirklichung, und um sie zu fördern, trittst Du bescheiden zurück. Und das wird er dankbar akzeptieren, denn er ist ein Mann, und dazu noch ein egozentrisches, unerzogenes Kind. Und das finde ich schlimm. Ich habe Dich nicht zur Welt gebracht und erzogen, damit Du im Schatten verschwindest. Du arbeitest den ganzen Tag, Du bringst Deine Nächte damit zu, ihm zu schreiben, Du ißt nicht mehr, Du magerst ab. Vergiß nicht, daß auch Du krank werden kannst.
Vielleicht mußt Du mich beseitigen, um Dich zu verwirklichen,

aber Du hast nicht die Kraft, es zu tun, weil Du schwach und unentschlossen bist. Hab jedoch keine Angst: Ich werde nicht daran zugrunde gehen. Nur, zwinge mich nicht, eitel Freude und Sonnenschein nach außen hin zu mimen. Erobere Deine Gedanken- und Liebesfreiheit, wenn die Stunde geschlagen hat. Vielleicht wird dieses Abenteuer heilsam sein für Dich; Du wirst schneller entdecken, wer Du bist. Ich verzeihe Dir Deine Mordgedanken, wie man einen Verbrecher freispricht, der aus Leidenschaft gehandelt hat; aber es erinnert mich doch alles an das lieblose kleine Mädchen, das Du früher schon warst, und das mir eiskalt ins Gesicht sagte: ›Mama, wenn du tot bist, ziehe ich in dein Zimmer‹. Aber Du wirst sehen: Mütter sind unsterblich.«

Einem frechen Mädchen hättest du alles verziehen, Hermine. Du hast eine Antwort erhalten, die dir sicher Balsam aufs Herz gestrichen, die aber bestimmt auch Verachtung in dir hervorgerufen hat. Du hast einen Brief bekommen, wie ich von meinen Kindern keinen bekommen möchte, denn ich wünsche ihnen, daß sie sich nie entschuldigen müssen für das, was sie sind, und ich verzeihe ihnen im voraus ihre Feigheiten und ihre Aufmüpfigkeiten, aus der Erinnerung an die, die ich gewesen bin.

»Kannst Du denn nicht verstehen, Mama, daß ich mein ganzes Leben lang in Deinem Schatten gelebt habe, daß ich meine Neigungen nur mit Deinem Einverständnis habe wachsen sehen und daß mein Geschmack sich nur dann entfalten durfte, wenn Du ihn gebilligt hast? Ich bewundere Dich so sehr, daß ich nicht mehr weiß, wo ich selbst stehe, daß ich es nicht mehr wage, mir selbst zu vertrauen.

Bis jetzt hatten wir nur wegen Lappalien und unwichtigen Leuten Auseinandersetzungen. Aber nun habe ich eine Entscheidung getroffen, die mir unendlich wichtig ist, Mama. Ich wußte nicht, wie ich sie Dir beibringen sollte, denn ich kannte Deine Einstellung zu Jean-Marie: Wenn Du gegen mich bist, ist es, als ob ich selbst gegen mich wäre. Und Du hast die schreckliche Begabung, Dinge zu sagen, die meine Gewißheit ins Wanken bringen …

Dabei bin ich ganz sicher, daß ich Jean-Marie liebe. Mein langes Zögern vergangenen Winter hatte nichts damit zu tun, daß ich an meiner Liebe zweifelte, ich zweifelte nur an Deiner Zustimmung. Denn da kommt vieles zusammen: Er ist nicht getauft, und eine kirchliche Trauung wird nicht möglich sein; und dann diese Krankheit, die schlimmste von allen, denn sie bedeutet Abwesenheit, Ansteckungsgefahr, möglichen Rückfall. Wie soll ich unter solchen Voraussetzungen nach außen hin glücklich aussehen? Aber ich brauche Dich, selbst um mit dem Mann, den ich liebe, glücklich zu sein und um das zu leben, was andere ›mein Leben‹ nennen würden.

Es tut mir leid, daß Du so dumme, launenhafte Dinge in meinem Tagebuch hast ernst nehmen können, Dinge, die so wenig dazu angetan waren, daß Du sie liest . . .« und so weiter, und so weiter. Gestatten Sie, Frau Mama, daß ich verbleibe mit den herzlichsten Gefühlen eines unterwürfigen Waschlappens.

Die Sache war wirklich nicht gut eingefädelt, das muß man schon sagen. Ein Lungenkranker, Sohn eines mutmaßlichen Roten, er selbst ein Volksfrontanhänger; außerdem war Jean-Marie weder reich noch elegant noch groß und schlank, also hatte er keinerlei Trümpfe in der Hand, um das Spiel gegen Hermine erfolgreich zu spielen. Dabei wäre sie vollkommen unfähig gewesen, die politischen Ziele dieser bösen Volksfront näher zu definieren. Für sie ließ sich das Ganze auf eine Horde von Proleten zusammenfassen, die »bezahlten Urlaub« in Anspruch nahmen und am Strand herumsaßen mit Hüten, die sie aus dem Papier der kommunistischen Tageszeitung *L'Humanité* zusammengefaltet hatten, billige Knoblauchwurst aßen und Berge von Abfall und fettigem Butterbrotpapier zurückließen.

Adriens Welt war eine ganz andere. Er hatte sich im Großen Weltkrieg, dem richtigen, freiwillig gemeldet, hatte im Jahre 1916 das Kriegskreuz, im Jahre 1936 das Croix-de-Feu erhalten und las mit Vorliebe Maurice Barrès und später Céline. Er war Patriot, Rassist und Antisemit, was sich von selbst verstand, erinnerte aber gerne daran, daß er ein Dreyfus-Anhänger war, was ja wohl hinlänglich seinen guten Willen bewies – sofern die Juden ihn verdienten. Aber Adrien kreidete der »Jüdisch-Freimaurerischen Internationale« alles Unglück seines Vaterlandes an. Sie war daran schuld, daß die Franzosen im Jahre '40 wie die Kaninchen davongelaufen waren, sie war daran schuld, daß ein senil gewordener Held von Verdun einen schändlichen Waffenstillstand akzeptiert hatte. Adrien war ein Gaullist der ersten Stunde, aber was hätte er getan, wenn de Gaulle Lévi geheißen hätte? Eigentlich gab es nur einen Makel, den Jean-Marie nicht hatte: Er war kein Jude.

»Für einen Christen hat er aber einen sonderbaren Namen ...«
»Aber Mama, Henninger ist ein elsässischer Name!«
»Das behaupten sie alle ... Ich finde das merkwürdig, daß er
nicht einmal getauft ist!«
Immerhin, für einen Sohn des Volkes konnte Jean-Marie ganz
gut schreiben. Und Hermine hatte eine Schwäche für die
Schreibkunst. Also bestand noch Hoffnung. Zumindest glaubte
Jean-Marie daran.
»Sie haben mir erlaubt, Hermine, Sie bei Ihrem wunderschönen
Namen zu nennen, und ich bin Ihnen dankbar für Ihre Zuneigung und das Vertrauen, das Sie dem ›kleinen Jungen‹ schenken,
den Sie in mir sehen, Glauben Sie mir, ich liebe Louise mit all
der Klarheit, die ich in mir aufgebaut habe zu einer Zeit, als ich
überall laut verkündete, daß es Liebe nicht gäbe, zugleich aber
das Gegenteil schrieb.
Ich weiß, was es für Sie bedeutet, sich von Ihrem ruhigen, großen kleinen Mädchen trennen zu müssen, und ich komme Ihnen
sicher wie ein Eindringling vor. Ich hoffe, genügend Feinfühlig-
keit zu besitzen, um es Sie nach und nach vergessen zu lassen
und Sie davon zu überzeugen, daß wir nun zwei sein werden,
Sie zu lieben. Louise braucht Ihre zärtliche Zuneigung und Ihre
Zustimmung, entziehen Sie sie ihr nicht.
Zu all dem, was mein Leben war, will ich nichts sagen, denn es
gibt Katastrophen, die einem die Sprache verschlagen. Aber glauben Sie nicht, ich würde verzweifeln. Ich stelle einfach fest, daß
ich für Monate tot bin – und das ist ein seltsames Gefühl. Seien
Sie gewiß, daß ich von energischer Entschlossenheit sein werde
und daß nichts vernachlässigt wird, was meine Genesung be-
schleunigen könnte. Aber jetzt befinde ich mich erst einmal in
jenem verschwommenen Zustand, in dem man nur eines weiß:
Man darf nicht denken ... Früh morgens erwacht man, und der
Atem ist etwas laut, was sich dann nach zwei – drei Hustenanfäl-
len legt; ein schmerzender Punkt in der Brust erinnert einen jedoch stets daran, daß dieser Husten anders ist als ein normaler.
Ich erzähle Ihnen davon, Hermine, weil Sie ein wenig meine
Mutter sind, die einzige Mutter, die ich habe, und weil ich das
Bedürfnis habe, es zu sagen. Aber Louise geht das nichts an.
Mein Körper rächt sich – wo ich doch so stolz auf ihn war, auf
diese gut funktionierende, nicht sehr schöne, aber solide Ma-

schine. Ich erkenne die ganze Tiefe des Abgrunds vor mir und betrachte sie, ohne zu wanken. Aber die Angst ist ein seltsames Phänomen: Ich dachte, ich sei ängstlich, und nun glaube ich, der Tod würde mich gar nicht mehr erschrecken. Es geht jedoch nicht darum, zu sterben, sondern gesund zu werden. Es ist an und für sich eine recht banale Sache, nicht wahr, ohne jede Größe. Deshalb bitte ich Sie, mir zu verzeihen, daß ich für Louise Grund zum Leiden bin und für Sie Grund zur Sorge.

Aber seien Sie beruhigt: Vielleicht war es ein kleiner Junge, der ins Sanatorium abgereist ist; aber es wird, hoffentlich, ein Mann zurückkommen.«

Jede Mutter wäre über einen solchen Brief gerührt gewesen, vielleicht sogar erschüttert. Nicht so Hermine. Gerührt schon. Aber was hatte das zu tun mit dem Bemühen, ihre große dumme Gans von Tochter zu retten, die Gefahr lief, in der Großen Liebe und der Exaltation der Selbstaufopferung zu versinken? Sie war weit davon entfernt, wie alle Mütter meiner Freundinnen, zu wünschen, ich möge mein Studium und meine Arbeit aufgeben, um mich ganz der Genesung von Jean-Marie zu widmen, beziehungsweise ihn seine Prüfungsthemen abzufragen; sie fürchtete nur eines: daß ich seine Manuskripte tippen und später mal seinen Patienten die Praxistür öffnen würde.

»Du hältst dich fälschlicherweise für erwachsen. Ich weiß ganz genau, daß deine Entwicklung noch nicht abgeschlossen ist und daß ein Irrtum heute für deine Zukunft fatal sein könnte«, wiederholte sie stets.

Sechs Monate vergingen. Die Bazillen gaben nach, und die Attacke schien abgewehrt. Es würde nie mehr wie früher sein, aber man konnte ein neues Leben in Betracht ziehen, man konnte Pläne schmieden oder so tun als ob.

Ich, die Lebendige, schrieb ihm jeden Tag und versuchte, aus Angst, er könnte zu sehr den Boden unter den Füßen verlieren, ihn in die Wirklichkeit zurückzurufen: Unentwegt malte ich ihm das Bild seines früheren Lebens – des wahren Lebens – und fesselte ihn an seine Zukunft mit allen winzigen Einzelheiten, die in Notzeiten zu den großen Obsessionen geworden waren: eine Wohnung finden, für die Ernährung sorgen, Schlange stehen, Schwarzmarkt, Bombenalarm.

September 1943

»Hier die Liste der Gegenstände, die ich in Dein Päckchen hineingelegt habe; laß mich wissen, ob alles heil angekommen ist:

- Eine schon angebrauchte Kernseife (von mir benutzt, nicht vom Briefträger!)
- Zwei Röhrchen mit Bleistiftminen.
- Rilkes *Briefe an einen jungen Dichter,* um die Du mich gebeten hast.
- Die *Französische Literaturgeschichte* von Kléber Haedens (Ein wunderbares Buch!)
- Zwölf Pfeffernüsse.
- Ein kleines Töpfchen Griebenschmalz, das Papa selbst gemacht hat.
- Eine Tafel Schokolade. Zucker konnte ich keinen ergattern.«

»Ich habe noch einmal siebzig Textilpunkte bekommen. Insgesamt habe ich jetzt einhundertvierundzwanzig, und nun kann ich Dir bald einen sehr warmen Morgenmantel kaufen.

Ich schreibe Dir bei Kerzenlicht, denn der Strom wurde abgestellt. Papa hatte zwar seine ganze Tabakration und Süßigkeiten für den Strommann bereitgehalten, aber der war unbestechlich. Im nachhinein haben wir kapiert, warum: Hinterher kommt immer ein Kontrolleur und prüft nach, ob die Bestraften auch wirklich im Dunkeln sitzen. Natürlich hatten wir unser Kontingent überzogen.

Mein Liebling, wenn Du mir einen allzu zärtlichen Brief schreibst, dann nenne mich von Zeit zu Zeit auch Megäre, damit ich nicht weinen muß. Denn seit Du weg bist, tut mir alles weh. Es ist, als ob ich eine schreckliche Herzensgrippe hätte.«

»Ich habe heute noch einmal zwölf Pfeffernüsse bekommen. Am Freitag mache ich Dir wieder ein Päckchen mit sechs Eiern, die wir vom Land bekommen haben. Ich habe sie ganz schnell weggepackt, um sie den gierigen Blicken zu entziehen. Hier zu Hause haben wir seit einem Monat kein Ei mehr gegessen!

Gestern habe ich bei Deinem lieben Papa zu Abend gegessen und bin rein zufällig in Dein Zimmer gegangen, um das Buch zu holen, um das Du gebeten hast. Dort hing noch ein wenig von Deinem Duft in der Luft, mein blasser Prinz, und ich hatte Tränen in den Augen, und im ganzen Körper plötzlich die Erinnerung an deine ›Vernaschaktionen‹. Wie geht es den Swanns?

Swann dem Kleinen, diesem süßen, entzückenden, verlogenen Wesen, und Swann dem Glorreichen, der immer im Einsatz ist, dem unersättlichen Eroberer, dem Stab des Dirigenten, der mich mit wonnigen Sinfonien berauschte (Ah! Louise, schreiben solltest du!). Es gehen Gerüchte um, daß in Sancellemoz viel getanzt, geflirtet und gevögelt wird. Es heißt auch, die Tuberkulose würde die Sinne schärfen und zur Liebe geneigt machen. Solche Dinge sollte man der Frau eines Gefangenen nicht erzählen!«

»Wegen dieses Gefühls, daß Du stark und schwach zugleich bist, liebe ich Dich so sehr. Wenn Du nur schwach gewesen wärst, hätte ich Dich nur sehr lieb gehabt. Aber wenn Du nur stark gewesen wärst, dann hätte ich mich nie gehen lassen können. Du vermischst beides auf rührende Weise. Ich mag Deinen Zynismus ebensosehr wie Deine lyrische Sensibilität, den verzweifelten Dichter ebensosehr wie den unerbittlichen Idealisten. Aber ich bin mir auch ganz sicher, daß Du begabt bist. Ich bin mir sogar viel sicherer bei Dir als bei mir.«

»Hast Du den Topf gesalzene Butter bekommen? Und die Pfeffernüsse (Ich frage mich gerade, wo eigentlich diese ganzen Pfefferkuchen herkamen!)

Manchmal fürchte ich, du könntest mich zu verliebt finden und könntest wie Montherlant sagen: ›Nein! Ich bin unfähig, sie zu lieben, weil sie verliebt in mich ist!‹

Außerdem habe ich zwei Kilo abgenommen, und ich sehe aus ›wie eine Kroatin‹, behauptet Mama. Ich bekomme intravenöse Gluconat-Spritzen und nehme Calcium. Man wird mir auch wieder eine Tuberkulinprobe machen, da die letzte ja negativ war. ›Aber wenn du dich bei Jean-Marie angesteckt hast, glaube ja nicht, daß wir dich nach Sancellemoz schicken‹, sagt sie mir, um mich zu entmutigen.

Aber keine Angst: Ich weiß, daß ich nur an der Sehnsucht leide. Ich sehne mich so schrecklich nach Dir – nach allen Jean-Maries: dem, der hohnlacht, dem, der die ganze Nacht Verse schreibt, dem, der so zärtlich Mundharmonika spielte, dem, der Swing tanzte und nach den anderen, den verzweifelten Jean-Maries, für die ich eine heimliche Zärtlichkeit hege.

Ich bin unausstehlich zu Hause, denn ich kann Mitleid nicht ertragen. Mama schleicht dauernd durch den Flur und kommt jedesmal in mein Zimmer, wenn sie mich schniefen hört; dann er-

kläre ich immer, ich hätte einen Schnupfen. Sie geht hinaus und knallt die Tür zu, und von weitem höre ich: ›. „. verweigert die Zärtlichkeit ... Herz aus Stein ... mich nie mehr um sie kümmern ...‹ – Wenn das nur wahr würde!
Ach, wenn alle Männer so wären wie Du, dann wäre ich eine Nutte!«

Oktober 1943
»Du erzählst mir von Größe, von Ideal ... der dauernde Blick auf den Mont-Blanc inspiriert Dich wohl. Ich bin weit weg von Dir und schleppe das Bündel der Alltagssorgen hinter mir her; ich fürchte, Du glaubst, ich sei völlig gefangen in den Überlebenssorgen! Entschuldige, wenn ich nur mittelbar heldenhaft bin. Du weißt, daß ich Deinen Absolutheitsanspruch und Deine Leidenschaft für die Medizin mag. Aber Du darfst die köstlichen Kleinheiten, die widerwärtigen Notwendigkeiten des Alltags nicht vergessen. Mein wahnwitzigster Absolutheitstraum? Eine Wohnung für uns beide finden. Über den offiziellen Weg findet man *nichts,* alles läuft über Beziehungen und mit ungeheuren Ablösesummen, die man nie wiedersehen wird, da sie illegal sind. Aber Du wirst schon sehen, mein Materialismus hat auch seine gute Seite. Das Schicksal sieht mich kampfbereit, und wir werden den Karren aus dem Dreck ziehen. Seitdem ich Dich liebe, hat mein Egoismus das Lager gewechselt: Von uns beiden bist Du am meisten ich.«

November 1943
»Schreib mir keine so langen Briefe, Liebling, ich kann den Gedanken nicht ertragen, daß Du Dich ermüdest. Und please, gib detaillierte Nachricht über Deinen Pneu! Ich mag die Dinge nicht über Deinen Vater erfahren. Keine Sorge, ich habe mich mit der Situation abgefunden. Ich kann warten und habe keine Angst vor dem Leid. Wenn Du Adhäsionen hast, dann werden wir eben noch mehr aufpassen. Laß nicht an Dir herumschnippeln unter dem Vorwand, es ginge dann schneller!
Hier spielte sich ein fürchterliches Drama ab. Lou kommt vollkommen aufgelöst zu uns, weil fast allen Haute-Couture-Häusern die Stoff- und Woll-Kontingente gestrichen werden. Sie könne gleich den Laden dicht machen, sagt sie, und sie habe kei-

ne Ersparnisse. Papa findet auf der Stelle eine Lösung: ›Dann wirst Du eben Deinen Schmuck verkaufen.‹

Die beiden Frauen fallen über ihn her: ›Typisch Adrien, immer nur den Vorschlag, klein beizugeben!‹ sagt Hermine. ›Wir könnten ja auch damit anfangen, keinen Wein mehr zu trinken!‹, und um ihren Worten mehr Nachdruck zu verleihen, gießt sie ihr Glas über die Tischdecke. Lou lacht. Adrien ist wütend und wirft sein Glas an die Wand. ›Wenn du dieses Spielchen spielen willst‹, sagt Hermine, ›mach' ich mit, das kann ich genauso gut wie du‹, und sie wirft die Gemüseschüssel aufs Parkett. Der ganze Boden ist voll. Lou, die Dreck nicht ausstehen kann, kreischt und läuft vom einen zum andern. ›Spielt doch nicht die Idioten! Schaut euch nur an ... Ihr seid ja richtig läppisch! Denkt doch mal an die Gefangenen!‹

Die Erwähnung der Gefangenen hat keinerlei Wirkung, die beiden brüllen aufs neue los, und wie bei jeder Vorstellung dieser Art beginnt wieder die alte Leier: ›Du bist nie in irgendeiner Weise hilfreich. Wenn wir auf dich gehört hätten, hätte Lou ihre Firma längst geschlossen, und ich hätte aufgehört zu malen. Im Grunde hat Louise alles von dir geerbt. Sie ist defätistisch, genau wie du ...‹ Da siehst Du's, ich kann mich so klein machen wie eine Maus, schon stehe ich wieder mitten im Geschehen. Natürlich muß *ich* nun den Spinat und die kaputten Gläser wegräumen, unterdessen spielt sich der letzte Akt in Tränen ab, aber nicht ehe Papa einen jener Jähzorn-Ausbrüche hat, die sogar Hermine Angst machen. ›Dein Herz‹, schreit sie, ›Vorsicht, dein Herz, mein Adilein!‹ und vergißt völlig, daß sie es ja war, die dieses Herz gerade so strapaziert hat. Lou betüttelt ihn, Hermine bringt ihn ins Bett und macht ihm einen Kräutertee; danach schließen sich die beiden Frauen bis zwei Uhr früh im kleinen Salon ein und schmieden Pläne, wie Lou auf die Liste der Couturiers kommen könnte, denen das Recht zu leben erhalten bleiben wird. Lelong, der Vorsitzende der Modekammer, bestimmt, wer gerettet werden soll. Gleich am nächsten Morgen wird Lou Lucien aufsuchen. Die beiden Frauen legen die Strategie fest: Lou darf ja nicht als Bittstellerin auftreten, die über ihr Pech jammert, sondern als indignierte Künstlerin. Sie wählen auch das zur empörten Künstlerin passende Kleid aus. Hermine verbessert, gibt Ratschläge, korrigiert den Tonfall, legt Formulierungen zurecht und läßt sie Lou wiederholen. Adilein schläft tief und glücklich, wie ein erschöpftes Kind nach einer wohlverdienten Tracht Prügel. Sie werden die Partie gewinnen, das spüre ich. Niederlage steht den beiden nicht zu Gesicht.

Kampfgeist – wie wird man von so was gepackt?«

»Ich esse oft mit Deinem Väterchen und Deinen beiden Brüdern zu Abend. Er zwingt mich immer, meinen Teller ganz leer zu essen, was mir um so schwerer fällt, als bei Euch zur Zeit eine unsägliche Saucen-Verpfuscherin regiert. Aber offensichtlich sehe ich zu schlecht aus und bin zu mager, um eine anständige Braut herzugeben! Die kleinen Pampelmusen, die gehen ja noch, aber die Hüften sind dünn, dünner, am dünnsten. Dein Vater hat Angst, ich könnte ihm keinen Thronfolger bescheren. Ich erkläre ihm immer wieder, daß es nicht die fettesten Kühe sind, die die schönsten Kälber machen.

Deine Brüder haben beschlossen, auf ihre Tabakmarken zu verzichten, um Dir Lebensmittel zu verschaffen. Sie rauchen eklige Glimmstengel aus gerollten Eichenblättern, und das ganze Haus stinkt wie die Pest. Bei mir zu Hause wurden dem Herrn Papa die Tabakmarken schon längst konfisziert: Die Damen waren empört darüber, daß er allein das Recht zu Rauchen haben sollte, nur weil er im Stehen pinkelt! Beinahe hätte Hermine auch damit angefangen, aus Protest – mit dem Pfeifenrauchen, nicht mit dem stehend Pinkeln (obschon sie zu allem fähig wäre). Wenn Du ihr schreibst, mein kleines Schätzchen, bitte, bitte, sag ihr, daß Du guter Dinge bist und daß Du nicht mehr hustest, sonst stellt sie sich vor, du seist leichenblaß und am Ersticken, wie die Kameliendame; dann malt sie mir ein apokalyptisches Bild unserer Zukunft vor. Zum Glück ›spuckst Du kein Blut‹ – literarisch gesehen wäre die Szene dann vollkommen. Sie erzählt sowieso überall herum, daß die Liebe mir nicht bekommt und daß ich, seitdem Du weg bist, langsam dahinsterbe. Und sag ihr auch nicht, sie soll sich um mich kümmern: Sie tut überhaupt nichts anderes. Um Mitternacht, wenn ich gerade arbeite oder Dir schreibe, bringt sie mir eine Tasse heiße Schokolade und Vitaminkekse ins Zimmer, aber in Wirklichkeit ist das nur ein Vorwand, um einen mißbilligenden Blick auf meine Betätigung zu werfen. Sie behauptet, ich sei Deine Vestalin und sei ganz schön dumm, daß ich Deine Gedichte abtippe und korrigiere, anstatt selbst welche zu schreiben. Immer wieder bringt sie mit größter Empörung die Geschichte aufs Tapet, wie ich mich geweigert habe, Dich meinen Fahrradreifen flicken zu lassen, erinnerst Du Dich? Das sei nicht die richtige Methode, um von einem Mann geliebt zu werden, wenn man sich zur Dienerin macht, anstatt sich bedienen zu lassen. Angeblich werde ich das zu spät merken. Sag es mir bitte rechtzeitig!«

»Sie haben gewonnen! Heute abend haben wir Lous Sieg gefeiert, die jetzt zu den fünfzig ›Modeschöpfern‹ zählt, die Wolle-, Seide- und Garnzuteilungen erhalten und somit überleben werden. Gleichzeitig hat sie auch noch einen Auftrag für mehrere hundert Krankenschwesterncapes bekommen, was sie davor bewahrt, Angestellten kündigen zu müssen. Denn die Kundinnen werden jetzt doch etwas spärlicher. ›Hoffentlich vermasselt uns der Krieg nicht auch noch unsere Luxusgelüste, das wäre eine zusätzliche Niederlage‹, erklärte eine Lou in Höchstform und packte eine Tüte mit unglaublichen Pralinen aus; sie hatte sie bei Mary, Faubourg Saint-Honoré, erstanden, wo sie auf der Liste steht. Sie verzichtet gerne wochenlang auf ihre Ration gewöhnlicher Schokolade, um sich hin und wieder echte Pralinen ›wie früher‹ zu leisten.

Was ist mit Deiner Pleuroskopie? Du erzählst mir von Politik und Literatur, aber nie von Deiner Lunge. Wollen sie Dir denn immer noch einen Adhäsionsschnitt machen? Ich bin gegen diese ganzen Aggressionen. Wenn man es zuläßt, daß sie damit anfangen, dann kommt man aus dem Teufelskreis nicht mehr heraus. Man läßt sich einen Pneumothorax anlegen, das ist belanglos, und schon geht es weiter mit dem ganzen Tanz. Du hast kein Fieber und fühlst Dich wohler, obwohl Dein Pneumothorax nur subtotal ist. Was wollen wir denn mehr? Ich warte lieber einen Monat länger auf Dich, und sie schnippeln nicht mehr in Deinem geliebten Rippenfell herum. Aber natürlich hat Doktor D. ein Buch über Pleuroskopie geschrieben, das muß ja irgendwie angewendet werden. Der Pneu muß nach allen Regeln der Kunst funktionieren, egal, ob man dafür eine Brust zerschneiden muß, und kein Mensch schaut nach dem Allgemeinbefinden oder dem seelischen Befinden des betroffenen Patienten. D. möchte am liebsten, daß alle Patienten das erleben, was er erlebt hat. Im übrigen verdient er damit seinen Unterhalt, nicht indem er zuschaut, wie Du Deine Liegekur machst. Ich glaube, sie sind zu allem fähig, diese Monster, auch dazu, *l'art pour l'art* zu praktizieren. Warum eigentlich keine Bronchoskopie, damit man sich die Sache mal ganz aus der Nähe ansehen kann? Und in einigen Monaten, wenn Du Dich an die Vokabel gewöhnt hast, machen sie Dir dann eine ›wunderschöne‹ Rippenresektion! Und wenn das Ergebnis kein gutes ist, dann warst Du es, der nicht richtig reagiert hat. Sie werden Dich mit größtem Sachverstand in Fetzen geschnitten haben!

Mir bleibt dann nur eines übrig: vor Wut aufstampfen. Ich nenne Dich *mein* Geliebter, aber eigentlich gehörst Du vielmehr den andern als mir. Zu guter Letzt werden *sie* sowieso tun, was sie wollen. Ich habe den Eindruck, Du bist ein Tier, das man zur Vivisektion bestimmt hat, und man hat Dich nur ins Gebirge verbannt, um jeglichen Protest im Keim zu ersticken. ›Ah! In unserer stillen Ecke grasen, Unzucht treiben, scherzend lachen . . .‹ «

»Mein Liebling, das Fleisch kostet auf dem Schwarzmarkt in Paris neunzehn oder zwanzig Francs das Kilo. Der Preis, den man Dir angeboten hat, ist ganz gut. Kaufe also! Wann werde ich Dich endlich davon überzeugen können, daß es billiger ist, Fleisch oder Öl auf dem Schwarzmarkt zu kaufen, als noch einen weiteren Monat den Sanatoriumsaufenthalt zu bezahlen? Ich bin entsetzt, daß Du dort so schlecht ißt und daß Du nicht dicker wirst. Sind es die Insufflationen, die Dich so erschöpfen? Ich weiß, daß Ihr in Deiner Familie gegen den Schwarzmarkt seid. Aber wichtig ist zunächst einmal, daß wir gegen die Tuberkulose sind.«

Dezember 1943

»Die Weihnachtsfrau steht vor der Tür, mein Engelchen. Ich fahre am 25. Dezember. Über einen alten Verehrer von Lou, der bei der Bahnverwaltung in der Rue Saint-Lazare arbeitet, habe ich einen Schein für den Zug bekommen. Schlimmstenfalls muß ich die Reise zusammengekauert im Gang hinter mich bringen, aber zumindest kann ich sicher sein, überhaupt in den Zug zu kommen. Ich fahre am 31. zurück, das ist der einzige Tag, an dem eine Chance habe, einen Sitzplatz zu bekommen. Außerdem bin ich dann sicher, daß ich meinen Unterricht nicht verpasse, der am 3. wieder anfängt. Wir haben das Geld zu sehr nötig, als daß ich mir da Freiheiten erlauben könnte. Ich bringe einen ganzen Sack voller Lebensmittel und kleiner Schätze mit. Mach bitte für die sechs Tage, die ich in Assy verbringen werde, ein Zimmer für mich ausfindig, nicht zu weit von Sancellemoz. Glaubst Du, ich könnte eine Nacht mit Dir in Deiner Kaserne verbringen? Ich kann ja beim Fenster einsteigen, oder ist das unmöglich? Wenn Dein Vater das hören könnte, würde er behaupten, ich wolle Dich umbringen. Alle Welt hält mich schon jetzt für eine Menschenfresserin. Überall tuschelt man, es sei der helle Wahnsinn, uns Ostern heiraten zu lassen – als wäre ich eine Messalina, unfähig, ihre Sinne im Zaum zu halten, die Deinen... Substanzverlust noch verschlimmern wird! Ich beschwöre Dich, sag Deinem Vater, daß ich Dir nicht lechzend nachlaufe und daß ich durchaus fähig bin, den Avancen von Swann gegenüber standhaft zu bleiben.«

»Kannst Du Dir vorstellen, daß wir uns seit unserer ›Verlobung‹ nicht mehr gesehen haben? Das ist fast wie eine Briefehe: Du wirst Deine Zukünftige anreisen sehen, und wenn Du enttäuscht bist, ist es zu spät!«

»Aber paß vorläufig auf Dich auf, rede nicht zuviel, mein Engel, und gehe nicht allzuoft in den Dichter-Club, um Deine Gedichte vorzulesen. Das bringt alles Verspätung für unsere Zukunft. Eine Zukunft, die in ein paar Tagen, für ein paar Tage unsere Gegenwart sein wird. Aber es ist Krieg, und sogar die Liebe wird rationiert.«

3. Januar 1944

»Seit ich Dich verlassen habe, bin ich wie das kleine Mädchen mit den Schwefelhölzern aus Andersens Märchen: Ein paar Sekunden Glück und Feuer, und schon steh' ich wieder leer da in der eiskalten Finsternis, als wäre alles nur ein Traum gewesen. Ich will gar nichts über diese Tage schreiben, denn ich möchte nachher bei Tisch nicht rote Augen haben. Aber es war verwirrend, daß wir uns endlich Worte sagen konnten, die wir zuvor nur ›schriftlich‹ verwendet haben! Sie kamen mir plötzlich so kraftvoll vor, manchmal fast obszön. ›Ich liebe dich‹, der Ausdruck ist für mich noch ganz schrecklich. Wenn Du mir das sagst, wirkt es, als würdest Du mir eine Granate ins Gesicht schleudern, eine wunderbare Granate, ich berste vor innerer Erregung. Ich merke jetzt, daß es irgendwie nur Literatur ist, wenn man es schreibt. Man macht sich damit nur selber eine Freude, auch wenn man noch so ehrlich ist. Das gesprochene Wort dagegen hat etwas von körperlicher Gewalt.

Ich bin problemlos von Saint-Gervais zurückgekommen; das Schwierigste war, auf den Bahnsteig zu gelangen. Dann hängt man sich an die Türen, an die Griffstangen, man quetscht sich auf das Trittbrett oder sogar auf die Kupplungen – es ist die totale Panik, aber wenn der Zug dann einmal fährt, dann ist es, als ob die Leute drinnen wie Ballons Luft ablassen würden, es entsteht plötzlich mehr Raum, und schließlich sind alle drin; unter Umständen plustert man sich bei der nächsten Station wieder auf, um die neuen Saukerle daran zu hindern, zuzusteigen.

Zu Hause haben sie gleich gemerkt, daß ich die Decke nicht wieder mitgebracht habe, die sie mir ›geborgt‹ hatten, damit mir warm ist im Zug. ›Du würdest deine Familie bis aufs Hemd ausziehen, um Jean-Marie zuzudecken! Schließlich hat er ja einen Vater, oder? Und er hat es sich natürlich gefallen lassen. Er hat sich nicht gefragt, ob du die Decke auf der Rückfahrt vielleicht brauchen würdest!‹

Oh, wenn doch endlich Du meine Familie bist! Aber Hermine hat natürlich recht mit ihrer Eifersucht. Es stimmt, daß außer Deiner Genesung nichts zählt für mich. Hauptsache, Dir ist warm, dann bin ich glücklich – hier können sie alle krepieren! Zumal da ich überhaupt kein Mitleid habe mit ihnen . . .

Gute Nachricht: Ich werde Nachhilfestunden geben. Der junge Tölpel soll zwei Stunden in der Woche hierher ins Haus kommen, für fünfzig Francs die Stunde. Das macht vierhundert Francs mehr im Monat, und er ist in einer von den Mittelstufenklassen, da tue ich mich leicht.

Seit ich diese sechs Tage im Gebirge verbracht habe, bin ich dauernd hungrig, das ist ärgerlich. Zu allem Unheil gehe ich heute abend zu Deinem Väterchen essen; ich bringe ihm Deine Briefe und Deine Gedichte. Da muß ich dann wieder gegen meine blöden Tränen kämpfen. Wenn man mir doch die Tränendrüsen rausoperieren könnte!«

»Mama hat eine Wohnung für uns in Aussicht, gegen ein akzeptables Schmiergeld. Lou wird uns helfen. Sie hat beschlossen, ihre persönlichen Seidenreserven aus der Schublade zu holen und mir für Deine Rückkehr ein Kleid und bestickte Dessous zu machen. Hier wird jetzt manchmal von der Hochzeit gesprochen, seit die Nachrichten über Deine Gesundheit besser sind. Es war immer schon ein Traum von mir: eines Tages im weißen Kleid auf den Stufen von Sainte-Clotilde zu stehen. An den Bräutigam neben mir dachte ich nie! Es ging schließlich um *meine* Hochzeit. Natürlich bestehen die Eltern auf kirchlicher Trauung. Sie kommen gar nicht auf die Idee, daß es auch anders ginge. Inzwischen bin ich bereit, mich nach Dir zu richten, nur: *Ich* bin verliebt, nicht meine Familie. Der Familie geht es darum, die einzige Tochter zu verheiraten, und das ist die letzte Handlung, mein Leben betreffend, die noch in ihren Händen liegt. Verzeih ihnen, mein Engel; schenken wir ihnen diesen Tag, so wie sie ihn haben wollen, ja? Du sagst, es wäre ein Opfer für Dich, Du würdest Deine Überzeugung opfern. Aber für sie wäre es doch auch ein Opfer, wenn sie mich ohne feierliche Trauung, ohne den Segen der Kirche weggehen ließen.

Ich schließe jetzt, weil ich zur Beerdigung einer Schulfreundin muß, die an Septikhämie gestorben ist. Sie hat auch Medizin studiert, aber ich glaube nicht, daß Du sie gekannt hast: Sie war häßlich und keusch! ›Nicht annehmbar‹, wie die Ruchlosen zu sagen pflegten.

Dein Väterchen ist so glücklich darüber, daß es Dir besser geht. Er strahlt vor Glück. Ich beschwöre Dich: Hab keinen Auswurf mehr! Auf daß '44 ein gutes Jahr wird!«

»Dein letztes Gedicht mag ich sehr – bis auf den Schlußvers: ›Die Luft ist rein, die Straße breit!‹ Das klingt so schrecklich nach Jugendlager. Dein Vater und ich haben uns darüber gestritten, für ihn ist immer alles schön, was Du schreibst. Mehr noch: Es ist heilig. Eine Fremde wie ich sollte nicht das Recht haben, auch nur ein Komma zu verändern.

Ich mußte auf das Frühstück verzichten: Immer noch keine Butter im Haus und vollkommen ungenießbares Maisbrot. Wir haben kein Fleisch und keinen Käse mehr, und seit zwei Monaten haben wir kein Ei mehr gesehen. Mein irrwitzigster Traum: ein weiches Ei! Mama hat sich unter dem Vorwand irgendeiner Krankheit gerade eine Lebensmittelkarte für Sonderzuteilungen geben lassen: Wir bekommen einen halben Liter Milch pro Tag, aber dafür wird ihr die halbe Fleischration gestrichen.

Ich habe soeben Ihre freundlichen Schreiben Nummer 101 und Nummer 102 erhalten und somit erfahren, daß Ihre neuesten Röntgenaufnahmen gut sind. Warten wir die Tomographien ab, aber das vorläufige Ergebnis ist schon ganz beruhigend. Sie haben sich in der ganzen Sache wunderbar verhalten, und ich verehre Sie immer abgöttischer.

Heute abend bin ich eingeladen, mir im Cabaret Gedichte von Gilbert Prouteau anzuhören, vorgetragen von Alice Field. Große Ausschweifungen in Sicht!«

»Gestern abend hat mich Hermine beiseite genommen, als Papa schon im Bett lag, und mit einem Blick, von dem sie glaubte, er würde mich aus der Fassung bringen, sagte sie: ›Es nützt nichts, auch wenn du mir keine Geständnisse machst, ICH WEISS ALLES! Du hast mit Jean-Marie geschlafen. Das sagt mir meine Intuition.‹ (Ich würde eher meinen, daß sie wieder einmal in meinem Tagebuch herumgeschnüffelt hat.) Ich weigere mich, es ihr zu gestehen: Ich weiß aus Erfahrung, daß Mama die Vertraulichkeiten, die sie in einem zärtlichen Augenblick aus einem herausquetscht, in einem Augenblick der Wut immer gegen einen verwendet. Ich will nicht, daß sie mir mit ihrem Ausdruck ›Herumgeschlafe‹ kommt, mit ihrer besonderen Gabe, immer alles häßlich zu machen.

Eine kleine Beobachtung, die nicht gerade dazu angetan ist, Dich mit der Religion zu versöhnen: Gestern auf dem Friedhof habe ich gesehen, wie eine Oma heimlich Salzsäure auf die Sträucher des Nachbargrabs geschüttet hat, damit sie eingehen und auf Opas Grab keine Schatten mehr werfen!«

»Herzallerliebster, Sie sind ein Trottel. Ihr heutiger Brief ist albern. Bleiben Sie doch brav in Ihrem Zweihundertzehn-Francs-Bett liegen und denken Sie an Ihre Zukunft, die auch meine Zukunft ist. Im Augenblick ist das Geld nicht Ihr Problem. Kehren wir zu den großen Diskussionsthemen zurück!

Sie wollen also den Mut des Helden an den Tag legen und dazu auch noch ihre eigenen Ideen verfechten? Aber die Helden finden sie zum Kotzen, Ihre Ideen. Sie verfügen weder über Ihren destruktiven Geist noch über Ihr Gefühl für das Lächerliche, sonst könnten sie sich gar nicht heroisch zeigen. Es sei denn, die Pessimisten geben die schönsten Märtyrer ab. Überhaupt existieren auch noch andere Dinge außer den Schlachtfeldern und den

Medizinexamen. Das Schwierigste, das Undankbarste, das ist vielleicht der Mut des Alltags, wenn man ihn im Krankenbett zubringt. Und dafür wird Dir kein Mensch einen Orden verleihen. Doch: ich.«

»Nein, ich bin Dir nicht böse, weil Du eifersüchtig bist. Ich mag es ganz gern, daß Du Dir vorstellst, wie ich nackt in den Armen von Herrn Irgendwer liege. Zumal da Du Dir ja die Mühe machst, mich wissen zu lassen, daß es für Dich ›sehr schwer war, mit Annette Schluß zu machen‹. Wenn es ›sehr schwer‹ war, hättest Du es eben bleiben lassen sollen. Ich habe kein Opfer, das ich Dir darbringen könnte. Vor Dir habe ich niemanden geliebt.

Diejenigen, die nur das Beste für einen wollen, sind von der schlimmsten Sorte. Ich wußte, daß Lou mit Hauteclocque, dem Oberschulrat, über mich gesprochen hatte; sie wollte ihn um eine Vertretungsstelle in der Volksschule bitten, nur morgens, weil sie weiß, daß ich zur Zeit nur nachmittags arbeite. Und nun muß ich in drei Tagen anfangen! Achtzehn Stunden die Woche, und das in Bois-Colombes, in einer Jungen-Schule! Am liebsten möchte ich bis dahin sterben. Aber leider ist dazu meine Gesundheit zu gut, und mein Stolz ist zu groß, als daß ich mich krank melden könnte.

Und nun bist Du es, der 37,8° in der Früh hat. Das ist zuviel. Vielleicht wird die Flüssigkeit eitrig. Hat man Dir eine Punktion gemacht?«

»Deine beiden Briefe finde ich auf meinem Schreibtisch, wie ich aus Bois-Colombes zurückkomme. Was? Deine Flüssigkeit war zehn Zentimeter unter dem Schlüsselbein, mein Liebling? Und was passiert, wenn sie noch höher steigt und alles ausfüllt? Alle meine Lungenflügelchen, schwimmen in dem See, schwimmen in dem See?

Ich bin heute in die Löwengrube gestiegen. Meine Monster sind zwischen vierzehn und siebzehn – das schlimmste Alter; da verachten sie ›die Weiber‹ und reagieren systematisch rüpelhaft. Jeden zweiten Tag muß ich Staatsbürgerkunde-Unterricht halten! Ich weiß nicht einmal, was das ist, in unseren Kreisen lernt man so was nicht. Vermutlich geht man davon aus, daß das Bürgertum die staatsbürgerliche Gesinnung im Blut hat, da die Gesellschaft ihm ja so paßt, wie sie ist. Ich unterrichte alles, sogar Naturkunde. In Französisch sind sie gerade beim *Bürger als Edelmann,* dem Molière-Stück, das ich am wenigsten mag. Aber das schlimmste ist, daß man Dompteur spielen muß bei diesen grinsenden Bestien! Ich werde zu einer Maschine, die ununterbrochen schreit: ›Ruhe dort hinten!‹ oder ›Hört auf, Kaugummi zu kauen im Unterricht!‹ Und was tu' ich, wenn sie trotzdem provokativ weiterkauen? Vorläufig verhalte ich mich so, als würde ich es nicht merken. Die ›Kleinen‹ sind auch nicht besser. ›Sollen wir Sie Frollein oder Frau nennen?‹ – Frollein, hab' ich gesagt, aber es war falsch.«

»Du schreibst, um Dich herum gebe es nur Rückfälle. Hast Du mal darüber nachgedacht, mein kleiner Junge, daß diejenigen, die nicht rückfällig geworden sind, nicht da sind, um es Dir zu erzählen?

Ich möchte gerne wissen, wie lange es dauern wird, bis Dein Rippenfell wieder klebt. Ist Deine Lunge eingeengt? Hast Du weniger Fieber seit der Punktion? 64,4 Kilo, Du bist wieder zu mager geworden. Was sagt Tobé?

In Bois-Colombes mache ich erschütternde Entdeckungen. Der große Unterschied zwischen Volksschule und Gymnasium ist wohl, daß die Volksschüler zwar im praktischen Leben sehr aufgeweckt und gescheit sind, daß sie diese Eigenschaften aber an der Garderobe vor der Tür zum Klassenzimmer ablegen. Sie kapieren nichts mehr, blocken innerlich ab und schauen einen an, als würde man Chinesisch sprechen. Für sie ist die Schule eine gesonderte Welt, in der man seine Fähigkeiten und Schwächen von draußen nicht anwendet. Sie antworten den größten Unsinn: ›Die Fabel vom *Müller, seinem Sohn und dem Esel* hat Ähnlichkeit mit einer Komödie, weil sie leichtgläubig sind.‹

Was willst Du da verbessern! Man müßte bei Null anfangen und sie davon überzeugen, daß die Wörter in der Schule und zu Hause das gleiche bedeuten. Ich glaube, am Anfang machen sie genauso schnelle Fortschritte wie die Kinder der Reichen. Von einem gewissen Alter an (Pubertät? Entdeckung, daß es soziale Unterschiede und Ungerechtigkeit gibt?) haken sie aus, und dann ist ihnen alles wurscht. Das ist der Zeitpunkt, wo die vom Gymnasium sie überholen, im allgemeinen für immer.

Es ist sehr entmutigend. Es hat nichts mit der Vorsehung zu tun, ist aber so ähnlich. Heute abend war mir nach frischer Luft im

Grünen und nach Vergessen. Ich hatte Lust, in den Zug zu steigen, in die andere Richtung; bis zum Meer zu fahren, mich in den Sand zu legen und den Wellen zuzuhören, die kommen und gehen.«

»Was wäre passiert, wenn Du mit Annette verheiratet gewesen wärst, als ich Dich kennenlernte? Ich glaube, ich hätte Sie gerne als Liebhaber genommen, mein Herr. Die Rolle paßt besser zu Ihnen als die des Ehemannes. Aber ich wäre keine gute Mätresse, denn ich liebe den Sommer, die Mittagsstunde, die schwarze Schokolade und die Liebe in der Sonne. Als ich Deine Geliebte war, wagte ich es nicht, Dir untreu zu sein, weil ich Angst hatte, Du könntest Dich von mir lösen. Aber wenn ich einmal Deine Frau bin, dann werde ich die widerspenstigste Mätresse sein. Hermine findet, man sieht mir meine Liebe zu Dir zu sehr an. Und Deine nicht genügend. Sie behauptet, Du fändest mich magersüchtig, und im übrigen meint sie, würdest Du die ›richtig hübschen Frauen‹ zu sehr schätzen, um Dich lange mit mir zu begnügen. Angeblich hast Du das gemeinsamen Freunden gesagt. Wenn es stimmt, dann weiß ich, daß Du es nur gesagt hast, um Deine Ruchlosen-Ehre zu wahren ... oder zumindest das, was davon noch übrig ist, mein armer Bräutigam. Der Heranwachsende, der die Frauen verachtete und die Ehe haßte, kann sich nicht entschließen, endgültig abzudanken. Das will ich auch gar nicht. Mann sollte niemanden in sich umbringen – wegen des Leichengestanks!

Zu Hause geht übrigens alles schief. Gestern waren Freunde zum Mittagessen hier, und sie wurden gleich voll eingeweiht: ›Unsere Tochter weigert sich, ihre Begabung zu nutzen. Sie hat nur eines im Sinn: unauffällig bleiben, Nebenrollen spielen ...‹ Mein Vater, der es sehr schätzt, offene Türen einzurennen, fügte hinzu: ›Ja, sie hat uns sehr enttäuscht. Als Kind hatte sie Phantasie und Sinn für Poesie. Ihr Studium hat sie steril gemacht, und die Liebe tut ihr auch nicht gut. Diese heutige Schulbildung tötet das Schöpferische und dämpft den Sinn für Kritik. Louise ist eine am Ast vertrocknende Frucht.‹

Das ist das Schlimme im Familienleben: Man kann seine Schiefertafel nie wieder löschen. Wie eine schwere Kugel schleppt man seine Kindheit hinter sich her, und die Eltern binden einen fest und erinnern einen unentwegt an das Gewesene. Das Wunderbare an Dir ist, daß Du nicht weißt, was ich für ein kleines Mädchen war.«

»Der Horizont hat sich verdüstert, als ich ankündigte, daß wir in der Kapelle des Sanatoriums heiraten wollen, im Skianzug, und daß der Pfarrer unter der Bedingung einverstanden ist, daß ein Teil der Zeremonie in der Sakristei stattfindet. Einen gefährlichen Atheisten wie Dich kann man ja nicht zu nahe am Altar stehen lassen! Wie die Geier sind sie auf mich herabgestoßen:

›Ach so! Jean-Marie entzieht sich also, der Feigling. Er hatte uns versprochen, daß er sich taufen lassen würde.‹

›Aber Mama, diese Taufe wäre solch ein verlogenes Possenspiel! Alles nur Schein . . .‹

›Das ganze Leben besteht aus Schein. Wenn Jean-Marie das Spiel nicht mitspielen will, dann brauchen wir auch nicht tausend Kilometer zu fahren, um uns eine Scheinhochzeit anzusehen. Dann heirate dort eben ohne uns.‹

›Keiner von euch beiden geht zur Kirche. Ich verstehe überhaupt nicht, warum ihr so sehr auf der kirchlichen Trauung besteht.‹

›Unsere ganze Kultur beruht auf der katholischen Religion, und wir wollen und sollen nicht die Werkzeuge zu ihrem Untergang sein‹, erklärt Adrien weise. ›Jede Gesellschaft hat ihre Riten. Ihnen muß man sich fügen, sonst vernichten wir uns letzten Endes selbst.‹

Am Abend kam Mama in mein Zimmer und machte mir eine große Szene: Es wäre für sie entsetzlich, zu wissen, daß ich ›in wilder Ehe‹ mit Dir lebe. Du mußt mir meine Eltern verzeihen, mein Liebling. Werde nicht wütend. Ich schwöre Dir, daß ich Dich nie und nimmer zu einer Handlung zwingen würde, die Du nicht verantworten willst. Aber in diesem Fall bin ich nicht allein. Zumindest möchte ich nicht gern allein heiraten. Mama hat schon mit mehreren Priestern gesprochen. Natürlich hat Lou einen an der Hand, der Dich innerhalb von vierzehn Tagen taufen würde, was eine normale Hochzeit in der Kirche möglich macht.

Oh, wenn meine Liebe genügen könnte, um Dich diesen Clown-Reifen vergessen zu lassen, in den Du wegen mir hineinspringen sollst!«

10. Januar 1944

»Diese Hochzeit wird zu einem Alptraum. Warum machst Du aber auch so einen Aufstand, nur wegen dieser lächerlichen Taufe, warum legst Du so hartnäckig diesen kindischen Antiklerikalismus an den Tag? Wenn man aufzählen müßte, worauf man alles verzichtet, wenn man jemanden heiratet, dann könnte ich auch eine Reihe von Klagen vorbringen. Letzten Endes breche auch ich mit der Familienethik, ich verrate Hermine. Ich verliere meinen Namen, ich werde mich Deinem Leben anpassen müssen, Deinem Beruf. Eine Frau, die heiratet, verliert sehr viel mehr als ihre Freiheit. Aber ich will nur an das denken, was ich gewinne. Du, Du machst aus dieser Taufe ein Symbol, das Symbol Deines großen Verrats. Jedenfalls kommen wir nicht heil aus der Situation heraus. Wenn Du es also für so schrecklich wichtig hältst, reden wir nicht mehr davon, Jean-Marie, und heiraten wir rasch und unauffällig im Standesamt.«

20. Januar 1944

»Ich habe gerade Deinen Brief bekommen, der mit ›Allen gilt meine Verweigerung‹. Vier Seiten, um mir beizubringen: ›Wenn Du glaubst, Du könntest mich rumkriegen, irrst Du Dich.‹ Warum kommen selbst bei einem Dichter immer die gemeinsten Worte an die Oberfläche, wenn man sich streitet? Und ich? Kriegt man mich nicht ständig rum? Ist mein Leben nicht Anpassung, vor allem auch an Dich? Natürlich servierst Du mir wieder Annette. Annette hätte nicht von Dir verlangt, daß Du Dich taufen läßt. Natürlich nicht, sie ist Jüdin. Aber keine Sorge, ihre Familie hätte Dir andere Vorschriften gemacht! Jüdische Familien schätzen es nicht, wenn ihre Töchter Gojim heiraten. Und ›Annette respektierte meine Einstellungen.‹ Ich vielleicht nicht? Ich verlange nicht von Dir, daß Du sie ändern sollst, da ich sie ja teile! Aber es gibt auch noch die Leute. Vielleicht sind sie ein paar kleine Opfer wert?

Und dann schmeißt Du mir meine Liebe an den Kopf: ›Du, die Du alles tun würdest, nur um mich zu heiraten, Du bist nicht einmal in der Lage . . .‹ Ja, ich würde alles tun. Du nicht? Aber es handelt sich in diesem Fall gar nicht um mich, sondern um meine Eltern. Die wahre Frage lautet: Glaubst Du, daß Du Dich durch diese Geste wirklich erniedrigst? Glaubst Du, Du könntest es nie vergessen? Glaubst Du, es würde Deine Liebe zu mir vergiften?

Ein Scheißleben! Scheißkrieg! Scheißtuberkulose, Scheißliebe! Scheißeltern! Nichts, woran man sich festhalten könnte. Alles verrät einen, alles macht sich dünn: Keine Wohnung, kein Geld, keine Gesundheit, keine Freiheit, kein Essen, keine Heizung, keine gesicherte Postzustellung, nichts, nichts, nichts!

Deine nichtige Frau. Deine vertrocknete Frucht.«

»Es ist so eisig in meinem Zimmer, am heutigen 29. Januar 1944, daß ich an den Zähnen friere, wenn ich durch den Mund atme. Ich schreibe im Bett und habe meine Wollhandschuhe an.

Wir werden mit dieser verdammten Hochzeit machen, was Du willst, letzten Endes. Aber ich warte sehnsüchtig auf Deine Antwort. Wenn Du mir nur sagen könntest: ›Keine Angst, ich schenke Dir diesen Tag!‹ Zur Zeit höre ich hier kein einziges nettes Wort. Man schätzt sich mit den Augen ab, man belauert einander, man übersieht sich absichtlich.

Ich wollte Dir ein Päckchen machen, aber im Augenblick habe ich *nichts,* was ich hineinpacken könnte.

Du hast achthundert Gramm abgenommen, meine Vogelscheuche? Sind es diese Taufprobleme, die so an Dir zehren?«

»Diese Erleichterung, als ich endlich Deinen Brief bekam, mein Geliebter. Der Himmel hat wieder Farbe bekommen, und Du hast mich von einer grauenvollen Last befreit.

Aber Du mußt in Sancellemoz bleiben so lange wie nötig. Mir ist es lieber, Du bist dort und stärkst Deine Lunge, als hier und Du verhungerst und kannst Dir Deine Lunge nicht insufflieren lassen, sobald Paris im Belagerungszustand ist. Alle Rundfunksender reden von einer Landung der Alliierten in diesem Jahr. Es heißt, daß dann sofort die totale Ausgangssperre verhängt wird, wenn es dazu kommt. Du kannst es Dir nicht leisten, zu fasten und nicht versorgt zu werden.

Dein Vater möchte Deine Gedichte gern drucken lassen. Wir haben mit einem seiner Bekannten, einem Verleger, der aus Rodez gekommen ist, zu Abend gegessen, und wie üblich war Dein Vater rührend vor lauter Bewunderung für Dich; er hat Deine Verse vorgelesen, Deine Metaphern erklärt und konnte sich nicht dazu entschließen, auch nur an einer Zeile Kritik zu üben. Er findet, Du bist mindestens so gut wie Laforgue!

Da ein Glück selten allein kommt, geht meine Vertretung in Bois-Colombes diese Woche zu Ende, und ich glaube, wir haben eine Wohnung gefunden. Hermine hat den Hausverwalter weichgekriegt und ihm erklärt, Du seist ›schwindsüchtig‹. Sie nimmt nie das Wort ›Tuberkulose‹ oder ›Bazillus Koch‹ in den Mund. ›Bazillen‹, das geht ja noch, aber ›Sanatorium‹ ist verpönt. Ihren Freunden sagt sie: ›Jean-Marie ist in den Bergen.‹ Sie wirft mir vor, daß ich auf die Kuverts meiner Briefe schreibe ›Sanatorium Sancellemoz‹: ›Es braucht doch niemand zu wissen, daß dein Verlobter im Lungensanatorium ist!‹ «

»Ich kann es kaum erwarten, bis Du wiederkommst. Langsam bin ich es satt: Den Geschmack Deiner Abwesenheit habe ich zur Genüge gekostet. Ich denke an Deinen Prinz-Hamlet-Duft, wenn Du in Deinem gestreiften Schlafanzug im Bett liegst. Er kommt Dir ein wenig zuvor, wenn ich mich zu Dir herunterbücke, und er läßt mein Herz vor Glück höher schlagen.«

Februar 1944

»Du bist so ängstlich veranlagt, mein Geliebter: Du fragst Dich, ob Du mich leidenschaftlich genug liebst. Ich verstehe schon, daß diese Frau, die fast irrtümlich in Dein Leben getreten ist, Dir Sorgen macht, sie belastet Dich mit ihrem Glück, das sie unbedingt verwirklichen will. Keine Sorge, meine Vogelscheuche, wegen meines Glücks. Ich komm' schon zurecht. Denke nur an Deins.

Manchmal verspüre auch ich diese seltsame Leere. Wir sind noch nicht daran gewöhnt, jemandem einen so großen Platz einzuräumen. Ich glaube auch, daß wir den Worten unserer momentanen Launen zuviel Bedeutung beimessen. Das ist auch so eine schlimme Folge der Trennung. Nach einem gewissen Stadium muß sie aufhören, sonst nehmen wir Schaden.

Habe den Pfarrer Colas aufgesucht; er hat eingewilligt, Dich nach einer ›beschleunigten Unterweisung‹ zu taufen. Er hat einige Fragen gestellt: ›Dieser junge Mann ... mag er die Arbeit? Sucht er die Wahrheit? Widerstrebt ihm die Lüge? (Das war der dickste Hund!) Dann ist er ein Christ und weiß es nur nicht.‹ Ist er aufrichtig? Glaubt er wirklich, daß er Dich auf ›beschleunigtem‹ Weg zum Konvertieren bringen kann? Ich glaube, er will gefällig sein und gleichzeitig Geld kassieren für die Notleidenden der Gemeinde, aber er kann es nicht zugeben.

›Ich habe große Achtung vor Ihnen, Madame, und ich werde alles tun, was in meiner Macht liegt, um das Glück der kleinen Louise zu sichern. Sobald der junge Mann zurück ist, soll er mich besuchen, und wir werden eine befriedigende Lösung finden.‹

Er ist zum Mittagessen gekommen, und wir mußten den letzten Griebenschmalz und den allerletzten Rest von Adriens Maronenpüree opfern. Mir hat es schier das Herz gebrochen.«

25. Februar 1944

»Welche Erleichterung, daß wir endlich eine Wohnung gefunden haben, mein Engel, ich hätte es nicht ausgehalten, wenn wir in Dein Zimmer am Boulevard Malesherbes hätten ziehen müssen, und wenn die Badezimmerlauferei und das Lauern nach Deinen Brüdern wieder angefangen hätte. Auch ich möchte nicht, daß wir sofort ein Kind bekommen. Solange Du noch ein Genesender bist, wirst Du mein Kind sein.

Du sagst, ich soll Dir einen Hemingway-Roman schicken. Es gibt keine mehr, Hemingway ist verboten. Ich schicke Dir statt dessen *Pierrot mon ami** von Queneau, außerdem *Les Voyageurs de l'Impériale***. Dann habe ich Dir bei Georges Hugnet *Mes Propriétés**** von Michaux gekauft, die Originalausgabe auf Japanpapier von 1929. Ein wunderschönes Buch. Etwas teuer. Aber den Preis sage ich Dir nicht, damit Deine Temperatur nicht hochgeht. Ich lege alles, was ich derzeit verdiene, auf die Seite. Wie sollte ich das Geld auch ausgeben? Es gibt nur noch drei Kino- und Theatervorstellungen in der Woche, um 18 Uhr 30, und die letzte Métro fährt um zehn, statt um elf.

Ich habe mir trotzdem mit Agnès *Den Seidenen Schuh* mit Madeleine Renaud angesehen. Eine wunderschöne Sprache: Corneille, Victor Hugo und Péguy in einem, aber für meinen Geschmack fehlt der schwarze Humor von Anouilh oder Jarry. Zuviel Größe erdrückt mich.

Die Tage werden länger, und das Leben dafür kürzer. Alles wird enger um uns herum. Demnächst dürfen wir uns nicht mehr be-

---

  * Dt.: *Mein Freund Pierrot*, 1942
  ** Louis Aragon: Dt.: *Die Reisenden der Oberklasse*, 1942
  *** Dt.: *Meine Güter*

wegen. Ich sehe schon den Tag auf uns zukommen, wo es verboten sein wird zu heiraten.«

»Lou hat auf dem Schwarzmarkt ein Stück Stoff für Deinen Hochzeitstag erstanden. Dreihundertfünfundzwanzig Francs der Meter, dunkelblau. Ihr Schneider verlangt nur zweitausend Francs Macherlohn. Schick mir Deine Maße: Schulterbreite, Schrittlänge etc. Ganz schön erotisch, die Schneidersprache! Ich habe mich im übrigen wahnsinnig gefreut: Sie hat mir auch die Nylon-Strümpfe besorgt, von denen soviel die Rede ist. Sehr dünn und angeblich *unverwüstlich*. Fünfhundertfünfzig Francs das Paar, aber das ist kein Luxus, wenn sie sechs Monate lang halten!«

»Bei Dir zu Hause machen sie Anspielungen auf das Risiko, das Du eingehst, wenn Du mich heiratest. Es ist dauernd die Rede von Deinem Schlaf. Ich weiß es doch, verdammt nochmal, daß Du schlafen mußt und wir abends nicht ausgehen können. Was die regelmäßigen Mahlzeiten und die strenge Disziplin der Mittagsruhe betrifft, scheint mir Dein Vater auch nicht zu vertrauen. Auf jeden Fall wirst Du bei mir besser essen als bei ihm! Ich sammle Vorräte wie eine Ameise: Ich habe ein Eimerchen Honig bekommen, ich verstecke es zwischen meinen Hüten ... falls wir eines Abends Hunger kriegen sollten.«

5. März 1944

»Ich habe den unangenehmen Eindruck, daß Du Deinem Vater meine Briefe gezeigt hast, als er Dich besuchte. Er erklärt, ich sei mit den Nerven herunter und würde Dich deprimieren! Sicher hast Du ihm die idiotische Passage vorgelesen, in der ich Dir schrieb, daß ich sterben würde, wenn wir im Juni nicht heiraten. Jetzt schäme ich mich ihm gegenüber. Für Dich allein fühlte ich mich sterben ... Das Ergebnis: Er beobachtet mich, zieht mein Unterlid herunter, um festzustellen, ob ich anämisch bin, behauptet, ich sei nörglerisch. Auch wenn ich schier verhungere, sobald ich die Pampe auf dem Tisch sehe, die bei Euch gegessen wird, verschlägt es mir den Appetit.

Ich habe die Matratze, die er uns versprochen hat, noch immer nicht. Dabei ist es das wichtigste Stück unseres Mobiliars. Ich habe ihn in Verdacht, daß er uns ein Doppelbett mit Ritze kaufen will, um Dich vor meiner Lüsternheit zu schützen. Sieht man es mir denn so sehr an, daß ich Dich liebe? ›Zumindest werde ich sagen können, daß ich dich verliebt erlebt habe, bis über beide Ohren!‹ sagt Hermine in aggressivem Ton. Sie hat versucht, sich mit Deinem Vater zu verbünden, als er gestern abend zum Essen kam: ›Ist es wirklich vernünftig, sie heiraten zu lassen?‹

›Ich wette, daß Louise verkündet, sie sei schwanger, noch ehe drei Monate vergangen sind.‹

›Das wäre nicht wünschenswert, bei Jean-Maries Gesundheitszustand.‹

›Und wie könnten wir sie außer Gefecht setzen, Verehrteste?‹

›Das Einfachste wäre, wir ließen ihr einen Keuschheitsgürtel anbringen. Nur Sie und ich, wir hätten den Schlüssel dazu! Wir könnten einmal die Woche aufschließen, das reicht doch. Es gibt ganz hinreißende Keuschheitsgürtel von Hermès, aus Edelstahl, also ganz angenehm zu tragen.‹

Werde schnell gesund, steh auf und komm, ich kann sie manchmal kaum mehr ertragen, unsere lieben Eltern!«

10. März 1944

»Heute schicke ich Dir ein weißes Blatt, um Dich zu enttäuschen. Nicht wahr, Du bist enttäuscht? So wirst Du den Unterschied erkennen zwischen vollem und leerem Blatt.«

15. März 1944

»Mein Geliebter, seien Sie nicht allzu unnachgiebig und stets zum Schimpfen bereit. Nein, ich laß' mich nicht ›für dumm verkaufen‹ (außer von Ihnen), und wir werden im Juni verheiratet sein. Aber seien Sie mit Hermine konzilianter. Vergessen Sie nicht, daß Ihr Vater auch nicht begeistert wäre von dieser Hochzeit, wenn ich Tuberkulose hätte. Steigern Sie sich nicht in irgendwas hinein, so ganz allein in den Bergen. Ich weiß, es ist nicht richtig, daß ich mich so oft beklage. Aber bis Sie kommen, ist alles bereit. Den ganzen heutigen Abend habe ich damit verbracht, Servietten zu säumen und Initialen in unsere Wäsche zu sticken, wie eine Braut aus früheren Zeiten. Ich hätte Ihnen gefallen, wie ich so unter der Lampe saß.«

»Dies ist mein einhundertsiebenundachtzigster Brief, der letzte aus meinem Leben ohne Dich, der einhundertsiebenundachtzigste Tag des Kampfes von Jean-Marie um seine Befreiung.

Gestern abend wurde Paris bombardiert. Vielleicht war das ein Vorspiel zur Landung der Alliierten. Wenn das stimmt, dann ist unsere Hochzeit im Eimer. Eine schöne Bemerkung für eine Patriotin! Wenn in Paris eine Hungersnot ausbräche, würde ich Dir meinen Körper zum Essen geben, wie Jean l'Ours. Hast Du dieses Buch gelesen in Deiner Kindheit? Jean l'Ours konnte aus der Tiefe eines Brunnens nur wieder herauskommen, indem er den Adler ernährte, der ihn trug. Jedesmal wenn die Schwingen des Tieres schwächer schlugen, schnitt sich der Mann ein neues Stück von seinem Schenkel ab. Dieses Buch würde ich gerne wiederfinden.

Wir haben zwei Stunden im Luftschutzkeller verbracht. Lou war zum Essen gekommen und hatte in Erwartung der Bombenwarnung ihr ›kleines flaschengrünes Kostüm‹ angezogen. Eleganz besteht darin, immer das Richtige am richtigen Ort zu tragen. Mein Engel, ich weiß, daß wir noch einen schweren Monat vor uns haben. Unser inniger Wunsch nach vollkommener Gegenwart wird erst am 5. Juni in Erfüllung gehen. Wir dürfen die ersten Wellen der Leidenschaft nicht einfach so vergeuden ... wir werden uns nur so viel verausgaben, wie unbedingt erforderlich, genug, um die Wunden der langen Trennung zu schließen. Mein Geliebter, Du wirst mir all das sagen, was Du mir in den Briefen nicht schreiben konntest. Wir werden die wunden Stellen aufdecken, um sie zuallererst zu pflegen. Auch ich kann Dir nichts mehr schreiben. Der Teppich des Geschriebenen zwischen uns ist vollkommen abgenutzt. Das einfachste Wort wird mehr Macht haben, das dümmste, das banalste, das offenkundigste: Ich liebe Dich.«

7
Louises Hochzeit

Jean-Marie kam am 15. April 1944 zurück.

Am 15. Mai war er bereits getauft, nach einer kindischen und verlogenen katholischen Instruktion.

Am 5. Juni heiratete er Louise in der Basilika Sainte-Clotilde.

Am 6. Juni landeten die Alliierten in der Normandie.

Und zu allem Überfluß war er inzwischen Vater geworden.

»Wo ist der Mann, dem, als er erfuhr, daß er Vater würde, nicht der kalte Schweiß über den Rücken lief, und den danach nicht ein Anfall von Wut, dann von verhaltener Freude, aber auch von Ekel und Haß packte gegen all diese Larven, die in der Welt herumspuken und mit allen Mitteln versuchen, auszuschlüpfen, um auf dieser Erde Fuß zu fassen, auf der wir uns schon so mühsam fortbewegen, so eingeengt und halberstickt?

Wo ist der Mann, der seine armselige kleine Krone, aber immerhin Krone, nicht hat wanken sehen und der nicht gespürt hat, wie zu den zahllosen Seilen und Schnüren, die ihn schon festhalten, ein zusätzlicher und noch viel hartnäckigerer Strick hinzukam?«

Erst nachdem sie ihrem Verlobten das Buch *Du wirst Vater* geschenkt hatte, fand Louise den Mut, ihm die Präsenz des »schwammigen Missetäters« anzukündigen, von dem Michaux spricht. Da ihr Körper den Lehrbüchern hundertprozentig entsprach und ohne jegliche Eigenwilligkeit funktionierte, bestand für sie kein Zweifel, daß zehn Tage Verspätung eine Schwangerschaft bedeuteten. Wenn man gerade erst wieder zu den Lebenden zurückgekehrt ist, zerbrechlich noch und seines Sieges nicht ganz sicher, wenn sechs Monate Abwesenheit und das noch kaum gebannte Gespenst einer Krankheit, die dafür bekannt ist, daß sie ihre Opfer nicht mehr aus den Klauen läßt, den Egoismus und den Selbsterhaltungstrieb übersteigern, wenn ein ganzes Land nach fünf Kriegsjahren den Atem anhält, weil es spürt, daß die Waage des Schicksals sich neigen wird, was sind dann ein paar Zellen wert, die versuchen, sich zu einem menschlichen Wesen zusammenzuschließen und sich mit Macht in einem anderen menschlichen Wesen einzurichten?

Beide waren sie nicht mehr gewillt, sich einer dumpfen Fatalität widerspruchslos zu unterwerfen. Die ungewisse Zukunft sowohl für Frankreich als auch für Jean-Marie erforderte, daß sie alles vermieden, was vorzeitige Fesselung bedeutete.

Es machte ihnen nichts aus, das dümmliche Bild der frommen jungen Braut, für die Lou ein Kleid aus schwerem weißen Seidenjersey entworfen hatte, zu zerstören. Nein, das Bild einer strahlenden jungen Frau, die soeben abgetrieben hat, sollte ein Beweis dafür sein, daß sie ihr Schicksal fest in der Hand hielt und sich ihr Leben nicht von einem verirrten Spermatozoon würde vorschreiben lassen. Und es sollte ein Liebesbeweis sein für Jean-Marie, der sie ganz und ungeteilt brauchte, um seine Genesung zu festigen und sich wieder an seine Prüfungsrepetitorien zu setzen; brauchte er sie nicht auch, um seine alten Ängste vor der Falle der Ehe und dem Räderwerk der bürgerlichen Familie zu vertreiben? Gleichzeitig die Last der Ehe und der Vaterschaft zu übernehmen, das war einfach zuviel des Guten für einen ehemaligen Ruchlosen.

Da die Hochzeit vor der Tür stand, mußte rasch gehandelt werden. Keine sinnlosen Spritzen, keine Sonden irgendwo in einer Hinterhofwohnung (nach dem Motto: »Und jetzt warten Sie mal ab, bis es kommt«). Professor V., Hugos Onkel, bei dem Jean-Marie bereits famuliert hatte, regelte das Problem mit einigen Handgriffen. Widerwillig zwar. Ohne Gefühl. Auch nicht gerade sanft. Aber die besonderen Umstände und die Wertschätzung, die er Jean-Marie stets gezeigt hatte zu einer Zeit, als die Ruchlosen alle eine brillante Arztkarriere vor sich hatten, bevor sie von der Résistance oder der Tuberkulose in alle Winde verstreut wurden, zwangen ihn, dieser Bitte nachzukommen.

V. wohnte in einer typischen Professoren-Wohnung am Boulevard Saint-Germain. Jean-Marie setzte sich in das gegenüberliegende Café: Von dort aus konnte er das Fenster der Praxis beobachten. Louise hatte keine Angst – schließlich war sie in sachkundigen Händen. Außerdem mußten sich in Frankreichs Krankenhäusern täglich Hunderte von Frauen ohne Anästhesie einer Curettage unterziehen, weil frischgebackene Ärzte selten ihrer neuerworbenen Macht widerstehen können, weh zu tun und Angst zu machen. Und was bedeutete im übrigen dieser lächerliche Eingriff von einer halben Stunde im Vergleich zu den sechs Monaten Einsamkeit und Angst, die Jean-Marie gerade durchlebt hatte?

Zum ersten Mal bestieg sie einen Gynäkologen-Stuhl. Sie hätte ein aufmunterndes Wort gebraucht.

»Hier haben Sie ein Taschentuch«, sagte Professor V. »Bitte nicht schreien, im Wartezimmer sitzen Patientinnen. Stecken Sie es in den Mund, wenn es sein muß. Aber Sie brauchen nur ein Zeichen zu geben: Ich werde so oft wie nötig unterbrechen.«

»Wie beim Zahnarzt?« antwortete Louise und bemühte sich zu lachen.

Man war ja unter kultivierten Leuten, auch wenn sie sich heute zufällig halbnackt und wieder einmal in Froschposition vor einem Herrn in gut sitzendem Anzug festgeschnallt fand, der sich gerade eine Gummischürze über den weißen Kittel umband, um keine Spritzer abzubekommen.

V. schenkte ihr nicht einmal ein Lächeln. Unfähig, sich richtig auszuspülen, dachte er wahrscheinlich. Jean-Marie ist verrückt, in diesem Zustand zu heiraten. Und er hat noch nicht einmal den Assistenzarzt geschafft! Eine Frau bleibt doch das sicherste Mittel, eine Karriere zu vereiteln. Es sei denn, man macht es wie ich und heiratet die Tochter eines Chefarzts oder berühmten Medizinprofessors. Und dabei hat sie nicht mal was Besonderes ...

Aber er machte den Mund nicht auf und gab keinerlei Erklärung ab. Er arbeitete mit zusammengezogenen Augenbrauen, hin und wieder warf er einen kurzen Blick auf ihr Gesicht, um die Wirkung seiner Arbeit einzuschätzen. Louise hatte das Gefühl, daß man in ihrer tiefsten Mitte herumwühlte, daß im Innersten ihres Inneren geschabt und gekratzt wurde, und die rauhen Geräusche, die dabei entstanden, taten genauso weh wie der Schmerz selbst. Mehrmals gab ihr V. einen Schluck Cognac zu trinken. Sie haßte Cognac, aber war es hier wohl angebracht, einen mondänen Ton anzuschlagen und zu sagen: »Ich hätte lieber einen Wodka«?

Es war für sie eine Art Ehrensache, das Taschentuch nicht zu benutzen. Sie sagte sich immer wieder, daß es überhaupt nicht vergleichbar sei mit den Praktiken der Gestapo, die einem die Fingernägel zerquetscht oder den Kopf in die Badewanne hält. Nur kein Theater machen. Sie hatte es so gewollt. Nun würde sie wieder sie selbst werden, Herr über ihr Leben.

»Es dauert ein wenig«, entschuldigte sich V., der nach einer kurzen Pause neu ansetzte, »aber ich möchte nicht, daß irgend etwas in der Gebärmutter zurückbleibt. Das ist wichtig für später. Dann können Sie in aller Ruhe heiraten . . .«, fügte er hinzu, mit einem komplizenhaften Lächeln, immerhin.

Eine halbe Stunde später gab er Jean-Marie durchs Fenster ein Zeichen. Sobald sich Louise ein wenig besser fühlen würde, könnte er sie wieder nach Hause führen; aber sie würde zwei oder drei Tage im Bett bleiben müssen.

Jean-Maries Blässe, seine Erregung ließen Louise den Schmerz vergessen. Schmerz war übrigens recht übertrieben. Es war ein dumpfer Schmerz, als hätte man sie verprügelt, sie fühlte sich ganz und gar kraftlos, aber dennoch stolz und glücklich. Überströmend vor Liebe. Einer Liebe, die nichts mehr zu tun hatte mit einer zusätzlichen Last, einer Frauenfalle. Es war jetzt die Liebe an sich. Und Freiheit. Sie schützte eine Lebensmittelvergiftung vor – damals bekam man hin und wieder nicht mehr frische Kaninchen mit der Post geschickt, und der Professor konnte sich nie entschließen, sie in den Müll zu werfen – und blieb zwei Tage im Bett.

Es waren die letzten Tage, die sie als Mädchen, als Tochter ihrer Mutter im Haus ihrer Kindheit verbrachte. So sehr sie auch von der Morvanschen Erziehung geprägt war, hatte sie doch ein ganz klein wenig das Gefühl des Verrats, als würde sie die Sippe wechseln und von nun an dem Henninger-Clan ihre Kräfte zur Verfügung stellen – unter anderem die Kraft der Fortpflanzung –, ihre Fähigkeit zu lieben, zu dienen, sich hinzugeben. Hermine konnte sich nicht entschließen, in ihr Atelier zu gehen, und schlich in der Wohnung herum wie ein Tier, das sich nicht dazu durchringen kann, ihr Junges auszusetzen: Würde es auch wirklich alleine fliegen können? Und nun würde dieses einzige Junge auch noch einen anderen Namen tragen, einen Namen, den vor einem Jahr noch kein Mensch kannte, und die zweifache Uniform der Krankenschwester und später der Arztfrau anziehen

– falls alles so laufen würde, wie es sollte. All das für einen Mann, der es vielleicht nicht wert war, der es aber für selbstverständlich halten würde, daß seine Frau kein eigenes Leben mehr hat.

»Ich weiß nicht, ob sie wirklich weiß, was sie tut«, sagte sie immer wieder zu Adrien.

»Bist du dir denn bewußt, daß für die Hochzeit alle Vorbereitungen getroffen sind? Du hast alles gesagt, was zu sagen war, da vertraue ich dir ganz und gar. Dann laß sie jetzt in Ruhe.«

»Solange sie noch Louise Morvan heißt, fühle ich mich für sie verantwortlich. Ein Hochzeitsessen kann man immer noch abbestellen.«

Adrien schaute genervt zur Decke.

»Aber du scheinst das Wichtigste zu vergessen: Sie ist verliebt«, betonte er.

»Das ist es ja gerade«, antwortete Hermine, wie angespornt von dieser Bemerkung. »Ich bin diejenige, die klar sehen muß in der ganzen Situation.«

»Bist du dir dessen bewußt, mein Herzchen«, sagte sie, als sie Louise auf einem Tablett die heiße Gemüsesuppe brachte, »daß ich dir zum allerletztenmal das Essen ans Bett bringe?«

Sie betrachtete ihre Tochter gerührt, und ihre Augen wurden feucht: Zum ersten Mal war das eine Fremde und nicht mehr ein Ableger ihrer selbst. Mit ihrem dichten, sehr langen, kastanienbraunen Haar sah Louise fast wie ein Tahiti-Mädchen aus. Sie hatte breite Backenknochen, eine matte Haut und einen naschsüchtig hervorspringenden Mund; in ihrem Nachthemd mit Blumenmuster erinnerte sie an eine Gauguin-Figur, eine Gauguin-Figur mit vergißmeinnichtblauen Augen.

»Ich glaube, du wirst sehr schön sein in Lous Kleid mit dem Schleier aus Seidenjersey. Ich bin letzten Endes doch froh, daß wir von dem klassischen Tüllschleier abgekommen sind. Dieser ätherische Firlefanz paßt nicht zu dir.«

»Zumindest werde ich nicht gar so sehr wie eine junge Braut aussehen, das meinst du doch?« sagte Louise lächelnd.

»Ach, mein Schätzchen, es geht mir nicht so sehr um das Aussehen als um die Sache. Ich will nicht unbedingt sagen, daß man nur einmal heiratet, aber immerhin. Ich möchte so gern ganz sicher sein, daß du es nicht bereust . . .«

»Mama, Jean-Marie ist ein sehr wertvoller Mensch, ein außergewöhnlicher Mensch sogar, das gibst du doch selbst zu.«

»Ja, aber er ist krank, und das noch für lange Zeit. Ich möchte nicht, daß du deine Kräfte überschätzt. Du wirst diejenige sein, die alles hergeben wird, ich weiß, daß du dazu fähig bist, und das ist es ja, was mir Angst macht. Ich bin in meinem Leben vielleicht zu egoistisch gewesen ... ich fürchte, daß du es zu wenig bist.«

»Du warst eine Künstlerin, Mama, du hast eine echte Berufung gespürt. Aber wofür willst du mich hüten? Dafür, daß ich einmal in einer Nonnenschule Deklinationen unterrichte?«

»Ganz einfach für dich selbst will ich dich hüten. Ich bin ganz sicher, daß aus dir eines Tages jemand wird ... wenn du unterwegs nicht zuviel vergeudest.«

»Lieben ist nie ein Verlust. Ich weiß, daß das nicht ganz deiner Meinung entspricht, aber ...«

Ihrer Meinung? Hermine ging auf die Fünfzig zu und fragte sich immer noch, was sie eigentlich wirklich von der Liebe hielt. Dabei betrachtete sie ihre entzückenden kleinen Hände, Hände wie von den frühen italienischen Meistern mit leicht nach oben gebogenen Fingerspitzen; ganz mechanisch vertiefte sie sich in ihre alte Gewohnheit, die darin bestand, die rote Lackschicht auf ihren langen Fingernägeln in einem Stück zu entfernen.

»Meine Mutter hat es zugelassen, daß ich heirate, ohne auch nur eine einzige Frage über meine Gefühle zu stellen, und ich war erst achtzehn Jahre alt. Es war nicht immer ein Erfolg. Ich spreche nie darüber, aber heute sage ich es dir: Es ist sehr schwer, immer die Stärkere zu sein. Und allem Anschein zum Trotz wirst auch du in deiner Ehe die Stärkere sein, das weiß ich. Glaub nicht, daß es die bessere Rolle ist. Nicht jeden Tag. Laß es nicht zu, daß sich Gewohnheiten breitmachen. Weißt du, ich hatte Lou, zum Glück.«

»Aber Adrien betet dich an.«

»Auch ich bete ihn an, aber er ist schwach. Und es sind die Schwachen, die einen auffressen, glaub mir.«

»Ich bin überhaupt nicht der Meinung, daß Jean-Marie zu den Schwachen gehört.«

»Vielleicht nicht, mein Schätzchen, aber er könnte es werden, wenn er spürt, daß du stark bist. Ich mußte dir das alles sagen. Es ist immer noch Zeit, deine Meinung zu ändern, weißt du ... sogar noch auf den Treppen zur Kirche. Du weißt auch, daß ich vor Skandalen keine Angst habe!«

Hermine lachte lauthals. Ihr siegreiches, eitles Lachen.

»Aber ich hasse Skandale!«

»Ich weiß, mein Mäuschen. Und ich mag Jean-Marie auch sehr gern ... Aber ich wollte dich warnen, ausnahmsweise mal vor deiner eigenen Kraft, vor dieser Art Mut, vor der Mißachtung deiner eigenen Gesundheit, wenn es sich um jemanden dreht, den du liebst. Ich möchte, daß du an mich denkst als jemand, der dein Bestes will, das ist alles.«

Es war im Grunde eine Art Testament am Vorabend der großen Trennung. Sie sahen sich lächelnd an, aber ihre Augen füllten sich mit Tränen. Zum ersten Mal hatte Hermine von sich gesprochen. Louise nahm ihre Mutter in die Arme. Nie hatte sie daran gedacht, daß es in ihr auch ein kleines Mädchen geben könnte.

Zwei Tage später wurde ihr von Professor V. nach einer Untersuchung bestätigt, daß »alles raus war«.

»Aber immerhin, ihr könntet in Zukunft besser aufpassen, das gilt für Sie und auch für dich, Jean-Marie. Schließlich wurden die Kondome ja nicht umsonst erfunden ...«

Aber Jean-Marie erklärte ihm, daß die Ruchlosen immer Meister waren im Abschießen von Feuerwerken auf den Rasen. Kein einziges Mißgeschick in fünf Jahren, und das bei zahllosen Partnerinnen. Nur eine etwas verrückte Nacht nach so vielen Monaten der Abstinenz konnte diesen Unfall hier entschuldigen, aber es würde sich gewiß nicht wiederholen.

Drei Tage später fand die kirchliche Trauung statt. Insgeheim freute sich Louise darüber, daß sie der Religion, den Priestern und ihren Eltern trotzte in ihrem jungfräulichen Kleid. Hatten sie doch diese lächerliche Scheintaufe gefordert, ehe sie ihren Segen zur Ehe gaben. Er hatte abgeschworen, sie hatte abgetrieben, sie waren quitt.

Endlich hatten sie das Recht erobert, sich in der kleinen Wohnung des sechzehnten Arrondissements niederzulassen, die sie ihre »Hütte« nannten, wegen der Gardinen mit dem afrikanischen Muster und wegen der Rattanmöbel; nun waren sie weit weg von ihren alten Gewohnheiten und ihren jeweiligen Eltern. Ihre Liebe war viel zu jung und unerfahren, um allzu großer Fürsorge ausgesetzt zu werden. Der Professor mochte Louise, selbstverständlich, aber er befürchtete die Auswirkungen der Leidenschaft. Würde sich seine kleine wohlerzogene Schwiegertochter nicht nachts in einen Vampir verwandeln, der die Kräfte seines Sohnes aussaugt? Bei jeder Begegnung betrachtete er argwöhnisch Jean-Maries Blässe und die Ringe unter seinen Augen, und das Schweigen, das dann einsetzte, war äußerst vielsagend. In der anderen Familie war es Jean-Marie, den man mit Mißtrauen beobachtete, als lauerte man auf die sprungbereiten, bösen Bazillen.

»Ich bin ganz sicher, daß man Tuberkulose genau wie Syphilis von unten erwischen kann«, behauptete Hermine. »Wie ich dich kenne, bist du der Ansicht, es sei ein Liebesbeweis, wenn du absolut keine Vorsichtsmaßnahmen triffst. Ich flehe dich an, mein Schätzchen, denke auch ein wenig an dich.«

Sie wurden von allen Seiten gehetzt und warteten ungeduldig auf ihre Abreise nach Chamonix, wo der Professor über einen Kollegen eine Sommerunterkunft für sie gefunden hatte. Jean-Marie hatte das Gebirge hassen gelernt, aber es hieß, das Meer sei »schlecht für die Lunge«. Wenn Louise etwas an der Lunge gehabt hätte, wäre sie schnurstracks ans Meer gefahren. Auf alle Fälle wußte sie – es war eine Art innere Gewißheit –, daß sie nicht zu denjenigen gehörte, die so leicht die Pest kriegen, und es hatte nichts Herausforderndes an sich, wenn sie den Koch-Bazillen schlicht keinerlei Beachtung schenkte. Im übrigen blieb ihre Tuberkulinprobe nach wie vor negativ, was bei Menschen, die immer in einer Großstadt gewohnt haben, sehr selten war, wie der Lungenspezialist sagte, der sie regelmäßig untersuchte und der sie unerbittlich in die Berge geschickt hatte. Alter und Ehe änderten da nichts: Sie mußten weiterhin folgsam sein.

Hermine wollte sich die erzwungene Untätigkeit ihres Schwiegersohnes zunutze machen und das Portrait in Angriff nehmen, das sie ihm versprochen hatte. Sie ließ ganz selten Männer Modell stehen, sie bevorzugte Traumlandschaften und Frauengesichter, die merkwürdigerweise alle eine Ähnlichkeit hatten mit Lou, ihrem ersten Modell. Köpfe ohne aufwendige Frisuren inspirierten sie nicht mehr, seit den fernen Zeiten, als sie so viele Soldatenportraits auf Bestellung gemalt hatte. Zum Glück wirkte Jean-Marie nicht gar so »männlich«. Sein breites Finnengesicht, sein blondes Haar und der Ausdruck eines kleinen Jungen, der noch immer in seinem Lächeln auftauchte, gefielen Hermine ganz gut. Sie verbrachten viele Stunden im Atelier, und zweifellos begann Hermine, die Seele zu lieben, die sich da unter ihrem Pinsel entfaltete. Sie malte ihn halb auf einer Tischkante sitzend, ein Bein herunterbaumelnd, seine Mundharmonika in der Hand; sein Blick war nach innen gekehrt, als stünde er noch unter dem Zauber der Musik. Es war Juni. Das offene Hemd ließ einen festen, runden Hals erkennen, und wenn man das Portrait betrachtete, kam einem unwillkürlich ein Wort über die Lippen: jugendlich.

Indessen war ihnen die Geschichte auf den Fersen. Die Amerikaner zogen in Rennes, in Mortain, am Mont Saint-Michel ein, die Engländer in Vire. Hitler wurde bei einem Attentat verletzt. Paris rüstete sich für eine Belagerung, und von Choltitz forderte die Bevölkerung auf, Ruhe zu bewahren. Jean-Marie hielt jeden Tag sein Mittagsschläfchen und führte ein ihm verhaßtes Greisenleben, während Louise mit dem Fahrrad durch die Stadt fuhr auf der Suche nach einem Kilo Äpfel oder einem Topf Rübensirup. Dann kam die Ausgangssperre ab abends neun Uhr, und es stellte sich heraus, daß es zu spät war, um Paris zu verlassen. Es gab keine Züge, aber auch keine Restaurants und keine Kinos … Nur das Lesen war nicht rationiert. Louise und Jean-Marie gingen früh ins Bett, und um noch enger zusammenzuleben, lasen sie ein Buch gemeinsam: Bei jeder Seite warteten sie, bis der andere fertig war. Nach soviel Einsamkeit konnte Jean-Marie es kaum fassen, daß die, die er liebte, nun ständig bei ihm war; unermüdlich berührte er sie, er ertrug es nicht, daß sie sich entfernte, noch nicht einmal, daß sie im Nebenzimmer arbeitete, und war fast glücklich über diesen Belagerungszustand, der ihnen einen Grund lieferte, ausschließlich für den anderen zu leben.

Am 17. August wurde in jedem Mietshaus eine Bekanntmachung angeschlagen: Ab sofort gab es Notlebensmittelkarten, die zu einem warmen Essen pro Tag berechtigten. Ungeheure Schlangen bildeten sich vor den Rathäusern der einzelnen Arrondissements, denn es gab kein Gas mehr, und der Strom wurde nur abends zwischen zehn und zwölf eingeschaltet. Auch Briefträger gab es nicht mehr, keine Totengräber, keine Polizisten mehr auf der Straße. Französische Fahnen tauchten auf und verschwanden wieder, irgendwo in einer Straße wurde geschossen, kleine Gruppen bildeten sich, und die *Marseillaise* ertönte, aber man wußte, daß noch immer zwanzigtausend SS-Männer in der Stadt waren.

Am 21. August erschien zum ersten Mal wieder eine französische Zeitung. Es war die Rede von einer allgemeinen Mobilmachung für alle Männer zwischen achtzehn und fünfundfünfzig Jahren. Jean-Marie fühlte sich nicht einmal mehr als Mann.

Am 22. August wurde sein Bruder in der Nähe der Gare de Lyon niedergeschossen, als er zum Krankenhaus des Hôtel-Dieu fahren wollte, seine Arzt-Armbinde deutlich sichtbar übergestreift. Verletzt war er vom Fahrrad gefallen und lag auf der Straße; der deutsche Soldat, der wohl ohne bestimmten Grund auf ihn geschossen hatte, erledigte ihn auf dem Trottoir aus nächster Nähe. Eine »graue Maus« stahl seine Uhr und die Geldtasche. Es dauerte einige Zeit, bis die Leiche identifiziert werden konnte.

Jean-Marie fühlte sich erschöpft und verließ die »Hütte« so gut wie nicht mehr. Aber es war Krieg, jetzt wurde es ernst, und der Krieg drang bis zu ihm vor. Am 25. brach die Befreiungsarmee in seinem Zimmer ein! Hugo und der Cherub riefen an und erklärten, sie seien mit der Division Leclerc in Paris einmarschiert. Jauchzend, vor unterdrückter Erschütterung stotternd, eröffneten sie ihm, sie seien ganz in der Nähe einquartiert, in der Anstalt Sainte-Perrine, und sie erwarteten ihn. Jean-Marie, der sich den Ruchlosen gegenüber als dreifacher Verräter fühlte – einmal wegen seiner Krankheit, dann wegen seiner Ehe und schließlich weil er das Studium abgebrochen hatte –, erzitterte bei dem Gedanken, sie hätten in der »Hütte« aufkreuzen und ihn in seinem derzeitigen Zustand vorfinden können: besiegt, leichenblaß, in Decken gepackt. Mit ihren glorreichen Uniformen, ihren mit granatroten Borten besetzten Käppis, ihren gebräunten, hageren Gesichtern, mit ihren Jeeps gehörten sie so offensichtlich in eine andere Welt, in die Welt der Lebenden, die ihm so fern vorkam!

Hugo hatte mehr Ähnlichkeit denn je mit Heathcliff. Der Krieg hatte ihm die extremen Erlebnisse geliefert, die er brauchte; nun schien er endlich in Frieden mit seinem inneren Dämon zu leben, und die Verachtung beherrschte ihn nicht mehr. Sein Leben war nicht mehr alltäglich, was er ihm früher so sehr vorgeworfen hatte. Die Menschen auch nicht: Bernard war kurz zuvor auf einer Straße in der Normandie umgekommen, einige Kilometer entfernt vom Haus seiner Eltern, die er eine Stunde zuvor angerufen hatte: »Ich komme!«

Dieses Katastrophenklima, diese Zeit der Grausamkeit und des Absurden zugleich hinderte ihn daran, selbst verrückt zu werden. Er nahm die Nachricht von Jean-Maries Verheiratung und seinem Sanatoriumsaufenthalt mit einem großzügigen Wohlwollen auf, das an Gleichgültigkeit grenzte. Was konnte man auch anderes tun, wenn man nicht an der Front war, außer heiraten, seine kleine Hütte einrichten, seine kleinen Krankheiten pflegen?

Jean-Marie tastete seine Freunde ab wie ein Blinder; seine Augen genügten ihm nicht, um sich zu vergewissern, daß sie am Leben waren. Durch sie hatten die Ruchlosen noch Bestand, sie existierten noch, natürlich auf der Seite der Sieger. Mit Tränen in den Augen hörte er ihnen zu, wenn sie wie alte Kolonialfranzosen von Afrika sprachen, und jede Erzählung, jede Heldentat, jede Offenbarung dieser Männerfreundschaft zwischen Hugo und dem Engelsknaben, die er nie mehr teilen würde, tötete ein wenig mehr von seiner Jugend.

Die Division Leclerc rückte weiter ostwärts vor, und Jean-Marie mußte sich von den beiden verabschieden. Es war ihm zwei Jahre zuvor nicht gelungen, mit ihnen das Freie Frankreich zu erreichen: Er würde auch an der Befreiung seines Landes nicht teilnehmen. Da gab es die Spritzen, die er nicht verpassen durfte, das Fieber, das er regelmäßig morgens und abends messen mußte, den verabscheuten Mittagsschlaf. Nun haßte er sich noch ein wenig mehr.

Mitten im Freudentaumel, zu dem Zeitpunkt, als die Pariser Bevölkerung endlich die mythischen Alliierten und jene Freien Franzosen, deren Hoffnungen und Kämpfe sie seit Monaten am Radio verfolgt hatten, sehen und sogar anfassen konnten, bekam er wieder Fieber, zunächst 37,5, das auf das Konto des Siegestaumels und des Schmerzes über Vincents und Bernards Tod gebucht wurde. Aber der Kranke wußte Bescheid: Wenn man Tuberkulose hat, dann führt alles zur Tuberkulose zurück – die geringste Ermattung, das Zehntel Grad Fieber mehr, ein harmloses Hüsteln am Morgen. Louise fragte sich sogar, ob die Leidenschaft, die Jean-Marie ihr mit nahezu tragischer Intensität entgegenwarf, nicht auch mit der Tuberkulose zu tun hatte.

Nun mußte er sich wieder in den Teufelskreis hineinbegeben und sich von neuem an den Jargon des Serails gewöhnen. Es war übrigens nicht die Rede von einem Rückfall, man sprach von evolutiver Phase. Jean-Marie mußte Tomographien über sich ergehen lassen in einem jubelnden Paris, wo kein Mensch Zeit hatte, einen jungen Zivilisten zu bemitleiden, der ein bißchen hustete. Die Aufnahmen wurden als verdächtig bezeichnet. Und während ganze Truppen von jungen Leuten mit lichtstrahlenden Gesichtern ins Elsaß und nach Deutschland zogen, wurde auch Jean-Marie aufgefordert, nach Osten zu ziehen, zum Plateau d'Assy, mit dem Auftrag, dort die fünfzehn Quadratmeter eines Krankenzimmers zu besetzen.

Aber vorläufig kamen die Zivilisten aus Paris nicht heraus. Die Post funktionierte seit drei Wochen nicht mehr, Züge und die Metro fuhren nicht, und niemand hatte genügend Benzin, um eine so lange Reise zu unternehmen. Das war ein trauriger Aufschub, den der Professor so weit wie möglich zu reduzieren versuchte. Am 10. September war sein Sohn wieder in Assy, zurückgeworfen auf Feld eins wie beim Würfelspiel.

Wie einst Hermine schlug auch Louise das Angebot, wieder zu ihrer Mutter zurückzukehren, aus. Sie begann soeben, sich ein wenig mehr Frau als Mädchen zu fühlen, und die Rückkehr in den Schoß der Familie hätte den Fortschritt vermutlich zunichte gemacht. Im übrigen wollte sie in der Erinnerung an Jean-Marie leben, und der ironische Blick ihrer Mutter für diese Art der Anbetung ließ sie von vornherein zu Eis erstarren.

Sie zögerte, ihr Studium wieder aufzunehmen. Sie hatte zwar einen Universitätsabschluß in französischer Literatur und ein paar vereinzelte Scheine aus anderen Fachrichtungen, aber das berechtigte sie nicht, am Gymnasium zu unterrichten; also hätte sie sich für einen Hungerlohn an Privatschulen verdingen müssen. Aber wieder studieren bedeutete, ein weiteres Jahr, vielleicht sogar zwei, nichts zu verdienen. Und nun trug sie Verantwortung für einen Menschen. Lou gab ihr den Rat, es mit dem Journalismus oder beim Rundfunk zu versuchen. Seit ihrer Heirat fühlte sie sich Lou viel näher, als ob die Tatsache, daß sie nun in das Erwachsenenlager übergewechselt war, ihr plötzlich die nötige

Distanz gegeben hätte, um das Originelle an Lou, ihren sehr speziellen Witz und Humor zu schätzen, ohne unter ihrer Launenhaftigkeit zu leiden. In ihren Versuchen, aus Louise eine erfolgreiche Frau zu machen, war Lou weniger hartnäckig als Hermine, und manchmal hatte sie ein Gefühl großer Herzlichkeit für dieses Mädchen, das sie jetzt »meine kleine Ratte« nannte, wie sie früher Hermine genannt hatte. Louise verstand es zwar nicht so recht, aber Lou hegte plötzlich eine Art mütterliche Liebe für Jean-Marie: In ihren Augen machte die Krankheit aus ihm eines jener Wesen, die das Schicksal dazu auserkoren hat, das Böse auf sich zu nehmen, um es auszutreiben. Er war Dichter, also ein Auserwählter, und ohne es auszusprechen sah sie ihn schon vom Tode gezeichnet. Am Tag der Hochzeit hatte sie Louise einen sehr hohen Scheck ausgehändigt und ihr zugeflüstert: »Sag deiner Mutter nichts. Aber du bist ja auch ein wenig meine Tochter. Dir werde ich nach meinem Tod alles überlassen. Wem denn sonst? Ach, weißt du, die Männer ... Nun ja, gerade heute sollte ich dir das nicht sagen, meine arme kleine Ratte!«

Sie war der Meinung, ein neuer Beruf würde Louise etwas zerstreuen, also empfahl sie sie einem Freund, der gerade die Leitung des neugegründeten Nachrichtenstudios übernommen hatte. Louises beide Mütter hatten heftig darauf gedrungen, sie solle sich als Journalistin vorstellen; sie kam als Sekretärin zurück – zur größten Verzweiflung von Hermine, die ihre Tochter schon als Rundfunkkommentatorin gesehen hatte, die jeden Abend zu den Franzosen sprach. Aber Louise zog es vor, die Berichte der andern in die Maschine zu tippen. Schon der Gedanke, sich an erwachsene und zudem auch noch unsichtbare Zuhörer wenden zu müssen, erfüllte sie mit Panik. Daß sie Lehrerin geworden war, rührte eben daher, daß sie auf diese Weise im Schutze von Schulmauern und einer unverrückbaren Hierarchie leben konnte; unantastbar würde sie hinter einem Pult stehen, vor Schülern, die 1944 noch nicht den Mut oder die Frechheit besaßen, an einem Lehrer Kritik zu üben.

»Wie kannst du dich damit abfinden, nur eine Art Treibriemen zu sein«, sagte wieder einmal Hermine, »wo du doch die Möglichkeit hast zu schreiben, deine eigenen Grenzen zu überschreiten, etwas aus eigenem Antrieb zu schaffen?«

»Um ihre eigenen Grenzen zu überschreiten, müßte sie sie erst einmal ertasten«, sagte Lou scharfsinnig.

»Aber laßt sie doch in Ruhe«, mischte sich Adrien ein. »Füg dich, Hermine. Du wirst sie doch nicht ein Leben lang quälen wollen. Es ist doch nicht ihre Schuld, wenn sie nur für eine Sekretärinnenstelle und nicht für mehr begabt ist. Obwohl mir persönlich Lehrerin lieber wäre.«

»Nein, ja nicht!« schrie Hermine. »Das ist es ja, was sie so hat abstumpfen lassen. Die ganze Zeit nur irgendwas über Montaigne, Racine oder Voltaire erzählen, das unterdrückt bei den Schüchternen, zu denen sie zweifellos gehört, jegliche Neigung zum Schreiben. Die Hälfte der Journalisten hat absolut kein Talent, nichts als ein tüchtiges Mundwerk. Wenn Louise das eines Tages kapiert . . .« – dabei umhüllte Hermine ihre Tochter mit einem gerührten Blick und versuchte, sie auf diese Weise zu »magnetisieren«, ihr ein wenig von diesem Ehrgeiz einzuflößen, ein wenig von der Lust am Brillieren, von der sie selbst übervoll war.

Louise versprach, irgendwann einmal einen Versuch mit der einen oder anderen Reportage zu machen . . . später. Im Augenblick tröstete sie sich damit, daß sie doppelt soviel verdiente wie im Institut Sainte-Clotilde und daß sie ihre Kräfte schonte, um Jean-Marie zu helfen. Denn ein Rückfall, das war kein Mißgeschick, sondern etwas, woran man sich bereits gewöhnen mußte. Sie fühlten sich beide in ein makabres *remake* hineingezogen, mit einem Übel konfrontiert, das sich Zeit ließ und ihnen beiden die Zeit stahl, sich in ihrem Leben breitmachte und ihnen jegliche Zukunft versperrte. Sie hatten noch nicht einmal die Zeit gehabt, sich ineinander zu verhaken, nicht die Gelegenheit, sich zum ersten Mal zu streiten, noch kaum die Verzauberung des gemeinsamen Aufwachens wahrgenommen . . . und schon mußte Jean-Marie mit seinen dreiundzwanzig Jahren zum zweiten Mal eine Kreuzfahrt mit offenem Rückkehrdatum unternehmen, und das zu einem Zeitpunkt, wo alle anderen zu leben begannen, wo jeden Tag neue Zeitungen entstanden, wo Schriftsteller wieder zu schreiben anfingen. Das Schiff, das riesige unbewegliche Schiff hieß Sancellemoz, es lag in einer wattigen Schneelandschaft vor Anker, und die Geräusche des Alls drangen gedämpft in diese kleine Welt: das Husten all dieser Passagiere, die wie er aus ihrem Leben vertrieben waren, die in die Kabinen all dieser gestrandeten Dampfer verbannt waren: Brévent, Mont Blanc, Martel de Janville.

Er war gerade erst seit drei Monaten entlassen, und nun traf er dieselben, ihm wohlbekannten Gesichter wieder; die Galeerensträflinge an Bord ruderten mit aller übriggebliebenen, lächerlichen Kraft gegen die Flut: frisch Operierte, Pneumothoraxgeschädigte, Resektionierte, Rückfällige, Gezeichnete, oder auch manchmal Genesene, aber alle von nun an erschreckend Sterbliche.

Auf dem Plateau d'Assy konnte man zu Recht annehmen, daß jeder »dazugehörte« oder zumindest dazugehört hatte. Ärzte, Seelsorger, Bibliothekare, Busfahrer, Lebensmittelhändler: alle gehörten sie dazu. Aber die Ex-Kranken fanden nie wieder ihren absoluten Frieden, denn nichts gab ihnen die Gewißheit, daß sie bei Gelegenheit nicht doch wieder zu den neuen Kranken gehören und dann auch daran zugrunde gehen würden. In dieser riesigen Freimaurer-Loge der TBC-Geschädigten, in jedem einzelnen dieser Sanatorium genannten Gefangenenlager gelang es immer wieder, einen rührenden Mikrokosmos zu schaffen, eine kleine Welt, die echter und lebendiger war als die frühere Gesellschaft, denn hier wußte man das Wunder des Lebens zu schätzen. Dort oben fiel der Musik, der Literatur, der Kunst und der Liebe wieder ein Stellenwert zu, der etwas mit Reinheit zu tun hatte, weil sich alles jenseits von Zeit und alltäglicher Last abspielte. Alles wurde dort sehr roh, sehr direkt erlebt, in dieser Sartreschen Sackgasse der Existenz, wo sich der fremde Besucher manchmal fragte, ob diese ganze Welt, in der er zusehen konnte, wie man sich bewegte, wie man aß, wie man liebte, nicht bereits jenseits des Spiegels war.

Während seines ersten Aufenthalts hatte Jean-Marie den örtlichen Bräuchen, dieser Welt, in der die Poesie plötzlich mehr bedeutete als nur eine Flucht, einige Reize abgewinnen können. Dieses Dahinstottern seiner Geschichte, die Rückkehr zum Tatort – denn er fühlte sich ja schuldig für seine Krankheit – streckten ihn diesmal jedoch endgültig nieder. Er hüllte sich ganz entschieden in den Wunsch, zu genesen, und lehnte jegliches Larvenleben und die Kompensationen ab, die ihm dieses Luxussanatorium hätten bieten können. Er kehrte zurück in das Stadium des Fötus, hörte nahezu auf zu atmen, lebte, ernährte sich und schöpfte seine Kraft einzig und allein aus seiner Liebe, diesem ununterbrochenen Fluß von Geschriebenem, durch den sich

Louise und Jean-Marie gegenseitig transfusionierten und der zu ihrer Nabelschnur wurde. Eine endlose Folge von Worten der Liebe, abgeschnitten von ihrer irdischen Realität, übersteigert durch Abstraktion, die immer irrer wurden, immer unwirklicher, je mehr der Tod seinen Schatten über die Landschaft ausbreitete.

Es war jedoch immer noch Krieg, auch wenn dieser Krieg inzwischen ein anderes Gesicht hatte. Die Post funktionierte schlechter als je zuvor. Sie begannen, ihre Briefe wieder mit Nummern zu versehen. Aber auf den ersten dieser Briefe, der vom 10. September 1944 datiert war, hatte Jean-Marie geschrieben: Serie B.

8

Briefe aus dem Sanatorium

September 1944

»Erste Nacht in Sancellemoz – es ist aber auch die einhundert-
neunundachtzigste, wenn man richtig zählt. Nach der tagelangen
Autoreise habe ich Fieber gemessen und war etwas ängstlich:
36,8 °. Ich bin stolz auf mich. So weit ist es mit mit gekommen.
Ich habe das Gefühl, daß ich ein schlechter Soldat bin, der zum
zweitenmal nach Biribi geschickt wird.

Die Reise verlief bestens. Habe zwei Liter Öl gegen vier Päckchen Lucky Strike bekommen. Zweimal wurden wir von Gen-
darmen angehalten, die erstaunt waren, daß wir mit einem amerikanischen Passierschein reisten, und die unbedingt den
früheren deutschen Ausweis sehen wollten. Mehrmals wurden
wir von jungen FFI angehalten, Achtzehn- bis Zwanzigjährige,
die ihre Maschinenpistole wie eine Angel vor sich hertrugen und
sich mit ein paar amerikanischen Zigaretten erweichen ließen.
Von den meisten Brücken kann man dasselbe sagen wie von den
Deutschen – sie sind nicht mehr da! Die Seille haben wir in Ci-
seray in der Côte d'Or überquert, auf einer Fähre, die auf sehr
ingeniöse Weise von zwei Männern herübergezogen wurde –
mit einem Drahtseil und ein paar Seilwinden. In Fayet mußte ich
abgesetzt werden, denn wir hatten kein Benzin mehr, aber ich
hatte Glück, und ein Lastwagen nahm mich nach Assy mit.«

5. Oktober 1944

»Das große Sanatoriumsgebäude ist geschlossen, weil es keine
Kohle gibt, und ich wurde im Nebengebäude einquartiert, in einem winzigen Zimmerchen auf der Nordseite. Ab jetzt gibt es
für mich nur noch die totale Kur, so lange, bis dieser Schub zu
Ende ist; die Mahlzeiten werde ich im Bett einnehmen, was mir

auch das Reden erspart. Ich habe keine so schöne Aussicht wie letztesmal: Ich sehe nur die hohen schwarzen Tannen, hinter denen sich das große Sanatorium verbirgt. Die meisten Freunde vom letzten Jahr sind noch oder wieder hier. Soll ich mich darüber freuen?

Gestern habe ich den Ledoux' die Schlacht von Paris erzählt, und sie haben mir die Schlacht von Sancellemoz erzählt: Dreißig Deutsche standen auf dem Dach des Sanatoriums und schwenkten weiße Laken, um sich zu ergeben. Aber sie sind später noch einmal im Mont-Blanc-Sanatorium aufgetaucht, dem für Kriegsgefangene, und haben den Direktor, Doktor Arnaud, mitgenommen. Seine Leiche wurde vor kurzem erst wiedergefunden. Sie haben ihn erschossen.

Die liebe Madame Dolet ist gestorben. Sie wurde von einem brutalen Schub dahingerafft. Es schien ihr sehr gut zu gehen, als ich entlassen wurde. Sie hatte drei Söhne, und ihr Mann war in Gefangenschaft.«

»Mein goldenes Döschen, mein ganz eigenes.

37,1 ° heute morgen.

Ihr großes Photo, Geliebte, das, auf dem Sie Heu tragen, habe ich neben mein Bett gestellt, meine kleine Gauguin-Figur – Erinnerung an unsere Hochzeitsreise in die Vorstadt!

Ich war im großen Sanatorium unter dem Vorwand, ich müßte zur Tomographie. Denn man sieht auf den Röntgenbildern natürlich nichts Deutliches. Das Bild scheint sich vom vorhergehenden nicht zu unterscheiden. Vielleicht etwas weniger homogen (?!). Nichts beim Abhören. Gewicht: 64,400 Kilo. Leichter Gewichtsverlust also, was nach den gekürzten Rationen vom August ganz normal ist. Degeorges scheint sich nicht aufzuregen über meinen Fall. Er meint, meine Läsion sei wegen einer Grippe in ein subakuteres Stadium getreten.

Ich bin nicht traurig, mein Allerliebstes. Im Gegenteil, ich empfinde eine herbe Wollust in Anbetracht der großen, erstaunlichen Leere, die Ihre Abwesenheit – oder vielmehr meine – bedingt. Fast bin ich glücklich darüber, daß ich so sehr leide, sobald Sie nicht mehr in Reichweite sind. Ich fühle mich wie eine klapprige Hülle mit nichts drin.

Ihr Biribi«

»Mein Ein und Alles, 37° heute morgen, 37,1° gestern abend.

Ich komme gerade aus der klinischen Abteilung, dort habe ich die Tomographien gesehen. Sind nicht gerade hervorragend, mein Engelchen. Da ist zweifellos ein kleines Loch. Nicht sehr groß, aber ein bißchen größer als letztes Jahr. Es ist sichtbar auf den Schichtaufnahmen Nr. 7 und Nr. 8. Heute morgen haben sie Nr. 4, 5 und 6 gemacht, um festzustellen, wie tief es ist (man zählt die Zentimeter von der hinteren Lungenwand her). Die letztjährige Läsion war weiter vorn (von 8 bis 10) und ist gut verheilt und fibrös. Also handelt es sich um eine neue Infiltration. Degeorges meint, solche Löcher wachsen von alleine wieder zu, durch die Liegekur.

So ist das also. Ich werde mich wacker in das Schweigen und die Ruhe stürzen. Mit wilder Energie. Wild, hörst Du, mein Allerliebstes? Ich werde mit leicht erhöhten Beinen liegen. Das soll angeblich die Heilung fördern, dadurch daß ein leichter Blutstau entsteht.

Nichts macht mir Angst. Stehen wir über diesen dummen Lungengeschichten! Geh bitte zu Doktor Douady und laß Dir einen Intrakutantest machen. Mach es, damit ich beruhigt sein kann.

Ich lese die *Geschichte Frankreichs* von Bainville und das *Tagebuch* von Julien Green. Diesmal wirst du mich nie wieder einholen – ich meine, was die Bildung betrifft!«

»Heute morgen habe ich mir mit Degeorges die Tomographien 4 bis 7 angeschaut, die gestern abend gemacht wurden: Wir wollten sehen, wie weit es mit dem Substanzverlust inzwischen ist. Man erkennt ihn nur auf 7 und 8. Nichts auf 9 und noch nichts auf 6. Also ist die Kaverne zwei Zentimeter breit und zwei Zentimeter tief. Also muß man 1. dieses Loch dichtmachen und 2. es konsolidieren.

Mein kleines Mädchen, ich bin in einem Zustand der gefühlsmäßigen Sprachlosigkeit. Etwas in mir verbietet mir, an Dich zu denken, wahrscheinlich der Fluchtinstinkt vor dem Schmerz. Aber selbst wenn ich unfähig bin, mir Deinen Körper oder Deine Stimme oder Deinen Blick vorzustellen, so lebst Du dennoch jede Sekunde. Wie kann ich Dir das erklären? Ich bin nie mehr ganz allein. Du hast mein Schicksal verändert. Es war nihilistisch und destruktiv geworden, und Du hast es auf seine wahre Bestimmung zurückgeführt: zur Hingabe, zur Leidenschaft. Ich hätte nichts Kreatives tun können, denn ich war gefangen in meiner Menschenverachtung und meinem Willen, das weltweite Waschlappentum abzulehnen. Ich glaube zwar nach wie vor, daß die Menschen nicht sehr viel wert sind, aber meine Leidenschaft für Dich beweist, daß es sich manchmal lohnt zu leben.

Ich vertraue diesen Brief dem Bruder von Doktor Pignon an, er ist Hauptmann bei den Fallschirmjägern, wurde zweimal im Tagesbefehl ehrenvoll erwähnt, ist Träger des Kriegskreuzes und gestern hier angekommen. Mit elf Leuten hat er vor kurzem einen Panzerzug und fünfhundertsiebenundzwanzig Deutsche kassiert. Seine Ordonnanz erzählte davon, ein früherer kleiner Widerstandskämpfer mit rundem Pausbackengesicht und bäuerlichem Akzent, der uns schilderte, wie er neunzehntausend Liter Benzin ›organisiert‹ und mit einem schlichten Revolver – einem ungeladenen – siebzehn Gefangene gemacht hat!

Sie werden morgen in Paris sein und diesen Brief bei Dir abgeben.«

»Heute abend habe ich 37,5 °, meine geliebte ganz große Liebe, aber ich habe einen fürchterlichen Schnupfen. Ich lasse mein Fenster Tag und Nacht offen, vielleicht ist das falsch. Aber mach Dir keine Sorgen: Ich huste kaum und habe sehr wenig Auswurf.

Für drei Wochen liege ich im großen Zimmer der Ledoux', die ›Entspannungsurlaub‹ haben; und außerdem brauchten sie mein Zimmer für eine frisch Operierte. Hier habe ich einen Balkon, einen Waschraum und vor allem ein Radio, das sie mir freundlicherweise dagelassen haben. Die Programme sind nach wie vor unter aller Kanone, aber manchmal kann man vorzüglichen amerikanischen Jazz hören. Endlich. Leider darf ich nicht einmal mehr Mundharmonika spielen.

Vorläufig denke ich noch mit großer Vorsicht an Dich. Sonst tut es zu sehr weh.«

»Mein Allerliebstes, heute morgen 36,9 °, 37,4 ° heute abend. Mein Schnupfen ist besser, aber ich huste noch ein wenig.

Es regnet sämtliche Tränen vom Himmel, aber Biribi gibt es auf, gegen all das Unglück, das ihn erdrückt, aufzumucken. Aber ich bitte Dich um Verzeihung, mein ganz Kleines. Wir waren so glücklich! Mit tiefer Freude dachte ich heute morgen an unser

Leben. Ich dachte an Dich, wie Du am Abend gelesen hast, die wenigen Male, als Du Gelegenheit dazu hattest, mein Engelchen … Und ich lag mit dem Kopf an Deiner Brust, meine Hände gingen auf Wanderschaft und hinderten Dich daran, in Ruhe zu lesen. Und unser gemeinsames Aufwachen, unsere allmorgendlichen instinktiven Bewegungen, um uns ineinander zu ›verwickeln‹. Ach, verdammt nochmal! Aus einem solchen Glück herausgerissen zu werden! Wir haben wirklich Pech, meine Geliebte.

Aber keine Angst, ich schone mich mit wilder Entschlossenheit. Ich sehe niemanden außer Pignon, zwei Minuten am Tag, wenn er mir meine Spritze verpaßt. Ich halte ganz regelmäßig Mittagsschläfchen von zwei bis vier. Abends mache ich spätestens um viertel nach neun das Licht aus, und morgens gelingt es mir, von neun bis elf nicht zu lesen! Ein erregendes Programm, findest Du nicht?

Wenn Du Wege und Mittel findest, Sterogyl 15 zu beschaffen, und auch noch eine Möglichkeit, es mir zukommen zu lassen, tu es bitte. Hier haben wir zu wenig. Vielleicht über Poirot, den Chef der Apotheke im Krankenhaus von Bicêtre? Papa kennt ihn, frag ihn mal. Wenn Du amerikanische Zigaretten auftreiben kannst, aber umsonst, dann könnte ich sie als Tauschware gut gebrauchen. Mit Tabak bekommt man hier alles, was man will.

Mein Freund Derain, der sich zum Psychiater ausbilden lassen wollte, sollte hierherkommen, ein ungeheures Betätigungsfeld gäbe es hier. Die seelische Seite, die doch so wichtig ist, wird vollkommen vernachlässigt. Man wird in ein Zimmer gesteckt, nachdem man gerade erfahren hat, daß da ein Loch in der Lunge ist, und dann muß jeder schauen, wie er damit zurechtkommt. Keiner kümmert sich darum, ob man einen guten Appetit hat oder ob man seine Kur vorschriftsmäßig absolviert. Es heißt einfach: ›Bleiben Sie ganz still liegen und warten Sie.‹ Man ist nichts als eine alle vierzehn Tage fällige Röntgenaufnahme.

Für Dich zwinge ich mich zu einer strengen Disziplin, einer andauernden Askese und Vorsicht. Ich lebe ganz zurückgezogen, nur mit mir selbst, und umschlinge mit beiden Armen meine Geliebte. Nur ein einziger Gedanke ist mir unerträglich: Die Vorstellung, daß Du leidest. Aus Feigheit versuche ich nicht einmal, es mir vorzustellen. Und Du, meine Wunderbare, hast den

Mut, es vor mir zu verbergen. Im Grunde bist Du eine sehr starke, sehr dynamische Persönlichkeit, trotz Deiner Beschaulichkeit nach außen hin. Und Du bist anspruchsvoll. Deshalb habe ich Dich auch heiraten können. Ich habe unentwegt Angst vor Deinem Urteil, und das hindert mich, ich selbst zu sein, das heißt, viel weniger gut, als ich scheine. Und dennoch gibt es eines, was Du nicht weißt, glaube ich: das ist der besondere Geschmack des *Acte gratuit,* der unmotivierten Handlung. Der absurden, sinnlosen, manchmal albernen Handlungen. Aber in Dir lebt ein ganzer Teil Deines Wesens auf Sparflamme, der geduldig darauf wartet, sich entfalten zu können.

Ich habe mich sehr ›gereinigt‹ seit vergangenem Jahr. Diesen letzten Rest von Romantik und ›genialer Lebensangst‹, den ich gerade noch duldete, den habe ich verloren. Du bist es, die mich gewarnt hat vor meiner Neigung, mich bemitleiden zu lassen, und ich glaube, ich habe mich davon befreit.

Noch habe ich nicht den Mut, den Freunden zu schreiben oder meinen Brüdern. Aber sie sollen mir schreiben. Sag es ihnen.«

»Gestern abend hatte Biribi 37,4 °. Heute morgen 37,3 ° und heute abend wieder 37,4 °. Das ist nicht viel, aber immer noch zu viel. Ich huste ein bißchen, wenn ich rede, und habe Auswurf, vor allem morgens beim Aufwachen, wie gehabt. Ich liege weiterhin mit hochgestellten Beinen: Unter die Bettfüße werden Keile gelegt, die nach und nach erhöht werden, damit man sich langsam daran gewöhnt. Mein Schnupfen ist noch nicht vorüber. Vielleicht kommt das bißchen Fieber daher, aber ich glaube nicht.

Das Entmutigendste bei dieser Behandlung ist, daß es gar keine Behandlung ist und daß man zum zweiten Mal genau den gleichen Kampf antritt, bei dem es um die ›endgültige Genesung‹ geht. Aber Entmutigung und Lockerung der Kur-Disziplin sind spezifische Merkmale der Kranken-Mentalität, und die will ich um jeden Preis vermeiden. Ich bin sehr weit davon entfernt, keine Angst. Ich bin nur ein wenig ernüchtert und sehe alles mit bitterer Klarheit. Dieser Neubeginn einer Katastrophe hat etwas Makabres, Groteskes. Aber ich bin entschlossen zu siegen. Ich verlange nur eines von Dir, um mir zu helfen: daß Du nicht zu sehr leidest. Geh aus mit Deinen Freunden, versuche Dich zu zerstreuen, ein wenig zu vergessen. Du mußt verstehen, mein

Allerliebstes, daß es die absoluteste, die sicherste Leidenschaft ist, die mir solche Worte diktiert. Ich liebe Dich mit aller Gewalt.«

»Sieg! 36,9 ° heute morgen.
Diesen Brief gebe ich einem Wagen mit, der morgen nach Paris zurückfährt. Es gibt mehrere Taxis, die fast jede Woche einmal hin- und zurückfahren. Du könntest auch einmal mitfahren. Aber dazu müßtest Du wenigstens eine Woche Urlaub haben, denn die Reise allein dauert zwei Tage.
Madame Aubert hat mir als ein großes Geheimnis anvertraut, daß die Kohleversorgung für diesen Winter gesichert ist und daß wir bald wieder ins große Sanatoriumsgebäude ziehen können. Egal, ich würde dort sowieso das gleiche tun wie hier. Ich habe einen vollen Stundenplan: Nach der Morgentoilette und dem Frühstück zwei Stunden Liegekur mit den Beinen nach oben. Ich lege meine Kopfkissen weg. Die rechte Schulter bette ich unter die Nackenrolle, damit der Brustkorb tiefer als die Hüften liegt, und in dieser Seitenstellung lese ich. Nicht gerade praktisch, das Ganze. Nach dem Mittagessen, von zwei bis vier mindestens, schlafe ich. Oder tu' so als ob. Dann wieder Liegekur, wenn die Zeit dazu reicht, nach meinem Brief an Dich. Nach dem Abendessen höre ich Radio, lese und schreibe Dir noch einmal. Um neun mache ich das Licht aus und höre Jazz im Dunkeln. Leider kommen die Ledoux' demnächst zurück. Das alles ist unheimlich langweilig, aber ich weiß, daß es Dich interessiert.
Madame Aubert wird mir Sterogyl geben. Ich weiß nicht, wie sie es schafft, aber sie treibt immer die unmöglichsten Dinge auf: Zucker, Tee, Kekse, Aperitif. Daran läßt sie alle ihre Freunde teilhaben. Man hat ihr soeben eine Thorakoplastik vorgeschlagen, natürlich ist sie nicht begeistert.
Mein Liebes, heute abend wird mir Tobé Deine Briefe aus Paris bringen. Seit einer Woche hatte ich nichts von Dir. Ich werde zittern, wenn ich Deine geliebte Schrift wieder vor Augen habe . . .
Nein – ich hasse sie, weil sie mir sagt, daß Du weit weg bist.«
»Heute abend ist Pignon zum Tee gekommen und hat mich eingeladen, ein Bach-Oratorium zu hören. Ich habe es wie ein Wunder empfunden, aus meinem Zimmer herauszukommen, selbst wenn es lächerlich ist, nur in ein zwei Schritte entferntes

zu gehen. Dieses ewige Liegen wird langsam schädlich, meiner Meinung nach. Man lebt in einer Matratzengruft. Ich glaube, ich werde jetzt einmal am Tag unten essen. Das wird meinen Appetit fördern, der aber sowieso ganz gut ist, sei unbesorgt.

Ich hätte eine gute Quelle, um Dir Hütten-Schuhe machen zu lassen. Pelletier hat sich welche nähen lassen aus einem alten Morgenmantel, wunderbar. Eine Patientin macht so was, aber das Material muß man selbst liefern, und die Künstlerin arbeitet nur, wenn es ihr paßt. Hättest Du ein Stück Stoff, so was wie Pyrenäen-Wolle? Bring möglichst welchen mit, wenn Du kommst.

Ein Wort zu meiner Gesundheit: Ich glaube, ich bin auf dem aufsteigenden Ast. Ich habe noch Auswurf, aber weniger. Dieser Dauerhusten, den ich eine Zeitlang hatte, hat aufgehört. Meine Temperatur ist normal, bis auf heute abend, wo ich schließlich 37,4 ° hatte vor lauter Herumhampeln: Das Thermometer hatte neben dem Öfchen gelegen, auf dem ich die Trockenmilch aufkoche, die mein Engelchen mir schickt, und es war auf 41 ° gestiegen. Da mußte ich so lange schütteln, daß ich selbst fast Fieber bekam. Ich komme am Dienstag in die klinische Abteilung, und am Freitag werde ich geröntgt; die Aufnahme wird Tobé am Samstag nach Paris mitnehmen. Er wird Papa besuchen. Schau, daß Du dabei bist. Ich hoffe, daß Fortschritte zu verzeichnen sind.«

»Ich habe den *Diderot* von André Billy zu Ende gelesen. Wir sind vollkommen degeneriert im Vergleich zu diesen Philosophen des 18. Jahrhunderts, die so bohrend und so naiv zugleich waren, so gescheit und so nebulös, so skeptisch und so traumverloren. Welch eine Neugierde, welcher Wissensdurst!«

»Ich bin der Kranke, und Sie sind diejenige, die abmagert, meine Kleine, ich bin nicht zufrieden. Und was ist mit meinen Tierchen? Ich weiß ja, daß Sie es nicht lustig finden, das Pampelmusenspiel allein zu spielen, aber Sie sind nicht allein. Da gibt es Swann, und es gibt Biribi. Also bringen Sie diesen beiden, wenn Sie kommen, Geliebte, schöne runde Pampelmusen. Und werden Sie ja nicht krank. Lassen Sie sich einen Intrakutantest machen, ich bitte Sie sehr darum.

Heute war ich unten und habe am Tisch von Pignon und Armingeat zu Mittag gegessen. Pignon hat etwas Flüssigkeit in einem seiner Lungenflügel. Wahrscheinlich ist es nicht schlimm, aber er macht sich Sorgen. Was meine Freundin betrifft, Madame Aubert, so muß sie zur Rippenresektion, das steht jetzt fest, und natürlich ist die Stimmung denkbar schlecht. Vor dem Mittagessen habe ich ihr meine Aufwartung gemacht. Das war sehr merkwürdig für mich, nach fast einem Monat des Schweigens und der Einsamkeit, wieder mit jemandem zu reden. Ich habe einfach albernes Zeug geredet, und es machte mir wahnsinnig Spaß (keine Sorge, Madame Aubert ist ›unmöglich‹). Sie hat heute sicherlich sehr viel Besuch bekommen, denn hier leben alle mit der Gespenstervision der Thorakoplastik. Das ist nicht nur eine Verstümmelung, es ist eine Folter: Der Patient sitzt rittlings auf einem Stuhl, die Arme auf der Rückenlehne, und bei örtlicher Betäubung (eine Vollnarkose ist kontraindiziert) werden ihm die Rippen aufgesägt und der Brustkorb aufgestemmt. Man sitzt also in der vordersten Loge und hört zu, wie die Säge auf den eigenen Knochen ächzt. Und das Schlimmste ist, daß man genau weiß, alles geht noch einmal von vorne los. Diese Operation wird nämlich in zwei oder sogar drei Phasen durchgeführt. Man kann nicht zu viele Rippen auf einmal entfernen.

Morgen klinische Abteilung. 36,9 ° heute morgen, 37,2 ° heute abend.«

»Ich komme aus der klinischen Abteilung zurück. Tobé hat sich meine Tomographien und Röntgenaufnahmen angeschaut. Er war überhaupt nicht aufgeregt und ist der Meinung, es würde sich vollkommen geben. Aber ich muß nun etwa achtzehn Stunden am Tag mit hochgestellten Beinen liegen. Das ist zwar nicht allzu unangenehm, nicht sehr zumindest, aber es hindert mich am Schreiben, zumal da man auf der kranken Seite liegen muß, also für mich die rechte. Man kann kaum lesen. Kurz, ich bin zur absoluten Bewegungslosigkeit verurteilt. Und ich bin erstaunt, daß ich darauf überhaupt nicht reagiere. Wenn man von mir verlangen würde, ich solle acht Tage auf einem Fuß stehen, ich glaube, ich würde es versuchen, ohne zu protestieren. Mein Gewicht hat sich nicht verändert: 63,900 Kilo. Typisch bei Höhenumstellung. In vierzehn Tagen werde ich anfangen, dicker zu werden.

Wir haben hier ein Sauwetter. Acht Grad in meinem Zimmer! Tobé hat Kohlen aufgetrieben, aber sie müssen im Bergwerk abgeholt werden – und es gibt keine Lastautos. Es ist bald zwei, Zeit zu meiner Liegekur ohne hochgestellte Beine, aber auch ohne Lesen. Danach Bein hoch mit Lesen, dann Lesen ohne Liegekur, dann Liegekur ohne Beine hoch und mit Lesen und so weiter, und so weiter.

Da ich mich hartnäckig weigere nachzudenken, habe ich mich auf Simenon gestürzt. Daran sind Ihre Briefe schuld, die ein Auflodern meines Inhibitionsreflexes bewirken. Verstehen Sie, Vielgeliebte, wenn ich mich gehenlasse und an die Pampelmusen zu denken beginne, dann gerate ich durcheinander und kann mich für die Liegekur mit Beinen hoch nicht mehr begeistern. Also führe ich ein vollkommen hirnloses Leben.

Du fängst wohl auch langsam an zu frieren. Kümmere Dich um den Sägemehlofen, den Dir Lou versprochen hat. Ich höre, daß die Sägewerke ihre Abfallprodukte verhältnismäßig billig verkaufen. Ich will nicht, daß du frierst, wenn ich nicht da bin, mein Liebes, meine ganz große Liebe.

Um nochmal auf meine Röntgenbilder zurückzukommen: Tobé und Degeorges meinen, es habe bereits zwischen dem 15. April und dem 8. August eine neue Aussaat gegeben. Ich erinnere mich, daß es mir einen Stich versetzte, als ich in Paris bei Douady meine Bilder sah. Ich fand sie weniger klar. Aber Douady hatte behauptet, nein. Hier sagen sie, doch. Aber was soll's? Schneller konnte ich sowieso nicht ins Sanatorium zurück. Und was ist schon eine Lunge im Vergleich zum Herzen?

Du sagst mir, Du würdest beim Rundfunk nur fünftausendfünfhundert Francs verdienen. Bei dem Gehalt solltest Du wirklich keine Skrupel haben, mich so bald wie möglich zu besuchen. Ich habe das Gefühl, ich sei schon immer hier, und die glückliche Phase meines Lebens sei seit Jahrhunderten vorüber. Ach, wenn Du die Tür meines Zimmers aufstoßen wirst, werde ich wahnsinnig sein vor Glück. Aber *danach* müssen wir erst glücklich sein, mein Liebes! Wir müssen sterbenstrunken sein vor Glück, wie ich es in jenen vier Monaten war, und nicht sparsam sein damit, dem Glück alles zu opfern, *alles,* wir leben nur einmal. Entschuldige, daß ich feierlich werde, das ist ganz albern, wo ich doch sonst immer den Hohn predige. Aber der Keulenschlag war zu brutal. Ich bin noch nicht wieder ganz bei Sinnen.«

»37,3 ° heute morgen, 37,2 ° heute abend, Da ich nicht mehr rede, huste ich auch nicht mehr. Es lohnt sich übrigens nicht, nervös zu werden, frühestens in zwei Monaten wird man überprüfen können, ob die Genesung angefangen hat oder nicht. Mein Bett wurde um eine Stufe höher aufgestellt. Pignon ist für zehn Tage zum Sanatorium auf dem Brévent gegangen, dort vertritt er jemanden, und niemand hat mir meine Spritze verpaßt. Außer Tobé sind hier alle vollkommen desinteressiert.«

»37 ° heute morgen. Die Tage gehen schnell vorbei. Aber es sind so viele Tage ...«

»Zur Zeit gibt es keine Autos von hier nach Paris. Mach Dir keine Sorgen, wenn Du aus diesem Grund sehr unregelmäßig Post bekommst. Ein Taxi kommt am 25. Oktober von Paris. Papa gibt Dir die Adresse.

Mein Sputum wurde untersucht. Natürlich positiv, aber wenig Bazillen. 37,3 ° heute abend. Sauwetter. Ich bleibe den ganzen Tag auf der rechten Seite liegen. Ein saudummes Spiel, wirklich!

Ich habe die erste Rechnung bekommen. Das Zimmer kostet einhundertfünfunddreißig Francs am Tag mit der Ermäßigung ›für Medizinstudenten‹. Aber die Tomographien wurden noch nicht berechnet. Ich habe es von den zehntausend Francs bezahlt, die Papa mir gegeben hat, aber das ist fast so viel, wie Du verdienst, das macht mich ganz krank. Nun, ist ja auch nicht schlimm, ich bin es ja schon, wirst Du sagen. Das Sanatorium Saint-Hilaire-du-Touvet wäre billiger, aber dort gibt es keinen freien Platz.

Sag mir, wann Du kommst. Meine Sehnsucht nach Dir würde mich auffressen, wenn ich sie hochkommen ließe.«

November 1944

»Ich habe ein Gedicht geschrieben. Vorhin fand ich es genial, aber der Zerfallsprozeß hat eingesetzt. Alle zehn Minuten streiche ich eine Zeile. Ich schicke es Dir, bevor nichts mehr übrigbleibt.

Ich habe, o Staunen, Deine Interzonenkarte per Post bekommen. Eine so anständige Karte, daß ich Dich kaum wiedererkannt habe. ›Man schämt sich meiner also‹, hat er gesagt, der Swann, ›daß man mir nicht einmal mehr Küsse schickt auf einer Karte?‹ Du weißt, wie leicht er beleidigt ist ...

Du sagst, Du kommst in einem Monat. Die Frage ist, ob die Züge kommen. Es heißt, die Schienen liefen nicht mehr parallel, und die Tunnels seien mit Munitionswaggons verstopft.

Ich beneide Dich darum, daß Du in Paris bist und Churchill und de Gaulle auf den Champs-Elysées gesehen hast. Die FFI sollen ja rührend sein, weil man an ihnen den ganzen Zwiespalt und die ganze Absurdität dieses Krieges erkennen kann: britische Stahlhelme, französische Baretts, abgewetzte amerikanische Kampfanzüge, junge Obristengesichter. Endlich eine Armee des Herzens!

Heute morgen hat mir ein Freund eine Menge Briefe und Zeitungen gebracht. O Glück! Ich habe das Gefühl, mir geht es besser, und heute mittag habe ich sogar eine zweite Portion verlangt. Nudeln, natürlich.

Sie sind vollkommen verrückt, daß Sie mir eine Felljacke gekauft haben, und ich vergöttere Sie immer mehr! Auch ich denke oft an das Kind, das wir gemeinsam machen werden. Aber wir hatten ja gesagt, daß wir warten wollten, wir haben gewartet. Nie werde ich vergessen, was Sie dafür getan haben. So weit sind wir gegangen, um uns besser zu lieben, und ich bin darauf sehr stolz. Man soll sich nie dem Schicksal fügen. Das paßt wieder mal gut zu mir, so was zu sagen! Aber ich will ihn erleben, mehrmals, den Augenblick, wo wir unseren Sohn zeugen werden! Und bedenken Sie, daß Sie mich nächsten Monat nicht besuchen könnten, wenn wir den Zufall akzeptiert hätten: Sie wären für eine zweite Seele verantwortlich. Dabei sind Sie ja schon für mich verantwortlich, und diese Last ist schwer genug.«

»Sag mal, Mäuschen, Du hast vielleicht Glück: Du kannst Dir amerikanische Filme ansehen! Ich bin froh für Dich, daß die Kinos endlich wieder offen haben. Erzähl mir auch ja alles. Amerika hat uns gefehlt, und wenn die Filme so gut sind wie die Romane . . .

Da es mir besser geht, denke ich wieder an meine Prüfungen. Seit Hugo ein wackerer Krieger geworden ist, hat er ganz recht, die Prüfungen und Wettbewerbe sind kleinkariert und erniedrigend. Aber das Tragische ist, daß es für uns Ärzte in Frankreich keine Berufschancen gibt, wenn wir zuvor nicht eine brillante Assistentenstelle bekommen. Ich will das unbedingt schaffen. Wegwerfend redet man nur über Prüfungen, die man bestanden hat.

Mein Golddöschen, denken Sie daran, unsere Kohlekarten einzulösen oder sie gegen eine zusätzliche Stromration einzutauschen. Ich möchte nicht, daß Sie gezwungen sind, sich einen Mann in unser großes Bett zu legen, damit Ihnen warm wird. Ich habe erfahren, daß die Pariser zu Weihnachten fünfzig Kilo Kohlen kriegen. Daran können Sie erkennen, daß ich die Zeitungen sehr aufmerksam lese. *Carrefour* und die *Lettres Françaises* gehen mir ein bißchen auf den Wecker mit ihrem pathetischen Résistance-Stil. Derzeit ist jedes Mittel gut, um sich zu profilieren, und jemanden erschossen zu haben ist wohl das allerbeste. Und diese Herren Schreiberlinge schlagen schier Purzelbäume, um sich gegenseitig zu gratulieren, dafür, daß sie überlebt haben, und weinen vor Rührung, wo sie doch solche Angst hatten! Ich werde nicht auf ihrer Seite stehen. Blaß vor Wut werde ich dastehen, weil ich nichts getan habe, und weil ich noch nicht einmal das Recht habe, ihnen in den Hintern zu treten mit Stiefeln aus echtem Leder, die freie Schritte auf einer freien Erde bedeutet hätten.«

»Meine ferne Insel, meine Sehnsucht, meine Louise, mein Nelkenbaum,

Langsam kommt für mich die Zeit, wo die Zärtlichkeit so schmerzhaft wird wie die Sehnsucht, verstehst Du, was ich meine?

›Frau, aus der Tiefe der Abwesenheit kamst du zu mir, wie Äste bogst du beiseite die Verweigerungen,

Frau, die wenig, viel, alles bedeutet, Frau der Leidenschaft ...‹

Die Poesie allein ist mir ein Balsam.

Wie dem auch sei, es geht mir besser, und ich werde mich ganz schnell wieder im Griff haben:

1. weil diesmal doch nicht soviel kaputt ist, trotz der kleinen Kaverne, die aber nur der Eliminierung von einigen käsigen Einschmelzungen entspricht, die noch in der Lunge saßen.

2. weil ich viel weniger erschöpft bin als letztes Jahr.

3. weil ich nun von einer torpiden Form befallen bin, die schon nach einem Monat der absoluten Ruhe zurückgeht.

Wenn ich einen Pneu hätte, wäre ich in drei Monaten gesund und würde keinen Rückfall riskieren. Ohne Pneu brauche ich sechs Monate. Daß ich es hier aushalte, bedeutet kein besonderes Verdienst – schließlich bin ich sicher, daß ich gesund werde. *Ech-*

ten Mut gibt es nur ohne Hoffnung. Ich unterstreiche es, damit Du mich bewunderst.

›Nein, ich werde nicht sterben, ohne das Glück umarmt zu haben‹ ... der erste Vers meines nächsten Gedichts.

Angeblich fängt die Post wieder an zu funktionieren. Das würde mein Leben verändern. Gestern kamen welche von den Militärbehörden, sie brauchen mich wieder in ihren Akten. Ein Trost, den mir die Krankheit gibt: daß ich nie Soldat sein werde. Man kann es auch so sehen: Im Sanatorium verliere ich die zwei oder drei Jahre meines Lebens, die ich sonst im Krieg zugebracht hätte. Das Risiko umzukommen ist hier geringer. Außerdem geht es mir besser als meinen armen Freunden im Elsaß. Hugo schreibt mir, daß erbittert gekämpft wird. Nach den Heldentaten bei der Landung, den glorreichen Tagen der Befreiung von Paris wirkt es irgendwie grotesk, daß man immer noch Krieg spielt, als ob die Würfel nicht schon längst gefallen wären.

Langer Besuch von Pignon heute abend. Es gibt keine größere Freude, als ihm von Dir erzählen zu können. Aber er hat etwas von einem Prediger, wirkt ein wenig professoral. Und außerdem glaubt er an Gott und ich nicht. Er glaubt an das Gute und an das Böse und ich nicht. Er glaubt an die Tugend und ich nicht. Wir haben Kakao gekocht und amerikanische Kekse gegessen, die er hatte, dazu Kastanienpüree von Deinem Vater. Das Traurige an diesem langen Belagerungszustand, an dieser Krankheit ist, daß man sich mehr ums Essen als ums Denken kümmert. Du hast mich auch beeinflußt auf diesem Gebiet. Professor Nimbus und seine Söhne, das waren reine Geister. Du wirst einwenden, daß die Rolle nicht besonders gut zu mir paßte.

Im übrigen fängt es an, kalt zu werden, und ich tue mich schwer mit dem Schreiben. Meine Finger werden klamm, sobald sie die schützende Bettdecke verlassen. Aber ich habe immer weniger Auswurf. Temperatur 36,9 ° und 37,2 °. Douady schreibt mir, daß er mir vermutlich im Dezember ein Zimmer im Studentensanatorium besorgen kann, was uns sehr viel billiger käme. Außerdem könnte es sein, daß eines meiner Stücke gespielt wird. (Oder ich könnte eine neue Zeitschrift herausgeben, die zum Beispiel ›TBC-Kranke sprechen zu den TBC-Kranken‹ heißen könnte!)«

»Heute morgen klinische Abteilung. Hervorragend. Ich habe

vierhundert Gramm zugenommen. Im Dezember wirst Du mich wieder mit meiner Großwesirsbrust vorfinden. Meine Tomographien sind unvergleichlich besser als die vom letzten Jahr, als der ganze obere Flügel infiltriert war. Diesmal ist nur der Brustbein-Schlüsselbein-Bereich betroffen. Tobé ist optimistisch. Ich habe übrigens wieder angefangen zu lernen. Gestern und heute je einen Fragenkomplex durchgearbeitet. Bleiben nur noch einhundertneunundsiebzig weitere, abgesehen vom Mündlichen! So gut wie geschafft! Könntest Du mir in der Fachbuchhandlung die beiden Bände *Obere Mesenterialarterie* und *Untere Mesenterialarterie* kaufen?

Morgen wird Madame Aubert operiert.

Sag mir genau, wann Du zu kommen gedenkst. Denn über Freunde von Pignon in Lyon könnte ich für Dich einen Platz im Anschlußzug reservieren, und Du könntest bei ihnen in Lyon übernachten. Du mußt Dir mindestens zehn Tage Urlaub nehmen, wenn man die vier Tage für die Reise mit einkalkuliert.

Wissen Sie, Geliebte, daß ich langsam daran glaube? Ohne irgendeinen Grund küsse ich meinen Ehering, ganz plötzlich, sehr oft . . . Gläubig bin ich nicht, aber ein Fetischist bin ich!«

»Lageveränderung. Tobé hat meine neuen Röntgenbilder von gestern angeschaut. Da soll irgendwas Verdächtiges sein. Nachher macht man mir neue Tomographien. Wie dem auch sei: Ich liebe Dich, und es ist mir scheißegal.«

»37,2 ° gestern und 37,6 ° am Abend. Etwas müde. Heute abend wieder 37,6 °. Aber wenig Auswurf. Dieser kleine Schub ist nur ein Witz. Ich verachte ihn. Ich bin irrsinnig glücklich, wenn ich an Dich denke. Und ich denke andauernd an Dich.

Du erzählst mir von Deinem Tagebuch. Hör nicht auf damit, ich bitte Dich. Schreib es mit der Maschine. Du mußt ihm einen roten Faden geben. Du bist losgegangen und hast an nichts als an die Sonne gedacht. In welche Richtung wirst Du weitergehen? Bitte nicht allzuviel intellektuelle Onanie. Laß Dich auf Schilderungen ein, Du bist begabt dafür. Nutze Deinen unerbittlichen Humor, den Scharfsinn Deiner blauen Augen, die nie unsicher blinzeln. Sie werden sehen, Geliebte, wir werden Schöpfer sein! Ich habe tausend Ideen für die Zukunft.

Es geht besser. 37 ° heute abend. Aber ich bin verärgert: ›Sie‹ heizen nicht. Warmes Wasser gibt es nur eine Stunde am Tag.

Verärgert auch, weil Du womöglich Deine Reise verschieben wirst. Ich weiß, daß Du gute Gründe hast und daß wir dieses Geld brauchen. Eigentlich mache ich Dir diesen einen Vorwurf: Ich bin faul und Du nicht. Dein Aktivismus macht mich wütend, weil er Dich mir stiehlt und weil ich zur Leere verurteilt bin. Letztes Jahr war das schon so: Es gab eine Unmenge von Dingen, die Du tatest, anstatt mich zu besuchen, weil Du vernünftig bist, lauter Dinge, die für mich im Vergleich zu Dir vollkommen unwichtig wären ... Aber verzeih mir, mein Kleines. Ich weiß, daß ich Dich gebeten hatte, meine Disziplin zu sein. Und hier verkehrt sich alles in sein Gegenteil. Nach und nach fühlt man in dieser luftleeren Welt hier, daß das Wichtige vielleicht nicht da ist, wo man es vermutete.«

»Tobé hat die Tomographie gesehen. Wir müssen ein wenig zurückstecken! Kein Loch auf dem Röntgenbild, aber eine kleine Veränderung der befallenen Stellen, was darauf hindeutet, daß der Schub noch nicht zu Ende und die Krankheit noch virulent ist. Ich huste übrigens auch und habe 37,5 ° heute abend. Tobé nimmt meine Akte mit nach Paris und wird mit meinem Vater und mit Dir darüber reden. Aber sag unseren Verwandten auch ja, daß ich nicht mitmache bei der Nummer ›besorgt und traurig‹. In einem Monat habe ich das Ganze im Griff. Es ist mir lieber, ich habe die Tuberkulose und Dich, als keine von beiden. (Sic)«

»Die Lage ist unverändert. 37,4 ° gestern abend. Es ist offenkundig, die Krankheit entwickelt sich weiter, auf torpide, tückische Weise.
Es quält mich zu wissen, daß Du so viel arbeitest. Laß Dir nichts gefallen! Stelle Forderungen! Da ich ins Studentensanatorium komme, werde ich demnächst fast nichts mehr kosten. Ich schäme mich um so mehr, als ich meine Pflicht nicht erfülle: 37,7 ° heute abend. Und ich huste. Draußen regnet es, und es ist neblig, wie üblich. Ich schreibe ein paar Gedichte. Elend, Schwachsinn. Herzklopfen. Tränen. Terror der Hilflosigkeit. Zum Fenster hinaus sehe ich eine einsame, schwarze Tanne, die Wache zu schieben scheint vor meinem Grab.«

Dezember 1944

»Ich habe ein Gedicht zu Ende geschrieben mit der Überschrift
›Roger Pironneau wurde erschossen‹. Wenn es veröffentlicht
wird, möchte ich keinen Namen darunter stehen haben. Man
nimmt sich nie genügend in acht vor sich selbst.

Es geht mir besser. 37,4 ° gestern abend. Beim Abhorchen hört
man schon einige Geräusche, aber nicht das Rasseln einer Kaverne. Bei der Skopie hat die Dichte der Infiltrationen zugenommen, die auf den Tomographien auf dem oberen Teil des oberen
Lungenflügels sichtbar waren. Dagegen scheint die anfängliche
Läsion gestoppt zu sein. Der jetzige Schub weist keine geschwü-
rigen Formen auf, und laut Degeorges ist es nicht sicher, ob diese
Infiltrate tiefer werden. Ich habe nicht abgenommen und bin nur
ein bißchen müde. Alles in allem mache ich also einen kleinen
Schub durch, der natürlich ärgerlich ist, aber im Augenblick ist es
nicht tragisch. Keine Angst, mein Engelchen: Dem kleinen Biribi wird es bald wieder gut gehen.

Wann kommen Sie? Ich erwarte Sie mit aller Kraft meines Lebens. Bringen Sie keinen Anzug für mich mit: Es wird noch einige Zeit dauern, bis ich wieder aufstehen kann. Und der graue,
den ich hier habe, genügt vollauf für die Mahlzeiten.

Ich lese gerade *Le Dieu des Corps*★ von Jules Romains, und diese
Lektüre macht mich unsäglich glücklich. Ich bin geboren, um zu
lieben, und aus Feigheit habe ich den harten Kerl gespielt. Weil
ich so schrecklich Angst hatte, ich könnte den anderen ähnlich
sein, habe ich sie kurzentschlossen gehaßt. Um die Liebe zu wagen, muß man sehr stark sein. Diese Religion der Körper ist so
sehr, was ich mit Dir erlebe. Es klingt idiotisch, das so zu sagen,
Scheiße! Es gelingt mir nicht, es Dir ganz einfach zu sagen, daß
ich Dich unsterblich liebe und daß meine Leidenschaft für Dich
sich nur in Deinem Körper selbst ein wenig besänftigt. Der Körper ist gewissermaßen Tempel und Schlachtfeld. Denn die Religion der Liebe ist eine feurige, harte, manchmal grausame Religion. Und wahrscheinlich gehorche ich einer tiefen Notwendigkeit, meine Leidenschaft anders, besser als in der höchsten Lust
auszudrücken, wenn mich die brutale Begierde packt, Dir weh
zu tun. Manchmal träume ich von Auspeitschen, ich habe es Dir

---

★ Anm. d. Ü.: *Der Gott des Fleisches*, 1928

schon gesagt. Zugleich wünsche ich nichts sehnlicher, als Dir in tiefster Demut zu Füßen zu fallen, um Dir für das Große, für das Absolute zu danken, das Du mir gegeben hast. Ich möchte, daß Du verstehst, daß diese Ergebenheit durchaus einhergehen kann mit dem Wunsch, zu beherrschen, dem Wunsch, Dich ausgeliefert zu sehen. Ich bin bereit, dieser Leidenschaft alles zu opfern. Ich liebe Dich. Es ist jetzt alles eindeutig, sicher und notwendig.

Ist es nicht unglaublich, daß ich hier liege mit meinem Husten und meiner Läsion und in der Einsamkeit vor Glück überschnappe? Ich schwöre Dir, ich erlebe fast in jeder Sekunde ein irrwitziges Glück. Es gibt Idioten, die diesen Zustand erreichen, indem sie an einen Gott glauben, den es gar nicht gibt. Was für ein albernes Geschwätz von einem Gott, wenn man ihn nicht körperlich lieben kann!

Ich fürchte mich vor nichts, nicht einmal vor dem Tod. Ich habe keine Ängste mehr. Ich denke über alles nach, was Dir an mir noch mißfällt, was ich abstellen muß oder mir zulegen muß, damit Deine Liebe sich noch verdoppelt. Auch Du hast vieles überwunden für mich, ich weiß es.

Wenn ich manchmal vor Ihnen niederknie, um Sie zu küssen, weichen Sie mir nicht aus, ich bitte Sie. Es ist der reinste Akt der Anbetung. Verbieten Sie mir also nichts, mein Liebling, bitte. Wehren Sie sich nicht mehr gegen gewisse Zärtlichkeiten. Sie ahnen nicht, wie diese Abwehrreflexe mir wehtun. Ihre Hingabe ist mir heilig und mehr noch Ihr Begehren. Ein kleiner Schritt auf mich zu, eine Geste, die Sie von sich aus unternehmen, könnten mich manchmal in Schluchzen ausbrechen lassen.«

»Merkwürdige Fieberepisode gestern: 37,4 ° am Morgen, dann Schüttelfrost, Kopfschmerzen und 39 ° am Abend. So etwa wie vergangenen Juli in Paris, erinnerst Du Dich? Heute abend habe ich nur noch 37,6 °. Grippe oder Tuberkulose? Es darf gewettet werden.

Wenn Du im Dezember nicht kommen kannst, na ja, dann eben nicht. Aber vielleicht könntest Du in einem Krankenwagen mitfahren, der einen Patienten bringt? Oder Du fährst mit einem Taxi. Aber das kostet zweitausend Francs. Pignon sucht nach einer Lösung.

Ich habe eine ganz liebe Krankenschwester. Sie heißt Dauphin und ist eine ehemalige Patientin. Sie kommt um vier, streicht mir Butterbrote und zwingt mich zu essen; sie kocht mir auch das Schokoladegetränk, das Du mir geschickt hast. Hier hat jeder seinen kleinen Kocher auf dem Nachttisch stehen, um sich seine paar Extras warm zu machen; die machen sowieso den besten Teil unserer Ernährung aus.«

»37,4 ° heute morgen, endlich! Um Mitternacht habe ich noch nicht geschlafen, und ich hörte Tobés Auto zurückkommen. Mein Herz schlug höher. Die Chancen standen eins zu tausend, daß Du mit drin sitzen würdest. ›Vielleicht warst Du es, Nackt unter Deiner Haut, Umhüllt nur von meinem Warten.‹ Aber es kam niemand, außer Tobé heute morgen, mit ›meiner‹ Felljacke, den Briefen, den Medikamenten, an die Du gedacht hast, der grauen Jacke, die Du mir gestrickt hast. Sie ist ungewöhnlich schick für mich – ich sehe, daß Du die Hoffnung nicht verloren hast, einen eleganten Mann aus mir zu machen.

Sag den Freunden, sie sollen mir schreiben, auch wenn ich nicht immer antworte. Tobé hat mir verordnet, so wenig wie möglich zu schreiben. Ich warte auf Papas Besuch, um eine Offensive zu starten: Ich will Dich als Sekretärin oder Assistentin im Sanatorium unterbringen. Du würdest Kost und Logis bekommen, aber das Gehalt wäre gering. Pignon meint, das wäre möglich.

Endlich schneit es nach soviel Regen. Gestern abend hatte ich einen schrecklichen Hustenanfall, der mich am Einschlafen hinderte. Ich glaube, es ist der Kulminationspunkt des Schubs.«

»Scheiße! Schon wieder 37,6 ° heute abend. Aber ich liebe Dich so sehr, mehr denn je, und ich bin vollkommen glücklich in Dir, denn in mir ist es natürlich momentan nicht gemütlich. Plötzlich packt mich die Lust, Dich zu schwängern, um noch mehr in Dir zu sein.«

»Klinische Abteilung heute morgen. Ich habe wieder vierhundert Gramm abgenommen: 63,600. Bei der Skopie ist die Infiltration des oberen Flügels etwas dichter und ausgedehnter, aber keine Kaverne. Na ja, noch keine. Ich gestehe, daß die innere Auflehnung zuweilen alles überflutet. Es sind nicht viele Schritte zu dem Punkt, wo mein Haß gegen das Leben stärker wird als das Leben selbst, vor allem aber mein Haß gegen das Leben der anderen und die absolute Unfähigkeit, für mich ein Leben nach Maß zu erfinden. Das alles drängt mich dazu, meine Karten aus dem Spiel zurückzuziehen und zur lieben Mutter Erde zurückzukehren. Du darfst mir nicht böse sein, meine Geliebte. – Sie wissen ja, daß das nur Worte sind und daß Worte noch nie jemanden umgebracht haben. Zumindest behauptet man das. ›Du willst dich interessant machen. Das wird dich voranbringen, wenn du dann mal tot bist.‹ Sie fragen sich nicht, um wie vieles es mich zurückgeworfen haben wird, falls ich lebe.

Heute abend
Da alle Verzweiflung der Welt
Hilflos in der Seele weint
Da alles, auch das Schweigen, zu Tränen geworden ist
Heute abend verzweifle ich
Nach der fernen, lichten Prozession
Alle kleinen Fluchten hin zum Glück
Spüre ich
Wie schwere Erdklumpen der Verzweiflung
Sich in mir niedersenken
Sie zerdrücken in meinem Herzen
Jene lächerliche
Arme
Sinnlose
Zu spät gekommene Reue
Die bebend und bescheiden
Schmächtig vor lauter Barfußgehen über die Steine
Hin zu einem warmen Haus
Mit dicken Mauern sich schleppt
Tote Reue
Daran gestorben, daß sie nicht leben konnte
Mit den wuchtigen Axtschlägen
Der hartnäckigen Tage
Die sich erschöpfen
Weil sie die große Pappel fällen wollen
Die hoch in den Himmel ragende Pappel
Die so schmerzt
Da sie versucht sich festzuhalten
Sich festzuklammern
Mit aller Kraft ihrer Wurzeln
An meinem elenden, erstickenden Herzen

Ich kann Dir nichts anderes schreiben als dieses Gedicht, und ich bitte Dich um Verzeihung. Aber Du weißt, daß wir die Worte lieben und wie sehr sie manchmal das Unsagbare sagen.«

»*Amor Amor Amor* ist der neueste Schlager in den USA, ziemlich sinnlich. Aber wir sind nicht hier, um sinnlich zu sein. Eine verblüffende Nachricht: Tobé wurde festgenommen. Zwei Typen sind mit einem Haftbefehl aus Lyon gekommen. Das muß irgendwas zu tun haben mit seiner Freundschaft zu Maurras, hinzu kommen wahrscheinlich Denunziationen aus dem Dorf. Das ganze Haus steht kopf. Besetzt oder befreit, die Leute sind immer gleich ekelhaft.«

»Ich bin sehr glücklich, daß auch Du Lust hast, unseren Jean-Baptiste zu machen. Pignon hat meine letzten Skrupel zerstreut und mir erklärt, es bestehe keinerlei Gefahr während eines evolutiven Schubs. Er selbst hatte Bazillen, als er seine beiden Söhne zeugte. Wenn ich rekonvaleszent bin, könnten wir in Assy ein Zimmer mieten; auch sagt man mir, Du würdest leicht Privatunterricht geben können. Neben Französisch könntest Du auch noch Latein und Englisch unterrichten. Aber ich möchte nicht, daß Du kommst, bevor es mir gut geht. Sosehr ich meinen Zustand auch verachte, er würde sich sicher auf unsere Liebe niederschlagen. Und das will ich auf keinen Fall. Ich bin lieber allein, als daß ich Dir einen tuberkulosekranken Liebhaber antue. Dabei würde mich zur Zeit jedes Wort von Dir, jeder Blick zum Weinen bringen. Du bist der härteste Teil meines Exils, meine Geliebte. Für mich ist das ganz einfach: Mein Leben hat aufgehört. Für Dich aber, die Du so selbstverständlich zu leben scheinst, gibt es die Gegenwart ohne mich, und der Alltag zerstreut auf tückische Weise Deine Erinnerungen. Dann gibt es ja auch noch Deinen Durst nach Glück, da lauert Dein Hunger nach Vergnügen. Ich habe Angst davor, nicht immer mir selbst überlegen zu sein. Ich habe Angst, daß ich mich mit Dir so wohl fühle, daß ich vergesse, mich in acht zu nehmen. Ich habe Angst, in einen schläfrigen Wonnezustand zu geraten. Du tust gut daran, mich hin und wieder daran zu erinnern, daß Du mich auch noch mit den anderen zu vergleichen weißt. Und ich bewundere Dich, weil Du aus unserer gepeinigten Liebe soviel Energie holen kannst. Ich schwöre Dir, eines Tages schaffe ich es, von Dir wieder wie früher bewundert zu werden, weil ich mich zu Tode arbeitete.«

»Ich mäste mich. Nestlé-Brei in der Früh mit Honig-Broten, denn Biribi hat keine Marmelade mehr. Ich huste auch weniger. 37° am Abend schon seit ein paar Tagen. In der klinischen Abteilung gewesen. Der Schub scheint sich zu stabilisieren.

Komm, ich brauche Dich furchtbar. Keine Post mehr seit Tagen. Kein Durchkommen mehr bei dem vielen Schnee.

P.S. Das Kakao-Pulver ist zu Ende. Wenn möglich, bring welches mit, wenn Du kommst.«

»Es geht mir gut. Heute hat mich der Pfarrer besucht. Er hat Dein schönes Photo gesehen, und da habe ich ihm von dem ›Verbrechen‹ meiner Taufe erzählt. Der arme Mann war tief betroffen. ›Das ist ja abscheulich‹, sagte er, ›ich hätte Ihnen lieber einen falschen Taufschein gegeben.‹ Ja, das sagen sie, aber wenn's dann drauf ankommt!

Ich bin froh, daß Du endlich einen Heizstrahler hast. Es hat mir Sorgen gemacht, Dich ohne Heizung in unserer ›Hütte‹ zu wissen, wo Du doch kaum Fett auf Deinen Knochen hast, die ich so liebe.«

»Meine liebe Angebetete. Die Frage, die einzig wichtige, lautet: Wirst Du heute abend im Bus sein? Ich wage nicht, daran zu glauben, denn wenn Du nur eine Woche Urlaub bekommen hast, sind es hohe Unkosten für nur drei Tage Aufenthalt hier.

Keinerlei Informationen über Tobé, der in Lyon im Gefängnis sitzt. Wenn man hier jetzt Gesinnungsdelikte bestraft, dann ist das eine Rückkehr zu den Nazi-Methoden.

37,4° gestern abend. Ich huste wieder ein bißchen. Ich bin rasend vor Wut darüber, daß ich es nicht schaffe, diese widerliche Krankheit in den Griff zu bekommen. Ich werde am Ende doch noch eine Thorakoplastik verlangen. Ich kann mir lebhaft vorstellen, wie mein Engelchen entsetzt aufschreit.«

»Mein Goldengelchen, mein Kleines, nur ein Gedicht kann sagen, was Dein Besuch hier bedeutet hat: Du bist aufgetaucht und hattest Reif in den Wimpern und Schneeflocken auf der Mütze. Du warst da, und ich weiß schon nicht mehr, ob es drei Tage oder drei Ewigkeiten waren – und beim Abschied hattest Du Tränen in den Augen. Dieses Gedicht habe ich schon angefangen, aber über nichts ist schwerer zu schreiben als über das Glück. Es war nicht nur Deine Anwesenheit, nicht nur die endlich weggezauberte Einsamkeit, es war auch das Hereinbrechen eines Menschen aus der anderen Welt, jener Welt, in der niemand vom Gedanken an den Tod verfolgt wird. Das ist auch noch ein Aspekt der Krankheit: die Tatsache, daß man mit seinesgleichen eingesperrt ist, mit Leuten, die alle dieselbe Sorge haben, offen oder heimlich, und die unfähig sind, lange an etwas anderes zu denken. Du hast mir das Leben wieder beigebracht. Dein Aufenthalt hier hat mich glücklich gemacht, trotz der grauenvollen Nachricht, die Du mir überbracht hast. Seither lebe ich wie in einem Alptraum. Sag bitte Papa, daß ich mein Gedichtbändchen Hugo widmen möchte. Ich hätte gern den Satz: ›Gewidmet meinem Bruder, dem Ruchlosen.‹ Aber der Tod ist vorbei, und jetzt ist er wieder Hugo. Wir besitzen nun einen schauderhaften Reichtum: wir besitzen eine Vergangenheit. Die Kindheit ist zu Ende. An die Zukunft denken, in der Hugo keinen Platz mehr hat, bedeutet schon, ihn verraten. Er läßt mir eine schwierigere Welt zurück, aber die großen Ziele haben die Schönheit derer, die für sie sterben.

Ich habe sehr an Dich gedacht heute nacht, wahrscheinlich hast Du im Gang schlafen müssen, an irgendeinen Feldwebel gelehnt. Zumindest hast Du nicht zu Fuß hinunter müssen mit Deinem Rucksack. Alle reden hier noch davon, wie heroisch Du den Hinweg geschafft hast. Für Menschen, die dazu verurteilt sind, mit jedem Atemzug sparsam umzugehen, kannst Du Dir gar nicht vorstellen, was das bedeutet: bis ans Ende seiner Kräfte zu gehen.

Heute abend 37,1 °, meine niedrigste Temperatur, seit ich hier bin. Du warst hier und siehe da, die Waage hat sich zur richtigen Seite geneigt. Heute morgen: klinische Abteilung. Nichts Neues, aber es wird auch nicht mehr schlimmer. Gewicht gleichbleibend.«

»Heute morgen hat mich Tobé besucht. Er scheint den Schock überwunden zu haben. Einen Brief von Papa bekommen. Er hat Bernou, dem Arzt aus Châteaubrian, geschrieben. Aber ich frage mich, ob das gut ist, mitten in der Behandlung die Methode zu wechseln? Bernou fackelt nicht lange. Er schneidet zwei, drei Rippen heraus, erweitert die Wunde, legt die Kaverne frei und hält sie monatelang offen, um die Infiltrate zwei oder drei Mal pro Woche mit Silbernitrat auszuätzen, so lange, bis das nekrotische Gewebe ausgebrannt ist. Das hinterläßt ein Loch in der

Lunge, das so groß sein kann wie eine Faust, aber der Gedanke, daß mit schwerem Geschütz auf diese schleichende Lepra, die im Dunkeln nagt, geschossen wird, mißfällt mir nicht. Ich glaube jedoch, das Vernünftigste wäre, den Frühling abzuwarten. Die, die zu Bernou gehen, sind von der traditionellen Schulmedizin schon aufgegeben worden, und soweit bin ich noch nicht.

Heute abend ist Mademoiselle Dauphin aus Paris gekommen, und sie hat mir alle diese Wunderdinge gebracht, die Du ihr anvertraut hast: Gänseleberpastete, Kekse, Butter. Du hättest die Butter behalten sollen, mein Kleines, Du hättest sie genauso nötig wie ich. Danke für die Zeitungen. Schumann und Jean Marin habe ich bisher anders gesehen. Komisch ist auch die diplomatische Note von den Boches, in der sie allen Franzosen drohen, die einem Kollaborateur auch nur ein Haar krümmen werden. Die brauchen sich ja sowieso keine Sorgen zu machen, diese Herren, die eine deutsche Besatzung einem russischen Sieg vorzogen. Demnächst sind sie alle wieder frei, und man wird sich bei ihnen auch noch entschuldigen. Ich kann diejenigen verstehen, die die Mitglieder der Miliz aus ihren Gefängnissen holen und erschießen. Das ist vielleicht nicht gerade wünschenswert, aber die andere Lösung ist doch zu simpel: Franzosen gefoltert haben und als Strafe dafür Chefredakteur einer Zeitung werden. Ich glaube doch, daß ich die Kommunisten wählen werde. Ich denke an den Satz, den Timbault noch den Soldaten zugerufen hat, die ihn dann erschossen: ›Es lebe die deutsche kommunistische Partei!‹ Der Kommunismus ist das neue Christentum. Aber ich gehöre zum degenerierten Bürgertum und bin vielleicht schon unfähig geworden, überhaupt noch an etwas zu glauben.«

»Biribi macht sich auf seine verdammte Weise lustig über seine Umwelt. Gestern abend hatte Monsieur 38,1 ° und heute morgen 38,2 °. Ich glaube, es ist die Grippe. Warum sollte man nicht wie normale Menschen die Grippe kriegen dürfen, nur weil man Tuberkulose hat! Man verarztet mich mit Medikamenten und Grog. Ich schicke Dir ein Telegramm, sobald das Fieber weg ist.

Ich bin wahnsinnig vor Freude darüber, daß Du im Januar kommen willst. Diesmal war es so kurz, daß ich das Gefühl habe, ich hätte Dich nur geträumt.

Ich habe gerade einen Artikel über diese Dreckskerle zu Ende geschrieben, die sich mit dem Heldenmut der andern einen Namen machen. Titel: ›Die Schrotthändler des Ruhms‹. Vielleicht könntest Du ihn Sangnier zukommen lassen. Oder dem *Canard enchaîné*. Auf jeden Fall hat es mir gutgetan, das ist das wichtigste. *Peuple des morts (Volk der Toten)* habe ich zu Ende geschrieben, es wird das letzte Gedicht des Bändchens sein.

Heute nacht habe ich geweint, als ich an Hugo dachte und an das, was ich einmal über ihn geschrieben habe: ›Er ist der schreckliche Hüter unserer Reinheit.‹ Ja, wir hatten alle Angst vor ihm, denn er hatte ein wachsames Auge auf uns und unsere geringsten Schwächen. Ich wagte es kaum, ihm zu gestehen, daß ich Dich liebte. Er hatte einen wahnwitzigen Absolutheitsanspruch, und jedes innere Zögern war ihm Anlaß, in zerstörerischem Elan neue Brücken hinter sich abzubrechen. Ich frage mich, ob er seinem Tod nicht entgegengeeilt ist, weil er wußte, daß er in einer Welt der Kompromisse nicht leben könnte. Wir aber begeben uns zwangsläufig hinein in diese Welt, das spüre ich. Wenn ich nicht wieder krank geworden wäre, wäre ich wahrscheinlich zu ihm und seiner 2. Panzerdivision gestoßen, trotz meiner Skepsis, meiner Feigheit, meiner Verachtung für die Magister des Denkens, die sich zu Magistern des Sterbens mausern. Aber die Leere auf Lebenszeit des Sanatoriums hat in mir den Sinn fürs Lächerliche wiedererweckt. Du mußt mir verzeihen. Ich weiß, daß Du recht hast, wenn Du sagst: Die Liebe ist kein Ziel, sie ist das Leben selbst. Aber ich muß hier auf alles verzichten, nicht einmal lieben darf ich Dich, also muß ich auch aufs Leben verzichten. Halte mich nicht für einen Nihilisten. Es ist nur eine Reaktion des Selbstschutzes. Aber Du hast recht, daß Du mir Hoffnung und Willen einflößen willst.

Der Weg der Literatur ist nicht sehr ruhmreich, und er ist gefährlich, weil er die Versuchung birgt, in Gemeinheiten abzugleiten. Eine einzige Lösung: den Versuch machen, genial zu sein, so wie andere jenen unmöglichen Versuch gemacht haben, in der Normandie zu landen. Das Heldenepos ist kein literarisches Genre, sondern eine Lebensform: Timbaults Satz, Guy Môquets oder Decours Brief ... Claudel müßte man sein, um aus diesen Taten Literatur zu machen.

Ansonsten nur ordinäre Details. Die ›Grippe‹ ist noch immer nicht besser. 38,3 ° heute abend.

All die Eide, die ich Dir geschworen habe
Vergesse sie, meine so sehr Geliebte
Mein Leben war nichts als ein Trugbild
Es gibt keine Wiederkehr

Das Glück, das ich Dir versprochen habe
Ich wollte es Dir schenken, aber es war mir nicht vergönnt

Lächerliche Sorgen ketten mich fest
An das alte Nichts, das an mir zerrt

Die Ewigkeit unserer Küsse
Wurde zärtliche Wirklichkeit
Aber die Herausforderung war zu gewagt
Allein der Schmerz ist ewig

Dort steht der Tod, er ruft mich
Hörst Du, wie er mit dem Fuß stampft
Meine Verzweiflung ist nichtig
Sieh das Festmahl, zu dem ich geladen bin

Ich gehe und habe es nicht gekannt
Das Glück, das ich dem Willkommenen schuldete
Kaum habe ich abgelegt, schon gehe ich unter
Man wird mich nicht beneiden

Meine Seele ist schön, keine Sorge
Sie kam freudlos und geht ohne Klage
Im geborstenen Herzen bereut sie eines
Daß sie Dich nur träumen konnte«

37,5° gestern abend, aber heute morgen schon wieder 38°, Kopfschmerzen und Übelkeit. Langsam finde ich diese Grippe etwas merkwürdig. Die Dauphin ist unverändert nett zu mir und setzt alle Hebel in Bewegung, damit ich ein Zimmer nach Süden mit Liegeterrasse bekomme. Es wird viel teurer sein, und deshalb finde ich es auch ganz gemütlich in meiner kleinen Hundehütte nach Norden.
Ich muß Dir gestehen, daß Dein Biribi einen sehr grausamen Tag

verbracht hat. Zum ersten Mal hatte er einen Anfall von Depression. Beim Aufwachen war er schweißgebadet. Schreckliche, schmerzhafte Hustenanfälle. 39° heute abend. Ich fühle mich einsam und verlassen, ich konnte nicht mehr. Kurz, es ist eindeutig: Ich mache einen neuen Schub durch, und diesmal scheint es ziemlich ernst zu sein. Weder Tobé noch Degeorges haben mich besucht. Ich finde, den Ärzten ist man ein bißchen allzu scheißegal hier.

Wenn es mir weiterhin nicht gut geht, kann ich ohne Dich nicht mehr hier sein. Das ist wie nicht atmen. Ich gehe so bald wie möglich nach Châteaubriant. Das werde ich Papa sagen, der ja morgen kommt. Das ist für Dich von Paris aus viel leichter zu erreichen. Eine Nacht mit Dir in unserer Hütte wird mehr für meine Genesung bringen als diese drei schrecklichen Monate in Sancellemoz. Verzeih mir! Wenn es nur das alltägliche Leben gäbe, wäre das Leben leicht. Aber es gibt noch das andere: das, einen sterben läßt. Und es ist nicht leicht zu sterben, was auch immer die Lebenden behaupten mögen.«

»Neue Röntgen- und Schichtaufnahmen: Da ist eine lokale Erweiterung mit einem seltsamen kleinen Loch. Aber das Ganze beschränkt sich nach wie vor auf den oberen Lungenflügel. Links ist nichts, nichts in den anderen Flügeln. Wir haben beschlossen, daß ich hierbleibe und daß Du als Sekretärin hierherkommst, sobald das große Sanatorium wieder geöffnet ist, da Du ja einverstanden bist, den Rundfunk aufzugeben. Aber komm nicht über die Feiertage: Es ist unmöglich, Dich hier unterzubringen, und in den Zügen kriegst Du auch keinen Platz. Außerdem huste ich, sobald ich zu reden anfange.

An der Front läuft alles schief. Ich habe gehört, von Rundstedt sei bei Colmar zum Gegenangriff übergegangen. In Belgien ›stabilisiert sich‹ die Front – heute weiß man ja, was die Sprache der Communiqués bedeutet. Und die hunderttausend in Lorient abgeschnittenen Deutschen?

Ohne Zeitungen, ohne Radio, ohne Pflege, ohne Geld, ohne Dich, ohne Dich, ohne Dich – was bleibt mir vom Leben? Ein hübscher Luftballon, den man Hoffnung nennt.«

»Ich war sehr gerührt, daß mir mein allerliebstes Mein das einzige Ei des Trimesters geschickt hat. Ich weiß, wie sehr du Eier magst. Dauphin hat mir eine Mousse au Chocolat gemacht mit der Tafel Schokolade, die Papa mitgebracht hat.

Zum Thema Geld: Wenn Du Deine Arbeit aufgibst, könnte Papa uns vorläufig helfen. Er mag Dich sehr, und vor allem versteht er, daß ich Deine Gegenwart brauche, um gesund zu werden. Nachdem Deine Tuberkulinprobe jetzt positiv ist, könntest Du Dich krankschreiben lassen. Bis Ende Januar hab' ich's wieder gepackt, ich schwör' es Dir. Falls es sich nicht von allein gibt, haben die Herren aus der klinischen Abteilung blutrünstige Absichten: Sie reden von einem extrapleuralen Pneumothorax; und da ich unglücklicherweise vom Gewerbe bin, muß ich gestehen, daß ich nicht sehr begeistert bin. Schlag mal in meinem *Sauvy* nach: Dann kannst Du Dir das Gemetzel vorstellen.«

22. Dezember

»In drei Tagen ist Weihnachten. Zum ersten Mal bin ich wieder unter 38 °. Danke, liebes Jesukind. Du siehst, man wird sehr bescheiden mit der Zeit. Das ist eine Krankheit, die allen Ehrgeiz wunderbar zuschüttet. Das einzige, was das Fieber dämpft: die Erinnerung an Deine kühlen Lippen, als Du neulich hier ankamst nach zwei Stunden Aufstieg durch den Schnee. Ich liebe Dich dafür, daß Du stark bist und auch dafür, daß Du schwach bist. Heute morgen habe ich Dein vor sechs Tagen aufgegebenes Telegramm erhalten. Bald werden sie zehn brauchen.
Tobé hat mich heute morgen untersucht, weil meine Stimme belegt ist: eine banale katarrhalische Kehlkopfentzündung, ein Überbleibsel von meiner Grippe. Das ist sehr bedeutsam, meine Liebste, weil die tuberkulöse Kehlkopfentzündung innerhalb von wenigen Tagen zum Exitus führt. Eine junge Frau ist hier letzten Monat daran gestorben. ›Es stirbt sich heftig im Herbstleben/es sind niemals die prunkvollen Tode/ach, die Größe unseres Geschicks hätte sie verdient.‹ «

23. Dezember

»Ich habe in diesem Augenblick die Antwort eines Toten bekommen: Die immer gewissenhaft arbeitende Post hat mir soeben meinen letzten Brief an Hugo zurückgeschickt. Auf dem Umschlag der Stempel ›Zurück an Absender‹. Von Hand wurde die Bemerkung hinzugefügt: *Der Empfänger konnte nicht erreicht werden,* die schönste Litotes, die es gibt.
Aber der Absender, der konnte erreicht werden, eingeholt sogar. Den hat sein Schicksal eingeholt.«

24. Dezember

»In dieser einsamen Weihnachtsnacht möchte ich Dir sagen, daß ich nie aufgehört habe, Dich anzubeten, seit wir uns lieben, und daß ich Dich immer tiefer bewundere. Es hat nicht einen Augenblick der Enttäuschung gegeben, wo ich doch der zyklothymste aller Ruchlosen war, der ruchloseste aller Zyklothymen. Du warst immer sicherer, immer gegenwärtiger. Ich erinnere mich, daß Dir Hugo den Befehl erteilt hatte, seinem Freund kein Leid zuzufügen. Du hast ihm nie Leid zugefügt, nur ein einziges Mal, und daran war ich selbst schuld. Leiden ist ein heimliches Laster. Meine ganz große Liebe, ich habe Dir alles zu verdanken, und ich werde mein Leben damit verbringen, es Dir zu beweisen. wenn Herr Koch es mir gnädigerweise erlaubt.«

25. Dezember

»Ich stecke mitten in einem Anfall von amourösem Wahnsinn. Ich habe 37 °, huste nicht mehr, fühle mich vollkommen wohl, das Wetter ist schön, und Du bist die Schönste. Ich habe ganz brav im Bett zu Mittag gegessen und ausnahmsweise war es auch gut: Rindsfilet mit Sauce Béarnaise, Pommes frites, Salat, ein Apfel. Danach Liegekur. Dann 37,6 °. Dann Weihnachtsfeier bei den Ledoux': Wein, Champagner, echter Kaffee und alles, was man braucht zum Lachen und Heitersein. Aber es gab nicht den Anflug einer beginnenden ›Ausschweifung‹. Ich dachte zu intensiv an Dich, an das Glück, Dich in meinen Armen zu haben und mit Dir zu tanzen. Es war Dauphin, meine wunderbare Krankenschwester, die das Büffet organisiert hatte. Sie hat uns eröffnet, daß bei ihr, anläßlich einer Routineuntersuchung ›etwas‹ entdeckt wurde. Sie hat einen Rückfall. Morgen muß sie zur Tomographie, und das große Spiel fängt von vorne an. Das bedeutet für sie mindestens sechs Monate im Bett, ganz abgesehen davon, daß eine Evolution auch immer drin ist. Das ist also die Belohnung für ihre Opferbereitschaft. Der Rückfall ist auf der anderen Seite ausgebrochen. Sie hatte seit fünf Jahren einen Pneu, der seit einem Jahr stillgelegt war. Sehr ermutigend. Schöne Grüße vom Jesukind.«

28. Dezember

»Dauphin liegt im Bett. Bei der Tomographie hat sich ein Entzündungsherd herausgestellt, ohne Kaverne. Sie ist verzweifelt. Sie hat 38,2 ° und weint den ganzen Tag, habe ich gehört. Wer hat die Tuberkulose erfunden? Meine hat heute abend 37,4 °.

Ich lese Michaux wieder. Um ihn zu verstehen, muß man die Einsamkeit, die echte, die eines Zimmers, erfahren haben. Bei mir dauert es auch nicht mehr lange, bis ich in einen Apfel kriechen kann. Ich bin auf dem sicheren Weg dahin.«

31. Dezember

»Heute morgen war ich in der klinischen Abteilung. Auf dem Bildschirm scheint es, daß die Fissur sich noch etwas erweitert hat. Auf jeden Fall hat sich die Lage noch nicht stabilisiert, sonst hätte ich gestern abend nicht 37,9 ° gehabt. Heute morgen 37,4 °. Außerdem habe ich dreihundertfünfzig Gramm verloren. obwohl ich fresse. Aber ich werde siegen, weil Du die Stärkste bist. Die Stimmung bleibt oben, weil die Hoffnung, Dich sehr bald in meiner Nähe zu wissen, alles überflutet. Die Tuberkulose, wie ich sie betreibe, ist eine harte Schule der Selbstbeherrschung. Der Kriegsmut ist im Vergleich dazu lächerlich.

Wenn Du keine Skier hast, borge Dir die von meinem Bruder. Und bring Zucker mit, wenn Du kannst, ich habe seit einigen Tagen keinen mehr.

Ich habe es so eilig, für Deine Ankunft ein bißchen gesünder zu werden, daß ich mir diesen extrapleuralen Pneumothorax jetzt wünsche. Aber ich brauche Dir wohl nicht zu erklären, daß der Gedanke, daß mir das Rippenfell von den Rippen abgezogen – oder genauer: weggerissen – wird, mich mit Grauen erfüllt. Aber wenn ich erst einmal auf dem Operationstisch liege, verhalte ich mich anständig. Aber bis dahin ... Ich hasse physischen Schmerz. Bin ich nicht heldenhaft?«

1. Januar

»Verdammt nochmal, heute abend fühle ich mich genial. Ich bete zu Gott (der sich einen Dreck drum schert), daß dieser Brief nie ankommt bei Dir, denn Du wirst vorher in meinen Armen liegen. In seinem Telegramm sagte Tobé, er erhofft sich Papas oder Deine Ankunft. Aber vergiß nicht, daß Biribi nicht unterzukriegen ist und daß diese Operation ein Kinkerlitzchen ist. Ich habe gerade Hugos letzte Briefe wieder gelesen, und danach fordert der Anstand zumindest, daß ich mich hier sauber verhalte. Pack also Deine Koffer und vergiß nicht Deinen geliebten Klamottenfirlefanz. Daran mangelt es hier ungeheuerlich.

Tobé war sehr freundlich und liebevoll zu mir, und ich vertraue ihm voll und ganz. Man spürt, daß er den Fall sehr gewissenhaft abschätzt und nicht nur wie ein technisches Problem behandelt. Ein toller Mensch. Als er mir sagte: ›Das Risiko ist größer, wenn wir warten, als wenn wir eingreifen, und da unser Beruf darin besteht, die Risiken gegeneinander abzuwägen ...‹, dachte ich mir wie Antoine Thibault: ›Welch ein schöner Beruf, verdammt nochmal, welch schöner Beruf!‹ Wird das schönste Gedicht jemals an diesen Beruf herankommen?

Mein über alles Geliebtes, eines Tages werden wir glücklich sein, vertraue mir. Seit man mir die schlechten Nachrichten gebracht hat, lebe ich in einem Zustand der gesteigerten Freude, einer ganz reinen Freude. Seit *Peuple des morts* hatte ich nichts mehr gedichtet, nun habe ich eine Hymne an die Einsamkeit geschrieben. An dem Tag, Louise, an dem ich das Genie von Rimbaud oder Laforgue habe, werde ich Dich so lieben, wie Du es verdienst. Heute abend fühle ich mich ihnen gleich. Ich höre eine sinnliche Rumba im Radio, das mir meine Wahnsinnige gekauft hat, und ich möchte Dich an meine Großwesirsbrust drücken, der in zwei Tagen ganz schön mitgespielt werden wird. Das vermindert jedoch in nichts meine Freude, sie steigt aus zu großen Tiefen herauf. Der Tod, weißt Du, das ist wohl wie die Abwesenheit, und es gibt Seelen, denen vermag er nichts anzuhaben. Du bist mir so nah, daß ich mit etwas Konzentration mit Dir schlafen und einen Orgasmus haben könnte. Du auch?

Ich schenke Dir mein Leben und bitte Dich um Verzeihung dafür, daß es nicht sicherer ist.«

Jean-Maries Tod

Laßt mich doch, ihr, die ihr mich liebt,
Laßt mich gehen in die Streuner-Nacht,
Jene nach meinem Leben hungrige Wölfin streicheln,
Die dann die Toten mit ihrer Stille stillt.
Laßt mich aufbrechen, seltsamen Klängen folgend,
Wie einst die Ratten
dem wunderlichen Musikanten folgten,
Sonderbarer Musik, sonderbaren Klängen zu lauschen,
Klängen, so sonderbar . . .

Als ich ihn am 5. Januar wiedersah, war Jean-Marie gerade operiert worden, und ich wagte es nicht einmal, ihn auf die Stirn zu küssen, denn er war wie versteinert vor Schmerz und ungläubigem Entsetzen. Wieso stirbt man denn nicht vor Schmerz? sagten seine Augen. Er saß aufrecht im Bett, damit jeglicher Druck auf den langen Riß, der vom Schulterblatt bis zur Taille hinunterreichte, vermieden wurde, und er schien gefangen in einem nichtmitteilbaren, der Welt der Lebenden unzugänglichen Grauen. Mit stierem, vor Schmerz verstörtem Blick – der Mund vom Schmerz verzerrt, der Oberkörper vor Schmerz gelähmt – saß er vollkommen unbeweglich in der grausamen Furcht vor dem geringsten Beben, das diesen Schmerz, der ihm schon unendlich erschien, noch hätte wachsen lassen. Aber er mußte ja atmen, leider. Jedes Luftholen jagte ihm Dolche in den Rücken, ebenso jedes Ausatmen, jedes ausgesprochene Wort, jedes versuchte Lächeln, jede Grimasse. Selbst Denken schmerzte.
Einen extrapleuralen Pneumothorax anlegen, das bedeutet einen Menschen lebend zerfleischen. Nicht nur, daß Zentimeter für Zentimeter die äußere Schicht des Brustfells vom Brustkorb ab-

gerissen wird, auf dem es normalerweise haftet, sondern der auf diese Weise geschaffene Raum wird auch noch mit Luft vollgepumpt, was jegliche Vernarbung verhindert und auf dieser bloßgelegten Brustwand einen unerträglichen Brandschmerz bewirkt, der bis in die Arme, den Hals und die Nieren ausstrahlt.

Einige Freunde aus den Nachbarzimmern öffneten die Tür einen Spalt, wichen aber entsetzt zurück vor der so sichtbaren Intensität des Leidens.

Auch am zweiten Tag behielt Jean-Marie dieses verstörte Gesicht. Er sah mich sehr eindringlich an, aber es gelang ihm nur, ein einziges kleines Sätzchen zu artikulieren – er bewegte kaum die Lippen dabei: »Es tut we – eh«. Selbst der Chirurg, der zweimal am Tag zur Visite kam, schämte sich und ging ganz schnell wieder weg. Die Operation war gelungen, man mußte warten, alles war normal, soviel Schmerz war normal. Das Morphium zeigte kaum Wirkung, man mußte die Spritzen bis zum Abend hinausschieben, bis der Schmerz *wirklich* unerträglich wurde. Exzessiver Gebrauch müsse auf jeden Fall vermieden werden, mahnte die Krankenschwester. Der Schmerz allerdings, der durfte exzessiv sein. Bis über jede Grenze hinaus scheint der Mensch leidensfähig, so lange, bis er stirbt – an etwas anderem, sagt man dann.

Die Angehörigen, ja die Angehörigen sind eher nervtötend für die Chirurgen. Die Angehörigen kapieren nichts. Sie fordern nur. Sie wollen Erklärungen. Sie stören wegen jeder Lappalie: »Mein Mann hat Schmerzen ... Mein Sohn friert ... Er hustet ... Er atmet nicht mehr ...!« Man möge sie doch in Gottes oder Äskulaps Namen in Ruhe lassen, verdammt nochmal! Sie haben getan, was sie konnten gegen den Tod, den Virus, den Bazillus. Sie sind doch nicht Gott in Person! Nein, das sind sie nicht, Gott sind sie nicht.

Nach ein paar Tagen, die für Jean-Marie hundert Jahre dauerten, wer weiß?, wich der Schmerz einen Schritt zurück. Er war nur noch qualvoll. Außer wenn Jean-Marie husten mußte. Dann sah ich Panik in seine Augen steigen. Er kniff die Lippen zusammen, konzentrierte sich mit aller Energie auf die Verweigerung, aber der verfluchte Husten kam unerbittlich, wie eine Explosion gefolgt von ihrer Welle der Erschütterungen. Tränen flossen lange über seine Wangen, während die grausame Woge ganz langsam zurückflutete. Erschöpft schloß er die Augen. Es gab doch einen kleinen Fortschritt: Es gab schon ein Mehr und ein Weniger an Schmerz. Sobald man in der Lage ist zu vergleichen, ist man gerettet. Der Humor war wieder da. Er sagte: »Siehst du, am 5. morgens hat man mir eine Rippe rausgenommen, und am 6. abends hatte ich eine Frau!«

Tobé war in seiner Henkersrolle sehr tapfer und nahm den Professor und mich beiseite, um uns zu erklären, warum er sich so plötzlich entschlossen hatte zu operieren. Seiner Meinung nach war es die einzige Chance, diese tückische Entwicklung zu stoppen, die sich jeden Augenblick beschleunigen konnte.

Wir erfuhren, daß Jean-Marie in der Nacht des 31. Dezember Blut gespuckt hatte, ein weiteres Mal am 1. Januar und ein drittes Mal am 2. Januar. Plötzlich wurde mir klar, daß der Vierzeiler, den ich bei meiner Ankunft in seiner Nachttischschublade gefunden hatte, keine dichterische Phantasie gewesen war:

Liebe Leute, die ihr vorübergeht,
Haltet inne und seht her,
Wie mir die Wahrheit zum Mund herausquillt,
Denn wißt: Gut Blut lügt nicht.

Man hatte mir in dem kleinen Bad neben Jean-Maries Zimmer eine Tür auf die Badewanne gelegt, und da schlief ich auf einer Campingmatratze, in meinem Schlafsack. Väterchen mußte sehr bald wieder abreisen, seine Vorlesungen an der Universität begannen wieder. Jean-Marie hatte inzwischen hin und wieder Augenblicke der Ruhe, er konnte ein wenig essen und begann sich ganz langsam wieder in die Welt der Menschen einzufügen. Man hatte ihm gerade eine neue Insufflation gemacht, und er hatte keine Schmerzen gehabt, nur einen dumpfen Druck gespürt. Es war streng verboten zu husten, damit die Luft nicht durch die noch sehr anfälligen Nahtstellen aus dem Zellgewebe herausgepreßt wurde. Der Druck lag bei +7, die Lunge war gut »kollabiert«, die Schwellung des Gesichts ziemlich zurückgegangen. Aber ich mußte zehn bis zwölf Mal nachts aufstehen, um ihn umzudrehen, ihm etwas zu trinken zu geben, ihn an einer bestimmten Stelle zu kratzen, seine Alpträume zu verscheuchen, die ihn jedesmal befielen, wenn es ihm gelungen war einzudösen. Nein, er war nicht »nervös«, es war auch kein übermäßiges Leiden, es war »eine neurovegetative Störung«. Ach so!

Da er nicht wieder zu Kräften kam, hängte man ihn am fünften Tag an den Tropf. Seit Anfang Januar schneite es, dann regnete es auf den Schnee, von den Dächern tropfte es auf die Liegeterrassen – das Geräusch war grauenhaft, und ich begann sie zu hassen, diese kahlen Berge, die den Horizont versperrten. Es war sehr kalt in den Krankenzimmern: Aus Kohlemangel wurde jeden Abend nur ein paar Stunden geheizt. Ich schlief auf meiner Badewanne in Skisocken, einem Rollkragenpullover und meinem dicken Morgenmantel aus Pyrenäenwolle.

Pignon war es, der den Dreifuß mit der Flasche installierte und die Nadel in Jean-Maries Vene stach. Es war drei Uhr nachmittags, es schneite wie üblich dicke Schuppen vom Himmel, alles war weiß, vollkommen unwirklich – ich erinnere mich sehr genau. Die Flüssigkeit fing an zu tropfen, ganz langsam, und Jean-Marie döste, während ich die Fahnen des Gedichtbändchens korrigierte, das der Professor auf eigene Kosten drucken ließ. Sehr bald ist es Jean-Marie etwas kalt geworden, und ich habe eine zusätzliche Decke auf das Bett gelegt. Er fror immer mehr und sagte: »Wärme mir bitte die Hände, ja? Ich weiß nicht, warum ich so friere.« Seine freie Hand habe ich unter meinen Pullover geschoben, sie war eisig. Pignon war der Meinung, wir sollten die Infusion weiterführen, bis die Flasche zu Ende sei. Danach würde es ihm wieder wärmer werden. Da Jean-Marie aber sehr stark atmete, was bedeutete, daß möglicherweise Luft ins Gewebe einschießen würde, nahm er die zu drei Vierteln leere Flasche schließlich ab und meinte, am folgenden Tag würde man weitermachen. Als er jedoch gegangen war, hörte Jean-Marie nicht auf zu zittern, im Gegenteil. Der Schüttelfrost wurde immer stärker, immer heftiger, sein ganzer Körper war nur noch ein einziges Beben. Und plötzlich, innerhalb von zwei Minuten, sah ich, wie ihm am Hals und danach auf der Wange zwei Schwellungen wuchsen, als hätte er etwas viel zu Großes geschluckt. Er klapperte so sehr mit den Zähnen, daß er nicht mehr reden konnte, selbst sein Bett wurde geschüttelt. Ich klingelte, aber über die Mittagszeit machen auch die Krankenschwestern ihre Liegekur. Ich wollte zu Tobés Büro laufen, aber Jean-Marie klammerte sich an mir fest und flehte mich mit den Augen an, ihn nicht allein zu lassen.

Ich lag fast auf ihm, so sehr versuchte ich ihn zu wärmen, und plötzlich hörte ich ganz deutlich ein Krachen, wie von einer Schnur, die reißt, und dann noch einmal und noch einmal . . .

»Meine Narbe . . . ist aufgebrochen«, konnte er mit Mühe artikulieren. »Tobé holen . . .«

Aber das Ärztebüro war leer. Auch Pignon war nicht in seinem Zimmer, keine Schwester weit und breit. Ich raste vom Empfang zum Sekretariat, treppauf treppab durch dieses Totenhaus und traf keine Menschenseele. Schließlich entdeckte ich Tobé in seiner Privatwohnung in der obersten Etage, und als ich ihm die Lage in zwei Sätzen schilderte, vergaß er, daß ich nichts als die Frau eines Patienten war, die man systematisch anlügen muß, und gab unwillkürlich ein lautes »Scheiße« von sich; so alt und schwerfällig er auch sein mochte, er stürzte mit mir die Treppe herunter, und wir kamen endlich an Jean-Maries Lager an. Er war leichenblaß, das Gesicht entstellt, und er zitterte noch immer am ganzen Körper. Tobé legte seine Hand auf den eiskalten Arm und kapierte sofort, was los war. Ich auch. Pignon hatte die Flasche wohl im letzten Augenblick aus dem Kühlschrank geholt und sie angeschlossen ohne zu bedenken, daß die eisige Flüssigkeit in Jean-Maries Venen auf diese Weise Tod statt Leben spendete. Kommentarlos machte sich Tobé daran, die Wunde freizulegen. In der Mitte des langgezogenen, senkrechten Säbelschnittes im Rücken hatte sich ein Mund geöffnet: ein breiter Mund mit Lippen aus nacktem Fleisch, und dieser Mund atmete im Takt mit der Lunge, mit einem entsetzlichen feuchten Geräusch. Tobé schien mit einem Schlag um zehn Jahre gealtert, aber er sagte kein einziges Wort.

Als Pignon endlich benachrichtigt worden war und im Laufschritt hereinkam, wurde ich gebeten, das Zimmer zu verlassen. Das gemeine Volk hat nicht anwesend zu sein, wenn unter Kollegen abgerechnet wird.

Als ich zurückgerufen wurde, schien alles wieder in Ordnung, die Ärzte hatten ihre undurchdringliche Maske wieder aufgesetzt und sprachen jene feierliche Sprache, die den Patienten und dessen Angehörige einlullt. Man hatte Jean-Marie zwischen Wärmeflaschen gebettet. Er zitterte nicht mehr und schien auch keine Schmerzen zu haben. Um mich zu beruhigen, hatte er sein Lächeln aufgesetzt, dieses wunderbare spöttische Lächeln, das die

Mundwinkel nach unten zog und ihm das Aussehen eines Kindes verlieh, das gleich zu weinen anfangen würde.

Am folgenden Tag stieg das Fieber jedoch wieder: 39,1° am Morgen, 40° am Abend. Am Tag danach 39,8° und 40,6°. Jean-Marie glaubte, es handle sich um eine eitrige Lungenentzündung, aber Tobé verwarf die Hypothese: Morgen würde er die Wunde »untersuchen« und sie sich auf dem Röntgenschirm ansehen. Es mußte ernst sein, denn Jean-Maries Vater wurde per Telefon benachrichtigt, worauf er unverzüglich sein Kommen ankündigte. Das Szenario der Ärzte war gut zurechtgelegt. Wozu auch Eingeständnisse? Zugeben, daß man ein schlechtes Gewissen hat, Angst verspürt? Es ist nicht gut, wenn der Kunde am Großen Meister zweifelt.

Am folgenden Tag wurde Jean-Marie mit 40,9° in den septischen Raum gebracht, wo eine Auswaschung des Rippenfells mit Sulfonamiden vorgenommen werden sollte. Im letzten Augenblick war ich dann doch zu feige, um dabeizusein. Wie ein Mönch war er eingewickelt in eine weiße Decke und warf dem Chirurg flehende Blicke zu, denn an diesem Tag fühlte er sich nicht stark genug, um auch noch Schmerzen auszuhalten. Man setzte ihn auf den Verbandstisch, wo er mit baumelnden Beinen sitzen blieb, den Kopf nach vorne geneigt wie ein zu Tode erschöpftes Tier. Ich habe noch gesehen, wie eine Schüssel warmes Wasser mit Lucol und ein sehr langer Gummischlauch vorbereitet wurden, dann schlich ich mich davon und streifte durch die Gänge. Von Zeit zu Zeit schaute ich durch das Schlüsselloch, das mir den Blick genau auf Jean-Maries Gesicht freigab. Er hatte den stieren Blick eines Ochsen, der abgestochen wird, oder schaute hilfeheischend um sich, als würde er vom Klappern der Instrumente gefoltert. Ich zwang mich, im Gang auf und ab zu gehen, um nicht ohnmächtig zu werden. Um auf andere Gedanken zu kommen, ging ich wie ein Automat in einen anderen Operationssaal, wo gerade eine gewisse Madame Léonard operiert worden war. Laken, befleckt mit frischem, grellrotem Blut, lagen auf dem Boden, neben einer Schüssel voller blutiger Mullkompressen. Auf einem Rolltisch lagen fünf oder sechs blutige kleine Knochen wie von Kotelettes in einem weißen Emaillegefäß mit blauem Rand. Taumelte ich durch ein Schreckenskabinett?

Endlich sah ich, wie Jean-Marie auf dem Wägelchen vorbeige-
fahren wurde. Die Spülung war »erfolgreich verlaufen.« Die
Knochenentnahme bei Madame Léonard wohl auch. Es dauerte
eine halbe Stunde, bis es gelang, Jean-Marie in sein Bett zurück-
zulegen. Sein Frühstück erbrach er wieder: die letzten Reste
Schokolade und das einzige Schüsselchen Milch des Tages. Man
sagte mir Bescheid, morgen würde eine neue Spülung vorgenommen, diesmal im Bett.
Auch der Spiegelschrank würde heute abend endlich beseitigt.
Jean-Marie konnte nicht umhin, sein Spiegelbild zu beobachten.
Ich hatte den Schrank wegschieben wollen, aber dann hätte er
sich gefragt, warum. Nun bat er selbst darum, man möge ihn
doch entfernen.
»Ist die Lunge trotz des Spalts noch kollabiert?« hatte der Professor gleich nach seiner Ankunft Tobé gefragt. Wir hatten den
Fachwortschatz gelernt, aber man konnte uns immer noch etwas
vormachen. Wir wünschten ja auch nichts so sehr als beruhigt zu
werden, als immer wieder zu hoffen. Ja, die Senkung des oberen
Flügels reichte noch aus. Die Vernarbung würde vermutlich länger dauern; aber wir sollten uns keine Sorgen machen, die Ärzte
würden die Entwicklung sehr aufmerksam verfolgen.
Verfolgen, das war das richtige Wort. Im rasenden Tempo. Jean-
Marie starb sehr schnell dahin. Am folgenden Tag hatte er nur
39°. Es wurde beschlossen, ihm eine Drainage zu legen. Am
übernächsten Tag hatte er wieder 41°, man entschloß sich zu
täglichen Spülungen mit den letzten Sulfonamiden, die noch
ausfindig gemacht wurden, denn die klaffende Wunde hatte sich
infiziert. Das Gefäß unter dem Bett füllte sich regelmäßig mit einer dicken Flüssigkeit, die Tobé untersuchte, ohne seine Besorg-
nis verbergen zu können. Es war klar, daß für ihn bereits alles
verloren war, auch die Ehre, und ich habe ihn mehrmals dabei
ertappt, wie er bei einer seiner Visiten an die Tür gelehnt stand
und Jean-Marie mit trauriger Hilflosigkeit betrachtete – die er
sehr schnell mit einem aufmunternden Lächeln vertuschte, wenn
er sich beobachtet fühlte. »Die natürliche Widerstandskraft der
Jugend, nicht wahr ... Ein sehr starkes Herz ... Die Lust am Leben ...« Wenn man als Schutzwall nur noch solche Äußerungen
zu bieten hat ...
Aber der Schutzwall hielt stand. Die Fieberkurve war entsetzlich:

nie unter 39°. An manchen Abenden stieß das Quecksilber oben an. Ja, es war keine Floskel, die natürliche Widerstandskraft der Jugend, es gab sie. Ebenso die Verblendung und den natürlichen Optimismus *meiner* Jugend. Als die Wunde aufgeplatzt war, hatte ich geahnt: Das ist das Ende ... – aber wie sollte man weiterhin lächeln können für den, den man liebt, wenn man nicht mehr glaubt, daß er überleben wird? Ich verdrängte meine Vorahnung, und alle taten so, als würde er wieder gesund.

Wahrscheinlich war ich die einzige, die noch daran glaubte, die übersah, daß das Blau seiner Augen jeden Tag blasser wurde, die nicht bemerkte, wie ein fader Geruch sich in dem Zimmer breitmachte, das ich nicht mehr verließ, ein Geruch, der die anderen in die Flucht schlug, und ich war die einzige, die die seltsamen Klänge, die ach so seltsamen Klänge nicht hörte ... Der Blick der Freunde hätte mich warnen sollen: Sie öffneten die Tür viel zu sanft und blieben auf der Schwelle stehen, entsetzt beim Anblick des leichenblassen Gesichts in den Kissen, unfähig, einen Schritt ins Zimmer zu tun.

»Ich will dich nicht ermüden, nur schnell guten Tag sagen«, stotterten sie und ergriffen die Flucht.

Ich habe ihn erst sehr viel später erkannt, den Tod, auf den letzten Fotos; sie zeigen, wie Jean-Marie im Bett sitzt, mit starren Augen, die bereits in viel zu tiefen Höhlen liegen. Eine schmale silberblonde Strähne fällt ihm schräg über die Stirn. Obwohl er klein war, hatte er die schöne Stirn eines großen Mannes. Aber sein stämmiger Hals war so dünn wie bei einem Vogel geworden und trug den Kopf nur noch mit Mühe. Mein Eskimo sah inzwischen jenem Lappländer ähnlich, den man unlängst »in perfekt konserviertem Zustand« gefunden hat, im Eistorf seines Landes.

Mein Vater war in jenem letzten Monat zu Besuch gekommen. Aber all diese mehr oder weniger kränkelnden Gesichter um ihn herum quälten ihn. Er hatte nicht geglaubt, daß ein Kranker so krank aussehen könnte! Er hatte seine Ski nicht dabei und langweilte sich den ganzen Tag über tödlich, wenn er seinen Besuch bei Jean-Marie und die paar Worte, die man in jenem speziellen, jovialen Ton für Todkranke findet, hinter sich hatte. »Na, Kleiner, geht's besser heute morgen?« fragte er und übersah geflissentlich die vielsagende Fieberkurve und das zerfurchte Gesicht seines Schwiegersohnes. Findet man je den richtigen Ton, um zu einem Sterbenden zu sprechen? Ich verhielt mich natürlich, weil ich an den Tod nicht glaubte. Es war nicht Mut, es war eine tiefe, irrationale Verweigerung. Ich weiß nicht, ob ich Jean-Marie auf diese Weise habe helfen können, aber ich gab ihm die Möglichkeit, mir noch ein letztes Geschenk zu machen: seinen Mut. Die kleinen Gedichte, die er noch manchmal schrieb, zeigte er mir nicht mehr:

Ich werde sterben das Leben ist schön
Ein Vogel stirbt die Nester sind bereit
Der Ast bricht aber das Samenkorn im Wind
Danach trägt es Eichen
Ich werde sterben das Leben ist schön

»Sag es mir, wenn der Pfarrer hier herumschleicht«, bat er manchmal unruhig. »Das würde das Ende bedeuten. Diese Leute lauern auf den Zusammenbruch.«
Aber der Priester kannte Jean-Marie und hatte genügend Achtung vor ihm, um ihm nicht »das Spielchen mit dem lieben Gott« anzutun, wie es die Ruchlosen genannt hätten. Immerhin hatten sie miteinander gesprochen. »Mein Glaube an *Nichts* ist ebenso stark wie Ihr Glaube an Gott«, hatte Jean-Marie gesagt, »und ich würde mich verachten, wenn ich auf Ihren Trost zurückgreifen würde. Es ginge da nicht um Glaube, sondern um Angst.«
Zehn Tage später war Jean-Marie noch immer am Leben, und der Professor – den der Schmerz von Tag zu Tag kleiner werden ließ, denn dies war der zweite Sohn, den er innerhalb eines Jahres verlieren sollte – kam wieder nach Sancellemoz, mit einem Mittel, von dem man sagte, es wirke Wunder. Er hatte es in einem amerikanischen Feldlazarett erhalten. Es hieß »Penizillin« und galt als unfehlbar gegen Septikämie. Denn Jean-Marie starb nun nicht mehr an Tuberkulose, sondern an den Folgen der Behandlung. Er starb an der Dummheit eines Arztes.
Als mit den Spritzen begonnen wurde, ließen wir uns von einer irrwitzigen Hoffnung packen. Es wurden sechshunderttausend Einheiten am Tag gespritzt. Am Morgen hatte Jean-Marie 41,5°. Abends zeigte das Thermometer 38°. Der Professor und ich

umarmten uns auf dem Gang. Sollten die Amerikaner nun ein zweites Wunder vollbringen?

Am nächsten Tag hatte er nur noch 36,4°, aber seine Schwäche war erschütternd anzusehn. Ein weiteres Wunder sollte ihn jedoch für ein paar Stunden zum Leben erwecken: Der Cherub hatte Urlaub und kündigte seinen Besuch an. Aber selbst die Freude bedeutete eine zu heftige Erregung für ihn. Seine Lippen zitterten, als er die Hände seines Freundes umschloß, und einen Augenblick dachte ich, er würde in Tränen ausbrechen. Aber der Cherub begann sehr schnell, von Hugo zu erzählen, vom Krieg, vom Leben. Er brauchte keine Frage zu stellen, auch er war »vom Gewerbe.« Er erschien mir wie ein Gespenst aus einer vergessenen, traumhaften Welt: Die Wirklichkeit war für mich nur mehr dieser dünne Lebensfaden, den es unbedingt zu erhalten galt. Der Cherub verbrachte eine Woche in Megève und versprach einen weiteren Besuch.

Zwei Tage danach bekam Jean-Marie eine Blutung. Wahrscheinlich war das Penizillin zu spät gekommen. Am nächsten Morgen war er so schwach, daß man darauf verzichtete, ihn frisch zu verbinden. Rote Ränder zeichneten sich immer deutlicher um seine Ohren ab. Der fade Geruch seines Blutes, seines geliebten Blutes, der von seinen Schultern emporströmte, wenn ich mich zu ihm neigte. Und an diesem Nachmittag, während die Ärzte sich draußen im Gang Fragen stellten über seine verblüffende Widerstandskraft, hörte er plötzlich zu atmen auf. Ich war gerade dabei, den Teil seines Rückens, den man berühren konnte, mit Kölnisch Wasser einzureiben. Es war der andere Mund, der falsche, der zuerst aufgehört hat zu atmen. Ich war erstaunt, das entsetzliche Pfeifen nicht mehr zu hören, und ließ den Oberkörper meines Großwesirs los, lehnte ihn ungläubig gegen das Kissen. Der Ausdruck seiner blauen Augen wurde immer weißer, als würde sich eine Wolke zwischen die Welt und ihn schieben.

»Er ist gleich gestorben«, sagte der Professor mit gebrochener Stimme.

Ich wollte schreien: Nein! Eine Sekunde davor hatte er noch gesagt: »Mach weiter, Deine Hand tut mir gut . . .« Man geht doch nicht mit einem solchen Sätzchen auf den Lippen. Eine Sekunde davor hatte er 36,4°. Eine Sekunde davor hatte ich einen Mann, einen Geliebten, seine schönen Hände waren noch warm gewesen, und seine kleine Strähne fiel ihm wie üblich in die Stirn.

Wie alle einfachen Menschen hatte der Professor keine Angst vor Toten. Er legte sich ganz sanft auf das Bett und drückte den Kopf an die Brust seines Sohnes. Ich wollte schreien: »Vorsicht, sein Rücken.« Aber nun konnte man sich auf ihn lehnen. Nun tat ihm nichts mehr weh.

Ich blieb einfach stehen, unfähig, diese »Hülle« anzufassen, die Jean-Marie soeben verlassen hatte. Ich weigerte mich, mit einer letzten Berührung abzuschließen, ohne daß er noch einmal einen seiner Ruchlosen-Scherze machte, ohne daß er mir noch einmal zuflüsterte: »Leg deine Hand auf Swann, ich verehre dich abgöttisch!« Er liebte doch den schwarzen Humor, war nicht jetzt der richtige Augenblick dafür gekommen?

Der Professor mußte sich um alles kümmern, ich war völlig apathisch. Als wäre Jean-Marie im Tod wieder sein Sohn geworden, ein Sohn, den ich mir für ein paar Monate ausgeliehen hatte. Nur für ein paar Monate . . . Plötzlich hatte ich das dringende Bedürfnis, eine andere Luft zu atmen, die schöne frische Luft von draußen, eine unverbrauchte Luft. Seit zwei Monaten hatte ich mich so sehr vom Leben zurückgezogen, hatte kein Fenster geöffnet, keinen Lärm gemacht, nicht laut gelacht; jetzt hatte ich das Bedürfnis, in den sonnegleißenden, in den reinen, glitzernden unverschämten, ewigen Schnee hinauszugehen. Das Dorf Assy erschien mir in dieser trügerischen Sonne wie ein Friedhof für Lebendige, und ich hatte keine Lust mehr zu flüchten.

Adrien kam zum Begräbnis. Begräbnisse paßten zu ihm. Er sah bei solchen Gelegenheiten immer aus, als würde er von Natur aus Trauer tragen, aber er rief kein Schluchzen hervor, indem er einen Satz des lieben Verblichenen zitierte oder daran erinnerte, was für einen wertvollen, außerordentlichen Menschen man verlor. Seine Unfähigkeit, ein Wort des Trostes herauszubringen, tat mir wohl. Der Cherub kam aus Megève.

»Jean-Marie ist an Schwäche gestorben, aber auch an Schicksal«, sagte er zu mir. »Wir wußten alle, daß er früh sterben würde, und er wußte es auch.«

Ich war froh, daß wenigstens ein Ruchloser an diesem Tag bei ihm war. Auch der jüngste Henninger-Bruder kam und trug in seinem Gesicht ein erschütterndes Erbe, Jean-Maries Mund.

Den, der mich »meine Kleine« genannt hatte, brachten wir auf den Friedhof von Saint-Gervais. Mitten im Krieg, kam es nicht in Frage, daß man eine Leiche überführte, wo ja schon die Lebenden kaum reisen konnten. Ja, nun war Jean-Marie eine Leiche, und die konnte man verbrennen, ins Meer werfen oder zerschnippeln, das war nicht mehr der Körper, den ich geliebt hatte. Da wir alle keine Fetischisten waren, bedeutete dieses Grab nichts für uns. Jean-Maries wahres Mausoleum, das waren die Berge, die seine Einsamkeit bewacht hatten, die er so viele Monate lang betrachtet und gehaßt hatte.

Wie aber sollte man der miesen Farce des eichenen Sarges mit falschen Bronzegriffen entkommen? Man wagt es nie, die schmerztriefenden, aber unerbittlichen Vorschläge der Herren Leichenbestatter zu ignorieren, die den Hinterbliebenen einreden, die rustikalen Sargmodelle kämen einer Beleidigung des Toten gleich. Den Schmerz beginnen sie erst von den Silbergriffen an aufwärts zu respektieren.

So sicher man sich seiner Liebe für den Toten und so bewußt man sich der Lächerlichkeit solcher äußerlichen Zeichen auch sein mag, den »Spezialisten« bietet man immer Angriffsflächen. Sie oktroyieren einem ihre Wertskala so lange auf, bis man ihnen einen Scheck überreicht hat. Zum Schluß entschied der Professor über die Griffe und die Satinqualität des Innenfutters. Was das Wichtigste betraf, blieben wir standhaft: Wir wollten kein kirchliches Begräbnis. Lebend hatte ich Jean-Marie gezwungen, Verrat zu üben. Ohne seine Zustimmung durfte die Posse nicht wiederholt werden.

Es war so gut wie niemand da auf dem fremden Friedhof; diejenigen, die diese Leiche loswerden wollten, würden vermutlich nie wiederkommen... Der Tod beschränkte sich auf eine hygienische Unternehmung, auf eine kurze Abschiedszeremonie, die so häßlich, so empörend war, wie es der Tod sein muß, wenn man zwanzig ist. Weihrauch, Orgelgetöse, Beteuerungen des ewigen Lebens, da oben sei er so glücklich: Lügen, lauter fromme Lügen. Wir waren überzeugt von der Ungerechtigkeit dieses vermeidbaren, glanzlosen Todes: Konnten wir doch nicht einmal sagen: »Für Frankreich gefallen«, wie bei Vincent oder Bernard. Hugo wäre zufrieden gewesen: Es war kein katholisches Begräbnis inszeniert worden, das das Unerträgliche vertuscht hätte. Wir fühlten uns vollkommen elend an jenem Morgen, frierend, verloren in unserer Trauer. Der Totengräber hatte mit Laforgues Totengräber Ähnlichkeit: Jean-Marie zwinkerte mir ein allerletztes Mal zu, und es regnete auf den Schnee.

10

Lou-eeze

Jeder weiß, daß es irgendwo auf der Welt ein Dorf, eine Landschaft, einen Garten, daß es Gesichter gibt, die seine Heimat sind, sein Ursprung. Péguy hat einen treffenden Ausdruck dafür gefunden: aus alten Quellen schöpfen. Louise fühlte sich in Kerviglouse plötzlich nicht mehr so alt, wie sie war, die Tränen wurden weniger bitter, dort fand sie ihre zeitlose Seele wieder, ihren Kern, das Wesen ihrer selbst.

Die Großen hatten sich gerade in Jalta die Welt untereinander aufgeteilt, aber in Paris stand man mehr denn je Schlange in den eiskalten Rathäusern, um die Lebensmittelkarten, die Kohle- und Textilcoupons abzuholen. Louise verbrannte ihre letzten Telefonbücher in dem kleinen Sägemehl-Ofen. Die Theater und Kinos blieben geschlossen, und die Büros des Französischen Rundfunks waren noch immer nicht geheizt. Wenn sie sich schon eine Lungenentzündung holen sollte, dann doch lieber in der Bretagne. Sie beantragte zwei Wochen Urlaub – wegen Trauer –, tarnte ihn aber dann als Genesungsurlaub; die Begründung war nicht allzu schwer: Erschöpfungszustand und bedenkliche, aus den miserablen Umständen erklärbare Tuberkulinresultate. Adrien leistete ihr die erste Woche hindurch Gesellschaft.

Jean-Marie hatte keine Zeit gehabt, das strohbedeckte Häuschen kennenzulernen. Also fühlte sie sich auf merkwürdige Weise »wie früher«, als wäre diese ganze Episode ihres Lebens nur ein Alptraum gewesen, aus dem man erwacht, weil das vertraute Knarren eines Fensterladens oder das Klappern von Holzschuhen ans Ohr dringt. Der März war ein schöner Monat, wie überhaupt alle Monate in der Bretagne schön sind, der Januar vielleicht ausgenommen. Nun würde sie endlich einmal den mächtigen Mimosenbaum in seiner vollen Pracht sehen, auch die Kamelie an der Nordwand mit ihren vollkommenen, rosa und weiß gestreiften Blüten. In Kerviglouse würde sie niemandem erklären müssen, wie Jean-Marie gestorben war – hier sagte man »verschieden« –; und auch keine Beileidsäußerungen über sich ergehen lassen müssen. Erst recht nicht die kaum getarnte Erleichterung der Verwandtschaft: »Ach, wißt ihr, es war vielleicht besser so. Mit diesen Krankheiten kann es Jahre dauern ... Am Ende hätte er Louise sicherlich noch angesteckt!« Oder die idiotischen Bemerkungen von Hermines Freundinnen: »Armes Mädchen! So jung ... Wie furchtbar!«; beinahe hätte sie erwidert, daß man nur als junger Mensch über genügend Vitalität verfügt, um so etwas zu überwinden, und daß man doch besser die alten Witwen bemitleiden sollte.

Josèphe, die Nachbarin, würde keine Fragen stellen, sie nicht. Sie würde sich damit begnügen, ihnen die üblichen kleinen Annehmlichkeiten zu bereiten, und dabei ganz diskret ihre Zuneigung zum Ausdruck bringen. Zum Empfang würde sie ein richtiges Feuer anzünden, obwohl ihr der Gedanke fast unerträglich war, daß Holz, selbst wenn es sich um das Holz anderer Leute handelte, umsonst verbrannte. Sie würde sie zum Haferbrei oder zu den kleinen Roggenfladen einladen. Wie sie es in jedem Winter machte. Außerhalb der Saison hielt sich Louise oft in Josèphes Haus auf, einer Strohhütte, die nichts von dem zu bieten hatte, was man heute im Leben für unentbehrlich hält. Aber in dieser Strohhütte stand das Bett, in dem Josèphes Mutter zur Welt gekommen war, geboren hatte und gestorben war, und zwar unter derselben Decke, in derselben Ärmlichkeit, und sie, Josèphe, hatte vor, im selben Frieden, im selben hohen Bett zu sterben, wenn es zu der Zeit war.

»Nur eines will ich nicht: ins Krankenhaus. Ich will nicht wie ein Hund sterben.«

Warum gerade wie ein Hund? Wahrscheinlich weil sie selbst einen hatte, eine Kreuzung zwischen Ratte und Spitz, ein unbeschreibliches Etwas, dem sie nur ein Minimum an Pflege und keinerlei Zärtlichkeit zukommen ließ, denn das wäre in dieser Gegend unschicklich gewesen. Tiere sind für die Arbeit da, auch sie: um Kuhherden zurückzuführen oder den Hof zu bewachen – und nicht, um Menschen, die an Liebesentzug leiden, als Ersatz zu dienen. Hier bemühte man sich auch nicht, nach Namen zu suchen. Josèphes Hund hieß ganz einfach Toutou, Hündchen.

Für Josèphe würde Jean-Maries Tod nur eine einzelne Episode bedeuten in der langen Kette von Prüfungen, die uns auferlegt sind. Der Tod ist das Leben, und man ist immer alt genug, um zu sterben. Sie selbst hatte einen dreizehnjährigen Sohn verloren, er war auf dem Trawler *Prends Courage* bei seiner zweiten Fahrt als Schiffsjunge umgekommen. Zwei Söhne waren ihr geblieben, auch sie Hochseefischer, und eine Tochter, die tuberkulöse Hüftgelenksentzündung hatte und die sie aus Geldmangel, aus Mangel an Information und auch aus Mangel an Überzeugung, daß es nötig sei, nie hatte operieren lassen. Hier in der Gegend war man an hinkende Mädchen gewöhnt, und das Hinken hatte Jocelyne nicht daran gehindert zu heiraten. Sie war Metzgersfrau im nahen Marktflecken, wohnte in einem schönen Haus und schämte sich ein bißchen für diese Mutter, die in ihrem Leben nirgendwo hingereist war außer nach Lourdes, und diese Reise hatte sie bei der Tombola der Pfarrei gewonnen. Eine Mutter, die, wie man es früher tat, im Stehen pinkelte, hinter dem großen Holzstapel – um das »Wasser-Klosett« nicht zu beschmutzen, das ihr Sohn im Haus hatte einbauen lassen (sie fand es ekelhaft!) kurz nach dem Tod von Youn, ihrem Mann, der gerade hatte pensioniert werden sollen. Sicherlich war er betrunken gewesen, damals, als ihn ein Brecher vom Deck seines Schiffes fegte; Josèphe trauerte ihm nicht nach. Aber spricht man jemals über solche Dinge?

Louise ergriff wieder Besitz von ihrem Zimmer, wie man sich in vertraute Arme fallen läßt. Die Matratze war wie ein großer vollgesogener Schwamm, und das Propangasheizgerät produzierte mehr Feuchtigkeit als Wärme. Aber im Winter hing die Sonne tiefer am Horizont und flutete in die große Küche herein. Der Hügel gegenüber mit dem vielen Stechginster schimmerte golden. Sie dachte, sie müßte die Schönheit dieser Landschaft Jean-Marie beschreiben. Es dauerte einen Augenblick, bis sie sich erinnerte, daß niemand mehr auf ihre Briefe wartete, um weiterzuleben. Es gelang ihr noch nicht, aus ihrer Vergangenheit aufzutauchen, und sie ertappte sich jeden Morgen dabei, daß sie auf die Schritte des Briefträgers wartete. Soviel Liebe konnte sich doch nicht an einem Tag verflüchtigen; es wehte noch etwas davon um sie herum, wie Nebelschwaden, die sich nur langsam auflösen.

Agnès kam und verbrachte das letzte Wochenende mit ihr. Wieder ein Mensch, dessen Nähe sie verlieren würde: Ihre Freundin heiratete einen jungen Mann, den sie kaum kannte, der vier Jahre Offizierslager in Deutschland hinter sich hatte. Einige Wochen vor Ausbruch des Kriegs hatten sie sich kennengelernt und sich all die Jahre über geschrieben: Nach und nach ließen sie sich von den Worten einfangen, und Worte stellen Forderungen. Und nun war es zu spät; keiner von beiden wagte es, sich von der Verpflichtung loszusagen, die sie in einem anderen Leben eingegangen waren, als junge Menschen, und das heißt ein bißchen als andere Menschen. Im übrigen war Agnès inzwischen sechsundzwanzig und fürchtete, eine alte Jungfer zu werden an der Seite eines schon alten Vaters, den sie nicht mehr würde verlassen können, wenn es nicht sofort geschah. Louise wagte es nicht, ihr Fragen zu stellen, aber sie hatte den Eindruck, ihre Freundin habe Angst davor, diesem Ingenieur, der bald ihr Mann sein würde, nach Saint-Etienne zu folgen. Einem sanguinischen Herrn mit Schnurrbart, der in sechzig Tagen das Recht haben sollte, sie auszuziehen und ihr beizubringen, eine Frau zu sein. Einen ganz zarten, etwas impotenten Dichter hätte Agnès heiraten sollen, dachte Louise, als sie ihre Freundin in Kerviglouse beobachtete: Sie war so fehl am Platz hier, so ängstlich vor der Natur, die selbstverständlich alle Tücken erfand, um ihr bei jeder Gelegenheit zu schaden. Agnès war es immer zu warm oder zu kalt, sie bekam Schnupfen im Hochsommer. Sie wurde von der dicken Spinne gebissen, von der Maus verfolgt, von der Katze gekratzt. Ihre Wunden entzündeten sich, sie verstauchte sich die Knöchel in den Hohlwegen, sie bekam Ausschläge, wenn sie Schalentiere aß, ihre Haut weigerte sich, braun zu werden. Es war nicht schön von ihr, aber Louise fühlte sich leichter leben, wenn Agnès da war. Selbst die aufrichtigsten Freundschaften bauen zum Teil auf nicht ganz ehrenwerten Empfindungen.

Sie fuhren gemeinsam nach Paris zurück, die eine, um ihre Hochzeit vorzubereiten, die andere, um sich in ihrer Witwenschaft einzurichten. Louise begann wieder mit ihrer Arbeit als Sekretärin beim Rundfunk und mußte sich wohl oder übel dazu entschließen, mit der Einsamkeit zurechtzukommen. In der Bettnische der »Hütte« hängte sie das Portrait von Jean-Marie auf, das Hermine nicht hatte zu Ende malen können und auf dem Leben und Tod sich fortan die Fläche der Leinwand teilen würden. Das Gesicht war fertig, und das traurige, spöttische Lächeln schien Louise zu sagen: »Wozu eigentlich?« – Aber die Hände waren nur skizziert – Hermine konnte sich an die Hände ihres Modells nicht erinnern – abgegrenzt durch einen grauen Strich, aber leer und durchsichtig wie Hände, die nie mehr etwas ergreifen können; sie verliehen dem Portrait eine sehr merkwürdige Schönheit.

Auch Louise fühlte sich leer und durchsichtig und ertrug es kaum, abends allein vor dem kalten Ofen zu sitzen. Sie ließ sich von ihrer Cousine Sylvie, Bernards Schwester, dazu überreden, sich freiwillig als ehrenamtliche Dolmetscherin beim Betreuungskomitee für alliierte Soldaten zu melden. Dort stellten sie schon seit Monaten niemanden mehr ein, weil es nur so wimmelte von Dolmetscherinnen; aber Sylvie war Sekretärin beim *American Red Cross* geworden und hatte gute Beziehungen; ein gewisses Argument war, daß Louise als Englisch-Lehrerin gearbeitet hatte, was bei den meisten Hostessen nicht der Fall war, die es einfach verlockend fanden, von der amerikanischen Armee ernährt und beheizt zu werden, die aber ansonsten wenig im Sinn hatten mit der Völkerverständigung. Die Aufgabe bestand darin, amerikanische, kanadische oder australische Befreier quer durch die Museen und Sehenswürdigkeiten von Paris zu lotsen, sofern sie den lobenswerten Wunsch geäußert hatten, von Paris auch noch etwas anderes kennenzulernen als das Tabarin oder Pigalle. Nichts sprach dagegen, daß man ihnen danach noch half, in den *Grands magasins* ein Mitbringsel für *mom, wife* oder *kids* auszusuchen; versehen mit dieser kulturellen und familiären Rechtfertigung konnte man sich hinterher auch zum Essen und Tanzen einladen lassen oder den *boys* die Wärme der französischen Familienatmosphäre zeigen. Was diese Mädchen betraf, so ging es ihnen hauptsächlich ums *Essen*.

Kein Drei-Sterne-Lokal, kein Bocuse und kein Troisgros war später jemals in der Lage, in Louise ein solches Staunen hervorzurufen, wie es die ungeheuren Märchenpaläste der amerikanischen Clubs nach fünf Jahren der Entbehrungen taten: Rainbow

Corner, Independance Club im Hotel Crillon, Café Weber, Canadian Club in der Avenue Montaigne. All diese Etablissements boten den hungrigen Bäuchen die gleichen Schätze: Kondensmilch soviel das Herz begehrte, Steaks, die das Kaliber von zwanzig Essensmarken hatten, Cremetorten so schwer wie der Tadsch-Mahal, Berge von Sahne und viele andere Köstlichkeiten, die seit langem nur noch in der Fantasie der Hungrigen existierten. Die Hostessen sahen die Amerikaner sozusagen mit den Augen des Magens. Jeder Angehörige des Militärs bedeutete eine Menge Schokolade, Eiweiß, Zucker, und wie den Pawlowschen Hündinnen lief den Mädchen schon das Wasser im Mund zusammen, wenn sie nur eine Uniform erblickten.

In den Augen eines Menschen, der gerade aus einem Sanatorium beziehungsweise einem verschlafenen bretonischen Dorf wieder auftauchte, wo es fast nur Kinder und Greise gab, erschien diese Armee strahlender, gutgekleideter, wohlernährter junger Männer wie ein fantastischer Haufen von Luxusartikeln aus einem verzauberten Schaufenster. Man entdeckte, daß die amerikanischen Armeebestände nicht nur Jacken und Tarnanzüge umfaßten, sondern auch Prachtexemplare eines prosperierenden Volkes, das sich seiner Stärke, der Vorbildlichkeit seiner Institutionen und der Gerechtigkeit seiner Sache sicher war.

Louise hätte es für unangebracht gehalten, ein paar Wochen nach Jean-Maries Tod mit anderen Männern tanzen zu gehen. Aber die Amerikaner waren keine Männer, sie waren die Befreier! Sie hätte es für unangebracht gehalten, so bald mit Franzosen zu schlafen. Aber die Amerikaner waren keine Franzosen, sie waren Kämpfer, die man schließlich belohnen mußte dafür, daß sie hierher zu uns gekommen waren, so weit weg von ihrer Heimat.

Merkwürdigerweise war es ein Krieg gewesen, der dreißig Jahre zuvor Hermine die Gelegenheit geboten hatte, die Freiheit zu entdecken. Und nun war es ebenfalls ein Krieg, der es Louise ermöglichte, das Leben eines emanzipierten jungen Mädchens zu führen, ein Leben, das sie wegen der Besatzung, der Mutter, der Ehe und wegen ihrer eigenen Komplexe nie gekannt hatte.

Ein Zusammentreffen seltener Ereignisse erlaubte es 1945 den jungen Mädchen aus guter Familie, sich wie *ehrbare Dirnen* zu benehmen. In der Euphorie der Befreiung gab es unzählige junge Damen des Faubourg Saint-Germain, die, obwohl sie in Klosterschulen erzogen worden waren, es nun selbstverständlich fanden, ein paar Stunden ihrer physischen Anwesenheit gegen Seife, Konserven oder Zigaretten zu tauschen. Nach und nach wurden die Besichtigungsgänge durch die Museen oder das Versailler Schloß immer kürzer. Man war unter kulturellem Vorwand eingestellt worden, man blieb da aus Ernährungsgründen, und die nicht gar so Sturen, von ihrer Erziehung nicht gar so Verkorksten entdeckten, daß in Kriegszeiten die menschlichen und vor allem die sexuellen Beziehungen eine der wenigen Möglichkeiten zur Kompensation des Grauens und der Absurdität darstellen. Da hatte man – unter dem Beifall der anständigen Franzosen – jene armen Mädchen kahlgeschoren, die sich in der Uniform geirrt hatten, und nun ermutigte man die guterzogenen Bürgerstöchter, den Forderungen ihres Herzens und ihres Magens nachzugeben; allein wichtig war, daß alle diese Betätigungen, welcher Natur sie auch sein mochten, den Anstrich der guten Tat bekamen.

In diesen Vorhöfen der Sexualität, wo sich die Mädchen hingaben, ausgestattet mit dem Segen ihrer unschuldigen Mütter – die die Anziehungskraft der Uniform nach fünf Jahren des Entzugs sehr stark unterschätzten –, machten die Unschuldslämmchen im Schnellverfahren alle rituellen Etappen der Verführungskunst durch: Vorstellungsbesuch bei den Eltern, Handkuß, züchtiger Kuß auf den Mundwinkel, Tanztee, Ausgang bis Mitternacht, langer Marsch bis zum Anfassendürfen des Busens, endlich dann Kuß auf den Mund ... all diese Phasen wurden auf einen einzigen Abend oder allerhöchstens eine Woche zusammengedrängt, je nachdem, wie lange Don oder Steve Urlaub hatte. Die meisten Mädchen wohnten bei ihren Eltern, was das Zur-Sache-Kommen problematisch werden ließ und der wackligen Tugend ein Alibi verschaffte. In jener weit zurückliegenden Zeit, als man die Jungfräulichkeit in der Werteskala noch sehr hoch ansetzte, war die Lage für die Mädchen im Grunde ideal: alle Freuden des Flirts ohne das gräßliche Dilemma des Übergangs zur Tat.

Louise hingegen erfreute sich einer noch viel selteneren Situation: Sie genoß zugleich die Ehrbarkeit einer verheirateten Frau, die Freiheit einer Witwe und das Aussehen eines jungen Mädchens. Und außerdem verfügte sie über Räumlichkeiten!

Wenigstens hast du damals, meine Louise – zum ersten Mal in deinem Leben – die Konjunktur zu nutzen gewußt, und auch dein Unglück; und du hast beschlossen, das Übel durch das Übel selbst zu kurieren, von einem Mann durch andere Männer zu genesen. Du wußtest im übrigen auch, daß Jean-Marie dich als untröstliche Witwe nicht gemocht hätte. Ich weiß, daß man manchmal keine Wahl hat, man ist zu niedergeschmettert. Ich habe davon gelesen. Man hat es mir erzählt. Offenbar warst du, liebes Kind, nicht von solcher Machart. Wie sollte man auch leben können, ohne diese glückspendende Fähigkeit des Vergessens?

Außerdem frage ich mich, Louise, mein Kind, wie du das Vögeln hättest lernen sollen, wenn es diese Zeit nicht gegeben hätte, diese sechs Monate, die du einem Leben gestohlen hast, das niemals das deine hätte werden sollen. Ja, ich habe gesagt: Vögeln. Denn Lieben, Liebe machen, das kanntest du. Im Namen der Liebe warst du bereit, alles zu tun, das wußtest du – nur eines nicht: einen Orgasmus zu erleben. Aber das war wohl dein Problem, dachtest du, es würde ja auch keiner merken. Du konntest dir nicht vorstellen, daß man dem geliebten Menschen das Geschenk seiner eigenen Hingabe machen könnte oder das noch größere Geschenk einer verlangenden Geste. Sich hingeben war angeraten, etwas verlangen war häßlich. Je schneller man zufrieden zu sein schien, desto zufriedener waren sie, zufrieden mit sich selbst, zufrieden mit uns. Und du wolltest doch, daß sie zufrieden seien. »Sie!« Mein Gott, meine arme Louise, beinahe hätte ich vergessen, daß du mit deinen damals siebenundzwanzig Jahren erst zwei Männer gekannt hast, genauer genommen sogar nur eineinhalb Männer, und daß für dich Liebe nach wie vor Selbstvergessenheit bedeutete.

Aber ich vergebe dir, meine kleine Louise, denn je mehr Jean-Marie in die Krankheit versank, desto mehr zwang er dich zu einer schwierigen Sublimierung. Es war kein Akt des Fleisches mehr, was ihr vollbrachtet, es war wirklich die Liebe. Die Lust mußte ebenfalls sublimiert werden. Wie lange hätte es gedauert, wie heftig hätte er dich lieben müssen, bis du endlich gewagt hättest, wieder auf die Erde herunterzusteigen und ihm zu sagen, wie du es am liebsten magst? Hermine hatte nie durchblicken lassen, daß es bessere oder schlechtere Liebhaber gab oder daß die Lust auch eine geteilte sein konnte. Das ganze Spiel bestand darin, daß man alles darauf anlegte, begehrt zu werden und die kleine Hupferei so lange wie möglich hinauszögerte. Danach fand man sofort wieder zu damenhaftem Gebaren zurück, man schüttelte sein Gefieder zurecht wie ein Huhn, nachdem der Hahn es bestiegen hat, und man ging über zu ernsthaften Angelegenheiten, mit einem letzten Rest von Verachtung in den Augen. Aber lernt man seine Mutter jemals kennen? Hermine wollte dir nur die ehrgeizige, stolze Seite ihres Lebens zeigen. Sie hat dir einmal von ihrer Hochzeitsnacht erzählt – nicht ohne Stolz, denn da war doch endlich einmal eine kleine Ziege gewesen, die sich am Morgen *nicht* hatte fressen lassen –, sie hat erzählt von ihrem Kampf, sich als Malerin durchzusetzen zu einer Zeit, als das Ausüben dieser Kunst für die Frau so etwas wie Liederlichkeit bedeutete; sie hat erzählt von ihren Bemühungen, anderswo als in ihrem Wohnzimmer zu malen, ein eigenes Atelier zu bekommen wie die »richtigen« Maler; aber die zärtliche Liebesbeziehung zu Lou hat sie nie erwähnt, obwohl sie sämtliche Briefe ihrer Freundin aufbewahrte und sehr wohl wußte, daß du sie eines Tages lesen würdest; auch das Gefühl, das sie ihr Leben lang an Adrien band, hat sie nie erwähnt, obwohl es doch so stark war, daß sie drei Tage nach ihm starb, ohne anderen ersichtlichen Grund als die Angst, ohne ihn auf der Welt bleiben zu müssen.

In diesem Frühjahr 1945 empfandst du jedoch nichts anderes als ein mächtiges Bedürfnis, ganz einfach eine Frau zu sein. Es traf sich gut: Als kleine Witwe des Gay Paree verkleidet solltest du Zugang haben zu einer ganzen Sammlung von Männern, wie du sie brauchtest. Der schmeichelhafte Ruf der Französinnen schmückte dich in ihren Augen mit Vorzügen, die du nie gehabt hattest, und verlieh dir eine Verwegenheit, die du sonst nie besessen hättest. Du wußtest wohl, daß du zu Frankreich und den Franzosen zurückkehren würdest, zu deinen Komplexen. Aber welche Frau kann von sich behaupten, sie habe sich nie danach gesehnt, eine andere zu sein, die vielleicht sogar sie selbst gewesen wäre zu einer anderen Zeit, unter anderen Bedingungen?

Es war sehr geschickt von dir, zunächst einmal deinen Geschmack hinsichtlich der Männer zu ändern. Du wolltest schöne Männer. Das war das wichtigste, und da du es nie gewagt hättest, sie unter den Franzosen zu suchen, weil du in bezug auf deine eigene Schönheit Zweifel hattest, die du schnell hinter der Behauptung verbargst, ein schöner Mann könne nur ein hirnloses Tier sein. Aber für diese Begegnungen ohne Zukunft hättest du mit ihrem Hirn sowieso nicht viel anfangen können. Du wolltest frische, naive, elementare Männer. Viele waren es. Die aus Texas Gebürtigen hießen Tex, die Rothaarigen Red und die MacLeans Mac. Sie waren entzückt über deine Wohnung, von deren Fenstern aus man Paris sah, jenes Bilderbuch-Paris, in dem die Mädchen in poetischen Dachwohnungen hausten und die Liebe nicht allzu tragisch nahmen. Deine Besucher waren aber auch entsetzt darüber, daß es nicht zu jeder Tages- und Nachtzeit warmes Wasser gab, ungläubig und voller Mitleid, wenn du ihnen erzähltest, du habest monatelang keine Milch oder keine Seife bekommen.

Fast jeden Abend bist du ausgegangen. Dein Wunsch zu vergessen stimmte mit dem Wunsch des ganzen Landes überein, und zusammen habt ihr wieder die rasende Lust am Leben gelernt. Seltsamerweise schien der Professor dich dazu aufmuntern zu wollen, und Hermine war diejenige, die nahe daran war, dich als eine »Dirne« zu betrachten, weil es sie frustrierte, daß nicht *sie* dir helfen konnte, dein »Drama« zu vergessen. Aber der Professor, zu dem du mittags oft zum Essen gingst und dem du Lebensmittel brachtest, über deren Herkunft er ganz gewiß keine Zweifel hatte, verstand, ohne ein Wort darüber zu verlieren, daß du nicht Trauer trugst für seinen Sohn, dem das sowieso nichts genützt hätte; und er freute sich, daß die Last der Tränen, der Ängste und Opfer, die diese Ehe im Tausch für so wenige Tage des Glücks gebracht hatte, dich nicht mehr am Leben hinderte.

Du warst frei, zu allem bereit, verletzbar, also reif für eine Liebe auf den ersten Blick, mein armes Häschen. Ich weiß eigentlich gar nicht, warum ich »armes« Häschen sage, denn es war eine entzückende Geschichte.

Selbstverständlich gibt es in mir neben dem ungeheuer erwachsenen und vernünftigen Menschen, der den Vordergrund der Bühne ausfüllt, eine unverbesserliche, unausrottbare Romantikerin, die von Zeit zu Zeit die Oberhand gewinnt und mich auf unwahrscheinliche Wege zerrt. So kam es, daß ich zweimal in meinem Leben »Liebe auf den ersten Blick« erlebt habe, dreimal sogar, wenn man den Fall doppelt zählt, in dem ich mich zweimal – es lagen Jahre dazwischen – in denselben Mann verliebte. Wenn so etwas ein einziges Mal passiert, könnte es als ein kleines Mißgeschick interpretiert werden. Kommt es dreimal vor, ist es schon eine Tendenz oder eine Schwäche, je nachdem, wie man es sieht. Natürlich hatte ich – damals ein wandelnder Blitzableiter – in jungen Jahren dergleichen nie erlebt. Werner war mein erster Fall. Eine vollkommen hirnrissige Wahl, wenn man bedenkt, was ich damals war: Er hatte die unwiderstehlichen Augen eines Gary Cooper, das Lächeln eines Clark Gable, die Schultern und den hohen Wuchs eines Gregory Peck und dazu noch das brutale Aussehen eines Anthony Quinn – viel zu viel für eine junge Frau, die Western-Filme und Cowboys nicht ausstehen konnte. Aber so ist das eben mit der Liebe auf den ersten Blick.

Ich kann mich so gut an dich erinnern, wie du an diesem Abend warst, Louise meiner Jugend: Es war sehr schön, Place de la Concorde, und wieder einmal spürtest du einen Anflug von Dankbarkeit für von Stülpnagel, der sich entgegen Hitlers Anweisungen geweigert hatte, Paris in die Luft zu sprengen. Du warst hungrig wie eine Wölfin und hattest harmlose Tröstungen sehr nötig, denn ein anstrengender Tag lag hinter dir: Man hatte dich beauftragt, diverse WACS der amerikanischen Armee zu interviewen, und wie immer vor einem Mikrofon warst du von Stummheit und Schwachsinn befallen worden. Es gelang dir immer noch nicht, deine natürliche Stimmlage zu finden, es kam nur ein lächerliches hohes Stimmchen heraus, mit angestrengt heiterer Intonation. Du erschöpftest dich in hektischen Bemühungen und machtest keinerlei Fortschritte, im Gegenteil. Aber wie hättest du auch den Mut haben sollen, diese Chance auszuschlagen und zu sagen: »Ich habe Angst. Ich möchte lieber wieder Sekretärin sein.«

»Wenn ich in deinem Alter die Chance gehabt hätte, ein Mikrofon vors Gesicht gehalten zu bekommen ...« stieß Hermine hervor.

O ja, du wußtest nur zu gut, daß Hermine an deiner Stelle eine brillante Journalistin geworden wäre. Also betratst du den Weg des sicheren Mißerfolgs in der Hoffnung, dich abzuhärten.

Am Abend, wenn die Panik für ein paar Stunden ihre Umklam

merung lockerte, war es lustvoll, so ganz nebenbei die Bemerkung fallenzulassen: »Ja, ich bin Journalistin beim französischen Rundfunk.« Zumindest würden dich die Amerikaner auf Paris-Inter nie hören. *»Ooh! Very interesting job!«* Es tat gut, *interesting* zu erscheinen.

Ich sehe noch, wie du dein blaues Fahrrad an den Gittern des Crillon befestigst. Ich erinnere mich sogar an das Kleid, das du an diesem Abend trugst, denn ausnahmsweise gefiel es dir. Lou hatte dir einmal nicht eines ihrer unerbittlich schicken Modelle geschenkt, »ganz dein Stil«, wie sie meinte – du hättest nie gewagt, daran zu zweifeln, denn sie galt als die bestangezogene Frau von Paris. Die Kleider hatten sowieso recht, es lag an dir, du wußtest sie nicht zu tragen. Mickrige kleine Journalistin, welche Ahnung hattest du schon von der Eleganz? Aber diesmal trugst du etwas, was sie »so ein ganz schlichtes, dummes Kleidchen« nannte, eines von denen, die du eben mochtest, dunkelblau mit weißem Muster; ein schlichtes dummes, weil es eine richtige Taille hatte, Abnäher am Busen, einen ganz banalen Schnitt, eines, bei dem dir die Straßenarbeiter, die die Rue Raynouard neu pflasterten, nicht nachpfeifen würden. Es war schon fast Sommer, die Jahreszeit, die am besten zu dir paßte. Als du das Hotel betratst, hast du den üblichen Rundblick auf die anwesenden Offiziere geworfen, die sich in der Halle unterhielten … »Nanu! Prächtige Exemplare!« hast du gedacht und innerlich gelacht über diesen Rollentausch und zugleich auch über die entzückende Leichtigkeit, mit der du dich in der Rolle einer hemmungslos femininen Frau vor den schönen Militärs wohlfühltest. Du warst bereit für das alte Geschäft zwischen Mann und Weib, jenes Geschäft, das dir so verhaßt war und verhaßt bleiben sollte. Lust haben nach dem, was man verabscheut, zumindest einmal im Leben, ist jedoch ein ungeheuer durchtriebenes Gefühl. Nun ging es darum, von irgendeinem dieser Penisträger auserwählt zu werden, um dann an seinem Arm in der ersten Etage Zugang zum Buffet zu haben. Ohne Mann kein Fressen.

Natürlich hast du gleich einen Schönen bemerkt, der einen Kopf größer war als alle anderen, aber nur beiläufig. Solche Typen interessierten sich sowieso nie für dich. Als du deine Schritte aber in Richtung Tanzsaal lenktest und nach bekannten Gesichtern von Mädchen suchtest, die ihre Zeit auf ähnliche Weise wie du verbrachten, verneigte sich eine riesige Gestalt vor dir: »*Shall we dance?*« hat er dir zugeflüstert, mit tiefer, sanfter Stimme, und durch diesen ungeheuer umwerfenden Satz fühltest du dich wie vom Blitz erschlagen . . . niedergestreckt . . . oder zumindest würde es nicht lange dauern. Ihr habt getanzt. Das Orchester spielte *Poinsiana,* und du wolltest ihm nur eines sagen: »Ja, ich bin frei . . . nein, ich wohne nicht bei meinen Eltern . . . Kommen Sie, ich zeige Ihnen meine Schmetterlingssammlung . . .« Um diese ordinäre Lust, die dich so unvermittelt überkam, etwas zu adeln, hast du Platons Parabel von den beiden getrennten Hälften angeführt, die plötzlich auf das fehlende Stück stoßen . . . Platon, ja natürlich, aber vermischt mit einem Satyr und einer recht lüsternen Nymphe.

Eine Woche später hast du ihm den Schlüssel deiner Wohnung gegeben, und ihr habt euch gleich von Anfang an in eine Art ehelichen Zustand eingeübt. Jedesmal wenn er aus Frankfurt oder Washington kam, rief er von Orly-Field aus an, und wenn du dann vom Rundfunk nach Hause kamst, war er da und putzte die Küche, buk dir einen nahrhaften Kuchen oder deponierte Eier in deiner Speisekammer, die acht Tage zuvor in den USA gelegt worden waren! Auch er wollte, daß die »Pampelmusen« dikker werden, und er hatte die Mittel, sie wachsen zu lassen. Seit wann hattest du kein Nougat gegessen? Keine Rahmkaramellen? Keine echten *choux à la crème?* Löffelweise Butter, die auf der Zunge zergeht wie eine Hostie? Welcher Franzose hätte dir solche fürstlichen Geschenke machen können? Werner war gebürtiger Deutscher, Jude, mit zwölf Jahren, 1926, in die Vereinigten Staaten emigriert; nur zwei Jahre lang war er in seiner neuen Heimat in der Schule gewesen, als er ohne Begeisterung in der väterlichen Konditorei zu arbeiten begann. Lag es daran, daß er Jude war? Daß er mit zwölf Jahren ein Land verlassen hatte, von dem er überzeugt gewesen war, es sei sein Land? Daß er mittellos, ohne Unterstützung in einem neuen Land hatte Fuß fassen müssen, dessen Sprache er nicht kannte? Auf jeden Fall war Werner inzwischen dreißig geworden und hatte schlicht vergessen, irgendwelches Imponiergehabe zu entwickeln. Immer wieder sagte er dir mit zärtlicher Bewunderung, daß Bildung wunderschön sei und daß er wüßte, du seist hundertmal intelligenter als er. Er fand das nicht anstößig: Das war wie blaue Augen oder breite Schultern haben. Er hatte Intelligenz noch nie für eine wesentliche Gabe gehalten. Man kam auch ohne sie aus – der Beweis: Er war Pilot geworden, obwohl es ihm schwerfiel, sich aus Büchern etwas anzueignen. Bei der Luftwaffe hatte er seine wahre Berufung entdeckt, seine einzige Leidenschaft; er flog für den Generalstab des SHAEF, des *»Supreme Headquarters of Allied Expeditionary Forces«*, erklärte er mit der Inbrunst jener, die sich von ganzem Herzen einem Vaterland zugehörig fühlen, das sie nicht durch Geburt erworben haben.

An seiner Seite warst du nicht mehr Hermines Louise, nicht mehr die Squaw von Jean-Marie: Du warst Lou-eeze, wie er dich nannte, ein Mädchen, das es schön fand, zweimal in der Nacht geweckt zu werden, um mit ihrem Geliebten zu schlafen; ein Mädchen, das über dumme Witze lachte, dem es egal war, daß ihr Liebhaber nicht wußte, wer Nietzsche oder Utrillo war; ein Mädchen, das nicht mehr versuchte, um jeden Preis Freude zu machen, oder so zu tun, denn Werner ahnte ihre geheimsten Wünsche und kam ihnen ganz zuvor. Gemeinsam hörtet ihr Musik auf dem Sender AFN – Werner liebte schmalzige Schlager. Wie so viele Amis mochte er alles, was *nice* war. Die *nice, soft music,* die *nice light operas, a nice dinner,* die *nice girls.* Du hast diese Naivität genossen.

Nie las er ein Buch, nur Zeitschriften und Fachbücher über die Fliegerei. Er hatte vor, später als Zivilpilot zu arbeiten und die Torten aufzugeben. Er erzählte dir voller Begeisterung von den Bombern B 47 und von den C 54 und langweilte dich mörderisch damit. Du erklärtest ihm die französische Kultur, Sartre und Aragon, und langweiltest ihn mörderisch damit. Aber immer wieder kamt ihr beide dann nicht in Langeweile, sondern in Zärtlichkeiten um. Endlich warst du dir sicher: Da liebte dich jemand um deiner selbst willen, um deines Körpers, deiner Augen, deines Gangs, deiner Fröhlichkeit willen; denn Werner kannte ja weder dein Land noch deine Vergangenheit noch deine Freunde, nicht einmal deine Sprache.

Die tragische Dimension, die unentbehrlich ist für die Erhaltung der Flamme einer jeden Liebe, hast du dir in der Zerbrechlichkeit eurer Bindung geholt, in dem Mißverständnis, das du bereits vorausahntest. Du bist aufgewacht, glücklich, im Frieden der geteilten Lust, mit der Freiheit, endlich du selbst zu sein; von vornherein war dir vergeben, daß du nicht schriebst, keinen Erfolg hattest, keine Reisen unternahmst – da er nicht jemand war, der so etwas forderte, und da er nie mehr als ein Pilot sein würde; ihm jedoch nach Amerika zu folgen, schien dir undenkbar. Dennoch hattest du damals schon Heimweh nach diesem Mann, nach dieser Liebe, lange bevor er dich bat, ihn zu heiraten und mit ihm in Philadelphia, Pennsylvanien, zu leben. Unschuldig steuerte er einer Zukunft entgegen, von der er glaubte, sie sei eine strahlende. Zumal da Lou sich ihm gegenüber sehr liebevoll gab und ihn den »großen Hund« nannte.

»Er hat die Gutmütigkeit eines Hundes, weißt du, das ist bei einem Mann ganz selten«, sagte sie seelenruhig in seiner Gegenwart – er verstand ja kein Französisch. Ein Manko, das sich jedoch als Trumpf für ihn herausstellte; da Hermine kein Englisch sprach, ermöglichte es zumindest, über sein kulturelles Niveau Unklarheit walten zu lassen. Für Lou war Intelligenz sowieso vollkommen unwichtig, vor allem bei einem Mann! Sie war hingerissen von seinen Manieren, seiner offensichtlichen Neigung zu Frauen, seiner Gefälligkeit, seinem Lächeln.

»Du wirst es dein Leben lang bereuen, wenn du ihn sausen läßt«, prophezeite sie. »Mit ihm kannst du machen, was du willst. Ich bin sicher, du würdest eine große Schriftstellerin werden ...«

»Aber Lou, er ist so ungebildet! Ich würde mich auf die Dauer entsetzlich langweilen mit ihm.«

»Das ist es ja gerade. Das ist die beste Voraussetzung, wenn du schreiben willst. Wenn du einen intelligenten Mann heiratest, bist du im Eimer, du mit deinen Komplexen. Du brauchst einen lieben, treuen Hund, nicht einen Intellektuellen. Alle schöpferischen Menschen brauchen so jemanden, und den finden sie auch. Musen gibt es noch und noch, man steht Schlange, um ›Künstlerfrau‹ zu werden. Aber ›Künstlerinnenmänner‹ ... doch, einen habe ich gefunden ... deine Mutter hatte Glück mit Adrien! Überleg es dir gut, meine kleine Ratte.«

Es war bereits so gut wie überlegt. Du hast gewußt, daß du es nicht lange aushalten würdest, daß er deine Bücher anschaut, ohne sie aufzuschlagen, daß er unentwegt, ob passend oder nicht, die paar Sprichwörter wiederholt, die seine ganze Philosophie ausmachten: »Mit seinen Freunden darf man nie über Politik oder Religion sprechen« – »Wenn man will, kann man« oder:

»Wer rastet, der rostet« ... Du wolltest aber gerade von Politik und Religion sprechen ... Und von den Filmen kannte er nur die Namen der Stars, nie die der Regisseure; für ihn waren die Bestseller zwangsläufig die besten Bücher. Er war für den Kapitalismus – »jedem seine Chance« –, gegen »die Leute, die Haarspalterei betreiben«, das heißt gegen alle Philosophen, und gegen alle Politiker, die für ihn ausnahmslos korrupt waren. Er hörte dir verblüfft zu, irgendwie beunruhigte es ihn doch, daß man so angenehme Gewißheiten in Frage stellen konnte. Aber wie lange würde es dauern, wie oft würde man es wiederholen müssen, bis das Samenkorn aufgehen und er akzeptieren würde, daß man gleichzeitig zwei widersprüchliche Gedanken übernehmen kann, ohne *nuts* zu werden?

Und dann – du liebtest Frankreich, du brauchtest dieses Klima, diese Kultur, um zu leben, zu arbeiten, um eines Tages vielleicht zu schreiben, und es würde dir nicht gelingen, ihm die Demütigung verständlich zu machen, die es für dich bedeuten würde, wenn du zusammen mit lauter *war-brides* eingeschifft und mit einem Trauschein in die USA geliefert würdest wie Gänseleberpastete oder Pariser Luxusartikel, um anschließend von mißtrauischen Familien aufgenommen zu werden, die sich fragten, mit welcher List all diese Intrigantinnen aus dem Land des french-cancan ihre unschuldigen Söhne überrumpelt hatten.

Werner zeigte sich schmerzlich überrascht. Wie konnte Louise mit *Nein* antworten, wo sie ihn doch liebte? Denn sie liebte ihn doch, nicht wahr?

Natürlich, aber ein amerikanisches *I love you* ist nicht ganz identisch mit einem französischen *je t'aime*.

»Sag mal, was wirfst du mir eigentlich vor? Was soll ich ändern, um dir zu gefallen? Französisch lernen in drei Monaten? Den Beruf wechseln?«

Aber du hast ihm das Unmögliche zum Vorwurf gemacht: Daß er in Amerika lebte und daß er Pilot war – in seinen Augen übte er den schönsten Beruf der Welt aus, und er hatte recht. Du hast ihm sogar zum Vorwurf gemacht, daß er dich über die Sinnlichkeit an sich fesselte, so sehr, daß du nahe dran warst, deine Ethik zu verleugnen, wie Hermine es ausgedrückt hätte.

»Vielleicht stört es dich, daß ich Jude bin?« sagte er eines Abends.

Du hast laut aufgelacht. Er sah so amerikanisch aus mit seiner Stupsnase und seinen Cowboy-Allüren, und das, was nicht amerikanisch aussah, wirkte deutsch.

»Vor deiner Religion hätte ich wahrscheinlich Angst bekommen, aber du bist ja kein praktizierender Jude!«

Seine Miene verdüsterte sich. Wenn es doch nur die Religion gewesen wäre, er wäre gerne bereit gewesen zu konvertieren. Nein danke, keine zweite Taufe!

Es dauerte lange, bis die Hoffnung starb. Abends blieb er lange im Alkoven sitzen, niedergeschlagen; seine großen, festen Hände – er hatte zuviel Teig geknetet in der väterlichen Konditorei, sagte er –, seine großen, urzeitlichen Hände, die dich rührten, hingen zwischen seinen Knien herunter. Es hat dich geärgert, daß du nicht in der Lage warst, das ganz einfache Wort auszusprechen, das einen Lebensschimmer in seine Augen, die für das Unglück nicht geschaffen waren, gebracht hätte, das Wort, das sein Lächeln, das du so mochtest, wiedererweckt hätte; das Wort, das seine langen Arme wieder um dich geschlossen hätte. Ohne ihn würde es dir kalt werden; nie mehr würdest du bei einem Mann ein so leidenschaftliches Staunen hervorrufen, eine so bedingungslose Bewunderung. Geblendete sind selten! Du hast ihm die Handgelenke geküßt, deine Lippen strichen an seinen behaarten Armen entlang, seinen Holzfäller-Armen, aber immer wieder hast du sanft wiederholt: *Nein*. Wie wenn du einem Schiffbrüchigen, der sich an deinem Boot festhält, auf die Finger klopfst.

Am letzten Abend habt ihr im Restaurant gegessen. Er machte sich nicht einmal die Mühe, die Tränen abzuwischen, die ihm einzeln aus den Augen kullerten.

»Ich lasse mich nach Deutschland versetzen. Ich kann es nicht aushalten, wenn ich in Paris bin und nicht mehr schnell zu dir kommen kann, sobald mein Flugzeug gelandet ist. Ich will keine andere Französin kennenlernen.«

»Du kannst doch trotzdem kommen ... Ich kann dich nur nicht in Amerika heiraten.«

Er zuckte die Schultern, und sein enttäuschtes Gesicht sah plötzlich dumm aus. Diese Alte Welt hier in Europa war recht kompliziert. Du warst nicht mehr seine Verlobte, sondern eine französische Mätresse, die er nicht verstand.

»How am I going to survive without you. Lou-eeze? I will never marry. I will wait for you.«

Als ihr nach Hause kamt, wollte Werner die Schwelle nicht mehr betreten, und wortlos gab er dir den Schlüssel zurück. Warum verweigerte er dir diese letzte Nacht? Du hast es nicht gewagt, ihm zu sagen, daß in Frankreich verzweifelte Gesänge die schönsten sind, daß du die letzten Male und den besonderen Geschmack des »Nie wieder« liebtest. Er war viel zu schlicht und eingleisig, um das zu verstehen. Ihr habt euch sehr schlecht geküßt auf diesem blöden Treppenabsatz, und du hast gedacht, daß er nicht einmal die Inszenierung zurechtgelegt hatte, um in Schönheit zu scheiden.

Aber das war das Ende von Lou-eeze, der Abschied von einem lachenden, fröhlichen Mädchen, das ich gerne mochte – und das nun »die Kleine« in den Randzonen des Ungelebten einholte. Du, Louise, du solltest nun zu deinen Problemen, deinen Zweifeln, deinen Franzosen zurückkehren und alleine schlafen vor Jean-Maries rätselhaftem Lächeln im Alkoven. Du fühltest dich nicht selbstsicher genug, um so weit entfernt von deinen Wurzeln zu lieben. Und du hattest wahrscheinlich recht. Aber du wußtest, daß nie wieder ein so schöner Mann, der so zärtliche und so dumme Dinge sagte, in dir dieses Loch im Magen hervorrufen würde, diese Schwäche in den Beinen und diese Sicherheit im Herzen.

Die Sicherheit im Herzen, die solltest du nun lange entbehren.

11

Madame Arnaud Castéja

»Ich hasse die Vergangenheit. Die Erinnerung ist mir unangenehm«, hat Valéry geschrieben.

Auch mir sind die Erinnerungen unangenehm: Sie hindern mich daran, meine Vergangenheit so zusammenzustückeln, wie ich es gerne möchte, wie ich glaube, daß sie war. Aber dann hätte ich nichts aufbewahren dürfen. Was kann ich gegen meine eigenen Zeugnisse tun, gegen diese Briefe, diese intimen Bekenntnisse? Ich muß einfach annehmen, daß die Louise meiner Jugend glücklich war, auch wenn dieses Glück mich heute wütend macht, auch wenn dieser Mann, dieser Arnaud, den sie 1946 heiratete und zwanzig Jahre lang liebte, ihr nie das gegeben hat, was sie sich im übrigen sowieso nie erhofft hatte.

Was mich bei dem Gedanken an die Vergangenheit irritiert: daß man nie wissen wird, ob sie hätte anders ausfallen können. Was soll die Frage, ob Louise mehr vergönnt gewesen wäre, wenn sie »sich anders angestellt« hätte? Ihre besondere Eigenschaft war eben, daß sie sich nie richtig anstellte; vielleicht aber war das ihre Stärke im gleichen Maße, wie es ihre Schwäche war. Man muß auf jeden Fall mit dem leben, was man zu einem bestimmten Zeitpunkt, in einer gegebenen Situation in sich trägt. Wenn ich mir heute das Urteil erlaube, ich sei nicht richtig geliebt, ich sei vernachlässigt worden, ich sei frustriert gewesen, dann irre ich mich, denn Arnauds Frau, ob richtig geliebt oder nicht, war der Meinung, daß sie das besaß, was wesentlich war: mit einem Mann zusammenleben, den *sie* liebte.

Sie hielt sich von vornherein nicht für jener Sorte Frauen zugehörig, die von Männern auserwählt oder angebetet werden. Hugo hatte sie nicht auserwählt. Jean-Marie hatte sie als Geschenk bekommen von einem andern, der sie nicht haben wollte. Werner war aufgetaucht aus der plötzlichen Lust, die sie gehabt hatte auf ein großes, schönes, etwas doofes Tier – ja das vor allem: etwas doof. Das war unentbehrlich, damit er in keiner Weise Jean-Marie ähnlich sei.

Auch mit Arnaud war es so gewesen: Sie hatte ihn erwählt, sie hatte ihn umgarnt, ihn geangelt, denn er lebte bei einer anderen unter dem Vorwand, es sei unmöglich, 1946 eine Wohnung zu finden; er schien mit diesem Doppelleben ganz gut zurecht zu kommen: Ein wenig Liebe holte er sich bei Louise, Kost und Logis und eine zweite Portion Liebe bei der anderen Dame, bei Lucienne.

»Du wirst demnächst siebenundzwanzig«, mahnte Hermine, »und dein Vater und ich, wir machen uns große Sorgen um deine Zukunft. Du weißt sehr wohl, daß uns diese ganzen amerikanischen Bettgeschichten nur halb behagt haben. Nun, es lag an den Zeitumständen! Aber jetzt solltest du wirklich ernsthaft daran denken, unter die Haube zu kommen. Deine Freundinnen sind alle schon verheiratet!«

Das stimmte. Agnès erwartete ihr zweites Kind. Die Cousine Sylvie hatte einen GI geheiratet und war ins hinterste Arkansas gezogen, die Arme! Der Cherub war den Ruchlosen treu geblieben und hatte sich eine reiche und häßliche Chefarzttochter geangelt; gerade hatte er die erste Trostprämie erhalten: Er war bei der entscheidenden Prüfung auf den vorderen Rängen gelandet, seine Aussichten waren nun hervorragend. Aber Louise würde demnächst keine junge Witwe mehr sein, sondern eine alleinstehende Frau, eine von jenen Frauen, die man in bürgerlichen Haushalten nicht gern zu Gast sieht; mit dreißig würde sie dann in die Kaste der Alten Jungfern hinübergleiten, eine wahrhaft indische Kaste, in der ihr Leben lang »die arme Jeanne«, wie man sie nur noch nannte, dahinvegetiert hatte: Sie würde zu den verwelkten Jungfrauen gehören, die für immer gezeichnet waren von der Schande, nie von einem Mann auserwählt worden zu sein, und die fortan dazu verdammt waren, die Siechen zu pflegen, den Katechismus zu unterrichten und die Neffen und Nichten zu hüten – Nonnen, denen der Liebe Gott fehlt.

Ein Rest Vernunft hütete Louise davor, sich zu schnell zu binden. Aber Hermine war überzeugt, Louise sei aus dem Stoff, aus dem die *Back Street*-Heldinnen gemacht werden, und sie warnte sie:

»Dein bisheriges Leben war schon nicht sehr erfolgreich, mein armes Kind. Sich einfach so mit jemandem zusammentun, ist kein gutes Mittel, um geheiratet zu werden, muß ich dir sagen.«

»Aber ich will doch gar nicht geheiratet werden, Mama; ich möchte mit jemandem glücklich sein, mehr nicht.«

Vor allem diese Sehnsucht, glücklich zu sein, erschien Hermine entsetzlich naiv: die reinste Dienstmädchensentimentalität.

»Auf jeden Fall wäre dein Vater todunglücklich, wenn du in wilder Ehe leben würdest.«

Das brave Kind will seine Eltern natürlich nicht zur Verzweiflung bringen. Wenn die wilde Ehe den armen Papa an den Rand des Grabes bringt, dann muß eben geheiratet werden. Arnaud ist ja ganz vorzeigbar, ein großer Dunkelhaariger, wie Hermine sie mag.

»Doch, ein ganz hübscher Bursche«, gibt sie zu. »Aber er wirkt provinziell. Findest du nicht, Adrien?«

Der Arme stammt in der Tat aus Montpellier, und es bleibt Adrien nichts anderes übrig als zu antworten, ja, natürlich, der junge Mann habe nicht die Gewandtheit und das Auftreten eines aus dem siebten Arrondissement Gebürtigen. Provinziell wirken, das war für die Morvans das erste aller Ehehindernisse. Provinziell war das Gegenteil von schick, geistreich, künstlerisch. Kurz, das Gegenteil von pariserisch. Beim Rundfunk ist Arnaud ein glänzender Journalist geworden, berühmt für seine Wortspiele und seinen ätzenden Witz; aber es gelingt ihm nie, Adrien und Hermine zum Lachen zu bringen. »Wir stammen nicht aus derselben Familie, was den Humor betrifft«, sagen sie überheblich. Da Louise ihn jedoch liebt, und da keiner mehr hofft, sie könnte eine glänzende Partie machen, ist dieses Exemplar vielleicht doch das geringere Übel.

Die Trauung findet im April 1946 statt, im engsten Familienkreis. Die andere Familie scheint auch nicht besonders begeistert. Arnauds Mutter schützt einen Hexenschuß vor und kommt erst gar nicht, und selbst der Bräutigam scheint sich zu fragen, was er hier eigentlich soll. Nur Lou, die Feste liebt, scheint an dem Ganzen Spaß zu haben. Sie findet den Auserkorenen nicht so gut wie den »großen Hund« aus Amerika, gewiß, aber seine schmalen, nach oben spitz auslaufenden Faunsohren, sein wogender Gang und seine topasfarbenen Augen gefallen ihr.

»Schau mal, wie er geht«, sagt sie während der Feier zu Hermine, »er sieht aus wie ein Tiger!«

»Das ist es ja – er wird meine Tochter in nullkommanix auffressen!«

»Es tut aber manchmal ganz gut, aufgefressen zu werden. Du weißt nicht, was das heißt, aber ...«

»Und du weißt nicht, was es heißt, Mutter zu sein«, erwidert Hermine und weiß, daß sie da den wunden Punkt trifft.

Seit einiger Zeit geht sie ihr ein wenig auf die Nerven, diese Lou, die sich nicht entschließen kann, älter zu werden, diese Lou, die sich in keiner Weise verbraucht hat, seit der Zeit, als sie beide die kostbare Frauenliebe entdeckten, und die manchmal so schrecklich entwaffnende Wahrheiten sagt, wie sonst nur Kinder und Irre es tun können.

Agnès ist aus Saint-Etienne gekommen, um Louises Ehemann kennenzulernen und Trauzeugin für ihre beste Freundin zu sein. Sie ist im siebten Monat, und ihr Gesicht hat nicht mehr diesen zarten Hauch der Jugend, den man bei Rothaarigen manchmal sieht, wie auf dem Flügel eines Schmetterlings. Sie ist kugelrund und hat rührende Augen in einem konturlosen Gesicht: Bald wird sie eine dicke, unscheinbare Dame sein.

»Vielleicht war sie nur dazu bestimmt, ein junges Mädchen zu sein«, sagt Lou.

»Du hast recht, man kann sich Shirley Temple auch nicht als Oberpostratsgattin auf dem Lande vorstellen«, beteuert Adrien, der zu der Zeit, als Agnès' roter Schopf neben dem dunklen von Louise sich über die Latein- und Griechischaufgaben neigte, für ihren zarten, zerbrechlichen Charme empfänglich gewesen war.

»Es gibt Menschen, die nur für ein bestimmtes Lebensalter geschaffen sind ...«

Der Trauzeuge des Bräutigams heißt Félicien Rey, eine der berühmtesten Stimmen Frankreichs, seitdem man seinen politischen Kommentar allabendlich im Rundfunk hören kann. Er ist noch jung, aber bereits etwas teigig, und gehört zur Kategorie jener Männer, die ihre Hose unter dem Kugelbauch hängen haben, weil sie sie nicht über das Hindernis des aufgeblähten Magens bringen. Die runde Gestalt, die zu kurzen Arme im Verhältnis zu seiner Größe, seine braunen Augen mit den schweren Tränensäcken, die ihm das Aussehen eines Bernhardiners verleihen, betonen noch den Ausdruck von Güte, die seine ganze Person verströmt. Seine Frau Viviane – eine strahlende Dunkelhaarige, die aussieht wie ein Mannequin – verfolgt er mit verliebten Blicken, und man fragt sich, wie er wohl zu einer solchen Frau gekommen ist.

Das Mittagessen in einem Schwarzmarktrestaurant im sechzehnten Arrondissement, wo die »Großen« des Rundfunks und der Presse verkehren, scheint für Arnaud die Gelegenheit, zu zeigen, daß er sich gar nicht verheiratet fühlt und daß ihm die Freunde nach wie vor das wichtigste sind. Louise bemüht sich hartnäckig, in seinen Augen ein Zeichen der ehelichen Komplizenschaft zu entdecken, während er geradezu seine Ehre daransetzt, ein solches Zeichen zu vermeiden. Sie versucht, während des Essens seine Hand zu nehmen, aber er haßt öffentliche Zärtlichkeitsbekundungen und sentimentale Weibchenmanieren: »Besänftige deine Glut«, sagt er und mimt den Verschreckten, um die Gesellschaft zu erheitern. »Man könnte meinen, du heiratest zum ersten Mal.«

Hermine beobachtet das Spiel und liest die Zukunft im demütigen Blick ihrer Tochter, die sich verpflichtet fühlt, als erste zu lachen. Es ist aus, denkt sie, sie hat die Sache ganz falsch angepackt. Dabei wäre es wirklich nicht schwierig, diesen eitlen kleinen Gockel auf Vordermann zu bringen, vorausgesetzt, er wird gleich zu Beginn in seine Schranken verwiesen. Manchmal werden die Rollen in den ersten Tagen einer Ehe verteilt: Derjenige, der mehr liebt, streckt die Waffen, nicht selten fürs Leben.

Das Mittagessen dauert ewig, wie so oft bei nicht sehr geglückten Festen, die keiner abzubrechen wagt. Die Verwandtschaft ist schon gegangen, aber Arnaud spendiert noch eine Runde Champagner und hält seine Gäste zurück, weil er spürt, daß Louise am liebsten nach Hause möchte. Aber er wird doch nicht gleich von Anfang an gehorchen! Alles an ihr stimmt ihn aggressiv an diesem Tag, vor allem, daß sie sich so sicher zu sein scheint, die Liebe werde ihr alle geheimen Türen öffnen. Er hat Angst vor diesem Bedürfnis nach Vereinigung, das er in ihr spürt, das nur auf ein kleines Zeichen wartet, um ihn zu verschlingen. Er möchte sie ein für allemal verletzen, damit sie's kapiert ... Aber er weiß bereits, daß sie zu jenen zählt, die sich lächelnd wieder aufrichten und nicht nachtragend sind. Er hingegen ist sehr nachtragend.

Gegen sich selbst und diesen idiotischen Tag. Und überhaupt gegen die Ehe. Heute abend steht Ekstase auf dem Speiseplan. Pflicht. Scheißekstase! Sie müssen zusammen nach Hause gehen, sie an seinem Arm hängend, Madame Arnaud Castéja ... ein Name, den sie in Zukunft bewohnen wird. Mit Lucienne fühlte er sich so frei, er verachtete sie gerade genug, um sie in aller Ruhe zu begehren; wie konnte er nur dieser Familie in die Falle gehen, in der eine Schwiegermutter herrscht, die offenbar nicht bereit ist, ihm gegenüber Nachsicht zu üben. Und wegen dieses Scheißkrieges wird er Louise nicht einmal mit sich nach Hause nehmen, sondern er wird bei ihr wohnen, in einem Bett schlafen, das schon einiges erlebt hat ... Na ja, edelmütig weigert er sich, diesen Gedanken weiterzuspinnen, aber zumindest wird er sich nicht wie ein Liebhaber – noch einer, nach so vielen anderen – behandeln lassen. Das muß er gleich am ersten Tag deutlich zum Ausdruck bringen. Schlechte Gewohnheiten bürgern sich so schnell ein!

Die »Hütte« gefällt ihm sowieso nicht, in dem Zustand, in dem sie sich befindet. Er muß erst einmal seine Duftmarke anbringen. Da haben zu viele Dinge stattgefunden, an die er nicht gerne denkt. Leider ist es nicht einfach, umzuziehen. Aber auf jeden Fall darf er nicht eine Sekunde zögern, er muß sofort beweisen, daß er der Herr im Hause ist. Am ersten Abend macht er die Besitzerrunde, denn Besitzer ist er nun geworden.

»Würde es dich sehr stören, wenn wir das Porträt von Jean-Marie aus dem Alkoven herausnehmen, mein Schnuckilein? Wir könnten es ins Eßzimmer hängen, über den Kamin zum Beispiel.«

Louise antwortet, daß es sie natürlich nicht stört, nein, nein, eigentlich hätte sie selbst dran denken müssen. Es ist nicht sehr taktvoll, einen Herrn unter dem Porträt seines Vorgängers schlafen zu lassen. Arnaud bewaffnet sich mit einem Hammer, steigt auf einen Stuhl und schickt sich an, einen Haken in die Wand zu schlagen. Indessen umarmt sie seine Beine und lehnt ihren Kopf an seinen Rücken. Seit heute morgen hat sie das Bedürfnis, ihn zu berühren, und sie mag es, wenn ein Mann ihre Arme ausfüllt. Werner mochte es sehr, wenn sie ihre Arme um ihn legte, während er am Küchenherd stand, wenn sie sich wie ein Tintenfisch an ihm festklammerte. Aber Arnaud befreit sich betont ruhig aus der Umarmung:

»Hör mal, siehst du nicht, daß das stört? Ich hasse es, wenn man an mir herumfummelt.«

»Ich dachte, seit heute morgen sei ich nicht mehr ›man‹!«

Ein Gipsstück fällt samt Haken herunter und erspart Louise eine schneidende Antwort.

»Ich hab' mich nicht getraut, dir den Rat zu geben, einen Dübel zu verwenden«, sagt sie laut lachend und hebt die Trümmer auf. »Alles, was du dazu brauchst, ist im Schränkchen im Flur, wenn du willst . . .«

»Nein danke, ich mach' das morgen in aller Ruhe«, murmelt er; die Heiterkeit seiner Frau irritiert ihn.

Wenn sie geschrien hätte: Verdammt, du hast meine Wand kaputt gemacht, dann hätte er antworten können: Diese Scheißwand ist nicht *deine* Wand, und dieser Gips ist beschissen, und ich hasse diese Scheißwohnung, die voll ist von den Geistern deiner Ehemänner und Geliebten ... Scheiße, einfach alles Scheiße. Ein Mann wird ja wohl noch das Recht haben, ein Stück Gips herunterfallen zu lassen, ohne daß man sich lustig macht über ihn.

Aber Louise behält ihr Lächeln und ihren verliebten Gesichtsausdruck bei und beginnt ein Abendessen zuzubereiten, das erste Abendessen ihres gemeinsamen Lebens. Sie schwirrt in der Gegend herum, deckt den Tisch mit ihrem schönsten Geschirr, sorgt für Unterhaltung vor einem ziemlich griesgrämigen Publikum. Sie redet sich ein, daß sie eine dumme Gans ist, wenn sie unbedingt möchte, daß dieser Tag eine Wende bedeutet. Die Ehe findet jeden Tag statt, und Arnaud haßt Jahrestage und sonstige Feierlichkeiten zu bestimmten Anlässen. Er haßt es auch, wenn man ihn beobachtet. Heute abend geht sie ihm auf die Nerven mit ihrer Sentimentalität, die wie Butter auf ein Brot geschmiert ist, das noch kein tägliches ist und auch niemals ein solches sein wird – zumindest was ihn betrifft. Er wird nicht verkrusten. Er wird reisen.

Etwas später zieht er sich aus, wobei er ihr den Rücken zuwendet, als wolle er ihr damit klarmachen, daß sie nicht vertraglich das Recht erworben hat, sein Geschlecht zu sehen. Jedenfalls nicht jeden Tag. Er teilt ihr mit, daß er am nächsten Morgen sehr früh aufstehen muß, denn er hat um neun einen Termin mit einem Boxer, zu einem Interview.

Sie verlassen wegen eines Boxers? Hat es sich nicht so einrichten lassen, daß sie wenigstens am Tag nach der Hochzeit gemeinsam ausschlafen können?

Ausschlafen können! Der Ausdruck ekelt ihn an. Im übrigen fühlt sich Arnaud heute nicht verheirateter als gestern, auch wenn er da auf dem Standesamt so einen Wisch unterschrieben hat.

»Mein armes Schnuckilein, du bist eben doch nur eine sentimentale Mieze, auch wenn du dich noch so intellektuell gibst«, sagt er und klopft ihr auf den Nacken. Zum zweiten Mal heute abend nennt er sie bei diesem lächerlichen Diminuitiv, und sie wagt es nicht, diesen Namen zurückzuweisen, weil er vielleicht eine Etappe ist auf dem schwierigen Weg zu »mein Liebling« und zum unaussprechbaren »meine Geliebte«.

Er zieht seinen Schlafanzug an, Oberteil und Unterteil, steigt in das vor ein paar Stunden ehelich gewordene Bett – was kein besonderer Vorzug ist für ein Bett – und dreht sich zur Wand. Man soll nur ja nicht glauben, es habe sich Entscheidendes ereignet!

Es ist 22 Uhr 30. Louise legt sich neben ihn und versucht, die Situation nicht zu dramatisieren. Eher komisch, das Ganze: »Am Hochzeitsabend verlassen!« ... »Kaum hat er die Wohnung der Braut betreten, zeigt der Verführer sein wahres Gesicht!« ... »Der ideale Bräutigam war nichts als ein mediokrer Muffel!« ... Solche Dinge passieren eben nur sentimentalen Miezen, in »unseren Kreisen« passieren sie nicht! Sie ist nicht müde und würde gerne lesen, aber sie wagt es nicht, das Licht wieder anzumachen. Noch weiß sie nicht, ob er es verträgt, wenn Licht brennt, während er schläft, oder ob es ihn nervös macht, wenn jemand neben ihm im Bett liest. Heute morgen noch wußte sie nicht, daß er kein Heimwerker- und Bastler-Typ ist und daß er es haßt, wenn man ihn anfaßt oder ihn kritisiert, daß er seinen berühmten Humor nicht unbedingt auch mit nach Hause bringt. Man sollte die Kandidaten vor der Hochzeit einen Fragebogen ausfüllen lassen. »Du hast einen Unbekannten geheiratet, arme Idiotin!«, sagt sie sich und versucht, die dumpfe Angst, die in ihr aufsteigt, zu verdrängen. Ist es denn möglich, daß sie, Louise, mit Staatsprüfung in Altphilologie, Latein- und Griechischlehrerin und so weiter, Journalistin, oder doch fast Journalistin beim französischen Rundfunk, einen monumentalen Fehler begangen hat? Natürlich nicht. Eigentlich hat sie bisher im Unwirklichen gelebt: im Erhabenen mit Jean-Marie, in der körperlichen Leidenschaft mit Werner. Diesmal geht es darum, eine echte Beziehung herzustellen mit einem normalen Mann, unter normalen Lebensbedingungen, das heißt mit Schwierigkeiten. Sie wird sich anpassen müssen und darf nicht verlangen, daß er sich ihrem Ideal entsprechend verhält; sie wird es nicht wie Hermine anstellen, und das fängt damit an, daß sie nicht seine Neigungen und seinen Geschmack kritisiert. Mit bewundernswerter Gutwilligkeit beschließt sie, ihn nächsten Sonntag zum Pferderennen zu begleiten, sich mit ihm Boxkämpfe anzuschauen und sogar zu rufen »Bring ihn um«, wenn es sein muß. Sie wird Kartenspielen lernen, *belote, 421* und sogar Bridge. Sie wird nicht grinsen, wenn sie seine Sportzeitschriften oder seine Krimis sieht. Ferner muß sie aufhören, die intellektuelle Nummer zu bringen, jedesmal wenn von Rugby die Rede ist. Unverzeihlich, wenn man einen Mann aus Südwest-Frankreich heiratet und die Rugby-Regeln nicht kennt! Hättest einen aus dem Norden heiraten sollen, Alte! Aber dann wär's Fußball gewesen, genauso unmöglich . . .

Ein wenig erfreuliches Programm, aber es gibt nur die Wahl: entweder so – oder Koffer packen und heim zur Mama und gestehen, daß man unfähig ist, sich einen Mann auszusuchen. Aber da gibt es ja auch noch diesen Duft neben ihr, der sie erregt: etwas bitter, wie frisch geschnittenes Heu. Ganz sanft schiebt sie sich an diese Gestalt heran, die seitlich zur Wand zusammengekrümmt liegt, und legt eine Hand auf seine Hüfte, ohne die Finger zu bewegen – nicht vergessen, daß er es nicht mag, wenn man an ihm herummacht! Keine Reaktion. Schläft er oder hat er auf diese Geste gewartet? Durch mehrere aufeinanderfolgende Schlangenbewegungen – hoffentlich wirken sie wie natürliche Bewegungen im Schlaf – robbt sie sich nach und nach an ihn heran, schmiegt sich ganz eng an seinen Rücken, ihre Beine zickzack-förmig im Knick seiner Beine. Noch immer keine Reaktion. Sie liegt unbeweglich, fest an diesen Mann gelötet, der nun ihr Schicksal ist. Sie wird ihn zähmen. Sie wird es schaffen. Er ist bisher noch nie glücklich gewesen, weder bei einer lieblosen Mutter noch an der Seite ständig wechselnder Frauen. Sie wird ihn wirklich lieben, ihm zeigen, was Liebe ist. Sie merkt, daß sie ein bißchen weint, und weiß nicht, ob es die Angst vor dem unbekannten Abgrund ist, vor diesem Mann, mit dem sie ihr Leben verbringen wird; oder ob es die Sehnsucht nach dem ins Eßzimmer verbannten Jean-Marie ist, mit seinem blassen, intensiven Gesicht und seiner immer zum Ausbruch bereiten Leidenschaft. – Jean-Marie, an den sie sich jetzt als an einen ganz jungen Dichter erinnert, der aus einer anderen Welt gekommen war, in die er zurückkehrte, um dort eine ewige Jugend zu leben. Schon hat sie drei Lebensjahre mehr hinter sich als er! Was weiß sie denn, ob ihre Liebe auch ohne die Krankheit jene Absolutheit erreicht hätte ...

Arnaud dreht sich seufzend um: Er schläft. Sie hat schon bemerkt, daß er seufzt im Schlaf, wie ein junges Hündchen, das am Bauch der Mutter nach Wärme sucht. Sie wagt es nicht, Worte auszusprechen, die ihn aufbringen könnten; also stöhnt auch sie und umarmt ihn fester. Undeutlich murmelt er »Ich liebe dich«. Sie ist sich nicht ganz sicher, ob sie auch richtig gehört hat, aber ihr Unglücklichsein ist ganz plötzlich dahingeschmolzen. Und nun lieben sie sich, ganz sanft, ohne Worte.

Mit einem Mal fühlt sich Louise voller Mut für die Zukunft – komme da, was wolle. Seltsamer Gedanke in der Hochzeitsnacht! Sie liegt noch lange wach, ehe auch sie in den Schlaf versinkt. Sie weiß noch nicht, daß sie soeben mit einer neuen Gefährtin für zukünftige Nächte Bekanntschaft gemacht hat: mit der Schlaflosigkeit.

Seit das Aufgebot ausgehängt wurde, hat Louise keine Vorsichtsmaßnahmen mehr getroffen; endlich. Sie hatte auch nie welche getroffen zur Zeit der Amerikaner, aber aus Gründen, die ihren Nationalstolz kränkten: Dort drüben hatte man ihnen wohl erzählt, daß alle Französinnen an Geschlechtskrankheiten litten. Werner war ein disziplinierter, gewissenhafter Soldat gewesen, der es nie versäumt hatte, das diskret verpackte Ding auf den Nachttisch zu legen, wenn er ins Bett ging; wenn dann der Moment gekommen war, hatte er es mit der Geschicklichkeit eines alten Routiniers übergestülpt, aber durch das obszöne Schnalzen war in Louise immer die Vorstellung von Geschirrspülen und Gummihandschuhen geweckt worden.

Von nun an bleibt sie liegen, wenn sie und Arnaud miteinander geschlafen haben, und genießt die Feuchtigkeit der ineinander verhedderten Körper und den bitter-süßen Geruch der Lust. Aber Arnaud ist kein Mann des Danach! Er hebt seinen Schlafanzug auf, den er auf den Teppich geworfen hatte, und damit signalisiert er, daß die Viertelstunde der Gnade vorüber ist; Louise sieht ihm nach, wie er im Halbdunkel ins Badezimmer marschiert, seine schmalen Hüften teilen sich harmonisch in zwei lange, leicht behaarte Oberschenkel; sie beobachtet ihn ganz intensiv, lernt sein Profil auswendig, diese Silhouette, neben der sie nun leben wird, und sie fragt sich, warum die Liebe sich in soviel Melancholie auflöst. Ach, schau an, er hat abends angeschwollene Knöchel, das hatte sie noch nicht bemerkt. Vielleicht wird ein Liebhaber deshalb nicht so genau in Augenschein genommen, weil die Wahrscheinlichkeit gering ist, daß man dreißig Jahre später seine Krampfadern pflegen muß. Aber jetzt ist dieser Unbekannte ihre Familie geworden, und alle seine Handlungen werden sich in Zukunft auf ihr Leben auswirken, vor allem aber auf dieses Kind, das sie gerade gezeugt haben und dem er die Hälfte eines Erbguts übertragen hat, von dem sie so wenig weiß.

Sie sagt es ihm nicht gleich. Sie will sich erst einmal allein über ihr Geheimnis freuen. Arnaud wird sowieso keine Fragen stellen; »all das« macht ihm ein wenig Angst, ekelt ihn ein wenig an. Er weiß sich nicht der großen Worte zu bedienen. »Man muß ernsthaft über die kleinen Dinge des Lebens reden und locker über die großen«, behauptet er, um seine Unfähigkeit zu rechtfertigen. Während sie sich lieben, entschlüpft ihm keinerlei Bemerkung, er fragt nicht, gibt keinerlei Hinweise. Dann tut sie es eben auch nicht. Er tut, was er zu tun hat, und sie weiß nicht recht, ob er sie dazu braucht, ob er *ihren* Körper braucht oder ob es darum geht, daß er es braucht, jeden zweiten Tag mit einer Frau zu schlafen. Er hat nichts von Werners Inbrunst. Begehrt er sie weniger oder sind seine körperlichen Bedürfnisse geringer? Sie fragt sich, wie wohl die Norm ist, aber er mag nicht, daß man ihn fragt ... immerhin kann sie so ihre Illusionen bewahren. Schließlich erklärt er, er sei sehr glücklich, Vater zu werden. Seiner Meinung nach braucht Louise ein Kind für ihr inneres Gleichgewicht. Zuviel Intellekt ist nie gut für eine Frau. Und es freut ihn, sich in die Existenz eines Sohnes hinein verlängern zu können. Natürlich wird er Gustave heißen, um die Familientradition aufrechtzuerhalten.

»Gustave? Der Name allein löst ja schon eine Fehlgeburt aus!«

»So hieß mein Vater!« sagt Arnaud gereizt.

»Ein Gustel! Oder ein Gusti! Bist du wahnsinnig? Nein, Liebling, nicht Gustave, bitte nicht . . .«

»*Du* bist wahnsinnig, mein Schnuckilein; ich bin der älteste Sohn, und der Vorname des Erstgeborenen ist heilig bei uns . . .«

Bei uns? Ja, richtig, »bei uns«, das bedeutet nun nicht mehr bei den Morvans, das bedeutet von nun an bei den Castéjas. Und »bei uns« werden die Vornamen weitergegeben, indem man immer eine Generation überspringt. Die Erstgeborenen heißen abwechselnd Gustave und Arnaud.

»Und wenn es eine Tochter ist?«

»Bei den Mädchen besteht freie Wahl. Du kannst sie Angina nennen, wenn es dir Spaß macht«, sagt er großzügig.

Ja, in der Tat, was soll's. Die Ehefrauen sind nur Gefäße, in die die Gustaves oder die Arnauds ihren Samen deponieren, um neue Castéjas herzustellen.

»Angina! Das finde ich eigentlich fast hübscher als Gustave . . . Sogar hübscher als Schnuckilein. Woher hast du eigentlich diesen Hundekosenamen geholt?«

Arnaud setzt eine empörte Miene auf.

»Ich habe eine Cousine, die wir so nannten und die ich sehr mag. Aber wenn du lieber willst, daß ich dich Loulou nenne . . .«

»Nein danke. Ich mag Kosenamen sehr gern, weißt du, aber nicht Diminuitive. Ich nenne dich doch auch nicht Nono, wie deine Mutter.«

Warum denn nicht einfach »Liebling«, denkt Louise. Das ist doch nicht schwer auszusprechen. Na ja, vielleicht doch.

Was Gustave betrifft, so wird es jedenfalls kein Mittel geben, Arnaud davon abzubringen, denn er ist auf seinen Vater sehr stolz: Der war Chefredakteur der größten Tageszeitung in Südwest-Frankreich und ist ganz plötzlich, vor fünfzehn Jahren, auf einer Pferderennbahn gestorben. Er stand im Ruf, ein echter Mann, großer Jäger, gestandener Trinker, brillanter Erzähler, Pokerspieler und Schürzenjäger zu sein. Seine Ehefrau, die er rundum unglücklich machte und der er Berge von Schulden hinterließ, war »eine Heilige«, hieß es, noch so eine, die nur für ihre Kinder gelebt hatte – nur Söhne, gottlob! – und später, als die Kleinen auf eigenen Füßen standen, nur für den Lieben Herrgott. Arnaud ist der Ansicht, seine Familie sei normal. Es ist zwar nicht gut, eine Ehefrau unglücklich zu machen, gewiß, aber ein wirklicher Makel ist das im Süden nie gewesen. Ein Mann ist ein Mann, oder nicht? Und die Frauen sind leider viel zu sentimental und kommen mit den richtigen Männern nicht zurecht, da liegt das ganze Problem. Es ist ja wohl nicht an ihnen, sich zu ändern, sie müssen sich doch um die Karriere kümmern, um die materielle Absicherung der kleinen Familie, sie müssen ihre Rolle in der Gesellschaft spielen, ihre Männerfreundschaften pflegen, sie müssen sich am Wochenende auf der Jagd entspannen, sich am Sonntag die Rugby-Spiele ansehen – und dann haben sie halt, verdammt nochmal, ihr männliches Temperament. Das ist es, was sie nicht kapieren wollen, die Weiber. Das sagt er zwar nicht alles. Zumindest nicht so. Es ist auch besser, sich nicht allzusehr auf das Thema Familie einzulassen, da auf diesem Gebiet die persönlichen Auseinandersetzungen gefährliche Ausmaße annehmen. Es gibt sowieso viel dringendere Probleme: Kurz nach der Hochzeit wird Arnaud die Beförderung angeboten, auf die er seit Monaten wartet: Er soll einer der Chefreporter beim Rundfunk werden.

»Kannst du dir überhaupt vorstellen, was das für mich bedeutet? Die Gelegenheit, zu beweisen, was ich kann, zu reisen und auch mehr Geld zu verdienen für uns beide ... für uns drei«, verbessert er sich.

»Und was ist mit dem Urlaub? Der hinausgeschobenen Hochzeitsreise?«

»Hör mal, du kannst dir doch wohl denken, daß ich nicht meinen Urlaub beantragen werde, wo ich gerade die Stelle bekommen habe! Aber wir werden acht oder zehn Tage Urlaub machen im Sommer, das verspreche ich dir.«

Er hat sie gewarnt, schon vor der Hochzeit: Das wichtigste für ihn sind seine Arbeit, sein Erfolg, seine finanzielle Unabhängigkeit, sein ... seine ... Natürlich hat Schnuckilein Verständnis. Sie wird doch nicht eine Szene machen wegen einer Hochzeitsreise mehr oder weniger. Das ist halt Pech. Die erste war eine Reise ins Lungensanatorium, die zweite wird zu Madame Mutter führen, denn Arnaud besteht darauf, daß sie seine Familie, seine Heimat, die Jesuitenschule, deren brillanter Absolvent er ist, seine frühere Rugby-Mannschaft, seine früheren Kommilitonen, auch seine erste Freundin – ein tolles Mädchen – kennenlernt. Er freut sich so sehr auf diese Reise, sie ist ganz glücklich darüber, und im übrigen wird sie ihn dabei besser kennenlernen. In seiner ursprünglichen Umgebung, in der er als Star galt, als Wunderkind, das nach Paris ging, um dort einen Beruf auszuüben, der 1946 noch ein Prestigeberuf war, wird er sicherlich jenen Humor wiederfinden, jene Freude am Festefeiern, jene Leichtigkeit, mit der er Louise damals verführte, als sie noch Publikum war, als sie noch *sein* Publikum war. Seitdem sie nichts als seine Frau ist, hat sie einen anderen Mann entdeckt. Das ist ein Phänomen, das man nicht erklären kann, fast beschämend, und sie wagt es nicht, mit jemandem darüber zu sprechen, nicht einmal mit Agnès.

In Montpellier entdeckt sie auch tatsächlich den jungen Mann wieder, den alle Mädchen unwiderstehlich finden; er wird wieder zu jenem unverbesserlichen Verführer, der immer ein Geheimnis auf Lager hat, das er einer Frau neben ihm ins Ohr flüstert, und die Angesprochene gluckst vor Wonne; der Verführer, der es fertigbringt, jede in dem Glauben zu lassen, sie genieße seine ganz besondere Gunst. Er verbringt endlose Stunden in den verschiedenen Kneipen der Stadt, und immer ist er der Held des Abends; und danach gibt es Cassoulets – »homerische« Cassoulets, so nennen sie es – beim einen oder anderen seiner Freunde. Sie erzählen von der guten alten Zeit und ihren nächtlichen Streifzügen, von den üblen Streichen und den fröhlichen Vögelrunden, von den Räuschen, die selbstverständlich auch »homerisch« waren – und Louise fühlt sich immer etwas außerhalb, hat Mühe, eine Anspielung oder ein Verhaltensritual rechtzeitig zu verstehen, denn es betrifft eine Vergangenheit, die alle anderen besser kennen als sie. Sie hört zu, sie lächelt, sagt »Ach so?« oder »Fabelhaft!« – und weil sie es nicht wagt, von sich aus das Zeichen zum Aufbruch zu geben, schläft sie schließlich ein, wo sie gerade ist, sowohl aus Langeweile als auch auf Grund einer ununterdrückbaren Schläfrigkeit, die sie befallen hat, seitdem sie das Kind erwartet. In seiner alten Umgebung spricht Arnaud automatisch wieder mit dem südfranzösischen Akzent, von dem in Paris nur ein paar singende Intonationen übrig sind. Sie freut sich, ihn glücklich zu sehen; sie blättert gerührt mit Frau Mama in den Familienalben und bewundert den süßen kleinen Jungen im Matrosenanzug mit den melancholischen Augen. Sie wohnen im Erdgeschoß des schönen, strengen Hauses, wo er seine Kindheit verbracht hat, und von dem seine Mutter nach dem Tod des Vaters den größten Teil hat verkaufen oder vermieten müssen, um die Schulden zu bezahlen. »Nennen Sie mich Mutter«, hat sie gleich bei der ersten Begegnung gesagt, ohne auch nur einen Hauch von Zuneigung in ihre Worte zu legen. Sie ist eine schöne, große, vollkommen öde Frau. Ihre Mundwinkel sind nach unten gezogen, ihr braunes Haar ist stumpf, ihre feine, farblose Haut ist wie abgestorben. Sie trägt Strümpfe, sogar im August.

»Nennen-Sie-mich-Mutter« hat den beiden ein Zimmer mit zwei Einzelbetten hergerichtet.

»Ich habe kein Doppelbett«, lügt sie und kann ihre Schadenfreude kaum verbergen. »Du wirst in deinem Junggesellen-Bett sowieso besser schlafen, denn du bist sicher müde. Und Sie auch, Louise«, fügt sie hinzu, weil sie sich erinnert, daß das ihre im vierten Monat schwangere Schwiegertochter ist.

Das Zimmer geht auf den Hof hinaus; es ist ehrwürdig und finster, mit schweren Samtvorhängen, die im Lauf der Jahre verblichen sind.

»Ich möchte Sie bitten, die Fensterläden immer halbgeschlossen zu lassen, mein Kleines«, sagt sie zu Louise, die auf das Fenster zugeht, um es zu öffnen. »Hier unten im Süden frißt die Sonne die Farben.«

»Welche Farben?« flüstert Louise ihrem Mann zu. »Ich würde meine Farben in diesem Halbdunkel ganz schnell verlieren!«

Arnaud zuckte die Schultern. Hier ist es weder traurig noch heiter, weder hell noch dunkel, es ist einfach zu Hause. Sie werden ja sowieso den ganzen Tag draußen sein. Sie gehen in der Tat viel raus, zu all diesen Freunden, deren Akzent ebenso stark ist wie ihre Knoblauchausdünstung, und für die Freundschaft offensichtlich Männersache ist. Aber für Louise geben sie sich Mühe, weil es das erste Jahr ist und weil sie wissen, daß es nicht lange anhalten wird. Die Angetrauten ermüden rasch – oder man tut alles, damit sie rasch ermüden – und halten solche nächtlichen Sauftouren nicht lange aus.

»Ein toller Abend, hm?« fragt Arnaud fast jeden Abend, wenn sie etwas angetrunken vom Landwein und vollgefressen mit den Spezialitäten der Gegend nach Hause kommen. »Wie findest du meine Freunde?« fügt er hinzu, ohne zu bemerken, daß sie Louise vollkommen egal sind, diese Freunde, von denen er sich nicht trennen kann und für die er ihr karges Kapital an Intimität vergeudet, das ihnen noch übrigbleibt, diese zehn Tage, mit denen sie so sehr gerechnet hat. Er merkt nicht, daß sie etwas anderes erwartet: daß er sie findet, sie, daß er ihr sagt, daß sie sich, dafür daß sie im vierten Monat schwanger ist, großartig verhält, daß er merkt, daß es ihr nicht ein einziges Mal schlecht war und daß sie ihn nie getriezt hat, sie sollten früher nach Hause gehen. Den ganzen Tag hat sie gewartet, um mit ihm das Erlebte zu besprechen, um ein bißchen die Leute durchzuhecheln – eine alte Familiengewohnheit, die Arnaud haßt.

»Meine Freunde sind mir heilig«, unterbricht er unwirsch, sobald sie den geringsten Vorbehalt äußert.

»Ich hoffe, du sagst das nicht auch von mir. Es würde mir gar nicht gefallen, wenn ich geachtet würde, nur weil ich deine Frau bin, eine ein für allemal heilige Kuh. Laß mich im Glauben, ich verdiene mir jeden Tag das Privileg, dir zu gefallen aufs neue.«

»Das wäre aber sehr ermüdend. Komm lieber in mein Junggesellenbett, anstatt herumzureden . . .«

Louise hat aber Lust, herumzureden über diesen Begriff »herumreden«, den er jedesmal verwendet, wenn sie diskutiert. Aber wenn er recht hätte? Wenn diese Manie, alles zu kritisieren, nur ein Zeichen von Überheblichkeit wäre, ein Familienlaster, wie Arnaud es nennt? Sie verdrängt, was sie sagen möchte, und schlüpft in das schmale Bett, schmiegt sich eng an ihn. Später werden sie einmal reden können, wenn sie ihm genügend Beweise ihrer Liebe geliefert hat, um sein Mißtrauen zu zerstreuen.

Sie kommen aus Montpellier zurück und fühlen sich wie erlöst; jetzt können sie wieder ihren üblichen Beschäftigungen nachgehen. Arnaud kann nie lange abschalten, er ist unfähig, den Müßiggang zu genießen, und er mag es nicht, Tag und Nacht unter der Aufsicht seiner Frau zu stehen. Er hat in seiner Kindheit jahrelang darum gekämpft, den Einmischungen seiner Mutter zu entkommen, niemals wird er sich wieder der Macht einer Frau ausliefern.

Aber in Paris sind die Abende lang und wiederholen sich ... allabendlich. Es kommt immer ein Augenblick, wo Louise ihre Fragen nicht mehr zurückhalten kann: Ist er enttäuscht von ihr oder nicht? Hat er sie sich anders vorgestellt? Bereut er es, geheiratet zu haben, letzten Endes? Warum hat er gerade sie auserwählt?

»Jetzt fängst du schon wieder an! Du bist eine Nervensäge, weißt du. Was bedeutet das denn, glücklich sein? Bis ich geantwortet habe, bin ich es vielleicht schon nicht mehr.«

Sie weiß, daß sie eine Nervensäge ist; aber wie soll sie denn dieses Unbehagen verdrängen, das sie empfindet, wenn er jeden Abend mit verschlossenem Gesicht nach Hause kommt und sich hinter dem Berg von Zeitungen verschanzt, die er mitbringt, um sich zu schützen?

»Ich muß alles lesen, das gehört zu meinem Beruf, das willst du einfach nicht verstehen.«

Aber wenn sie dann nach einer Stunde des Verstehens, in der sie sich in den Niederungen des Haushalts zu schaffen gemacht hat, an den Tisch kommt und fragt: »Na, was gibt's Neues?« antwortet er: »Och, nicht viel«, und dabei redet er stundenlang über Politik und Literatur, wenn Félicien da ist. Immer nur wenn Freunde da sind, erfährt sie, was er von der Regierung Ramadier hält oder von dem Film, den er sich diese Woche angesehen hat — just den, den sie sich so gern mit ihm angeschaut hätte. Wenn sie insistiert, wird er wütend:

»Was es heute Neues gibt? Nichts, was dich interessieren könnte. Ah doch! Die Röcke werden kürzer ...«

»Saukerl!«

»Und man fragt sich, ob Juliette Gréco nicht schwanger ist ...«

Was ist aus dieser schlichten Freude geworden, wenn man dem anderen sagt: »Du kannst dir gar nicht vorstellen, was mir heute passiert ist!« Und dann das Glück, zuzusehen, wie er sich interessiert, wie ihn Kleinigkeiten amüsieren — kurz, wie *verliebt* er ist. Vielleicht ist es aber auch nur diese Schwangerschaft, die sie so empfindlich macht für Arnauds Launen, und dann ist es besser, daß ihn seine neuen Aufgaben oft auf Reisen schicken. Wie alle Menschen, die lieben, hat sie den Eindruck, daß er viel öfter weggeht, als er kommt. Aber zumindest bieten ihr diese Trennungen die Gelegenheit, ihm das zu schreiben, was sie ihm nicht ins Gesicht zu sagen wagt, weil sie den resignierten Ausdruck nicht sehen will, den sein Gesicht bekommt, wenn er sich ihre »Schwatzereien« anhört. Er antwortet in kleinen, ironischen Briefchen: »Meine liebe Nina, Colette, oh Entschuldigung: Louise«, und er schließt »mit verlieb… freundlichen Grüßen«. Er macht sehr gerne Witze, wenn sie auf Kosten seiner Frau gehen, und gibt sich nur dann zärtlich, wenn er weit weg ist – er gehört zu jener Kategorie von unzufriedenen Menschen, die überzeugt sind, daß es dem Nachbarn immer besser geht; und die derjenigen, die sie verlassen haben, schreiben: »Du wirst sehen, Liebling, wenn ich zurückkomme …«, die aber dann, wenn sie zurück sind, gar nicht mehr wissen, was ihnen fehlte und nur noch eines im Sinn haben: wieder gehen.

Zum Glück bleibt die Hoffnung. Sie weiß noch nicht, diese kleine achtundzwanzigjährige Ich, daß sie zehn Jahre absoluter Liebe durchmachen wird, zehn Jahre, in denen sie nie satt werden wird an ihm, in denen sie stets nach ihm lechzen wird, so lange, bis sie keinen Hunger mehr verspürt, und nicht bis er diesen Hunger stillt. Ein feiner Unterschied.

War es gut so? Warum nicht? Vielleicht ist einer, der liebt, immer der Gewinner, selbst wenn er betrogen wurde. Vielleicht war es doch keine verlorene Zeit, die sie Arnaud gewidmet hat, doch keine verschenkte Energie, die in die kleinen Beschäftigungen des Alltags investiert wurde, weil das Leben nicht leicht war in dieser Nachkriegszeit, und weil sie vor allem eines wollte: daß Arnaud das Leben führte, das er liebte. Sie, sie liebte ihn. Jedem das Seine.

Juni 1946

»Wie lang mir diese acht Tage erschienen, mein Geliebter, vor allem die Sonntage, obwohl sie einen Vorteil haben: Ich brauche mir nicht mehr die Sportergebnisse anzuhören! Gestern hat mich Deine Mutter zu Rumpelmayer ausgeführt: Windbeutel, Eclairs mit richtiger Schokolade, kleine Obsttörtchen, alles wie früher. Sie munterte mich auf, alles zu kosten, aber ich habe den Verdacht, daß sie durch mich vor allem den Castéja-Erben ernähren will!

Vergiß nicht, jeden Abend beim Schlafengehen zu wiederholen, daß ich die liebendste, die treuste, die von dir schwangerste (das hoffe ich zumindest) und dennoch die intelligenteste Frau bin, der Du je begegnet bist. Du wirst sehen, daß Du am Schluß davon überzeugt bist.«

»Merkwürdig, ich habe keinen der berühmten Schwangeren-Gelüste, aber dafür ekelt mich manches an. Ich kann meine Haare nicht mehr sehen. Ich träume davon, den Mund von Ingrid Bergmann zu haben, eine kleine feine Nase und goldenes Haar. Das ist natürlich hoffnungslos. Mach Dir keine Sorgen (falls Du auf die Idee kommen solltest, Dir Sorgen zu machen). Es ist die Übelkeit, die zum Ekel vor mir selbst wird: Ich finde mich zum Kotzen. Folglich finde ich Dich immer schöner. Das ist sehr unangenehm, weil ich auf diese Weise nie von meiner Liebe zu Dir genesen werde, die Du manchmal so exaltiert findest. Aber wenn ich zum Beispiel Viviane und Félicien beobachte oder wenn ich die verliebten Blicke entdecke, mit denen Claude seine frischgebackene Frau umgarnt (schließlich bin ich ja auch nicht Deine alte Ehefrau: Ich bin fünf Monate alt!), dann sage ich mir, daß ich mich nur nach dem sehne, was jeder verliebte Mann seiner Frau gibt. Und da Du es mir erstens nicht gibst und da ich zweitens doch Deine Frau bin, ist es wohl die dritte Komponente, die nicht hinhaut: Du bist nicht verliebt. Um Antwort wird gebeten.«

»Deine Ansichtskarte aus Nizza habe ich bekommen, und ich bin sehr glücklich, zu erfahren, daß die Gegend ›schön‹ ist und Du ›sehr‹ an mich denkst. Lieber wäre mir gewesen, daß die Gegend ›häßlich‹ ist, und daß Du ›unendlich viel‹ an mich denkst!

Wenn ich so umwerfende Beweise Deiner Gleichgültigkeit bekomme, nehme ich mir fest vor, es Dir bei Deiner Rückkehr heimzuzahlen. Sobald aber dann die Wohnungstür aufgeht und ich Dich sehe in Deiner dick gefütterten Jacke, wenn Du dann einen Augenblick stehenbleibst und fragst: ›Bin ich hier richtig, werde ich hier geliebt?‹, vergesse ich alle meine Vorsätze.

In Wirklichkeit, glaube ich, bist Du nicht für die Ehe geschaffen. Sag es mir, wenn Du es zu sehr bereust. Dann werden wir überlegen, was zu machen ist. Aber laß mich nicht im Glauben, das sei eine Eheleben. Schwanger sein, verliebt, einsam, das ist ein bißchen viel, wenn man sich nur damit trösten soll, daß die Gegend schön ist und daß der Abwesende an einen denkt.

Viviane und Félicien sind reizend zu der ganz und gar nicht lustigen Witwe, die ich bin, und sie laden mich oft zum Abendessen ein. Du wirst natürlich sagen, daß Félicien nicht viel Charakter hat und Viviane nicht viel Grips, ideale Voraussetzungen, um Reibereien zu vermeiden. Du … Du hast zuviel Charakter, und Du findest, ich hätte zuviel Grips! Jedesmal wenn ich nicht Deiner Meinung bin, betrachtest Du es als einen persönlichen Angriff, und meine Ideale bezeichnest Du als fixe Ideen. Warum erweist Du ihnen nie die Ehre, sie als Grundstein meiner – entschuldige! – meiner Persönlichkeit zu akzeptieren? Wenn wir getrennt sind, hoffe ich immer so sehr, daß wir uns am Ende doch gegenseitig akzeptieren und aufhören, uns aneinander zu reiben. Letztlich sind wir uns am allernächsten, wenn wir getrennt sind. Du liebst mich, wenn Du weißt, Du kommst Sonntag in acht Tagen zurück, wenn Du, um Verzeihung zu erbitten, kleine, eilige, aber zärtliche Briefchen schreibst, in denen Du mich ›Liebe, Wonne, Orgelgetöse‹ nennst.

Ich habe Deinen Rat befolgt und beschlossen, für ein oder zwei Jahre eine andere Stelle anzunehmen. Ich werde die Texte der Kurznachrichten schreiben, die jede Stunde auf Paris-Inter gesendet werden. Bei gleichem Gehalt viel angenehmere Zeiteinteilung: an drei von vier Tagen (inklusive Sonntag) entweder von sechs Uhr früh bis Mittag oder von Mittag bis achtzehn Uhr, oder von achtzehn Uhr bis Mitternacht. ›Man wird deinen Namen im Radio nicht mehr hören‹, sagte Hermine und hoffte, mich damit zu kränken. ›In Zukunft wird Arnaud Castéja der Reporter der Familie sein.‹

Na und? Ich muß es mir einfach eingestehen, daß ich nicht begabt bin. Die Depeschen sortieren, eine Nachrichtensendung ohne Stil- und Grammatikfehler schreiben, aber auch ohne politische Schnitzer, das werde ich schon schaffen. Aus mit der panischen Angst vor Interviews mit Charles Munch, P.H. Teitgen oder Marcel Cerdan, die ich machen muß, obwohl ich keine Ahnung vom Boxen, von der Justiz oder vom Dirigieren habe. Ich gehöre zu denen, die nur ein bißchen was wissen, wenn sie viel wissen, und das ist für eine Reporterin eine schlimme Behinderung. Ich habe alle Mühe, meinen Artikel über Ben Barka für die Zeitung *Qui* zu Ende zu schreiben, aber ich muß ihn am Donnerstag abliefern. Da wo Brillanz, Frechheit, Flexibilität nötig wären, fühle ich mich schüchtern und übervorsichtig. Ich bin erleichtert, daß die Geburt des Kindes mir ein anständiges Alibi liefert, aufzugeben.«

Dennoch waren diese Monate der einsamen Schwangerschaft und die Gewißheit, daß sie in der Ehe immer diejenige sein würde, die mehr liebt, daß sie nicht genügte, um Arnaud glücklich zu machen, dennoch war all das in Louises Augen kein Unglück. Das war das Leben. Und dieses Leben hatte auch seine glücklichen Augenblicke. Bestimmt. Selbst wenn ich mich nicht daran erinnere, muß es sie gegeben haben. Vorausgesetzt, Louise begeisterte sich für das, was er liebte, vorausgesetzt, sie teilte seine Ansichten und praktizierte dieselben Sportarten wie er, dann gelang es ihr, sich die Illusion eines gemeinsamen Lebens zu schaffen, wenn nicht sogar die Illusion einer geteilten Liebe. Vorausgesetzt auch, sie nahm sie hin, seine Anfälle von Nichtliebe.

»Ich wollte es Dir gestern abend nicht sagen, um die letzte gemeinsame Nacht nicht zu zerstören, aber ich werde nicht mehr mit Dir zum Mittagessen in die Kantine im Funk gehen. Warum lädst Du mich denn ein? Wenn ich antanze, ist Dir die Lust schon vergangen, und ich spüre, daß Du Dir sagst: ›Was macht die denn da? Ach ja, ich hatte es vergessen: Ich bin ja verheiratet.‹ Um Dir dann zu beweisen, daß Du Dich durch meine Anwesenheit in keiner Weise eingeschränkt siehst, führst Du Flüstergespräche mit Deiner Sekretärin oder irgendeinem anderen anwesenden Weibchen. Du bestellst mich eigentlich nur deshalb dorthin, um mir vorzuführen, wie es bei Dir läuft, und mir bleibt nichts anderes übrig, als zwischen dem alten Claude Weiss und Deinem Freund Félicien zu essen – und der gibt mir das schmeichelhafte Gefühl, daß ich keine dumme Gans bin, denn *er* hört mir zu. Hast Du überhaupt gemerkt, daß ich noch vor dem Kaffee weggegangen bin? (Ich hatte einen Termin beim Arzt. Ja danke, alles in Ordnung!) Du hast nicht einmal aufgeblickt. Du mußtest Deiner Nachbarin beweisen, daß Du der hinreißende Schürzenjäger geblieben bist, den sie gekannt hatte, selbst wenn jemand inzwischen versucht hat, Dich an die Leine zu nehmen.

Darunter leide ich derzeit um so mehr, als ich mich körperlich reduziert fühle. Ich sehe vermutlich ganz normal aus, aber ich kann nicht mehr kämpfen. Ich habe dauernd das Gefühl, ich trage etwas sehr Zerbrechliches in mir, ich bin zwangseingesetzt im Dienst der menschlichen Gattung, außerhalb des anmutigen Umfelds, in dem die hohlen, oberflächlichen Mädchen ihre Show abziehen. Der einzige Moment, den Du mir allein widmest, das ist unsere kurze Komplizenschaft in der Nacht, aber sie macht mich ebenso traurig, wie sie mich beglückt, denn die körperliche Hingabe geht nie Hand in Hand mit einer geistigen Hingabe. Ich fühle mich erniedrigt, weil Du mir zärtliche Worte nur dann gönnst, wenn Du nicht Du selbst bist. Das winzigste Liebeswort außerhalb des Betts, das kleinste Zeugnis Deiner Wertschätzung untertags wäre so unendlich viel wertvoller.

Warum sage ich Dir solche Dinge nie ins Gesicht? Du würdest mich nicht ausreden lassen; Du würdest behaupten, ich sei ein blutrünstiger Vampir. Ich habe es nie gefunden, Dein Blut. Du schützt Dich unglaublich gut.«

»Nur noch sechs Tage Warten, bis Du wiederkommst, und zwei Monate Warten: auf Gustave. Du wirst entsetzt sein, wieviel ich diesmal dicker geworden bin, besser wird es auch nicht mehr, mein armer Liebling. Ich gerate immer schneller außer Atem, wenn ich mit dem Rad den Boulevard Delessert hinaufstrample – ich träume davon, Gustave im Rinnstein abzulegen und alleine weiterzufahren. Aber der Mietvertrag für einen solchen Bewohner ist auf neun Monate festgelegt, und er wird nur kündigen, wenn er es will. Das stört mich am allermeisten: daß ich nicht mehr Herr bin im eigenen Haus! Du wirst nie erfahren, was das bedeutet: etwas in sich bergen, das man mit seinem Calcium anreichern muß, das sich bei allem, was reingeht, als erster bedient, und das einem dermaßen fremd ist, daß man nicht einmal weiß, ob es männlich oder weiblich ist, mongoloid oder genial. Ich hatte noch nie soviel Verständnis für die Verzweiflung all jener Frauen, die wider Willen schwanger werden und einfach durchmüssen. Zumindest bin ich von Natur aus sanftmütig und laß' mich nicht beeindrucken von den Entbindungen meiner Freundinnen, trotz der schauerlichen Beschreibungen von Agnès anläßlich ihres zweiten. Die Hebamme hat ihr die ganze Zeit nur Geschichten erzählt von Rissen und Zangengeburten, von blau angelaufenen Kindern und von Nabelschnüren, die sich um den Hals wickeln. Zum Schluß natürlich der Dammschnitt. Sie wurde zu eng vernäht und seitdem hat sie bei der Liebe furchtbare Schmerzen. ›Worüber beklagen Sie sich eigentlich?‹ sagte der Gynäkologe. ›Ich habe doch wieder eine Jungfrau aus Ihnen gemacht!‹ «

»Ist Dir eigentlich bewußt, was Du mir schreibst? Auf meine Witzelei über die zu hübschen Sprecherinnen in Marseille antwortest Du: ›Ich habe kein Glück in der Liebe: keine Zeit und keine Gelegenheiten.‹ Du erwartest doch wohl nicht von mir, daß ich Dich wegen Deines ›Pechs‹ bemitleide, Du widerlicher Knabe Du!

Neulich bei den Reys sagtest Du, Du würdest Dich sofort scheiden lassen, wenn ich Dich betrügen würde. Aber Du sagst nie, was Du tun wirst, wenn ich Dich weiterhin so liebe. Geliebt zu werden ist eine Selbstverständlichkeit für Dich, nehme ich an: keine Belohnung. Man kann aber auf tausend verschiedene Arten betrügen. Ist Deine Kälte nicht auch eine Form des Betrugs? Wenn ich Deine langen Schweigeperioden nicht ausfüllen würde, wenn ich Dich nicht beim Nichts-Sagen unterbrechen würde, wenn ich Dich nicht stören würde, um Dich zu küssen, während Du stundenlang die Prognosen Deiner verdammten Pferderennen studierst, wovon würden wir dann leben?

Wie aber kann man jemandem vorwerfen, daß ihn eine Pferderennbahn mehr reizt als seine Frau? Vermutlich sind die Leute selbst schuld, wenn sie nicht genügend geliebt werden.«

»Ich bin wütend auf mich, daß ich Dir neulich ›eine Szene gemacht‹ habe, nachdem ich Dir vierzig Minuten lang auf INF 1 zugehört hatte, wie Du mit Deinen unbekannten Stimmen herumgeplänkelt hast. Welche Rolle denkst Du mir eigentlich zu in Deinem Bett jeden Abend, wenn wir ›endlich allein‹ sind und Dich das Bedürfnis überkommt, Deine galanten Nummern am Telephon abzuziehen, Hoffnung auf ein Stelldichein zu verbreiten, anhand ihrer Stimme die Haar- oder Augenfarbe Deiner Gesprächspartnerinnen zu erraten? In der ersten Woche fand ich es ja ganz witzig, oder zumindest habe ich so getan als ob. Ganz Paris redete davon, es war wirklich lustig. Aber jeden Abend ...!

Das ist ungefähr so, wie wenn ich Pornos lesen würde neben Dir im Bett. In zwanzig Jahren haben wir es vielleicht nötig, aber ich finde es unziemlich, daß Du mich zwingst, Dir zuzuhören, wenn Du andere per Telephon befriedigst mit Deinem berühmten ›Organ‹, das sowieso jede sofort erkennt – was Deinen Spaß an der Sache nur noch vermehrt.

Hermine hat keinerlei Kommentar abgegeben, als Du ihr neulich von der Existenz dieses Parallelsenders erzählt hast, den ich am liebsten als ›fernmündliches Bordell‹ bezeichnen würde ...

Aber Du wirst natürlich wieder sagen, ich hätte keinen Humor! Ich glaube, sie schämte sich für mich. Ihr braucht man nichts vorzumachen. Heute nachmittag, als sie sich vor ihrem Frisiertisch die letzten Augenbrauenhärchen zupfte, sah sie mich plötzlich mit diesem Pythia-Blick an, den sie hat, wenn sie mich sezieren will:

›Ich bin sicher, daß du nicht glücklich bist‹, sagte sie ohne Umschweife. ›Antworte nicht, du brauchst mich nicht anzulügen. Es war dumm, so schnell zu heiraten.‹

Ich habe sie an ihr Argument erinnert, daß Papa sterben würde, wenn ich in wilder Ehe lebe.

›Wer hätte dich denn gezwungen, Tag und Nacht mit Arnaud zusammenzusein? Wenn du liebst, dann ist es immer gleich Heißhunger. Du hättest ihn ja von fünf bis sieben treffen und erst einmal prüfen können, ob er dich wirklich liebt, bevor du den Schleier nimmst!‹

Ich erinnerte sie daran, daß ich im siebten Monat schwanger bin, und daß es wohl etwas spät sei, zu überlegen. Um mich zu trösten, erklärte mir Lou, das telephonische Schäkern sei ein Sport, den ich auch in schwangerem Zustand treiben könnte. Leider habe ich nicht den Mut, es in Deiner Gegenwart zu tun, und keine Lust, es ohne Dich zu tun. Aber sei beruhigt, ich glaube, ich werde wieder ganz unternehmungslustig, wenn ich nicht mehr diesen Kasperl im Bauchladen herumtrage. Du wirst sehen, wenn der Gustl erst einmal geboren ist und ich wieder eins und unteilbar bin, fangen wir bei null an. Zur Not laß' ich das Telephon sperren, und Du wirst sehen, wie glücklich Du dann bist! Es ist so leicht, glücklich zu sein ... fast so leicht wie nicht glücklich sein. Ich sehe Dich von weitem, wie Du die Schultern zuckst: ›Alles Gerede!‹ Aber es ist nicht falsch, nur weil es schön formuliert ist.«

»Du kommst also dieses Wochenende nicht nach Hause. Du weißt, daß mir kein Reportage-Thema interessant genug erscheint, um ein Mehr an Abwesenheit zu rechtfertigen. Ich spüre, daß Du am Tag der Geburt in Gap sein wirst, um die Einwohner über den Schnee zu befragen!

Viviane hat mir vorgeschlagen, sie könnte in den letzten Tagen bei mir wohnen; aber ich hätte zu große Angst, daß sie mir einen Topf kochender Brühe über den Bauch kippt, sie ist unglaublich ungeschickt! Und dann sind die Reys zu zweit und sind fröhlich. Fröhliche Leute stimmen mich depressiv – ironische Leute auch. Das nicht zu übersehende Augenzwinkern von Hermine in Richtung Adrien, als ich erklärte, daß Du jetzt doch nicht am Sonntag, sondern erst am Dienstag nach Hause kommst:

›Ach, ich dachte, er hat am Wochenende keine Sendung ...‹

Adrien zieht die Augenbrauen hoch, um sie zum Schweigen zu bringen. Das arme, unschuldige Kind, schwanger bis über beide Ohren, das kann man ihm doch nicht antun, ihm einen Floh ins Ohr zu setzen ...

Ich habe nur eine Sehnsucht: daß man mir ein Dutzend Austern und Weißwein ans Bett bringt und mir zärtlich zuflüstert: ›Wie häßlich sie doch war, diese dicke, schwangere Frau! Wie schön sie jetzt bald wieder sein wird! Ein schönes Baby wird sie uns bald bescheren!‹ In dem Ton, wie Hermine mit ihrem geliebten Hund spricht ... Und selbst wenn ich nicht Dein geliebter Hund bin, sondern Dein verhaßter Liebling, komm schnell zurück, mein Marco Polo, sag mir, was Dich alles nervt, und sag mir auch die kleinen Dinge, die Dich glücklich machen.«

»Immer noch keine Nachricht für Dich. Ich finde es schändlich, daß Du mich so oft verläßt und daß Dein Sohn sich einfach nicht dazu entschließen kann, mich zu verlassen. Ich habe große Angst, es könnte eine Tochter sein, man sagt, Mädchen lassen immer länger auf sich warten ... Ich habe ständig ein bißchen Bauchweh. Doktor Lamaze meint, die Vorwehen könnten sich vier oder fünf Tage hinziehen, aber danach ginge alles sehr schnell. Aber da ich einiges an Schmerzen vertragen kann und ich mich schämen würde, mich umsonst in die Klinik fahren zu lassen, neige ich dazu, zu glauben: Es ist noch nicht soweit.

Und da ich sowieso die Schuhe nicht mehr allein anziehen kann, weil ich meine Füße nicht mehr sehe und weil ich unfähig bin, mich zu bücken, warte ich lieber auf Dich.«

»Hilfe! Ich habe überhaupt keine Lust mehr, diese Geburt zu erleben. Ein plötzlicher Rückzieher vor dem Preis, der bezahlt werden muß. Einen kleinen Augenblick noch, Herr Henker! Es ist einfach klar, mathematisch klar, daß das riesige Ding in meinem Bauch nicht auf natürlichem Wege herauskommen kann. Er wird platzen, sage ich. Wenn man mir nicht immer wieder beteuern würde, daß dieser Kraftakt schon so vielen Frauen gelungen ist ... Aber hat man jemals an die Panik der ersten schwangeren Frau gedacht, beim allerersten Kind, vor diesem monströs werdenden Bauch und den unverständlichen Schmerzen?

Ich habe nichts mehr zu stricken. Ich habe genügend Söckchen und Jäckchen für Drillinge. Ich bin nur noch eine dicke wartende Kuh. Und während dieser Zeit bist Du wie immer jung und unternehmungslustig und wirst ein berühmter Mann, machst hochinteressante Dinge und läßt mich mit meinem Säugetier-Schicksal allein: weder Ruhm noch Ehre noch Geld werden für mich dabei herauskommen. Die unsägliche Banalität eines Frauenschicksals – und dabei ist für jede, zumindest beim ersten Mal, dieses Banale so außerordentlich! Nun denn, ich hatte eine gute Nacht. Der Aufschwung vor dem Ende, hoffe ich.«

Ja, so war es. Kurz vor Weihnachten, um neun Uhr abends bekam Louise Schmerzen, die keine Zweifel mehr bestehen ließen; es war nun soweit. Arnaud hielt sich – welch glücklicher Zufall – an diesem Tag gerade zu Hause auf und konnte sie in die Klinik bringen. Sie wollte nicht in seiner Gegenwart leiden und in seiner Erinnerung das Bild eines auseinanderklaffenden Genitals festprägen, aus dem vor und nach der Geburt allerlei Flüssigkeiten, Blut und Schleim, herausrinnen würden. Louise hatte noch nie bei einer Geburt zugesehen, und der Gedanke, daß sie in den Preßwehen ihren Schließmuskel nicht mehr kontrollieren könnte, war ihr unerträglich. Sie hatte noch mehr Angst zu furzen als zu leiden. Und man hatte ihr auch von Ehemännern erzählt, die ihre Frau nie mehr begehrten, nachdem sie zugesehen hatten, wie ein glibberiges Etwas aus einer zermarterten Öffnung herauskam.

Sie hatte sich geschworen, bei der Geburt nicht zu jaulen und gleich danach zu ihrem Kosmetiktäschchen zu greifen, das auf dem Nachttisch liegen würde, und sich nach allen Regeln der

Kunst zu schminken. Sie würde ihr blauseidenes Nachthemd anziehen – himmelblau wie ihre Augen, Lou hatte es ihr zur Feier der Geburt geschenkt – und dann erst den glücklichen Vater hereinlassen. Die beiden Mütter hingegen, Lou und Hermine, würden bei der Geburt dabei sein.

Die ganze Sache war recht sauber angelaufen: Das Fruchtwasser hatte sie nicht im Taxi verloren – noch eine ihrer Horrorvisionen; sie war auf ihren eigenen Füßen in der Klinik angekommen und hatte den Schwestern höflich zugelächelt.

»Ach so, eine Erstgeburt? Dann haben wir Zeit. Außerdem scheint ›man‹ keine großen Schmerzen zu haben ...«

Was wußten die schon, diese Weibsbilder?

Der Kreißsaal war düster und unheimlich, wie alle Folterkammern. Das Bett war kein Bett, sondern eine Schlachtbank mit Eisenhaken. Zum Glück war der Arzt da und nicht über Nacht gestorben oder beim Skilaufen – noch so eine Schreckensvision.

Jetzt ging es nur noch darum, tapfer zu bleiben. Louise weigerte sich, eine der Frauen zu werden, für die Geburten Kriege sind und jedes Niederkommen ein Verdun. Hermine hatte drei Stunden gebraucht, und sie sprach nie darüber. Sie würde Arnaud beweisen, daß Frauen nicht ewig Behinderte sind, zu Menstruationsschmerzen, Dammrissen, Migräne und traurigen Wechseljahresbeschwerden verdammt.

Hermine war wie von der Tarantel gestochen, lief von der Krankenschwester zum Arzt und erklärte, daß sie bei der Geburt einen Afterprolaps gehabt habe und daß aus dem einen Loch Hämorrhoiden hervorgetreten seien, während das Kind beim anderen herauskam. »Hinten tat es mir mehr weh als vorn«, sagte sie immer wieder zur Hebamme, die sie dazu bewegen wollte, eine tuchumwickelte Vorrichtung zu basteln, um den After ihrer Tochter zu stützen.

Lou hingegen hatte sich ans Kopfende des Bettes gesetzt. Sie wollte selbst mittelbar gebären und die Rolle spielen, die sie dreißig Jahre früher bei Hermine nicht hatte spielen können. Sie fuhr immer wieder mit ihrer pummeligen Hand über Louises Bauch und sagte mit zärtlichem Neid: »Du wirst etwas werden, was ich nie geschafft habe, komischerweise hat es mir nie so sehr leid getan wie heute. Und wenn ich dich so da liegen sehe, eine Louise, die bald in zwei Teile zerfällt, habe ich das Gefühl, ganz dumm und nutzlos zu sein, wie ein Mann. Hoffentlich wird es kein Junge, ich kann es nicht ertragen, wenn ein Kind mit einer Pistole spielt!«

Adrien meint, ein Junge würde das Gleichgewicht wieder herstellen. Man braucht gar nicht erst versuchen ihm zu erklären, daß, wenn der Junge Gustave heißen soll, man den Himmel lieber um ein Mädchen anflehen sollte.

Louise hört ihnen nicht mehr zu. Für sie beginnt nun die Phase, in der es darum geht, den Boden unter den Füßen und das Gesicht nicht zu verlieren. Es ist der unvermeidliche Ausgang eines Prozesses, der in der Unbekümmertheit der Lust begonnen hat und der nun hier in der Panik eines Körpers zu Ende geführt wird. »Es ist wie Achterbahn fahren«, murmelt sie, und Lou fragt sich, was sie damit wohl meint. Louise möchte ihr zwischen zwei Chloroformwolken erklären, daß sie genau dieselbe panische Angst hat wie damals, als sie ein kleines Mädchen war und ihr Vater sie auf den Rummelplatz mitnahm, aber sie hat keine Zeit dazu. Die letzten Wehen treten in rascher Folge auf, die frechen Luder nehmen mit ihrem Rhythmus keine Rücksicht auf ihr Flehen. Nein, nicht jetzt schon! Aber, Kleines, hier befiehlst nicht du! Hättest das Ganze halt nicht in Gang setzen sollen. Das denkt sie gerade, als der kleine Wagen der Achterbahn den letzten Senkrechtabhang herunterdonnert und es zu spät ist, um zu brüllen: »Ich will aussteigen!« Man überlegt es sich nie gut genug, bevor man seine Fahrkarte kauft!

»Drück deine Fingernägel in meine Hände, es wird dir helfen«, sagt Lou, und ihre Stimme kommt von weit, weit her, vom Land der Lebenden, denen nichts wehtut.

Kurz vor Mitternacht verändert sich der Schmerz. Auch jetzt ist Louise nicht Herr an Bord. Die Gebärmutter macht, was sie will; um sich zu öffnen braucht sie zwei Stunden oder sechsundzwanzig wie bei Agnès, und das Ausstoßen beginnt, wenn sie es will. Das ist der Augenblick, wo sich die Krankenschwestern in aller Demut zurückziehen; jetzt beginnt der Ernst des Lebens. Endlich wird der große Magier herbeigerufen, er setzt sich zwischen die Schenkel der werdenden Mutter, und nun beginnt das intime »Tête-à-cul« mit einem Mann, der einen immer *Madame* genannt hat, obwohl er seit sieben Monaten in der intimsten Zone herumfummelt. Die Liebe hat mit einem Mann begonnen, und sie wird mit einem anderen Mann enden, den man auch für Gott halten könnte. Und Gott sagt:

»Ich sehe den Kopf Ihres Kindes, Madame.«

Das ist einer der schönsten Sätze, die sie je gehört hat.

Madame wird mit diesem Herrn einen noch viel selteneren Augenblick als die Liebe erleben; sie möchte ihn am liebsten umarmen und ihm sagen: »Bitte, sei zärtlicher zu mir! Sag mir, daß du mich mutig findest. Gib mir noch einen Hauch Chloroform, bitte, bitte, bitte. Du siehst ja, daß ich nicht brülle, aber es ist gräßlich, wenn man solche Schmerzen hat. Tu was für mich, du hast doch alle Mittel dazu.«

Lou wurde gebeten, den Kreißsaal zu verlassen. Warum eigentlich? Louise ist allein inmitten von unbekannten Köpfen, die sich über ihr Geschlecht beugen und denen ihr eigener, Louises Kopf, vollkommen egal ist. Einen Augenblick hat sie durch die offene Tür Arnaud gesehen, der ihr ein Zeichen des Mutmachens gab. Er sieht aus wie ein Schuldiger, der in flagranti ertappt wurde ... wenigstens denkt er in diesem Augenblick nur an sie. Aber sie, sie denkt nur an diesen Ballon, der gleich platzen wird, da ist sie ganz sicher, denn das Knopfloch ist zu klein: Nie wird der Kopf durchschlüpfen. Viermal hat der Geburtshelfer den Kopf zwischen seine Finger genommen. »Pressen, los, pressen, weiterpressen, noch ein bißchen, los, noch ein bißchen«, bellte die Krankenschwester mit schriller Stimme und verbarg ihre Unzufriedenheit nicht, wenn der Geburtshelfer den Vorgang unterbrach, weil er spürte, daß Louise am Ende ihrer Kräfte war.

»Loslassen, Madame. Beim nächsten Schub. Ruhen Sie sich aus. Atmen Sie tief durch. Es ist alles in Ordnung, Sie werden nicht einmal einen Riß haben.«

Danke, mein Liebling. Wirst du es mir bald geben, dieses Kind? Mit Lamaze spricht sie, in dieser extremen Lage ist er ihr Mann ... Mein Gott, vergib mir meine Sünden und erlöse mich von allen Männern ... von diesem kleinen Mann, sonst werde ich platzen und dann spritzt es die Wände voll.

Genau in der Sekunde, in der Louise die Gewißheit hat, sie wird sich nicht einen Millimeter weiter öffnen können ohne zu platzen, rutscht es plötzlich, schwupp, ein sanftes, unheimlich sanftes, lustvoll schlüpfriges Rutschen ... Das Kind wird in ein paar

Zuckungen herausgeschubst, und eine himmlische Ruhe kommt über Louises Körper.

Als sie aufwacht, steht Hermine vor ihr, mit verstörtem Gesicht, die Schminke läuft ihr über das Kinn, und Lou stützt sie: eine doppelte Pietà. Adrien ist in die hinterste Ecke des Raumes geflüchtet; er ist ganz aus der Fassung geraten, denn das Ereignis, das er für ein rein biologisches hielt, hat eine magische Dimension. Arnaud sitzt auf dem Bett und hält ihre Hand. Links von ihr liegt ein kleines Wesen und schläft in einem rosafarbenen Jäckchen, einem gräßlichen rosafarbenen Jäckchen. Ein Rosa, das in Louises Augen so schwarz erscheint wie Theseus' Segel, jenes, das er gegen ein weißes hätte austauschen sollen, um Aigeus, seinen Vater, zu benachrichtigen, daß er als Sieger zurückkam, und das zu wechseln er vergaß.

»Ziehen Sie ihm auch ja das blaue an, wenn es wirklich ein Junge ist«, hat sie der Hebamme vorher gesagt. Vielleicht hat sich die Hebamme geirrt, wie Theseus? Louise schließt die Augen und stellt keine Frage, um die Hoffnung noch einen Augenblick hinzuziehen, aber Arnaud beugt sich über sie, sein Gesicht ist tief bewegt:

»Du hast ein sehr hübsches, kleines Mädchen«, sagt er und lächelt tapfer. »Es wiegt sieben Pfund.«

Louise ist zutiefst enttäuscht, scheußlich erniedrigt; und dann aber, ganz schnell doch auch ein wenig stolz. Und immer stolzer.

Und schließlich zutiefst glücklich.

12

Die Tage

»Hast du sie?«

»Ist es soweit?«

»Na? Immer noch nichts?«

»Scheiße! Was machst du nun?«

Verzweifelte Botschaften, Hilferufe, Beten, brutale und lächerliche Turnübungen, andauerndes Nachprüfen unter dem Rock, fixe Idee des roten Flecks, der die Freiheit bedeutet ... »Die Tage, was für ein schönes Wort!« hatte einst Lou an Hermine geschrieben. Wie wunderbar, vor allem dann, wenn sie kamen und einen für einen Monat, nur einen Monat, von einer belasteten Zukunft befreiten.

Nein, Louise hatte nie daran gedacht, Kondome zu benutzen. Und Arnaud auch nicht. Es war einfach nie die Rede davon gewesen. Die Liebe mußte poetisch bleiben, nicht wahr? Und sie sollte natürlich bleiben. Und da Louise auch ohne zurecht kam, war es doch insgesamt angenehmer. Zu diesem Thema tauschten sie nur ein Minimum an Informationen aus.

»Na, alles klar? Die Sache ist gelaufen?«

»Ja.«

»Geht's? Fühlst du dich o. k.?«

»Es geht.«

Uff! Bis zum nächsten Mal. Ja solchen Episoden nicht zuviel Wichtigkeit beimessen – oder die Liebe geht daran zugrunde! Es war eine unumstößliche Tatsache, daß Arnaud in diesen Augenblicken nicht genügend Herr seiner Sinne war, um sich rechtzeitig zurückzuziehen. Das war doch eher sympathisch, oder? Die Natur, die menschliche Natur, hat die Dinge ganz gut organisiert. Zur Krankheit, zur unangenehmen Heimsuchung, liefert sie meistens auch noch die Gebrauchsanweisung mit: eine gerade ausreichende Dosis Gnade, um alles zu überstehen. Müßte sie jedesmal, wenn sie liebt, zwanghaft ans Ende ihres Monatszyklus denken, keine vernünftige Frau würde jemals mehr mit einem Mann schlafen.

Fünf Abtreibungen und zwei Geburten in vier Jahren, davon nur eine wirklich gewünschte, das war unangenehm, aber so war eben das Leben, das Eheleben. Entweder man trieb ab, oder man war auf Dauer mit Kinderkriegen beschäftigt, wie Agnès, die nach fünf Jahren jetzt beim vierten war; sie litt an Calciummangel und hatte Krampfadern, dazu rote Hände vom Wasser, in dem unentwegt die Windeln der beiden Kleinsten zum Einweichen lagen. Da mußte jede für sich wählen, wenn sie dazu in der Lage war, und der Liebe die Treue bewahren, wenn sie es konnte. Die anderen taten als ob. An der Oberfläche der Gesellschaft konnte nichts die ruhigen Gewässer des allgemeinen guten Gewissens trüben. Die Strudel befanden sich in der Tiefe, wurden im geheimen durchlebt: als Einsamkeit, als Verzweiflung, als Krankheit oder als Depression. Aber meistens waren es das Leben und die gnadenvolle Fähigkeit zur Verdrängung, die obsiegten.

Ohne Groll, ohne Bitterkeit, ohne Auflehnung knüpfte Louise an die Tradition an: an all die lieben, rührenden Verrückten aller Zeiten, die zu einem Mann JA gesagt hatten, JA zu einem Instinkt, der so tief war wie der Überlebenstrieb, JA zu einem Augenblick der Zärtlichkeit oder der Selbstvergessenheit, diesem göttlichen Taumel; sie hatten JA gesagt, selbst auf das Risiko hin, verlassen, verschmäht, vernichtet, von ihren Familien verjagt und dazu verdammt zu werden, allein in ihrer Schande zu gebären, von der Gesellschaft verdammt bis hin zu ihren Bastarden. Das JA der kleinen Dienstmädchen in den besseren Vierteln, der kleinen Mädchen, die von ihren Vätern geschändet wurden, der kleinen Sekretärinnen, die sich in ihre Chefs verliebten, das JA der Ehefrauen, die es hassen, der Mütter von zwölf Kindern, die trotzdem weitermachen, das JA der geschlagenen Frauen oder derer, die Angst davor haben, geschlagen zu werden, der unverheirateten Mütter, die schon zwei Kinder haben und trotzdem noch dran glauben; JA, weil man einem Mann oder dem Leben nicht NEIN sagen kann.

Gibt es eine andere Erklärung für diesen Wahnsinn? Ich habe keine gefunden.

Ende April 1947 ist Pauline vier Monate alt. Louise hat ihre Arbeit in der Nachrichtenabteilung wieder aufgenommen. Das Leben ist nicht leicht in der kleinen Hütte, in der es keine Schutzzone gibt, um dem Geschrei eines Neugeborenen zu entrinnen. Arnaud arbeitet lieber im Büro und kommt spät nach Hause, wenn das Kind schon gebadet, gesättigt, theoretisch also neutralisiert ist. Da es notwendig ist, die Dienste einer Putzfrau, die auch Kinder hütet, in Anspruch zu nehmen, bleibt Louise wenig von ihrem Gehalt übrig. Deshalb wird nicht lange herumdiskutiert, als man sich wieder einmal mit der Realität abfinden muß: Louise ist von betrüblicher Empfänglichkeit, sie ist wieder schwanger. Sie hat eine Adresse. Um den Eingriff vorzunehmen, wird sie Arnauds Abwesenheit nutzen: Sie will ihm diese Art Prozedur ersparen, denn er wird ohnmächtig, wenn er Blut sieht. Freundlicherweise insistiert er zwar ein wenig, aber sie gibt nicht nach: Es ist schon lästig genug, daß er eine Frau hat, die, kaum hat man sie angerührt, gleich schwanger wird. Sie möchte nur eine andere Frau zur Unterstützung in ihrer Nähe haben. Sie weigert sich, wieder zu Professor V. zu gehen, von dem nur die Erinnerung an eine Demütigung übriggeblieben ist. Sie beschließt, auch ihrer Mutter nichts davon zu sagen. Hermine erklärt immer die Männer für schuldig, und sie will ihr keine neue Munition gegen Arnaud liefern. Aber Lou ist da, wie immer, Lou, für die alles natürlich ist, die sich nicht mit unnötigen Prinzipien oder Ratschlägen aufhält, die nichts dramatisiert, die einsieht, daß man sich irren kann, daß man sich sogar wiederholt irren kann, daß man blöd ist. Sie hat einen Termin mit Jeanne Saulnier vereinbart, einer Hebamme, die eine Kinderkrippe in Montmorency leitet und die Louise kennt, weil sie sie schon bei ihrer Mutter gesehen hat. Sie hat sich oft gefragt, was diese kleine, unscheinbare, magere Frau, die manchmal zum Mittagessen kam, mit der brillanten Künstlerin verband, die eine so treue Zuneigung zu ihr bewahrte. Heute kann sie es sich denken.

Wie alle Menschen, die ständig mit den Grundereignissen des Lebens konfrontiert werden, ging Jeanne Saulnier weder mit ihren Gefühlen noch mit guten Worten verschwenderisch um:

»Du weißt, meine Kleine, daß du dieses Spielchen nicht allzu oft spielen darfst«, sagt sie, bevor sie Louise ins Sprechzimmer mitnahm. »Ich werde dir eine Sonde einführen, die du so lange drinbehältst, bis die Fehlgeburt eingeleitet ist. Sobald die Blutung einsetzt, nimmst du die Sonde heraus, das ist wichtig. Nicht solange nur drei Tropfen kommen ... erst wenn es richtig blutet.«

»Ich habe erst dreizehn Tage Verspätung, es müßte doch leicht abgehen, oder? Vielleicht könnte ich die Ausschabung in der Klinik vermeiden. Es klingt blöd, aber damit ginge unser ganzes Urlaubsbudget drauf!«

»Mit ein wenig Glück ... Hör mal, miß regelmäßig Fieber morgens und abends. Normalerweise sollte die Periode nur etwas länger dauern und vielleicht etwas schmerzhafter sein. Wenn du kein Fieber hast, dann ist alles gut gegangen. Aber beim geringsten Zweifel geh sofort zu deinem Gynäkologen, zu dem, der bei der Geburt dabei war. Die sind an so was gewöhnt. Aber kein Wort von der Sonde. Du brauchst ihn nicht in eine unmögliche Lage zu bringen.«

»Und was soll ich ihm dann sagen?«

»Nichts. Der Mann ist in Ordnung, ich kenne ihn. Er wird keine Fragen stellen. Je weniger man über solche Geschichten spricht, desto besser ist es. Für alle Beteiligten. Setz dich, Liebes, ich komme gleich.«

Louise stieg auf den gräßlichen Tisch, gerührt vor Dankbarkeit. Ein paar zärtliche Worte in einem solchen Augenblick, eine sanfte statt einer brutalen Hand, schon würde man schluchzen.

Jeanne stellte keine Fragen. Sie hatte genügend Respekt vor Louise, um sie wie eine Erwachsene zu behandeln, die das Recht hat, ihr Leben so zu lenken, wie sie es für richtig hält. Ihr kleines, mageres Gesicht, ihre Handwerkerhände, die so viele Kinder auf die Welt gebracht hatten, ihre Augen, die so blau waren, als wären sie von allzu vielen Tränen verwaschen, sie sagten nur zu deutlich, daß Jeanne nicht mehr da war, um zu urteilen. Mit fünfzig Jahren sah sie noch aus wie das magere kleine Mädchen von der Sozialfürsorge, das sie einmal gewesen war; später, als schüchterne Krankenschwester, hatte der Arzt der Entbindungsabteilung, wo sie arbeitete, sie verführt und verlassen. Er bereitete gerade seine Habilitation vor, und Jeanne verstand sehr wohl, daß es für ihn inkonsequent gewesen wäre, eine arme kleine Krankenschwester zu heiraten – sie war keine Schönheit und außerdem rachitisch. Verlassen werden, das kannte sie schon gut, sie war gewöhnt daran. Heute war er ein bekannter Professor, Jeanne erwähnte es gerührt und respektvoll, sie hatte sich also nicht umsonst geopfert. Aber er hatte sich auch ganz anständig benommen, jeden Monat ein wenig Geld geschickt, um ihr zu helfen, den gemeinsamen Sohn großzuziehen. Er hatte sich immer geweigert, ihn zu sehen, denn er hatte seinerseits drei Söhne, richtige, und seine Jugendsünde durfte um Gottes willen nicht bekannt werden, und sei es auch nur aus Rücksicht auf seine Frau, die katholisch war und ein schwaches Herz hatte.

Jeanne hatte nie wieder einen Mann geliebt, außer ihrem Sohn. Sie hatte sich und ihr Leben den Frauen gewidmet, denen sie bei der Geburt half und die sie pflegte, all diese Frauen, von denen so viele allein waren in diesem erschreckenden und wunderbaren Augenblick, in dem sie Leben schenkten; an ihrer Seite hatte sie, ohne es zu wissen, zehn Jahre vor allen andern, die sanfte, die bewußte Geburt entwickelt.

»Tu' ich dir auch nicht weh, Kleines?« fragte sie sanft, während sie das Spekulum einführte, das sie zuvor in abgekochtes, warmes Wasser gelegt hatte, um Louise die Kälte des Metalles zu ersparen. »So, fertig«, sagte sie einige Minuten später. »Du wirst jetzt ein sehr enges Höschen anziehen, damit die Sonde drin bleibt. Zumal da du vermutlich mit dem Fahrrad nach Hause fährst«, fügte sie hinzu und lächelte resigniert. »Aber paß trotzdem auf: Wenn du einen Unfall hättest und man dich mit diesem Zeug im Bauch fände . . .«

Aber sie hatte keinen Unfall, weder an diesem Tag noch drei Tage später. Ein kleiner Handgriff, und schon waren neun Monate Schwangerschaft und Jahre der Pflege aus dem Leben gestrichen. Louise fühlte sich von einer unendlichen Last befreit. Der Fehler war beseitigt, der Fehler, der darin bestand, daß man einen Bauch hatte, der einem nicht gehorchte, der die Ehemänner in die Falle lockte, der die Liebe bedrohte. Sie war stolz darauf, nicht einen einzigen Tag beim Funk gefehlt zu haben. Braver Körper! Die Zukunft schien ihr weniger bedrohend.

Zum erstenmal kam Arnaud mit Blumen nach Hause. Er fragte nicht nach Einzelheiten und begnügte sich mit einem halb schmerzlichen, halb angewiderten Kopfnicken, als sie in ein paar Sätzen über ihren Besuch bei Jeanne berichtete.

Louise fühlte sich nicht müde, aber trotz der finanziellen Probleme drängte er sie, die eine Woche Urlaub zu nehmen, die ihr noch zustand, und mit Viviane wegzufahren. Hermine kam gerade aus London zurück, wo sie eine sehr erfolgreiche Ausstellung gehabt hatte, war in einer Phase der Großzügigkeit und machte den Vorschlag, das Baby so lange zu hüten, damit das »junge Mädchen« auch ein bißchen frei habe. Es war eine Perle, »das junge Mädchen«, diese Simone, abgesehen davon, daß *sie* ein Anrecht auf einen freien Tag in der Woche hatte. Ein Recht auf Schnupfen, verknacksten Fuß, auf Übelkeit und Verdauungsstörungen, ein Recht auf Liebeskummer ... Seit Paulines Geburt lebte Louise jeden Morgen mit der panischen Angst, Madame Le Gall könnte anrufen und Bescheid sagen, ihre Tochter habe Zahn- oder sonstige Schmerzen und müsse das Bett hüten.

»Aber selbstverständlich, Madame, die arme Simone! Sagen Sie ihr, sie soll sich ja schonen, wir kommen schon zurecht ...«

Einen Tritt in den Hintern, jawohl. Aber diese Methode war leider verpönt. Die einfachen Herzen à la Germinie Lacerteux, die Dienstmädchen, die sich höchstens zum Sterben niederlegten, die gab es bei der Stellenvermittlung in der Rue de Passy, wo verzweifelte Mütter zusammenströmten, nicht mehr. Und war man als Mutter nicht immer verzweifelt?

Das Leben war 1947 noch nicht leicht; es schien, als gelinge es dem Land noch nicht so recht, die Gewohnheiten der Besatzungszeit abzulegen, und man verlor viele Stunden, ehe man das Recht erworben hatte zu leben. Louise hatte einen Sonderausweis, aber in den Rathäusern hielten Tausende von Müttern den gleichen Ausweis in der Hand vor dem Schalter, wo es E-Vorzugskarten für Kinder unter zwei Jahren gab; und danach rasten sie zum Schalter J 3, um dort aufs neue Schlange zu stehen – dieser Schalter war für »junge Mütter, die einen Säugling gestillt haben« reserviert. Louise stillte nicht mehr, aber den Ausweis hatte sie noch für ein paar Monate, weil die Nation ihr so dankbar war für das Kind, das sie ihr geschenkt hatte. Also war sie aufgefordert, sich die Bescheinigung zu beschaffen, die besagte, daß es ihr unmöglich war zu stillen, und mit der sie das Recht erwarb, an einem Schalter Schlange zu stehen, bei dem es um die »Spezialzuteilung von Kondensmilch« ging; dann konnte sie sich zu Schalter 7 begeben, um besagte Lebensmittelmarken abzuholen.

Danach blieb noch die längste Schlange, die der Erwachsenen, die kein Sonderfall waren, so zum Beispiel Arnaud, der nur einen Ausweis M hatte, und, nicht zu vergessen, einen Tabakausweis – nur Männer bekamen ihn –; und dann mußte noch die obligatorische Einschreibung beim Tabakgeschäft erledigt werden, das allein das Recht hatte, die Droge zu verkaufen. Sogar Brot gab es nur gegen Marken, und noch nie war die Ration so klein gewesen: zweihundert Gramm pro Tag. Nach so vielen Jahren der Einschränkung wurden diese ganzen Schikanen langsam unerträglich.

Außerdem war es April, Ende eines nicht endenwollenden Winters, die Jahreszeit, in der, mit den steigenden Säften, das Bedürfnis wächst, eine andere Luft zu atmen. Louise träumte vor allem von Tiefschlaf und langen Nächten, die nicht von dem Gebrüll eines Säuglings zerstückelt werden. Also fuhr sie mit Viviane nach Kerviglouse; Arnaud und Félicien wollten am Wochenende nachkommen. Es waren ihre ersten Jungmädchenferien, seit sie kein junges Mädchen mehr war, und sie entdeckte jene Lebensfreude wieder, die sie seit ihrer Hochzeit vergessen zu haben schien. Adrien verbrachte ein paar Tage mit ihnen, was in ihr die Illusion der Vergangenheit noch vervollständigte, und sie nahmen ihre botanischen und geologischen Spaziergänge wieder auf.

Viviane wirbelte umher, blieb mit den Absätzen in den Ritzen des alten Holzbodens hängen, ließ die besonderen kleinen Gerichte anbrennen, die sie mit Verschwörer-Miene kochte, gab alten, rissigen Salatschüsseln, die seit zehn Jahren dank vorsichtigster Behandlung überlebt hatten, den Gnadenstoß und vergaß ihr Portemonnaie im Dorf.

»Siehst du, ich mache alles kaputt und verliere alles, sogar meine Leibesfrüchte«, fügte sie mit einem traurigen Lächeln hinzu.

Sie verzweifelte daran, daß sie keine Kinder bekam, und beneidete Louise um eine Fruchtbarkeit, die diese zur Verzweiflung brachte.

»O.k., ein Kind ist etwas Wunderbares, vorausgesetzt man verzichtet auf Nietzsche und Platon, auf das Kino am Nachmittag, auf die Sonntage im Bett...«

»Platon hast du auch nicht jeden Tag gelesen!«

»Nein, aber ich konnte, wenn ich wollte. Jetzt gibt es nur noch den Wälzer des Herrn Doktor Spock.«

Viviane machte sich aus Spock genausowenig wie aus Platon, und noch weniger scherte sie sich um Kravchenko, der damals Zwist in den Familien säte, so wie früher die Affäre Dreyfus; abends las ihnen Adrien Auszüge vor, wenn sie um das Feuer saßen, vor dem alten Kamin mit Granitsims, der Generationen von Bretonen vor ihnen gewärmt hatte.

Ein Holzfeuer – wenn es nicht zur Dekoration einer ohnehin überheizten Pariser Wohnung dient – hat die besondere Gabe, den Menschen zu den fundamentalen Fragen zurückzuführen. Beim freundlichen Schein der Flammen hatten sie das Gefühl, wichtige Dinge zu sagen, und Adrien hielt sich für den geachteten Patriarchen – der er hätte sein können: in einer anderen Zeit und mit einer anderen Partnerin.

Aber Kerviglouse war nur ein Zwischenspiel. Louise mußte nach Paris zurück, mußte wieder – wenn sie »Frühdienst« hatte – morgens auf ihrem Fahrrad durch die noch menschenleeren Straßen strampeln, mußte wieder die Fläschchen – wenn es der »Spätdienst« war – im Kühlschrank zurechtstellen und für den Gatten ein Abendessen vorbereiten, das nur aufgewärmt zu werden brauchte – was Arnaud haßte, weil er sich dann gezwungen sah, neben dem Kinderbett Wache zu schieben und mit schmutzigen Windeln zu hantieren. Mit spitzen Fingern faßte er sie an und ließ sie in die Badewanne fallen; dort fand sie Louise, wenn sie um Mitternacht nach Hause kam: Sie kratzte sie mit einem Holzlöffel ab, bevor sie sie einweichte; Simone würde sie dann am nächsten Morgen kochen. Die Aussicht auf eine neue Schwangerschaft und somit auf einen zweiten Babypopo, den man abwischen, waschen, pudern, eincremen, küssen und neu einpacken mußte, ganz abgesehen von den anderen Öffnungen, die auch nicht vernachlässigt werden durften, schien ihr unerträglich. Als es sie dann drei Monate später wieder »erwischt« hatte – das war offenbar ihr Durchschnittsrhythmus – beschloß sie, nicht mit Arnaud darüber zu sprechen und von nun an alleine zurechtzukommen. Es war nur eine Frage der Instrumente, und wenn es daran mangelte, so mußte man eben geschickt sein.

Da sie kein Spekulum besaß und sich auch keines beschaffen konnte, beschloß sie, auf die traditionelle Stricknadel zurückzugreifen. Was die Sonde betraf, deren Verkauf in Apotheken streng untersagt war, so konnte man sie sehr gut durch Angelschnur ersetzen, die es am Meter und in Jean-Maries Anglerbedarfgeschäft zu kaufen gab. Sie brauchte nur noch Jean-Maries Anatomie-Bücher zu konsultieren, um die richtigen Stellen zu ermitteln, und ein passendes Wochenende ausfindig zu machen, das heißt ein Wochenende, an dem Arnaud auf Reisen sein würde, Simone frei hätte und Viviane bereit wäre, Pauline während des Eingriffs, der beim erstenmal vielleicht länger dauern würde, zu hüten. Viviane willigte ein, aber ohne Begeisterung.

»Warum bittest du nicht Arnaud, da zu sein? Ich habe Angst. Ich habe schon Schwierigkeiten mit der Polizei bekommen wegen des Dienstmädchens, das bei mir zu Hause eine schwere Blutung bekam. Da . . .«

»Arnaud will kein zweites Kind, aber er weigert sich, etwas zu tun, um es zu verhindern. Und dann darf ich dir eines sagen, meine Liebe, bei dir ist es mir egal, ob ich dir Angst mache oder dich anekle.«

»Aber du hättest es ja vorher mit deutschem Schnaps oder mit Chinin probieren können. Angeblich funktioniert das . . .«

»Ich habe alles probiert, glaub mir; und alles erreicht: Ohnmachtsanfälle, Übelkeit, Zittern. Alles, nur keine Fehlgeburt.«

Viviane hatte übrigens Zeit genug, alle Abtreibungsmethoden seit Attila Revue passieren zu lassen und alle Unfälle nachzuerzählen, von denen sie je gehört hatte: Louise brauchte einige Zeit, bis sie den kleinen runden Muttermund entdeckt und die Instrumente, diese Eindringlinge, richtig plaziert hatte.

»Du weißt schon, daß es zu einem Herzstillstand kommen kann bei solchen Geschichten . . .? Was mach' ich dann?«

»Dann läßt du die ganzen Utensilien verschwinden. Und danach rufst du den Notarzt und erklärst, du hättest mich soeben hier tot aufgefunden. Aber vergiß nicht Paulines Fläschchen: Es ist im Kühlschrank.«

»Hör mal, mach dich nicht lustig über mich. Ich warne dich auf jeden Fall: Ich bin unfähig, dir zu helfen. Ich kann mich selbst schon nicht anfassen . . .«

»Keine Sorge, ich werde nichts von dir verlangen; ich hätte viel zu viel Angst, daß du mir den Bauch durchstichst und den Embryo verfehlst!«

Für eine Sache, an der Jeanne Saulnier zehn Minuten gearbeitet hatte, brauchte Louise zwei Stunden. Es tat nicht weh, aber es war ermüdend, in einer so grotesken und unbequemen Stellung zu arbeiten, ganz vorsichtig, um nichts zu verletzen. Dauernd verpaßte sie den Eingang, und die Angelschnur verfing sich am Ende des Scheidenkanals. Die ganze Prozedur mußte von vorn beginnen. Viviane schaute alle zehn Minuten zur Tür herein, mit panischen Blicken.

»Ich bin Anfängerin«, sagte Louise. »Nächstes Mal geht es schneller. Dann mache ich es gleich mit einer Häkelnadel.«

Viviane zuckte die Schultern. Es war ihr unverständlich, wie Louise über dieses Thema spaßen konnte, aber jeder holt sich den nötigen Mut, wo er kann.

Als Arnaud zurückkam, war der Spuk längst vorbei; alles war in Ordnung, es konnte von vorn beginnen. Er schien seit einiger Zeit entspannter, fast glücklich. *Paris-Press* bestellte Artikel, er wurde prominent und blühte auf in der Wärme seines aufkeimenden Ruhms und seiner jetzt etwas gemütlicheren finanziellen Lage. Er genoß es, erkannt zu werden, und ließ sich von den Freundschaften verführen, die der Erfolg mit sich bringt. Er nahm jede Gelegenheit wahr, auszugehen und sich ins Gewimmel der Pariser Stehempfänge zu stürzen. Louise fürchtete diese Abende, zu denen er sie mitschleifte, um sie sofort in einer Ecke stehenzulassen. Was brachte es ihm auch, sich um sie zu kümmern, er war ja sicher, sie zu Hause wieder für sich zu haben. Niemand erkannte sie, ihre Schüchternheit verbannte sie an den Rand des Geschehens, und feindselig sah sie zu, wie alles sich um »Da steht er, Sie wissen schon, Arnaud Castéja, der *Aujourd'hui en France* macht . . .« drängelte.

»Du hast etwas von einem Ungeheuer«, sagte Arnaud, wenn sie wieder zu Haus waren. »Am liebsten wäre es dir, wenn ich außerhalb deines Bannkreises überhaupt nicht mehr lebte.«

»Ich habe eben mehr Lust, mit *dir* zusammenzusein als mit irgendwelchen Leuten, selbst bei einem Empfang. Hältst du das für eine Krankheit?«

»Nein, Krankheit nicht. Aber fest steht: Eine solche Form von Liebe ist auf jeden Fall ein Gefängnis. Mich interessiert halt nach wie vor die ganze Welt.«

Insbesondere die Frauen der ganzen Welt, wollte Louise hinzufügen. Aber vielleicht hatte er recht, es war ja der helle Wahn. Jede Liebe ist der helle Wahn. Aber es ist so offenkundig, daß man sehr schnell, viel zu schnell, aufhört zu zittern, wenn man den Schlüssel sich im Schloß drehen hört, daß das bloße Da-sein eines andern bald nicht mehr genügt, um dem Leben einen Sinn zu geben ... Wie sollte man dann nicht auf Knien liegen, wenn man die Liebe noch spürt!

Im September 1947, Pauline war zehn Monate alt, klappte dann die Spermien-Falle aufs neue zu. Louise war entmutigt und beschloß, mit Arnaud darüber zu reden. Man konnte doch mit diesem Körper nicht alle drei Monate so brutal umgehen. Außerdem war da noch der Sohn, irgendwann mußte er ja mal gezeugt werden ... Kurz und gut, da diese Ereignisse ohnehin etwas mit höherer Gewalt zu tun haben, beschlossen sie, den Embryo am Leben zu lassen. Dabei war der Zeitpunkt ganz schlecht: Arnaud hatte mit der Französischen Gesellschaft für Polarexpeditionen einen Vertrag abgeschlossen und sollte Ende April für zwei Monate nach Grönland. Also würde er zur Geburt nicht da sein. Er schlug vor, aus dem Vertrag auszusteigen, aber Louise verbot ihm das schlicht. Es war schon schlimm genug, ihm dieses zweite Kind aufzuzwingen, so kurz nach dem ersten, da konnte er sich doch nicht auch noch eine so außerordentliche Gelegenheit durch die Lappen gehen lassen. Ein Kind in den Armen und eines im Bauch: Vielleicht war es ganz gut so, daß er von dieser zweiten Auflage der gynäkologischen Probleme verschont blieb. Aber die Zukunft erschien Louise beängstigend. Wenn es in den folgenden Jahren so weiterging, befand sie sich auf dem besten Wege, zur Matrone einer Großfamilie aufzusteigen – oder wegen Abtreibung im Gefängnis zu landen. Sie hatte gehört, daß in England Gummiringe verkauft wurden, die die Befruchtung verhinderten. Sie würde versuchen, sich so etwas zu beschaffen. Arnaud war total uninformiert. Damals lebten die Geschlechter noch sehr getrennt; besonders bezüglich der intimen Probleme funktionierte die Kommunikation zwischen den beiden Lagern sehr schlecht. Die Frauen halfen sich untereinander. Aber wenn sie ihre Angelschnur drei- bis viermal im Jahr benutzen müßte, würde sie am Ende, wenn nicht ihre Gesundheit, so doch bestimmt ihre Seele dabei verlieren, dachte Louise.

Ende April 1948 flog Arnaud also nach Schottland, und von dort aus schiffte er sich nach Süd-Grönland ein. Diesmal war seine

Abwesenheit schlimmer, denn außer Funkkontakten gab es keinerlei Verbindungsmöglichkeit.

»Schreib mir aber trotzdem«, bat er sie, »wo du es doch so liebst, deine Gefühle auszubreiten. Damit ich bei meiner Rückkehr weiß, ob dieser arme Arnaud noch geliebt wird, der sich mit den Eskimofrauen nicht sonderlich amüsieren wird.«

»Mein armer Liebling, ich weiß ja, daß du viel lieber hierbleiben und an meiner Stelle in aller Ruhe das Kind zur Welt bringen würdest!«

»Es ist schon komisch, daß ich von der Geburt meines Sohnes auf dem Packeis erfahren werde! Gustave ist übrigens ein skandinavischer Name. Wir könnten die Geburt in Angmassalik anmelden, das würde doch ganz anders klingen als Boulogne-Billancourt, gib es zu.«

»Wenn es ein Mädchen wird, genügt Boulogne-Billancourt vollkommen.«

»Es wird ein Junge, du wirst sehen. Kannst du dir Arnaud mit zwei Mädchen vorstellen? Dann müßtest du ja noch einmal dran glauben!«

13
Gustave

»Paß auf Deinen Hals auf. Geh nicht ohne Schal raus in Grönland!

Die armseligen Worte der Zurückgebliebenen, wie auf einem Bahnsteig, wenn der Zug nicht pünktlich abfährt. Arnaud rief mich vor dem großen Sprung noch einmal aus Edinburgh an, und der geringste zärtliche Satz hätte mich in Schluchzen ausbrechen lassen. Das ist mir ja schon einmal passiert, damals, als er mir, kurz bevor er die Tür der Hütte für zwei Monate hinter sich schloß, ganz leise sagte: ›Ich bin glücklich, daß du meine Frau bist.‹ Diese kostbare Information hatte ich in Erwartung des langen Winters, der mir bevorstand, wie eine Ameise gehortet. Wahrscheinlich war es nötig, daß er ans Ende der Welt verreiste, um diesen Satz über die Lippen zu bringen, der mir die Gewißheit gibt, daß ich mein Leben nicht verfehlt habe. Es ist mir immer noch lieber zu wissen, daß Arnaud weit weg ist, aber mich liebt, als daß er ganz nah ist, aber nicht sehr begeistert ... Zumal da ich zur Zeit nicht sonderlich attraktiv bin: ganz kaputt von einem Schnupfen, der schon fast einem Stirnhöhlenkatarrh gleichkommt, mit dem stieren Blick des Tieres, das bald wirft, eingebunden in einen wollenen Sack mit verschiebbarem Gürtel – zwar von Lou erfunden, aber ich sehe darin trotzdem aus wie ein Bauch mit Füßen.

Mein Odysseus der nordischen Meere, der bei reinem, salzigem Wind dahinsegelt in Richtung Packeis, leichtfüßig, unbeschädigt, noch nie gedemütigt, leidenschaftlich erregt wie alle Odysseuse und wie sie die dicken, ans Haus gefesselten Penelopes vergessend, scheint einer anderen Welt zuzugehören. Ganz meinen Weibchen-Funktionen hingegeben, habe ich keine andere

Wahl, als zu lauern, wie mein Bauch dicker wird, und nebenbei auf mein Küken von der vorigen Brut aufzupassen.

Ich hatte geplant, die sechs Wochen Schwangerschaftsurlaub vor der Geburt zu nutzen, um meine Schreibversuche, Romanfragmente, Gedichtskizzen zu sichten und zu überarbeiten. Pure Illusion! Wie soll man die Inspiration empfangen, den schöpferischen Geist, wenn der Körper an den Boden gedrückt ist durch eine so schwere Last? Und wenn der Körper befreit ist, dann wird das Herz ihn ablösen, und zwar nicht nur für neun Monate. Der Geist kann weiterhin so tun, als wäre er frei. Aber wenn es ums Schreiben geht, dann bedeutet die Tatsache, daß man nicht über die *ganze* Zeit verfügt, daß man *überhaupt keine* Zeit hat.

Aus den Tiefen meiner zweiten Schwangerschaft träume ich vom Meer, von großen Reisen, von Schiffen, wie eine Gefangene, die noch einiges abzusitzen hat. O Gott, ich brauche den Sommer!«

15. April

»Einen kleinen Brief von Arnaud bekommen, den letzten vor der Überfahrt. Bin ich sehr schlimm von der Literatur angesteckt? ›Dein Mann, der an Dich denkt‹, ›Ich umarme und küsse Dich, so wie ich Dich liebe‹, oder: ›In Gedanken bist Du unentwegt bei mir‹ – all das hat nur wenig Wert im Vergleich zu Jean-Maries ›Ich vergöttere Dich‹. Ich jedenfalls habe das Gefühl, daß ich mehr liebe, wenn es mir gelungen ist, es schöner zu sagen.

›Es fließt keine Tinte in meinen Adern, sondern Blut‹, hat Arnaud geantwortet, als ich versuchte, ihm dieses Gefühl zu erklären.

Auch Tinte kann rot sein ...«

20. April

»Wie die richtigen Mütter des sechzehnten Arrondissements, die nicht arbeiten, verbringe ich meine Nachmittage im Bois de Boulogne mit Pauline und erlebe mit Entsetzen, wie sie ihre ersten Erfahrungen mit der menschlichen Kleinlichkeit macht. Sie war als utopische Sozialistin zur Welt gekommen: Sie lieh den anderen Kindern ihr Spielzeug und half ihnen beim Auffüllen ihrer Eimer im Sandkasten. Seitdem sie die Erfahrung gemacht hat, daß eine empörte Mutter ihr eine Schaufel oder ein Sand-

förmchen aus der Hand riß und schimpfte: ›Also hör mal, Jérôme, laß dir doch nicht deine Sachen wegnehmen!‹, hat auch sie
gelernt zu brüllen, sobald jemand ihr Eigentum anrührt. Trauriger Anblick: der kleine Junge, der mitten auf dem Sandhaufen
auf *seinem* Klappstühlchen saß mit all seinen Spielsachen im Arm
und sich nicht entschließen konnte, einen Sandkuchen zu backen
– zuviel Risiko, er hätte ja seine Schaufel einen Augenblick aus
der Hand legen müssen. Das sind die Menschen, die später einmal ein Schloß an ihrem Kühlschrank anbringen, um das
Dienstmädchen daran zu hindern, nachts zu essen ... oder die
wie der Mann von Agnès sagen werden: ›Die Arbeiter? Die geben mehr Geld aus fürs Essen als wir! Da soll mir keiner erzählen ...‹«

25. *April*
»Nichts Neues aus meiner Mitte. Ich bin ungefähr so dickbäu-
chig und passiv wie ein Heuschober. Ich habe auch nicht mehr
Ideen oder Phantasie als ein solcher. ›Ein Heuschober ist etwas
Schönes!‹ sagt Lou, um mich zu trösten. Etwas Schönes, ja: anzuschauen, nicht zu sein.
Um mich zu zerstreuen, nimmt sie mich mit zu ihrer Lieblings-
wahrsagerin, die mir ankündigt, ich werde einen Jungen von
neun Pfund bekommen; an meiner Seite sehe sie einen sehr
häuslichen Mann, der nichts als mein Glück wünsche. Ein häus-
licher Mann am Nordpol, das würde bedeuten, mein Haus ist
sehr groß!
›Im Grunde liebt er dich, ich bin mir ganz sicher‹, behauptet Lou
auf dem Nachhauseweg. ›Nur gibst du ihm nie die Gelegenheit,
es zu merken. Katzen darfst du nie zu sehr streicheln.‹
›Aber die Liebe ist doch kein Kochrezept. Ich liebe eben so, wie
ich liebe, Lou, ich kann nicht anders. Zu strategischem Vorgehen
bin ich unfähig, und außerdem finde ich so etwas für beide erniedrigend.‹
›Dann hättest du deinen Bernhardiner aus USA nicht laufen lassen dürfen. Du hast dir einen Mann aus dem Süden ausgesucht,
also einen Verführer und einen von Angst Geplagten – das sind
sie alle –, und das kannst du nicht verdauen.‹
Richtig. Aber vielleicht mag ich gar nicht verdauen? Lou genießt
ihre Männer wie besonders feine Pralinen: Sie ist naschhaft, aber

schnell satt. Hermine frißt sie auf und verachtet sie hinterher, weil sie sich nicht gewehrt haben. Ich bin von den Schwierigen wie magisch angezogen, ich liebe leidenschaftlich gern und sage es. Ein schlimmer Fehler, angeblich.

›Selbst wenn du mich nicht lie-hi-hiebst, ich lie-hi-hiebe dich‹, singt Lou mit ihrer klaren, etwas schrillen Stimme – es gibt kaum eine Operettensängerin in Frankreich, die nicht zu schrill singt. ›Es ist traurig, aber so einfach ist das mit der Liebe, du wirst sehen.‹ Wann werde ich Wahrheiten dieser Art lernen? Und ist das überhaupt wünschenswert?«

2. Mai

»Félicien und Viviane waren zum Abendessen hier. Ich hoffte ernsthaft, daß sie mich heute nacht in die Klinik bringen müßten. Aber es war nichts. Ich habe das Gefühl, daß Gustave mitten in der Nacht hier in meinem blauen Laken landen wird und daß ich die Nabelschnur mit der alten verrosteten Küchenschere werde durchschneiden müssen. Aber wie soll ich in die Küche laufen und die Schere holen, wenn mich die Nabelschnur festhält?

Wir haben die Abendnachrichten gehört. Die *Force* stampft in Richtung Süd-Grönland, das erfahre ich wie alle lieben Zuhörer zwischen den politischen Nachrichten und der Reportage von Samy Simon über den Fernen Osten. Mein Reisetäuberich, der sich offensichtlich zu Hause langweilte, schläft zu dieser Stunde wahrscheinlich den tiefen Schlaf des Forschungsreisenden in seiner Hängematte, unter Männern, unter Kumpeln, so wie er es mag.

Félicien, den mein Zustand so rührt, als ob er der Vater wäre, wollte die Nacht über hier bleiben, für den Fall des Falles ... Er findet, eine schwangere Frau sei etwas Schönes. Unter seinen Blicken würde ich aufblühen wie eine dicke, glückliche Blume. Warum habe ich nicht beschlossen, eine dicke, glückliche Blume zu werden? Welches Laster hat mich dazu bewogen, die ständige Angst, in die mich Arnaud taucht, vorzuziehen? Ich mag an ihm, daß er unberechenbar, nicht faßbar, launenhaft, ungerecht ist, daß er nicht Féliciens Wabbelbauch und Hängeschultern hat und nicht dieses traurige Robbengesicht eines Clowns, der immer die Zirkusnummer vermasselt. Man kriegt nichts umsonst im Leben, leider liebe ich die teure Liebe.«

»Ich bin für morgen früh um sechs mit Gustave verabredet! Lamaze ist der Meinung, es ist höchste Zeit, ich sei sehr tapfer, daß ich das Kind noch nicht herausgeschubst habe. Papa-Mama werden ihre unbemannte Tochter in die Klinik fahren. Mein Paulinchen habe ich heute nachmittag bei ihnen abgegeben. Es war wunderschön, ein Wetter zum draußen Herumlaufen und Sichfrei-Fühlen. Im Bus waren die Leute ganz gerührt über Paulines pummelige Ärmchen, über ihr rosarotes, blauäugiges und blondes Zelluloidpuppengesicht, und je mehr sie sich bewundert fühlte, desto mehr strahlte sie und lächelte alle an. Sie wird es genießen zu gefallen, wie Arnaud, und sie wird das Glück haben, ihre Schönheit als natürlich zu empfinden. Ich kann mich nicht erinnern, daß ich als kleines Mädchen jemals gedacht hätte, ich sei hübsch. Die Schönheit erschien mir eher als etwas, das es zu erobern galt, als das Ergebnis von schweren Mühen, die mir aufzuerlegen ich mich aus Stolz weigerte – da mein Naturell eben darin bestand, häßlich und schroff zu sein!

Meinen letzten trächtigen Tag habe ich in einer merkwürdigen Euphorie verbracht: Ich schwamm in einem Gefühl des . . . metaphysischen Stolzes! Mit dem kleinen Leben auf meinem Arm und in mir diesem anderen kleinen Leben, das sich darauf vorbereitete, in die Gesellschaft der Menschen einzutreten, hatte ich meine biologische Pflicht getan: Ich hatte uns, Arnaud und mich, schon ersetzt auf Erden. Ich fühlte mich als Zauberin, als Hexe, ich war zugleich Tochter und Schwester all jener Frauen, die seit der Höhlenzeit ihr Ebenbild aus sich hervorgehen sahen. In diesem Bus fühlte ich mich ganz einfach wie ein wandelndes Wunder, ich bezahlte einen Platz, obwohl ich drei war, und der arme als Schaffner verkleidete Wicht machte *knacks* mit seiner kleinen Fahrkartenknipsmaschine, die er umgeschnallt trug, und Herren mit wichtiger Miene verbargen ihre trübselige Gleichgültigkeit hinter Aktenmappen voller Gekrakel. Männer sollten den Hut abnehmen vor Frauen, die im neunten Monat schwanger sind; sie sollten sich daran erinnern, daß ohne diese Frauen die Welt nicht existieren würde, anstatt so zu tun, als wären sie da von Gottes Gnaden, als wäre das, was sie tun, das Allerwesentlichste.

Morgen früh, wenn meine Füße sich in die Bügel stemmen werden, bin ich sicherlich nicht mehr so stolz. Dann werde ich wer weiß was dafür geben, um ein Busschaffner zu sein, der *knacks* macht mit seinem Apparätchen. Aber heute nachmittag bin ich Gott. Einige Frauen wissen das und lächeln mir auf der Straße zu. Aber die Männer, die sind alle am Nordpol.«

10. Mai

»Adrien hat mich in die Klinik gefahren. Mama steht nicht gern früh auf. Sie wird später mit Lou nachkommen. Bestimmt zu spät, wie üblich. Sie gehören beide zu einer Generation von Frauen, denen die Unfähigkeit, pünktlich zu sein, im Blut steckt – vermutlich weil die Pünktlichkeit als militärisch gilt und die Verspätung als hinreißend weiblich.

Nach der Ankunft in der Klinik werde ich von Lamaze untersucht, und ich bin freudig überrascht zu erfahren, daß der Gebärprozeß gut begonnen hat. Muttermund sehr weich. ›In ein, zwei Stunden ist alles vorbei, Madame.‹ Wie oft muß ich ihm noch meinen Hintern hinhalten, damit er mich ›mein Kleines‹ nennt.

Um zwanzig nach sechs erste Hormonspritze, um die Wehen zu beschleunigen. Um zwanzig nach sieben taucht ein dunkler, behaarter Kopf auf, ›der ganz so aussieht, als gehöre er einem Jungen‹, sagt die Hebamme. Ich schlafe lächelnd ein; aber die glückliche Mutter eines Jungen war ich nur eine Viertelstunde lang. Als ich die Augen wieder aufmache, falle ich zurück in den Stand der Unwürdigkeit: Es ist wieder ein Mädchen, 7,5 Pfund. ›Unfähig, einen Jungen zu machen!‹ wird Arnaud sagen. ›Da war meine Mutter schon eine andere Frau! Schon wieder alles umsonst!‹ Nur Lou scheint entzückt, daß *wir* noch ein Mädchen haben und daß kein ›kleiner Fremder‹ uns hineinpfuscht ins Familienalbum.

Die Spritzen beschleunigten den Prozeß so schön, daß ich kaum Zeit hatte zu bemerken, was passierte: Es wand sich, krümmte sich, zog sich auseinander, mahlte schneidend und entspießte sich schließlich, was viel schmerzhafter ist als das Aufspießen. Zusammenziehen – Drücken – Zusammenziehen – Drücken. Und dann diese himmlische Wolke der Narkose. Auch diesmal ist das Knopfloch nicht gerissen; mein Lamaze ist ein Zauberer, der die Kaninchen ganz sanft hervorzieht.

Es gibt günstige klimatische Verhältnisse für eine Geburt, so wie es spezielle Stunden gibt, um vom Leben zum Tod überzugehen. Es stirbt sich leichter in Sturmnächten. Eines Tages werden die Meteorologen ankündigen: ›Westwind, Stärke sieben: nächste Nacht vermutlich zahlreiche Geburten.‹ An diesem Tag hatten viele Lebenskandidaten ihr Debüt gegeben, und durch die Gänge hallte das Säuglings- und Müttergeschrei. Erst am Abend konnte man mir ein Zimmer geben, ein ganz winziges, das sicher den männerlosen Frauen vorbehalten ist. Die Klingel funktioniert nicht, auch die Nachttischlampe nicht, aber es ist acht Uhr, und in dieser Luxusklinik gibt es keinen Menschen, der einen Stecker aufschrauben kann oder will. Babyjäckchen habe ich mitgebracht, aber keinen Schraubenzieher. Neun Uhr abends. Die Besucher gehen, die Kinderbettchen sind plötzlich auch fort. Das ist die Stunde der Depression in den Frauenkliniken. Das Stück Ich wurde weggenommen, damit man endlich schlafen kann, man ist endlich allein in seiner Haut, aber das Glied, das nicht mehr vorhandene, schmerzt. Ich erkenne sie sehr gut, meine Depression von vor sechzehn Monaten, nach Paulines Geburt: Es war am Weihnachtsabend, und Arnaud war auf Reportage unterwegs in den Lokalen, wo gefeiert wurde; also konnte er nur auf einen Sprung vorbeikommen. In den Nachbarzimmern hörte ich die Champagnerkorken knallen, und die Stimmen der Ehemänner klangen fröhlich. In meiner Zelle ohne Lachen und ohne Küsse weinte ich. ›Hormonumstellung‹, sagte die Krankenschwester, als sie mich in Tränen aufgelöst in meinem Bett fand.

Heute abend, gerade in dem Augenblick, als meine Hormone begannen, mir in den Augen zu brennen, machte mir meine schöne Hermine im kardinalroten Mantel und Federhütchen die Überraschung, in der Tür zu erscheinen: Sie wollte den Abend mit mir verbringen. War es die Rührung, als sie mich weinen sah? Die Angst vor ihrer nächsten Ausstellung? Ausnahmsweise denkt sie nicht daran, eine Nummer abzuziehen, einen Abszeß aufzustechen (weil es mich befreit) oder mir den Kopf unter Wasser zu halten (weil ich danach besser atmen kann!). Wir reden von ihr – ein seltenes Ereignis –, von der ständigen Infragestellung, die ein künstlerischer Beruf bedeutet, von der Notwendigkeit, als Frau in Vergessenheit zu geraten, um sich als Malerin durchzusetzen. Sie hat das Gefühl, immer wieder die gleiche Prüfung zu machen, wie in den Alpträumen. Sie fürchtet sich vor der Kritik anläßlich ihrer Retrospektive, denn seit einiger Zeit versucht man, sie als Modemalerin abzutun, weil sie keine Arbeiterfrauen mit Fabriken im Hintergrund malt, keine Bauern, die sich über Erdschollen neigen.

›Unter diesen Umständen wäre auch Watteau nur ein Modemaler! Und Van Dongen hat noch keiner vorgeworfen, daß er nur Edelnutten malt . . .‹

Zum ersten Mal entdecke ich Angst und Machtlosigkeit hinter ihrem herausfordernden Benehmen. Sie ist nicht mehr so ganz in, es reicht, man hat sie genug gesehen. Man hat sich an ihre Einhörner, ihre Spuklandschaften gewöhnt, man kennt diesen lyrischen Realismus, der einst ihre Originalität ausmachte. Man sagt, sie erinnere an Vorkriegszeiten, sie sei ja auch nicht mehr zwanzig — was ja offenkundig ist. Zum erstenmal entdecke ich auch, daß sie alt werden könnte, ein unvorstellbarer Gedanke. Wir trösten uns gegenseitig, über alles und nichts, über all das, was wir uns nicht sagen können und was heute abend wie ein Wunder zum Ausdruck kommt. Nie fühlt man sich so sehr als Tochter seiner Mutter, wie wenn man selbst Mutter einer Tochter wird.«

12. Mai

»Die ganze Familie, inklusive Tante Jeanne, ist in meinem Zimmer versammelt, um für Gustave einen Namen zu finden. Da der Urheber keinerlei Anweisungen hinterlassen hat, wird über den Titel des Werkes hin- und hergeredet: ›Marie? — Das fände ich peinlich‹, sagt Adrien. ›Die Nutte im Hafen von Concarneau hieß ›Marie die Schlampe‹!‹

›Blandine vielleicht?‹

›Nein, das klingt nach Martyrium in der Löwengrube.‹

›Constance?‹

›Igitt, ich hatte eine abscheulich häßliche Klassenkameradin, die Constance hieß!‹

›Delphine?‹

›Na ja . . .‹

Ergebnis: Wir sind nicht über Gustave hinausgekommen. Wir haben noch vierundzwanzig Stunden Zeit zum Nachdenken.

Pauline, die von Hermine unter dem Cape eingeschmuggelt wurde, hat einen Blick auf das schlafende Etwas in der Wiege geworfen und festgestellt: ›Hund!‹ Dann hat sie sich umgedreht und die tiefste Gleichgültigkeit vorgespielt. Und Viviane, die selbst im Augenblick der heftigsten Rührung ins Fettnäpfchen tritt, meinte, daß letztendlich alle Neugeborenen Greisenköpfe haben.

›Sie sieht ganz gesund aus, aber was die schon für Ringe unter den Augen hat! Und die Nase, sag mal ... eine echte Kartoffel!‹

Félicien ist am Abend nach seiner Sendung gekommen und hat Bücher, Pralinen, Kreuzworträtsel und Nachrichten von der Außenwelt gebracht. Die Expedition ist noch nicht in Sichtweite von Cap Farewell. Keine Hoffnung also, Arnaud vor Juli wiederzusehen. Félicien gehört zu den seltenen Männern, die sich in einem Krankenzimmer nicht langweilen. Er ist wirklich gekommen, um mich zu *besuchen,* mich anzusehen, mich zu zerstreuen, sich zu erkundigen, wie das ist mit der einschießenden Milch. Auch das Baby schaut er sich aus der Nähe an, er berührt es, begnügt sich nicht damit, zu sagen: ›Warum ist es denn so rot?‹ oder: ›Ich kann mir gar nicht vorstellen, daß wir auch einmal so waren.‹

Er ist absolut empört darüber, daß ich dieses kleine Mädchen vorläufig Gustave nenne. Ich schlage vor: Mao-Tse-Tung. Es sieht ihm doch ähnlich, mit der breiten Himmelfahrtsnase und den zu Berge stehenden braunen Haaren. Mamie Castéja hat am Telephon vorgeschlagen: Mireille. Allgemeiner Aufstand. Man wird doch nicht vor Gustave errettet, um Mireille zu heißen! Sie hat ihre Mißbilligung nicht verbergen können, daß ich eine zweite Bettnässer*in* fabriziert habe. Und was ist nun mit dem schönen Namen Castéja?«

14. Mai

»Letzter Termin: zwölf Uhr mittags. Zum Schluß spricht sich die Mehrheit für Marion aus, und Adrien eilt zum Rathaus von Boulogne-Billancourt, wo der Standesbeamte sich für Gottvater hält und den Namen für untragbar erklärt. ›Marie‹ oder ›Marinette‹ gesteht er herablassend zu. Eltern sollen nur ja nicht glauben, sie hätten alle Rechte. Frankreich wacht.

›Wo würden wir hinkommen, wenn die Leute einfach irgendwas aussuchen könnten?‹ sagt er streng.
Erneutes Herumpalavern. Zehn vor zwölf einigt man sich
schließlich auf einen Außenseiter: Frédérique. Einstimmig angenommen – nur eine Stimme fehlt, leider, die des Erzeugers.«

19. Mai

»Ich kann es nicht mehr erwarten, bis ich wieder auf bin. Aber
man sagt mir, je länger man liegen bleibt, desto besser ›rückt sich
alles wieder zurecht‹. Gustave spuckt von zwei Fläschchen eines
wieder aus. Sie braucht mindestens fünfzig Prozent Mutter-
milch, um verdauen zu können. Diesmal hatte ich jedoch beschlossen, nicht zu stillen, aber nun beginnt die Erpressung.
O. K., ich habe sie nicht gewollt, aber nun will sie mich dafür
auch noch bestrafen. Man hat mir ein Gerät zum Milchabsaugen
gebracht, es pumpt alles bis zum letzten Tropfen leer.
Gern hätte ich meinen Klinik-›Urlaub‹ benutzt, um nach Herzenslust auszuschlafen, aber hier ist man ab 5 Uhr 30 in Kriegs-
bereitschaft: Die Nachtmannschaft bringt die hungrigen Schrei-
hälse in die Zimmer, auf daß sie ihre Mütter leerpumpen. Dann
geht es los mit der Morgentoilette, die Frühstückswagen klirren
in den Gängen, Besen und Lumpen rumsen wie Auto-Scooter
gegen die Wände und Betten. Visite des Geburtshelfers, frische
Wäsche wird gebracht, schmutzige mitgenommen, Visite des
Kinderarztes, Windeln, die gewechselt werden müssen ... –
kurz, eine Hölle, die den ganzen Vormittag dauert und mir nie
genügend Zeit läßt, um einzudösen. Wann werde ich nur wieder
schlafen? Vor Ablauf eines Jahres möglicherweise überhaupt
nicht mehr.«

24. Mai

»Gustave spuckt nach wie vor, und der Kinderarzt meint, man
solle es mit Trockenmilch probieren; aber die Klinik weigert
sich, mit der Routine zu brechen, es würde die Arbeit der Krankenschwestern komplizierter machen. Man rät mir, sie noch ein
paar Tage lang weiterkotzen zu lassen und die Milch zu wechseln, wenn ich wieder zu Hause bin. Ein Skandal! Einzige Abhil-
fe: sie wieder an die Brust nehmen. Da sie aber normal wächst
und ich in fünf Wochen beim Rundfunk wieder zu arbeiten be-

ginne, lehne ich diese zusätzliche Belastung ab, trotz der offenkundigen Mißbilligung des Arztes. ›Er muß ja nicht die Schmerzen im Rücken in Kauf nehmen und Brüste wie eine Negerin mit sich herumschleppen‹, ·bemerkt Lou.

Da ich nicht schlafen kann, lese ich ein Buch pro Tag. Heute *Tagebuch eines jungen Mädchens* von Irène Révelliotti, einer meiner Schulfreundinnen; auch sie ist an Tuberkulose gestorben. Ich finde mein eigenes Jungmädchen-Tagebuch besser. Allerdings bin ich nicht gestorben. Wen sollte es also auch interessieren?«

26. Mai

»Wieder zu Hause, aber noch viele Stunden im Bett, also Langeweile. Das Schlimmste ist, daß ich weder einen Brief noch einen Telephonanruf zu erwarten habe. Was ist, wenn die *Force* gegen einen Eisberg stößt und mit Mann und Maus untergeht? *Mein* Mann und *mein* Mäuserich inbegriffen – und erfahren würde ich die Katastrophe erst nach einer angemessenen Wartezeit! Ich weiß nur, daß das Gros der Expedition an Land gegangen ist und sich mit Raupenfahrzeugen auf viertausend Meter hinaufarbeitet, auf das Zentralplateau, während Arnaud die Küste entlangfährt und die einzelnen Abschnitte inspiziert. Sehr schlechtes Wetter. Was über Funk kommt, ist unverständlich. Gustave wird niedlicher. Oder gewöhne ich mich langsam an sie?«

10. Juni

»Ich trage ein enges Mieder und habe ganz ernsthaft begonnen, Gymnastik zu treiben. Ich sehne mich nach Liebe, nach bestickten Unterröcken, nach lasziven Dekolletés. Und vor allem nach lasziven Männern. ›Dip your fingers in the water, O Lord, and cool my heart.‹ Noch einen ganzen Monat ohne Arnaud! Ich werde fast zur Dichterin, so melancholisch fühle ich mich:

> *Welch schweres Gepäck*
> *ein Herz voller Liebe . . .* (Ja, gut, das ist nicht von mir!)
> *Von Grönland zurückzukehren*
> *Warum nur braucht ihr so lange*
> *Oh ihr Grönlandmöwen!* (Das ist von mir, nicht von Max Jacob, wie man glauben könnte.)

Noch immer nur spärliche Nachrichten von dort oben. Der Rundfunk findet langsam, daß er da sehr viel Geld hingeblättert hat für die paar Telegramme, die es zu senden gibt und in denen es heißt, es sei sehr kalt!

Hermine hat mir Pauline zurückgebracht. Schöner denn je ist das Kind, mit seinen pummeligen Schultern und den vergißmeinnichtblauen Augen. Aber nun herrscht Terror, nach dem Motto: ›Es stinkt nach Kinderscheiße bei mir!‹ Angeblich war ich mit einem Jahr schon sauber. Sie vergißt wohl, daß sie ein irisches Kindermädchen hatte, das mir mit dem Topf in der Hand auf Schritt und Tritt folgte! Sie läßt mich wissen, daß sie mir ein gesundes Kind zurückbringt, wo sie doch ein rachitisches mit pikkelübersätem Hintern bekommen hatte. Während sie auf der Suche nach Beweisen für meine Schlamperei in meiner Zwei-Zimmer-Wohnung herumgeht, kommt die Milchpumpen-Firma, um ihre Melkmaschine wieder abzuholen, brüllt Gustave wie am Spieß und ruft Simone an, um mir mitzuteilen, daß sie heute nachmittag nicht kommen kann, weil sie sich einen Zahn ziehen läßt.

›Wie oft hat sie die Nummer mit dem Zahnziehen schon gebracht, deine Schlampe?‹ fragt Mama in scharfem Ton. ›Zweiundfünfzig hat die mindestens!‹

Sie ist in Hochform, räumt meine Schränke nach ihren Vorstellungen auf, kontrolliert meinen elektrischen Backofen und erklärt, er sei ekelerregend; dann stapelt sie die mitgebrachten Lebensmittel in den Kühlschrank, denn angeblich ernähre ich mich wie ein weiblicher Clochard von Konserven, und wenn es so weitergeht, werde ich bei Arnauds Rückkehr wie eine Vogelscheuche aussehen, was ja eigentlich nichts ändern würde, da er mich ja sowieso nicht anschaut. In bester Laune zischt sie wieder ab: Meine Wohnung ist aufgeräumt, und ich bin völlig am Boden zerstört.«

15. Juni

»Kaum hatte ich ihn vergessen, schon stecke ich wieder drin, in diesem höllischen Rhythmus. Kein Schlaf vor dem Abendfläschchen um elf; Aufwachen um zwei, um fünf, um acht. Fläschchen und Schnuller sterilisieren, Windeln waschen, Gustave mehrmals am Tag aufs Töpfchen setzen, wie es in meinem schlauen Buch steht. Dazu muß ich sie halb sitzend, halb an meine Beine gelehnt halten und in der Nähe einen Wasserhahn aufdrehen.

Ergebnisse sind durchaus spürbar. Zum erstenmal habe ich ihr heute morgen ein paar Tropfen Orangensaft gegeben. Sie hat am Löffel gesaugt und mich dabei argwöhnisch angesehen – ihr Blick sagte ganz eindeutig: ›Ich glaube, du willst mich vergiften, Alte!‹

Neben diesem Full-time-Job muß ich mich auch noch um Pauline kümmern, die eine Stunde braucht, um ihre Mahlzeiten hinunterzuwürgen. Eine erschütternde Entdeckung: *Zwei* Kinder machen *dreimal* soviel Arbeit wie ein einziges! Sie beanspruchen zwar die ganze Zeit, mindern jedoch in keiner Weise die Einsamkeit, ich meine die Erwachsenen-Einsamkeit. Ich habe das Gefühl, seit einem Jahrhundert allein zu sein; dabei ist es gerade erst zwei Monate her, daß ich Arnaud abreisen sah und mit meinem dicken Bauch am Balkon lehnte. Ein Dienstwagen vom Rundfunk wartete vor der Tür, und Arnaud hat nicht zu mir heraufgeschaut. Er wußte ganz genau, daß ich auf diese Geste lauerte. Die Autotür wurde zugeschlagen, das Geräusch war wie das Geräusch aller Autotüren, die zugeschlagen werden. So. Eine Abreise nach Grönland war gar nicht komplizierter als eine Abreise nach Saint-Germain-en-Laye.

Ich denke viel über uns nach während dieser Zwangstrennung. Mein Liebling, wirst du eines Tages genügend Vertrauen haben? Daß du nicht den Mut zum Glücklichsein hast wegen, ja wegen einer Frau, das ist vielleicht dein größter Fehler.«

20. Juni

»Im Bus über die Schulter des Nachbarn hinweg die Schlagzeile gelesen: ›Dänisches Schiff auf der Höhe von ... hagen ... Alle Insassen vermißt.‹ Augenblick der Panik. Dann hat er seine Zeitung auseinandergefaltet: Es war nur ein dänischer Dampfer, der auf der Höhe von Kopenhagen auf eine Mine gelaufen und mit zweihundert Passagieren in die Luft gegangen ist. Zweihundert Menschen sind tot, und ich bin erleichtert!

Da Arnaud nicht da ist, der die Zeugen meines früheren Lebens nicht sehr schätzt, habe ich zugesagt, als der Cherub anrief und mich zu einer Fete mit Tanz einlud. Sehr fröhlich habe ich das Haus verlassen, und mit trauernder Seele bin ich zurückgekehrt von diesem Geisterball. Die Schatten der Ruchlosen, Hugo, Bernard, Jean-Marie – er ist ja immer der Großmeister solcher

›Abende der Ausschweifungen‹ gewesen – hingen an den Rockschößen der Überlebenden. Einige der Mädchen, die sie geliebt hatten, waren da, aber sie sind jetzt mit anderen verheiratet, und der Charme des Cherubs reichte nicht aus, um aus dem Abend ein Fest zu machen. Ich fühlte mich doppelt verlassen: vom Toten und vom Lebenden.

Pauline hat gestern alles in allem nur eine Makkaroni gegessen. Sie bekommt Wutanfälle beim Anblick ihres Tellers. Ich glaube, sie macht eine Krise der Verzweiflung durch, weil sie merkt, daß Frédédrique sich endgültig bei uns niedergelassen hat. Sie dachte wohl, sie sei nur vorübergehend hier. Sie schleicht durch die Wohnung und flüstert ›Papa?‹ Nach einer Pause schüttelt sie den Kopf: ›Nicht da, Papa nicht da.‹ Der Kinderarzt meint, es würde ihr guttun, einmal aus der familiären Umgebung herauszukommen: Ich solle sie nach Montpellier zur Castéja-Oma schicken. Aber mir widerstreben solch drakonische Maßnahmen; schließlich hat ihre Magersucht doch angefangen, weil ich sie drei Wochen lang verlassen habe und mit einem neuen Baby zurückgekommen bin. Sie würde glauben, ich hole noch ein drittes.«

30. Juni

»Wenn ich nach der Arbeit nach Hause komme, beneide ich sämtliche Damen aus den Nachbarwohnungen, die ganz banal jeden Abend auf ihre Ehegespons warten. Ich würde gern ganz banal geliebt werden und nicht mich demnächst wieder an der Seite eines Abenteurers befinden, der nie so weit weg von mir ist, wie wenn er neben mir im Bett liegt und von der weiten Ferne träumt.«

1. Juli

»Noch immer keine Nachricht von meinem Eisbär. ›Machen Sie sich keine Sorgen, seien Sie geduldig‹, sagte mir Liotard, ›die *Force* dampft schon in Richtung Dänemark.‹

Also bin ich übers Wochenende nach Poissy zu Tante Jeanne gefahren. Ich spaziere ein bißchen um die riesige Wiese herum, während Pauline die Hühner jagt, einen Schubkarren voller Tannenzapfen vor sich herschiebt und Gustave vergißt.

Jeanne nennt mich ›Elouisabeth, die Unbemannte‹. Sie ist nicht ganz unzufrieden darüber, zu sehen, daß die Ehe auch mit soviel

Einsamkeit einhergehen kann. Zumindest habe ich jemanden, auf den ich hoffen kann. Mit ihren straffen Seitensträhnen und dem eng geflochtenen, eng um den Kopf gelegten Zopf – eine armselige Krone, die ihren mageren, traurigen Hals und ihre großen schlaffen Backen hervorhebt – ist Jeanne die Verkörperung derer, die nicht mehr hoffen. Ihre Züge sind nach und nach verschwommen, ihr Körper ist undefinierbar geworden. Sie hat nicht mehr *zwei* Brüste, sondern *eine* Brust, nicht mehr *zwei* Pobacken, sondern *eine* Sitzfläche. Sie riecht nach totem Schweiß und hat die graue Haut derer, die nie von jemandem angeschaut wurden. Eine so desolate Haut, daß sie sie versteckt: Sommers wie winters trägt sie lange Ärmel und graue Baumwollstrümpfe, dazu geschnürte Leinenschuhe. ›Wie kannst du dir nur dein Gesicht so bunt anmalen, meine arme Schwester‹, sagt sie zu Hermine, die am Sonntag zum Mittagessen gekommen ist und sie mit ihrer Eleganz, mit ihrer Schminke, ihrem Geist, ihrem Erfolg und mit Adriens Liebe förmlich an die Wand drückt. ›Ich umarme dich nicht, du weißt, daß ich von deinem Parfum Kopfschmerzen bekomme‹.
Wäre Hermine ein liederliches Frauenzimmer, so würde sie ihr ihre Schönheit, ihr Geld und ihre Frechheit verzeihen. Aber daß sie sich außerdem auch noch der Ehrbarkeit und der Ergebenheit eines Ehemannes erfreut, erscheint ihr von empörender Ungerechtigkeit. Diese Empörung bringt sie um, und Jeanne ist, ohne es zu wissen, schon längst tot.«

3. Juli

»Freude, Freude, Freudentränen! Liotard hat mich gerade angerufen und mir mitgeteilt, Arnaud treffe am 6. in Kopenhagen ein; dort werde er ein paar Tage bleiben, aber er hoffe, ich könne hinkommen.
Endlich wirst du deinen Fuß wieder auf zivilisierten Boden setzen! Ich würde rasend gern nach Kopenhagen kommen, wenn es nicht so teuer wäre. Ich erwarte dein Telegramm. Du wirst mich nicht dicker vorfinden, obwohl ich mich bemühe, Kartoffelpüree und Nudeln in großen Mengen zu essen. Es gelingt mir nicht, eine Haremsfrau zu werden, wie du sie dir erträumst.«

7. Juli

»In den Zeitungen lese ich, daß du in Kopenhagen bist und die Gelegenheit nutzen willst, einen Abstecher nach Schweden zu machen. Warum nicht gleich nach Rußland? Es wäre ja eigentlich ganz hübsch, wenn du eines Tages zu einer weißhaarigen Penelope mit zwei erwachsenen Töchtern zurückkehrtest. Angeblich lädt dich der dänische Rundfunk zu einer Rundfahrt durchs Land ein. Der Geschichte und der Geographie sei Dank, daß dieses Land so klein ist!«

9. Juli

»An der Tür steckt ein kleiner Umschlag, den du wohl jemandem mitgegeben hast, der nach Paris zurückfuhr. Endlich deine Schrift ... Mein Herz schlägt Purzelbäume. Du liebst mich? Du willst nicht einen Tag länger warten, um mich wiederzusehen? Du sagst, ich soll nach Kopenhagen kommen? Meine Hände sind feucht, als ich den Umschlag aufreiße. Aber innen finde ich nur den Brief eines Arbeitgebers an seine Angestellte (die er allerdings ›meine Zoupinette‹ nennt) bzw. eines Besitzers, der sich nach dem Befinden seines Eigentums erkundigt. Wann wirst du es wagen, von deinen Gefühlen zu sprechen!

›Vergiß ja nicht, Goldman zu sagen, er soll mir einen Dienstwagen zum Flughafen schicken, denn ich bringe schweres Material mit.‹ (Jawohl, Chef!)

Was deinen Geist betrifft, stelle ich fest, daß er nicht in die Tiefen des Eismeeres versunken ist, und deine munteren Wortspiele rund um grönländische Gletscherspalten und französische Zeitungsspalten imponieren mir wahnsinnig.

Aber was dein Herz betrifft, so scheint es deine einzige Sorge zu sein, ich könnte etwas ohne dich genossen haben. ›Ich hoffe, Deine Freunde sind nicht zu sehr um Dich herumgeschlichen und Du bist brav geblieben.‹ (Du würdest es verdienen, daß ich sehr, sehr ausschweifend gelebt hätte, denn dann wäre es nicht so bitter für mich, daß du nicht einmal in der Lage warst, die zwei Seiten deines lächerlichen Briefpapiers auszufüllen. Hast du es extra für mich gekauft? Du scheinst im übrigen ganz zu vergessen, daß eine Schwangerschaft im achten Monat und eine Frauenklinik nicht den idealen Rahmen bieten, um einen Ehemann zu betrügen!)

Was schließlich deine Gesundheit betrifft, betonst du: ›Der arme Arnaud ist sehr müde, er schläft schlecht und wird es sehr nötig haben, verwöhnt zu werden.‹ (Also lieferst du mir noch ein zusätzliches Kind an, wenn ich dich recht verstehe?)

Eine allerletzte Empfehlung, falls ich alles vergesse und dich im üblichen Durcheinander, in Hausschuhen und Schürze empfangen sollte: ›Sorg dafür, daß das Haus schön ist und die Kinder sauber. Und sei auch Du schön, schlank und elegant, um Deinen legitimen Mann zu empfangen. Du wirst mich am Glorienschein des Abenteurers wiedererkennen und wirst geblendet sein von meinen guten Vorsätzen.‹ (Verdammte Scheiße! Du redest daher wie ein Kind, das im Katechismusunterricht dem alten Pfarrer verspricht, Opfer zu bringen ...)

›Du wirst viel zu erzählen haben, und ich bereite mich darauf vor, Deinem lieben Geplapper brav zuzuhören.‹ (Und ich dachte, ich könnte REDEN! Allerdings sind meine melancholischen Anfälle und die Geburt nur Kinkerlitzchen im Vergleich mit deinem edlen Abenteuer.)

Und zum Schluß ›umarmst du mich liebevoll‹, was ich mir als eine Beleidigung zu betrachten erlaube nach drei Monaten ohne irgendwelche Küsse!

Das fängt ja gut an mit deiner Rückkehr! Letzten Endes war ich viel glücklicher mit dir, als du nicht da warst.

Gut, ich habe mein Gift versprüht. Genug damit. Ich habe sowieso zu viel gesagt, und ich weiß jetzt schon, daß ich mich nie werde dazu entschließen können, dir dieses Tagebuch zu zeigen, das ich für dich führen wollte. Ich habe zu sehr Angst vor deinen nachtragenden Launen, deinem Schmollen, zu sehr Angst, ich könnte deine Eigenliebe verletzen. Und ich sage bewußt Eigenliebe, denn bevor ich deine Liebe verletze, muß noch viel geschehen.

Langsam beginne ich einzusehen, daß die absolute Ehrlichkeit vielleicht nicht unbedingt nötig ist in einer Ehe, wie ich es früher geglaubt habe. Jean-Marie konnte ich alles sagen, meine Träume, meine Unfähigkeiten und sogar meine harmlosen Anfälle von Begehren nach irgendeinem schönen Jüngling auf der Straße ... Diese Freiheit des Wortes ist mir abhanden gekommen. Das bedeutet nicht, daß alles verloren ist. Du mißtraust dem geschriebenen Wort, du hast nie einen zärtlichen Brief schreiben können. Und mir gelingt es nicht, ich selbst zu sein in deiner Gegenwart ... Aber trotz all dieser Unbekannten müssen wir wohl oder übel unsere Gleichung lösen, mein Geliebter. Anstatt vernünftig zu reagieren, hätte ich im Grunde doch meine Kinder vernachlässigen und nach Kopenhagen sausen sollen, um dich zu empfangen. Es gibt immer tausend Gründe, etwas Wahnsinniges nicht zu begehen, gegen nur einen Grund, es doch zu tun, aber dieser eine Grund ist der richtige.«

10. Juli

»Wie ein dummes Huhn bringe ich die Wohnung für deine Rückkehr auf Hochglanz. Meinen freien Tag habe ich damit verbracht, das Parkett zu bohnern. Das mache ich ganz gern: Wenn ich mit Stahlwolle drübergehe, spiele ich Langlaufski, und wenn ich das Bohnerwachs auf allen vieren auftrage, robbe ich durch den Dschungel. Das Dumme ist nur, daß sich der ganze Staub auf meine frisch mit Brillantine eingeriebenen Haare absetzt, also muß ich morgen früh zum Friseur. Kostenpunkt: 700 Francs. Der Parkettputzer des Elysée-Palastes käme billiger. Simone die schwere Arbeit auftragen? Kommt nicht in Frage: Heute morgen mußte ich mir 1 000 Francs von ihr leihen, um einkaufen zu gehen.

Ein Wetter wie am Nordpol. 7° am Morgen; eiskalter Dauerregen. Du wirst dir hier nicht sehr fremd vorkommen. Ich habe deinen Schreibtisch aufgeräumt und deine Schreibmaschine überprüfen lassen. Es fehlt kein einziger Knopf an den Gamaschen, mein Offizier!«

11. Juli

»Die Leute um mich herum beginnen sich zu wundern. ›Arnaud soll wieder in Europa sein? Was macht er denn? Ferien?‹ Und ich warte brav auf dich, obwohl ich neunundzwanzig Jahre alt bin und eines Tages neunundvierzig sein werde, und dann wird meine Liebe auch ein paar Falten abbekommen haben. Vergiß nicht, daß auch die Penelopes den Mut verlieren können und daß es sie nicht an jeder Straßenecke gibt. Hingegen kann man auf Calypsos oder Circen treffen (besonders in den schwedischen Fjorden, wo die berühmten Zauberinnen leben), die euch dann in Schweine verwandeln. Fällt dir abends nicht manchmal ein, daß das Packeis und die Fjorde auch nicht tiefer sind als die Liebe deiner Frau?«

13. Juli

»Ein Telegramm von dir heute morgen. Endlich ist es soweit, ich kann sagen: morgen! Ich bin so aufgedreht, daß ich die arme Gustave fast an ihrem Lätzchen festgepinnt hätte (die Arme, sie hat geblutet), und mein Mittagessen ist mir angebrannt. Eine Schande, so auf eine Frau zu wirken! Das werde ich dir heimzahlen, mein Geliebter. Morgen.«

14
Die Sonntage der Mütter

Es gibt Zeiten, da scheint alles in Louises Leben in eine Sackgasse zu führen: Wie kann man zu den Abendnachrichten um viertel nach sechs in der Avenue des Champs-Elysées, im achten Arrondissement von Paris auftreten und gleichzeitig in der Rue Raynouard, im sechzehnten Arrondissement, das Sechs-Uhr-Fläschchen sicherstellen, wenn Simone, Ginette oder Lucette das Haus um fünf Uhr verlassen? Eine Sackgasse, die auch am Sonntag nicht umgangen werden kann: Wie schafft man es, Gustaves Geschrei zu dämpfen, die im Bettchen bleiben muß, weil sie Schnupfen hat, Paulines Ärger zu besänftigen, die im Flur Dreirad fährt und nach draußen möchte, und zugleich dem erst im Morgengrauen nach Hause gekommenen Arnaud seinen Schlaf zu sichern, während ein Berg von ausländischen Zeitungen darauf wartet, für die Presserundschau am Montagmorgen übersetzt zu werden? Plötzliche Zwischenfälle, Krankheiten, lauter Ereignisse, die eine schnelle Lösung erfordern, unvorhergesehene Umstände, erstaunlich verschiedenartig, die alle mit derselben quälenden Frage verbunden sind, die niemals auf morgen verschoben werden kann: »Was machen wir also mit den Kindern?«

Natürlich gibt es die vielen Simones – so nennt sie Pauline, sie hing sehr an der ersten. Es gibt sie reichlich in den fünfziger Jahren. Es ist leicht, sie aus den Bauernhöfen auf dem Lande hervorzulocken, wo sie sich langweilen und von der Hauptstadt träumen, aber es sind unsichere Kantonistinnen, weil sie beim ersten Mann, dem sie begegnen, hängenbleiben und davonfliegen. Ginette war die Nachfolgerin von Simone, dann folgte Lucette, sie gingen wieder, zwecks Heirat, aus Überdruß oder wegen irgendwelcher Wehwehchen, und die Kündigung bringt den mühsam konstruierten Mechanismus in regelmäßigen Abständen durcheinander; es genügt der geringste Holperer, um Familien mit arbeitenden Müttern aus dem Gleis zu werfen.

Es gibt eine Hilfe: die »Loge«, die Wohnung der Concierge. Wenn eine Simone frei hat, läßt Louise Gustave in ihrem Kinderwagen im Hof, und Pauline geht zu Madame Bignolet: Es ist sowieso viel lustiger, in deren Kleiderschrank mit den alten Klamotten zu spielen als mit den Spielsachen im Kinderzimmer, und das Katzenragout, das sie dort serviert bekommt, schmeckt ihr viel besser als die Seezunge zu Hause. Sie steigt zu »Bibi« herab wie in die Höhe des Ali Baba. Aber leider passiert es immer an dem Tag, an dem Madame Bignolet ihren Hund Kiki zum Tierarzt bringt, daß die Regierung Schumann stürzt, der das Sechs-Uhr-Fläschchen vollkommen egal ist. Also muß ein »Special« redigiert werden, und Louise kann unmöglich vor acht Uhr wieder in der »Hütte« sein; und die Concierge weiß nicht, wieviel Milch und wieviel Mineralwasser sie für Gustaves Fläschchen mixen soll; es ist zu spät, um Hermine in ihrem Atelier zu erreichen – die in solchen Fällen sowieso zunächst einmal erklärt, ihre Tochter sei unfähig, ihr Leben zu organisieren. Viviane hat ganz bestimmt gerade eine Yoga-Stunde oder eine Anprobe bei Dior. »Wenn du mir gestern Bescheid gesagt hättest ...« Aber so etwas passiert eben nie gestern ...

Kurz und gut, es bleibt Louise nichts anderes übrig, als ihre Nachrichten-Bulletins herunterzuschludern; eine Sekretärin wird eingeweiht – für den Fall, daß in letzter Minute noch eine wichtige Neuigkeit hinzugefügt werden muß. Wie ein Radrennfahrer saust sie zwischen zwei Sendungen nach Hause, verpaßt Gustave ein Beruhigungsmittel, damit sie in ihrer Wiege brav schläft, läßt Pauline zum Abendessen mit Kiki in der übelriechenden Wohnung der Concierge. Dort nimmt sie sie dann zwei Stunden später wieder in Empfang: Das Kind ist im siebten Himmel, weil vollgestopft mit Pralinen, die zu Hause verboten sind, die Bibi ihr jedoch nicht abschlagen kann. Es ist gerade damit beschäftigt, Kiki die Salbe draufzuschmieren, die der Tierarzt gegen das Ekzem, das am Hinterteil des Hundes zehrt, verschrieben hat. Aber Pauline ist glücklich. Vielleicht bekäme sie eine Neurose, wenn sie unter der Obhut eines Schweizer Kindermädchens stünde, das ihr jedesmal, wenn sie die Hand ausstrecken würde, um zu entdecken, wie die Welt beschaffen ist, sagen würde: »Nicht anfassen, das ist bäh!«

Arnaud wird im nachhinein über die Probleme informiert und ist empört: Nachträglich hat er Lösungen parat, stellt unwiderlegbare Theorien auf. »Das ist unmöglich ... Ein bißchen Autorität ... Lebensdisziplin ... Ein Minimum an Organisation ... Es kann doch nicht so schwer sein.«

Bald erzählt Louise ihm nichts mehr, und er glaubt, auf Grund seines Einschreitens funktioniere nun alles besser. Die Frauen, die ertrinken doch in einem Glas Wasser ... Natürlich sind sie es selbst, die sie füllen, sie wieder leeren, sie spülen, sie aufräumen, sie zerschlagen, sie den anderen vorsetzen, diese Gläser voll Wasser.

Und an den Sonntagen, wenn der Herr Vater anwesend ist, wird alles noch komplizierter. Im TNP wird *Le Cid* gespielt, mit Gérard Philipe, aber Corneille ... wahnsinnig langweilig. Arnaud möchte lieber ausspannen, in einem Kino in der Avenue de la Grande-Armée einen ganz tollen Western ansehen; seine Miene verdüstert sich, als Louise erklärt, alle Western seien gleich, und man könne ohne weiteres den Oberindianer, die Saloon-Nutte oder das Pferd des einen Films mit denen eines anderen Films austauschen, der Zuschauer würde es nicht einmal merken. Viviane und Félicien würden gern mit ihnen zum Mittagessen in ein neues Bistro im Hallenviertel gehen, ganz fabelhaft ... Aber man wird nichts von all dem unternehmen. »Frag doch Madame Bignolet«, schlägt Arnaud vor. Aber Louise möchte ihr Einspringen lieber für unerwartete Problemsituationen aufsparen. Außerdem wird sie doch ihre Töchter nicht verlassen am einzigen Tag, an dem sie sich um sie kümmern kann. Also dann, auf zum Zoo, auf zu Tom und Jerry oder sonst einem albernen Zeichentrickfilm! Natürlich geht Arnaud schließlich doch in seinen Western. Wozu sollte er auch zu Hause bleiben?

Sonntage der Pariser Mütter. Trübe Sonntage der Mütter ...

Natürlich ist sie eine glückliche Mutter, natürlich empfindet sie manchmal eine tiefe Befriedigung, wenn sie diesen beiden kleinen Filialen ihrer selbst zusieht, die fast gleich groß sind, die kleine, kugelrunde Pauline und die große Frédérique, die ihre Schwester bald eingeholt hat. Natürlich ist es ein Fest, wenn sie an manchen Wintersonntagen, wenn Arnaud auf Reisen ist, herbeilaufen und sich auf die große Insel des mütterlichen Bettes stürzen: Die Märchen der tausend und einen Morgen verwandeln das Schlafzimmer in eine Höhle, in einen Kerker, in eine Burg, in einen orientalischen Palast, je nach Zeit und Laune. Natürlich vermittelt es Louise einen Eindruck von Endlichkeit und Unendlichkeit zugleich, wenn sie sie beide in den Armen hält, an ihrer rechten Seite hellblaue, an ihrer linken moosgrüne Augen ... Aber man muß auch düstere Tage hinter sich bringen, an denen man sich fragt, was das Leben soll. Agnès ist dann diejenige, die die Kinder abbekommt: Sie schickt sie ihr, um sie loszuwerden; der treuen alten Agnès, mit der sie unter der Milchglas-Lampe saß und Latein-Übersetzungen machte, der Agnès, mit der sie von literarischem Ruhm träumte, jener Agnès, für die Louise, was auch immer geschehen mag, das heitere Mädchen der Bootsfahrt auf der Loire bleibt, das starke Mädchen, das es wagt, sich ihre Männer und ihr Schicksal selbst auszusuchen. Es tut so wohl, ein Bild seiner selbst wiederzufinden, auch wenn es ein falsches Bild ist, bei einem Menschen, den man mag, selbst wenn es nur ein einziger ist, selbst wenn sich dieser Mensch irrt. Wie, wenn nur sie allein sich nicht irrte? Sie werden füreinander stets ein eigenes Bild bewahren, trotz der Dementis und der Enttäuschungen des Lebens, und darin liegt das Geheimnis gewisser Jugendfreundschaften, die Trennungen, Ehemänner und Kinder überleben.

Sie haben immer davon geträumt, eines Tages zu schreiben, wenn sie über die Luxusware Zeit, eigene Zeit, verfügen würden. Eine Ware, die immer rarer wird: Agnès hat soeben ihr fünftes Kind zur Welt gebracht, eine kleine rothaarige Füchsin wie sie selbst, dreizehn Monate nur nach der Geburt ihres vierten Kindes, eines Jungen, der eine Mißbildung am Gaumen hat und noch immer mit einer Pipette ernährt werden muß. Warum aber nicht ihren Vorkriegsbriefwechsel aus der Schulzeit veröffentlichen — einer Zeit, die für Gymnasiastinnen der fünfziger Jahre mittelalterlich anmuten muß; und danach ihren braven Studentinnenbriefwechsel aus der Besatzungszeit? Und schließlich ihre vertrauten Mitteilungen als Ehefrauen, die voll sind von den kleinen Dingen und den großen Hoffnungen, die das Raster dessen ausmachen, was man »die besten Jahre des Lebens« nennt?

Agnès nennt Louise »meine liebe Seele« und erzählt ihr vom langsamen Verschlungenwerden im Provinzleben; sie bedient sich jenes preziösen, charmanten, veralteten Stils, der ihr hilft, aus dem Leben der Ehefrau eines leitenden Angestellten einer Waffenfabrik zu flüchten – ähnlich wie wenn man sich verkleidet, um besser träumen zu können. Selbst 1950 schrieb Agnès noch Höhere-Töchter-Briefe: »Verzeihen Sie, meine liebe Seele, meine letzte Epistel, die auf dümmste Weise larmoyant und erbärmlich war, nicht wahr. Ich beklage mich zu unrecht. Als ich neulich aus Paris zurückkam, empfand ich eine tiefe Freude, mein großes, häßliches, ruhiges Haus wiederzusehen in seinem zum Weinen langweiligen Garten, der von anderen angepflanzt wurde. Im Grunde war ich wie geschaffen für ein verkrustetes Provinzleben mit meinem brav im Nacken zusammengesteckten Haar (Etienne mag mich nur mit Knoten), meinen zeitlos klassischen Kostümen und meinen beigen Hüten. Seit meiner Heirat habe ich nichts geschrieben, aber ich bin nicht einmal traurig darüber: Es ist von Vorteil, wenig Wertschätzung für sich selbst zu haben. Aber Sie, Louise, die Sie so sehr viel mehr Appetit auf irdische Nahrung haben, Sie sollten etwas tun: Ich verspreche Ihnen, Sie können es.«

Sie braucht viele solche Vertrauensäußerungen von Agnès, viele solche Bekundungen, bevor sie sich entschließen wird, »etwas zu tun«. Aber die Rollen sind gut verteilt zwischen ihnen beiden. Agnès ist melancholisch und elegisch, Louise schimpft oder läßt sich mit Wonne über die Natur aus; solche langen Tiraden nannte man »Beschreibungen«, damals, als die beiden Freundinnen um den ersten Platz in der Wertschätzung ihrer geliebten Lehrerin, Madame Ansermet, kämpften.

»Bevor ich auch nur daran denken könnte zu schreiben, liebe Agnès, muß ich die Wohnung wechseln. Ich habe nicht einen Quadratzentimeter für mich in dieser Hütte. Wir haben eine in Aussicht, im selben Haus wie Viviane und Félicien, leider auch wieder im 16. Arrondissement, aber das hätte auch den Vorteil, daß ich weiterhin die Dienste von Madame Bignolet in Anspruch nehmen könnte. Ein ganz wesentliches Detail: Zu dieser Wohnung gehört eine Dienstmädchenkammer. Lucette ist entzückt von der Aussicht, ganztags zu arbeiten. Sie hat nur einen Fehler, meine Lucette: Ihr Liebhaber ist Kontrolleur auf der Linie 32. Anstatt daß sie die Kinder in den Bois de Boulogne mitnimmt, verbringt sie ihre Nachmittage damit, zwischen der Porte de la Muette und der Gare de l'Est hin- und herzufahren, oder aber sie wartet an der Endstation auf einer Bank, daß der geliebte Herr Kontrolleur Dienstschluß hat. Am Abend gibt er Pauline das Essen (sie liebt ihn heiß und innig) und spült das Geschirr, damit Lucette schneller weg kann. ›Wir haben ein Paar angestellt‹, sagte Arnaud den Freunden, die sich wundern, daß ihnen ein Kontrolleur in Uniform die Tür öffnet.

Wir können nur hoffen, daß Lucette an einer Rückwärtsneigung der Gebärmutter leidet, damit sie nicht gar so schnell schwanger wird ...

Arnaud sollte am 18. zurückkommen, aber er schiebt es zwei Tage hinaus, um sich einen Stierkampf in Nîmes anzusehen, zu dem er mich einlädt. Aber die Lust, einen Ehemann und einen Stierkampf zu sehen, sind keine ausreichenden Motive, um meinen Chefredakteur weich zu machen, und mein Urlaubskapital spare ich mir lieber auf für einen Keuchhusten, für die Angina, die so merkwürdig nach Kinderlähmung aussieht, oder für den Schreibstubenunteroffiziers-Federhalter, den ich mir schon seit langem kaufen möchte ... Ich möchte sowieso lieber keinen Stierkampf sehen, vielleicht würde ich nämlich auf den Geschmack kommen. Das ist es, was Arnaud zu Recht meine Sturheit nennt. Aber man muß ja schließlich wenigstens bei zwei, drei Dingen Widerstand leisten in dieser großen Übergabeaktion, die die Ehe darstellt.

Sie fehlen mir sehr, Agnès. Auch die Sorbonne, in die ich nie wieder gehen werde, fehlt mir. Das Nutzlose, das Grundlose fehlt mir; etwas Sinnloses studieren, was nichts bringt, das fehlt mir. Wir sind jetzt in einer Welt, in der wir nur noch die Zeit und das Recht haben zu MACHEN. Deshalb bin ich so begeistert von unserem Buchprojekt, es wird uns zwingen, ein wenig zu träumen. Aber werden Sie es wagen, nur um eines Traumes willen Vincent und der kleinen neugeborenen Füchsin Zeit wegzunehmen? Ich hoffe, daß sie so rot ist wie Sie und wie die Füchsin von Mary Webb!«

Im Laufe eines Lebens sind gewisse Ereignisse Schicksalsträger, aber man entdeckt es oft erst viel später. Für Louise waren es jeweils die Wohnungswechsel, die einen Bruch, eine Wende oder das Auflösen eines unwiderruflichen Mechanismus bedeuteten. Denn wenn man ein Haus verläßt, kann man nie wissen, was es von den Menschen zurückbehält.

Der Auszug aus der »Hütte« wurde für Louise zum ersten Bruch mit ihrer Vergangenheit. Jean-Marie war tot. Nun war er auch begraben. In der neuen Wohnung gibt es nichts mehr, was daran erinnert, daß es ihn gegeben hat, bis auf das unvollendete Bild, das sie im Salon aufgehängt hat, an eine exponierte Stelle, damit neugierige Besucher sie fragen, wer denn dieser traurig lächelnde junge Mann mit der Mundharmonika sei, dessen Hände nicht fertiggemalt sind. So wird sie zumindest Gelegenheit haben, hin und wieder den Namen »Jean-Marie« auszusprechen. Sie fährt nie zu seinem Grab nach Saint-Gervais. Dort ist er viel zu tot. Sie stellt sich lieber vor, daß er mit ihr lebt, wenn sie das tut, was er mochte, oder etwas sagt, was er gesagt hätte. Sie beide allein wissen in solchen Augenblicken, daß er in ihr wiederauflebt.

Auch Werner hat sich verflüchtigt, seine große Körpermasse, die immer in den violetten Sessel versank: Er wird neu bezogen, der violette Sessel, und von nun an wird er nicht einmal mehr violett sein. Weg sind Werners kräftige Hände, seine so sanften Metzgerhände, sein Lächeln, wenn er als erster ins Bett gegangen war; er hatte es immer eilig, sie zu sich herabzuziehen, und streckte dann in dem großen Bett im Alkoven liegend, seine Arme nach ihr aus. Sie hatte nichts gegen all diese im Alkoven anwesenden Gestalten, nichts gegen die kurze, liebenswürdige, kaum differenzierte Erinnerung an Don, Frank, Ted, die heute zu einer Einheit zusammengeschmolzen sind, dem *Homo americanus,* und die ihr eine letzten Endes so wichtige Naturkunde-Lektion erteilt haben, eine Männer-Lektion. Eine Lektion, die sie inzwischen wieder vergessen hat, jetzt, wo sie die Frau eines einzigen Mannes und wieder so ungeschickt, so naiv, so hilflos geworden ist . . . als ob man bei den Männern nichts lernen würde, nichts, was bei einem andern eingesetzt werden könnte.

Werner schrieb ihr noch oft, sehr liebevolle Briefe, die nichts Zweideutiges enthielten, nicht die geringste Anspielung auf die Bettnische; er war ein edelmütiger Dummkopf, der die Ehe respektierte und sich nicht vorstellen konnte, daß eine verheiratete Frau manchmal daran erinnert werden möchte, daß sie noch einen gewissen erotischen Wert besitzt. Man steckt sich diese Information in eine Ecke des Herzens, irgendwann wird sie sicher nützlich sein. Werners Briefe hatten, so durchsichtig sie auch sein mochten, die Gabe, Arnaud auf die Palme zu bringen; an den Tagen, an denen ein Brief kam, brach er einen Krach vom Zaun, der damit endete, daß er sich als Strafmaßnahme auf das Sofa im Eßzimmer zurückzog. Körperentzug – wie man ein kleines Kind damit bestraft, daß es keinen Nachtisch bekommt. Louise bemerkte kaum, daß Arnaud das Geschenk seiner Person als eine Belohnung betrachtete und Louises Abwesenheit auf keinen Fall als Strafe.

Von der neuen Wohnung ist Arnaud begeistert, aus eben jenen Gründen, die Louise etwas melancholisch stimmen. Er läßt ein paar Möbel aus Montpellier kommen, um sein Revier abzustecken, eine dickbauchige Kommode mit muschelförmigen Bronzegriffen, einen Nachttisch mit Marmorplatte und einem Türchen für den Nachttopf – Louise findet, er riecht ein für allemal nach Familienpipi –, Kaminvasen, so recht geschaffen für jene traurigen Wedel, die den Namen einer Frauenkrankheit tragen: Gynerien. Von nun an wohnt sie *bei* ihrem Mann, nun ist alles in der Ordnung. Lou, die ausschließlich ganz moderne Einrichtungen oder Art Déco mag und die das ganze wertvolle Mobiliar ihres Mannes verkauft hat, als wolle sie auf diese Weise seine Existenz noch deutlicher auslöschen – was ihr vollkommen gelungen ist –, findet die neue Einrichtung makaber: »Siehst du, du hättest doch besser einen Exilanten wie Werner heiraten sollen. Die bringen wenigstens nicht ihre Mumien mit.« Sie hilft ihr, bei Marie Labattut afrikanische Stoffe auszusuchen, damit diese Möbel wenigstens etwas Pfiff bekommen, und kauft ihr einen halbmondförmigen Schreibtisch, dessen Schubladen mit Zahlenschlössern versehen sind – die Kombination ja nicht preisgeben, rät sie. Sie hat eine besondere Zuneigung für Pauline entwickelt und nimmt sie jeden Donnerstag mit in ihre Firma, wo die Kleine stundenlang mit Stoffmustern spielt, oder ins Atelier, wo die Näherinnen sich einen Spaß daraus machen, sie mit Stoffresten einzukleiden.

Die Familie findet, Gustave sehe aus wie eine Ratte. Hermine erklärt, sie sei mit den Zähnen im Rückstand und habe ein asymmetrisches Gesicht. »Weil du zuviel radgefahren bist während der Schwangerschaft«, behauptet sie.

Arnaud ist nach wie vor sehr viel auf Reisen, und Louise beginnt die Sätze zu hassen, die sie den Freunden gegenüber immer wiederholen muß: »Nein, er wird Weihnachten nicht hier sein. Er macht eine Life-Reportage über die Christmette aus Rom ... Eine Dokumentarsendung über die Herstellung der provenzalischen Krippenfiguren ... Er ist in Twickenham, in Lille, in Bordeaux ...« Da kann man genausogut gleich Witwe sein!

In den beiden ersten Jahren haben sie ihre Sommerferien in Kerviglouse verbracht, aber wie alle Männer mag es Arnaud überhaupt nicht, am Strand zu liegen, wo die Frauen sich so wohl fühlen, wenn sie sich wie Robbenmütter zwischen ihrer nackten Brut im Sand suhlen, während das rhythmische Geräusch der Wellen sie wiegt. Er hatte nichts gegen Bootfahren und Fischen – Adriens alter Kahn war noch ganz rüstig –, aber er wollte ihn nicht kalfatern, nicht neu anstreichen, ihm nicht die tausend Aufmerksamkeiten schenken, die ein so altes Wesen fordert, um zu funktionieren. Auch das Haus war eine alte Person, es hatte die Manie, den Regen immer an denselben Stellen reinzulassen. »Holt doch den Dachdecker. Es ist einfach unglaublich, daß man hierzulande unfähig ist, eine undichte Stelle zu reparieren!« Er wußte nicht, daß Häuser genau wie Autos, Schiffsmotoren oder auch Menschen ihre angeborenen Fehler haben, die man nicht beseitigen kann: Man muß sich damit abfinden. Dieses Haus wollte einfach an dieser Stelle Wasser hereinlassen, und alle Bemühungen des Dachdeckers waren erfolglos geblieben.

Arnaud mochte Ferien sowieso nicht. Für ihn bedeuteten sie »Leere«. Was er mochte, war, neue Landschaften entdecken, frei sein, Veränderung registrieren. »Du bist eine Stubenhockerin – wie im Grunde alle Frauen«, fügte er hinzu, und diese Bemerkung zündete mordlustige Blitze in Louises Augen: Nie würden sie die alte Frage ausdiskutieren. »Das ist einfach physiologisch bedingt«, behauptete er, »ob du es willst oder nicht.«

Louise widerstrebt die Vorstellung, daß ihre Neigungen, ihr Charakter, ihre Fähigkeiten mit Hormonen zu tun haben. Sie fühlt sich eingesperrt in ihr Eizellenschicksal, das Angewiesensein auf den guten Willen eines fröhlichen Spermatozoons – was sind das für Abenteuer, die unweigerlich in der Frauenklinik enden?

Aber sie muß sich einfach der Tatsache fügen, daß Kerviglouse niemals Arnauds Heimat sein wird. Kindheitserinnerungen sind wie Gedichte: unübersetzbar. Louise führt ihn zu bewegend schönen Winkeln und Aussichten – sie lassen ihn völlig kalt. Sie beschreibt ihm die bleibenden Erinnerungen aus ihrer Vergangenheit – er vergißt sie auf der Stelle wieder. Das sind gefährliche Kränkungen, denn was Kerviglouse betrifft, ist Louise äußerst empfindlich. Arnaud merkt es an jenem einunddreißigsten August, als er das Gartentor mit einem Eisenring verschließt und ihr den Vorschlag macht:

»Nächsten Sommer nehme ich dich zur Abwechslung mal mit nach Griechenland.«

»Wieso zur Abwechslung?«

Er sagt nichts, denn er hat diesen trotzigen Ton inzwischen schon kennengelernt, den sie manchmal anschlägt. Mit ihrem Bretagne-Mythos vereitelt Louise alle seine Bemühungen.

Und dennoch verbringen sie ihren nächsten Urlaub in Griechenland. Félicien hat in Piräus ein Schiff gechartert, um mit seinem alten Freund Claude Weiss die Kykladen »zu machen«. Der fünfzigjährige Claude Weiss hat kurz zuvor eine nach fünfundzwanzig Dienstjahren abgenutzte Ehefrau abgestoßen und eine neue geheiratet, Carole, achtundzwanzig, seit fünf Jahren seine Sekretärin, seit zwei Jahren seine Geliebte. Carole hat zu ihren beruflichen und sexuellen Verpflichtungen nun noch häusliche hinzubekommen, und jetzt beginnt sie sich zu fragen, ob sie bei der ganzen Unternehmung eigentlich etwas gewonnen hat ... Aber Claude ist zwanzig Jahre jünger geworden, und mit ihm die ganze Welt: Alles ist neu, weil er alles mit Caroles neuen Augen sehen kann. Er will ihr Venedig und Rom zeigen. Wozu hätte er mit Germaine noch einmal nach Venedig fahren sollen?

Es gab noch zwei Plätze an Bord der *Meltem,* und Louise hat das Angebot freudig angenommen. Sie hat so lange Griechisch gelernt, ohne Griechenland jemals gesehen zu haben! Und dann ist es die erste Auslandsreise mit Arnaud, der erste gemeinsame Urlaub ohne Kinder. Lucette zieht mit dem Baby zu Hermine, und Mamie Castéja nimmt Pauline zu sich nach Montpellier.

Vielleicht wird man vor einer Gefahr, die sich anbahnt, von einem sechsten Sinn gewarnt? Aber wozu eigentlich, wenn dadurch nur eine Zeit, die noch glücklich ist, getrübt wird? Von dieser Traumkreuzfahrt bleibt Louise nichts als ein bitterer Nachgeschmack; dabei war Arnaud noch nie zuvor so fröhlich und so zärtlich wie während dieser Reise, und er wäre sehr erstaunt, sehr verärgert gewesen, wenn er im Herzen seiner Frau hätte lesen können.

Allerdings hat sie sich lange auf diese Reise vorbereitet; er hingegen haßt es, eine im voraus festgelegte Rolle zu spielen. Zwar hat er bei den Jesuitenpatern Griechisch gelernt, aber er möchte Delos genießen, ohne unbedingt Herodot zu zitieren, und Naxos besichtigen, ohne Racine zu deklamieren. »Keine Blaustrümpfereien im Urlaub, ich bitte dich!« hat er sie vor der Abreise gebeten.

Das Mißverständnis beginnt schon am ersten Tag, ausgelöst durch ein lächerliches Detail, wie es so oft vorkommt. Vom Klofenster des für eine Nacht reservierten Hotelzimmers in Athen sieht man, wenn man auf die Schüssel steigt, das Parthenon. Das hat Louise entdeckt, und nun ruft sie Arnaud, damit er ihren ersten Eindruck von der Akropolis mit ihr teile. Aber er weigert sich, diese Hochburg des Griechenland-Tourismus durch das Oberlicht eines Klos zu besichtigen.

»Das Parthenon hat fünfundzwanzig Jahrhunderte auf uns gewartet, nun wirst du ja wohl noch vierundzwanzig Stunden warten können. Du hast haarscharf die Mentalität einer KDF-Reisenden.«

Diese Beschimpfung reiht Louise ein in ihre Sammlung von Vorwürfen, die von Tag zu Tag wächst. Wenn man sich bemüht, findet man auch immer neue.

Und dabei scheint die Kreuzfahrt von den Göttern gesegnet zu sein. Die fünfzehn Meter lange Ketsch mit griechischem Kapitän und einem Smutje, die Félicien gemietet hat, läuft bei idealem Wind vom Hafen von Piräus in Richtung Kap Sunion aus. Nach dem heruntergekommenen Dampfer, mit dem sie die Überfahrt von Brindisi gemacht haben, herrschen hier plötzlich Luxus, Schönheit, Privilegien des Reichtums, von denen Louise den Eindruck hat, sie habe sie seit der Zeit vor dem Krieg nicht mehr erlebt. An Bord scheint Arnaud von seinem ewigen Bewegungsdrang befreit, und die ununterbrochene Anwesenheit der Freunde, insbesondere der weiblichen, zwingt ihn, unentwegt zu lächeln und zu brillieren. Sie einigen sich darauf, die Doppelkabine Claude und Carole zu überlassen, den Frischvermählten, die Castéjas und die Reys schlafen in der quadratischen Kajüte auf den breiten Sitzen, backbord und steuerbord von dem langen Tisch. Diese Promiskuität, die jegliches Risiko der Intimität aus dem Weg räumt, scheint Arnaud nicht sonderlich zu stören, und Louise hat gelernt, »ihre Glut zu dämpfen«. Außerdem ist es ihr nicht unangenehm, daß Carole abends in ihrer Kabine verschwindet, denn sie gehört zu jenen Sonnenblumen- und Chamäleon-Frauen, die die Richtung und die Farbe wechseln, sobald das Gestirn ihres Lebens auftaucht, der Mann. Da jedoch die Enge eines Schiffes den Vorteil hat, daß ein Mann nie mehr als ein paar Meter entfernt ist, strömt Carole den lieben langen Tag eine Aura von Wollust aus, die Louise mißfällt. Schön ist sie ja, daran ist nicht zu zweifeln, aber ihre Brüste sind zu sehr Brüste und ihr Hintern ist zu sehr Hintern. Ihre üppige dunkelblonde Mähne mit Goldschimmer ist stets kunstvoll unordentlich, als ob eine verliebte Hand sie gerade zerwühlt hätte, ihr Träger rutscht rein zufällig über ihre goldbraune Schulter, ihre Lippen sind stets feucht und angeschwollen, oft fährt sie halb seufzend mit der Zunge darüber. Die Zähne? Blendend weiß natürlich, und der Teint durchsichtig, mit ein paar Sommersprossen. Und das muß man nun drei Wochen lang ertragen; als einzigen Schutzwall gibt es Claude, und der scheint nicht in der Lage zu sein, soviel Weiblichkeit und Erotik zu kanalisieren. Carole genoß einen schmeichelhaften Ruf: Sie mache die Männer unglücklich, hieß es. Sie schwärmten herbei wie die Wespen um den Honigtopf. Es war ihr bereits gelungen, beim Rundfunk zwei Direktoren zur Scheidung zu bewegen. Da sich aber die Frau des einen das Leben nahm, hatte die Hochzeit nicht stattgefunden, und der andere war vierzehn Tage vor dem großen Tag an einem Herzinfarkt gestorben. Das hatte Claude keineswegs Angst gemacht, im Gegenteil.

Louise, die sich diesen Urlaub als ein zärtliches Tête-à-Tête unter Ausschluß der Öffentlichkeit, in einer winzigen Kabine und mit einem allzeit greifbaren Arnaud vorgestellt hat, ist enttäuscht, daß sie ihn teilen muß, selbst wenn es die Reys sind. Andererseits hat sie nun einen Partner gewonnen, der permanent auf Wirkung bedacht und nicht eine Sekunde launisch ist. Das ist der Arnaud von vor der Hochzeit, der Arnaud der andern. War sie denn die einzige Person auf der Welt geworden, für die es sich nicht lohnte, sich Mühe zu geben?

»Ach, einen Mann haben wie Sie«, seufzt Carole, »ein Traum! Immer einen Witz auf den Lippen. Ich beneide Sie!« Ihre Augen leuchten auf: Offenbar rutscht ihre Fantasie unter die Gürtellinie ab.

Louise ärgert sich eigentlich nicht so sehr über Carole oder Viviane, als vielmehr über diesen neuen Arnaud, den eine suspekte Fröhlichkeit animiert, die sie selbst nie zu wecken vermag. Sie gesteht sich den Namen dieses ungemütlichen und demütigenden Gefühls noch nicht ein, das sich in ihr festkrallt, ein Gefühl, das vom geringsten zweideutigen Wort geschürt wird, und das zärtliche Worte nicht zu lindern vermögen. Natürlich genießt sie die Nebenwirkungen: Noch nie hat er sie so zärtlich gehänselt, so oft im Vorbeihuschen geküßt, als ob die Gewißheit, daß es damit sein Bewenden haben würde und daß sie in ihrer »untersuchungsrichterlichen Einvernahme« nicht würde fortfahren können – so nennt er ihre eindringlichen Versuche, ihn besser kennenzulernen –, ihm plötzlich Heiterkeit und Nachsicht verliehe.

»Es ist unverzeihlich, daß ich die Kykladen mit soviel Melancholie im Herzen umfahre«, schreibt sie an Agnès. »Wer wird mir jemals sagen, ob ich träume? Ob Arnaud den beiden anderen den Hof macht, um mir zu beweisen, daß der Ehestand für ihn kein Hindernis ist, oder ob ich nur eine widerliche, kleinkarierte Ameise bin, die alles für sich behalten will?«

Jeden Morgen wirft sie ihre schwarzen Gedanken über Bord in das kristallklare Wasser, wie ein Tintenfisch seine Tinte, und läßt sich von der Freude durchdringen, an der Sonne zu sein und die Inseln vorbeiziehen zu sehen. Tagsüber türmen sich dann aber bald Wolken auf. Hat er sie heute morgen auch nur ein einzigesmal angesehen? Hat er beim Mittagessen nicht beanstandet, daß sie langweilige kurze Hosen trägt, statt, wie Viviane, lange Zigeunerröcke? Zum erstenmal übt er vor Zeugen Kritik an ihr, und wie ein kleines Mädchen hat sie Tränen in den Augen. Sie wagt nicht zu antworten, daß Vivianes lange Röcke ihre unschönen Radfahrer-Waden verbergen sollen, wohingegen Shorts ihre, Louises, vollkommene Beine zur Geltung bringen. Ja, vollkommen sind sie, ihre Beine. Aber hat er jemals ein Wort darüber verloren? Und heute abend, als sie den Vorschlag machte, von dem Hügel von Delos aus den Sonnenuntergang zu bewundern, in der Hoffnung, sie würden endlich einen Augenblick allein sein, hat er so getan, als sei diese Aufforderung an alle gerichtet; munter schäkernd hat er sich eine Frau an jede Seite geschnappt, um diesen Sonnenuntergang zu bewundern, der plötzlich jeden Sinn verloren hatte.

Und wenn es Nacht wird und wieder Nacht wird und wieder Nacht wird und kein einziges zärtliches Augenzwinkern stattgefunden hat, das besagt hätte: »Wir sind zu sechst, aber lieben tu' ich nur dich«, keine diskret obszöne Geste sie daran erinnert hat, daß er sie begehrt, dann geht sie unter in den Qualen eines demütigenden, ätzenden Gefühls, das die schönsten Landschaften verdüstert.

In einer Gruppe sind diejenigen, die geliebt werden, von der Gnade betroffen, während die Ausgeschlossenen, oder die, die sich für Ausgeschlossene halten, sich von einem bösen Schicksal verfolgt fühlen. Félicien bekommt eine Lebensmittelvergiftung, was ihn in ein lächerliche Lage versetzt auf diesem Schiff, wo jeder alles hört, und besonders die einschlägigen Geräusche. Claude sticht sich beim Tauchen, sein Finger eitert. Louise hat einen Sonnenbrand auf den Lippen, und es entsteht eines jener Fieberbläschen, die sie in regelmäßigen Abständen seit ihrer Kindheit immer wieder verunstalten und die mit Vorliebe am Tag vor einer wichtigen Besprechung oder vor einem amourösen Wochenende ausbrechen. Arnaud mag es sehr, wenn seine Frau eine schwache Stelle zeigt, und tröstet sie liebevoll. So liebevoll, daß sie eines Abends nicht umhin kann und an seiner Brust in Tränen ausbricht; sie muß ihm ihre Qualen erzählen, und dabei macht sie sich lustig über sich selbst, denn je mehr sie von ihren Verdächtigungen spricht, desto lächerlicher erscheinen sie ihr.

»Was du für eine Fantasie hast, du spinnst ja, mein Racheengel. Meine Intellektuelle, mein Blaustrumpf ist im Grunde nichts als eine Besessene, ein Gänschen. Ist das nicht süß? Ich beklage mich nicht, wohlbemerkt.«

Sie lacht und kuschelt sich an ihn. Es ist wohl besser, zu lachen, nicht wahr, als zu erklären, daß in einer Partnerschaft immer, wenn der eine nur lauwarm ist, der andere als Besessener erscheint. Arnaud scheint die Abstinenz, zu der seine Schamhaftigkeit ihn verurteilt, sehr gut zu vertragen – in diesem Land, wo selbst die Götter sich ohne Scham lieben. Félicien und Viviane tun es ja auch, wenn sie glauben, daß ihre Zellenmitbewohner schlafen. Louise mag es, wenn sie flüstern und sparsam seufzen. Arnaud rührt sich nicht. Er hasse jede Form von Exhibitionismus, sagt er ihr eines Abends, als sie ihn zur Liebe auffordert. Dabei gefällt er ihr hier ganz besonders, wie er lacht und entspannt ist, ganz braungebrannt in dem rosa Hemd, das sie ihm geschenkt hat, mit seinen topasfarbenen Augen, die so rührend sind, weil sie bei einem Mann des Südens wie ein Irrtum der Natur wirken. Sie schaut ihm gerne zu, wie er eine Bouillabaisse zubereitet mit dem Ernst und der Konzentration, die er immer beim Kochen an den Tag legt, wie er die Stimmung an einem desolaten Abend rettet, wie er reizende Franzosen hinter einer Säule auf der menschenleersten aller Kykladen-Inseln entdeckt, wie er späte Soupers organisiert, um diese unvergleichlichen Mittelmeernächte in die Länge zu ziehen, in denen es keiner über sich bringt, die Augen vor soviel Schönheit zu schließen. Die *Meltem* hat in einer ruhigen Bucht angelegt, stundenlang bleiben sie an den Tisch des Cockpits gelehnt, im sanften Licht einer Petroleumlampe, und berauschen sich an den Macchia-Düften, die nach Einbruch der Nacht übers Meer wehen; immer wieder kehren sie zu dem unausschöpflichen Thema zurück, dem antiken Griechenland, ihrem Griechenland, das noch so lebendig ist, wenn die Motoren am Abend verstummt sind und die Helden in den Höhlen und auf den Inseln herumspuken, die einst das Zentrum und die Wiege der zivilisierten Welt waren. Félicien und Louise, die die *Griechische Geschichte* vom alten Marcel Cohen wiederlesen, führen Streitgespräche mit Claude, der im Libanon gelebt hat und die östlichen Philosophien bewundert. Louise verwirft ganz instinktiv den Islam, weil die Erniedrigung der Frauen in diesen Ländern ihr unerträglich erscheint. Diese dumme Ziege Carole muß natürlich das Hohelied zitieren, von dem sie keine drei Zeilen gelesen hat, um zu beweisen, daß die Orientalen den Körper der Frau verehren. Und Viviane erklärt mit einem Seitenblick auf Arnaud und Claude, daß sie das Haremsleben gar nicht so übel fände. In jeder Gesellschaft ist eine Frau dabei, die diese Dummheit von sich geben muß. Was tut sie denn anderes, als ein Haremsleben zu führen? fragt sich Louise, hält jedoch mit ihrer Meinung dazu lieber hinterm Berg, um zu vermeiden, daß Claude oder Arnaud den Hahn im Hühnerstall spielen. »Wollt ihr wohl damit aufhören, euch gegenseitig zu rupfen!« würde einer von beiden sagen, was ihm erspart, auf die Frage einzugehen, und die Diskussion auf ein Weiberproblem reduziert.

Sie wagt es nie, ihre Meinung gegen die Mehrheit der anderen zu vertreten, sobald sie aggressiv klingen oder Arnaud mißfallen könnte. Aber fast alle ihrer Grundeinstellungen scheinen ihm zu mißfallen. Ist es für ihn ein Spiel, ihr ständig zu widersprechen? Oder glaubt er, daß die ehelichen Bande die notwendige Anpassung der Meinungen mit sich bringen und daß Diskussionen somit nicht mehr notwendig sind? Wie auch immer, seit sie zusammen leben, führen sie nie mehr solche großen Debatten, die Louise liebte und die sie inzwischen nur noch mit Freunden führen kann. Würde sie jemals von Alexander dem Großen sprechen, wenn Félicien nicht da wäre, der so gut zuhören kann, der ihre Auffassungen schätzt und nicht der Meinung zu sein scheint, daß Zitieren eine Form von Exhibitionismus sei? Alexander wird ihr dabei helfen, mit dem Thema Orient abzurechnen und beiläufig die allzu schöne Carole mit ihrem Wissen zu erdrücken ...

»Aber hör mal, Claude, all diese Generäle aus dem derben Makedonien, schön, tapfer und dumm, diese wackeren Krieger, die waren sich doch alle gleich, sie sind doch *alle* in der Intrige und der Trägheit des Serails versackt!«

»Du scheinst den künstlerischen Reichtum des Orients zu vergessen, all diese neuen Gedanken, die Griechenland befruchtet haben«, mischt sich Arnaud ein, der erstaunt ist über Louises Eifer und nicht ahnt, daß sie am frauenfeindlichen Orient ihren eigenen Gram abreagiert.

»Befruchtet, ja vielleicht, was die Kunst betrifft, aber was die Menschen betrifft, zerstört. Ich finde es traurig, daß die schöne Utopie eines Alexanders, der beschloß, zwanzigtausend Soldaten und Offiziere an Ort und Stelle mit Perserinnen zu vermählen, und der selbst Roxane, die Tochter irgendeines Emirs, heiratete, mißglückte und innerhalb von zwei Generationen die griechische Rasse verhunzt hat ...«

»Dann bis du ja eine Rassistin!« sagt Claude.

»Natürlich ist sie das«, unterbricht Arnaud. »Sie ist gegen alles, was sie nicht versteht: gegen Rugby, gegen Krimis, gegen Wortspielereien, gegen Tausendundeine Nacht ... Louise ist ein Saint-Just!«

»Ich bin auf jeden Fall gegen jegliche Zivilisation, die ihre Frauen knebelt und einsperrt, selbst wenn sie es hinter einer göttlichen Architekturfassade macht.«

»Und Cleopatra?« wirft diese dumme Ziege von Carole ein, für die Geschichte natürlich Bettgeschichte ist. »Das war doch eher sie, die ihre Typen vernascht hat!«

»Auf das Argument habe ich gewartet. Da werden einem immer die drei selben Namen serviert. Kannst du mir ein einziges anderes Beispiel in der Antike zitieren? Xanthippe, Medea, Phädra, Ariane ... Lauter Schlampen, Verbrecherinnen oder Opfer!«

»Louise hat schon recht«, sagt Félicien, der der Freundin beispringen will. »Alle Dynastien, die aus diesem Rassenschmelztiegel entstanden sind, die Seleukiden, die Antigoniden, haben dahinvegetiert, in jeder Hinsicht, nur nicht was die Grausamkeit betraf. Kein einziger der Diadochen, die von Alexander eingesetzt wurden, starb in seinem Bett! Auch so gut wie keiner der Nachfolger während zweier Jahrhunderte ... Das ist doch unglaublich. Das erzählt Cohen sehr schön.«

»Immerhin ist Alexander mit Hitler vergleichbar«, sagt jemand.

»Wie bitte?« sagt Louise. »Er wurde von Aristoteles erzogen; er ist nicht in Griechenland eingefallen, um es zu vernichten, sondern um eine Kultur und eine Zivilisation zu teilen, die ihn faszinierten. Asien hat er erobert mit der Ilias in der Tasche«.

»Möglicherweise. Aber das hat ihn nicht daran gehindert, barbarische Gewalt auszuüben. Nach einem Aufstand macht er Theben dem Erdboden gleich.«

»Ja, aber ein Haus läßt er stehen. Pindars Haus. Eine Stadt dem Erdboden gleichzumachen, war gang und gäbe ...«

Unter dem griechischen Himmel, zwischen den hochragenden kargen Inseln, deren Konturen sich nicht geändert haben, auf diesem Wasser, das noch immer denselben Geschmack, dieselbe Klarheit hat wie zu Pindars Zeiten, existieren sie noch ein wenig, die Helden dieser ach so kleinen Geschichte – was sind schon ein paar Jahrhunderte, ein paar tausend Menschen, eine Hauptstadt, die nicht größer war als Bois-Colombes ... Vielleicht leben sie noch ein letztesmal in den Träumen einer ganzen Generation von Abiturienten und Studenten, für die Odysseus, Menelaos, Alkibiades so wirklich und körperhaft sind wie Vincent Auriol oder Charles de Gaulle. Wer, außer einigen Mandarinen in der Stille ihres Studienkabinetts, wird in Zukunft noch wissen, daß der Marathon-Läufer nicht Mimoun oder Viren war? Die Lust, sich im Mondschein für Alexander zu streiten! Die Lächerlichkeit, mit einer Dornenkrone auf dem Herzen einherzugehen, wenn Arnaud nach einem nächtlichen Sprung ins Wasser wieder an Deck steigt und ruft:

»Wie wohl man sich hier fühlt! Es ist das vollkommene Glück, findest du nicht?«

Vor den Freunden bleibt ihr nichts anderes übrig, als zu antworten: »Ja, das vollkommene«, obwohl sie ihm eigentlich entgegnen möchte, daß sie allein mit ihm noch viel glücklicher wäre, auf einem Kajak, wo sie niemand kennen würde. Aber diese Art von Frage stellt er nur in Gegenwart der andern. Idiotisch, deswegen Bitterkeit zu züchten. Nun denn, sie ist ein dummes Huhn und hat diese Kreuzfahrt satt. Im übrigen hat sie Sehnsucht nach ihren Töchtern, vor allem nach Frédérique, deren trauriger Blick beim Abschied sie verfolgt. Die Tuchfühlung auf dem Schiff wird ihr immer lästiger, ebenso das stets mit Öl zubereitete Essen, das zähe Fleisch, die ewigen Tomaten. Sie träumt von burgundischen Schnecken, von dicken Bresse-Hühnern, vom feuchten Wind der Bretagne. Es fällt ihr ein, daß es hier seit drei Wochen nicht geregnet hat. Sanfter bretonischer Regen – der Kühe macht, die Milch geben, aus der man dunkelgelbe Butter macht, aus der Wassertropfen perlen, die Regen machen ... Ihre Eifersucht ekelt sie an wie ein zu kräftiges Olivenöl und verfolgt sie wie der herbe Retsina-Geschmack. Sie hat es satt, Caroles ewig wiederholte Bemerkung zu hören: »Es ist wahnsinnig schön«, oder »Klasse, toll«; sie ist unfähig, ein etwas bedeutungsreicheres Adjektiv zu finden.

Das Ende einer Kreuzfahrt ist immer ein bißchen melancholisch. Die Schiffstoiletten sind, das weiß man, etwas anfällig, und nun sind sie verstopft, jeder verdächtigt die Scheiße des andern oder die Damenbinde der Freundin. Die Lebensmittelreserven sind aufgebraucht, die Geldbeutel leer. Die Kleider sind schmutzig und die Handtücher vom Salzwasser hart wie Bretter. Außerdem fühlt sich Louise erschöpft. »Das kommt von der Hitze«, erklärt Arnaud, »du bist im August an die Bretagne gewöhnt.« Aber Louise mag die Hitze sehr und versteht nicht, was mit ihr los ist.

Nach der Rückkehr weicht die Erschöpfung nicht. Sie hat nicht mehr die Kraft aufzustehen, zu reden, zu essen. Hermine kommt, um Pauline abzuliefern, und sie beobachtet ihre Tochter mit einem wahren Entomologen-Auge. Ihre Diagnose fällt wie das Messer einer Guillotine . . .

»Ich bin überzeugt, daß du eine ganz schöne Gelbsucht hast, mein armes Kind. Arnaud, schauen Sie sich doch mal ihre Augen an! (Das tut Arnaud nie!) Wir müssen einen Arzt holen, und ich nehme Pauline wieder mit. Eine Gelbsucht ist furchtbar ermüdend.«

Nun hört Louise auf zu kämpfen: Sie läßt sich fallen, sie läßt die Krankheit an sich heran. Es ist fast wunderbar, eine Krankheit, eine richtige Krankheit zu haben. Da braucht man eine Mutter in seiner Nähe, da kann man sich gehenlassen, unverantwortlich werden, in die Kindheit zurückgleiten. Hermine zieht die Vorhänge zu, stellt eine Flasche Mineralwasser auf ein Tablett, kühlt ihr die Stirn mit Kölnisch Wasser, kauft eine Rose, die sie ihr in einer schwarzen Vase auf den Nachttisch stellt – sie tut all das, wovon Louise träumte, ohne es zu wagen, ihre Wünsche zu formulieren.

»Das muß an diesem schweren Essen liegen, das wir drei Wochen lang genossen haben«, erklärt sie. »Es schwamm alles im Fett . . .«

»Das kann schon sein, wenn man nicht daran gewöhnt ist«, antwortet Hermine barmherzig. »Aber es wundert mich trotzdem, du hattest doch immer einen Straußenmagen.« (Seitenblick auf Arnaud. Was hat der ihrem kleinen Mädchen wohl schon wieder angetan!)

Vielleicht einen Straußenmagen, aber das Herz einer Margerite – er liebt mich, von Herzen, mit Schmerzen, gar nicht . . .

15

Ein Bentley in Kerviglouse

Ostern 1952

»Meine liebe Seele,

warum sollte nicht auch ich Sie ›meine liebe Seele‹ nennen, wo Sie doch viel mehr Seele sind als ich, Agnès? Niemals hätten Sie sich bereit erklärt, sich für die Reise ans Steuer des gewaltigen Bentley zu setzen, den Arnaud diesen Winter für ein Butterbrot von einem Journalisten-Freund gekauft hat – heute verfluche ich diesen Mann. Und Sie hätten recht gehabt, mein Verhalten grenzt an Besinnungslosigkeit ... oder an eine bedingungslose Unterwürfigkeit dem Ehemann gegenüber, was auf dasselbe herauskommt.

Um sieben Uhr sind wir abgereist, fünf Weiber, ein Hamster und ein alter Hund, und wir haben dreizehn Stunden gebraucht, bis wir in Kerviglouse ankamen. Ich habe noch nie einen so schweren Wagen gefahren, aber auch noch nie soviel Zeit gebraucht, um fünfhundertfünfzig Kilometer hinter mich zu bringen. Neben mir saß Madame Bignolet, die Concierge, mit ihrem Hund Kiki auf dem Schoß und ihrer vierjährigen Enkelin Vévette neben sich. Hinten saßen Pauline, Frédérique und der Hamster.

Für die, die nicht Bescheid wissen, sieht ein Bentley nach viel Geld aus. Für die wenigen, die diesbezüglich Durchblick haben, ist er eine rührende Antiquität. Für diejenigen, die damit fahren müssen, ist er der reine Horror!

Die Abfahrt war königlich: Arnaud stand vor der Tür und winkte, wir hatten es uns auf den grauen Ledersitzen bequem gemacht ... Aber die Euphorie war von kurzer Dauer. Schon in Varades war es soweit: ein Platten vorne links. Ein Kinderspiel, dieses Sechs-Tonnen-Gefährt unter Kontrolle zu bekommen und es mitten in einer gefährlichen Kurve zum Stehen zu kriegen! Den Ort für eine Reifenpanne kann man sich schließlich nicht aussuchen. Es wird Sie sicherlich nicht erstaunen zu hören, daß man aus dem Kofferraum eines Bentley das ganze Gepäck ausräumen muß, um an das Ersatzrad zu gelangen, da solche Autos ja für Ladies und Gentlemen mit Chauffeur konzipiert sind. Warum sollte es also auch praktischer sein?

Da Madame Bignolet, wie alle Conciergen, Einkaufstüten und Pappkartons den Reisekoffern vorzieht, verwandelte sich der Straßenrand innerhalb von Sekunden in ein Zigeunerlager. Während die Mädchen, entzückt über die unerwartete Pause, die Felder zertrampeln, entdecke ich, daß der riesige Wagenheber, mit dem man einen Zugwaggon heben könnte, zwar tatsächlich für einen Bentley gedacht war, daß die Kurbel aber zum Anschmeißen eines Citroën gedient haben muß. In solchen Fällen ist bei Bentley vorgesehen, daß man sagt: ›Sehen Sie, wie Sie zurechtkommen, James. Sie werden doch in einem Bauernhof hier in der Umgebung eine Kurbel auftreiben. So was haben diese Bauernlümmel immer irgendwo auf Lager! . . .‹

Da jedoch in diesem Fall James und die Besitzerin des Bentley ein und dieselbe Person waren, mußte ich per Anhalter zur nächsten Autowerkstatt fahren und einen Mechaniker – endlich ein Mann! – herbeiholen. Das Rad zu wechseln gelang ihm erst, nachdem er sich in einem benachbarten Bauernhof einen Schraubenschlüssel ausgeliehen hatte, denn sein eigener war zu klein für die außergewöhnlichen Radschrauben eines Bentley. Einige gehässige Gedanken an das perfide Albion, das es immer so einrichtet, daß Franzosen hilflos vor seinen Steckdosen, Schrauben und Autos stehen.

In der Werkstatt wird festgestellt, daß der Schlauch ein riesiges, irreparables Loch hat. Kein Problem. ›Hallo, lieber Automechaniker, bringen Sie einen neuen Schlauch!‹ Wie naiv von mir. Das Format ist hierzulande unbekannt. Was den Reifen betrifft, so erklärt man mir, die ganze Panne rühre daher, daß der ehemalige Besitzer einen breiten Flicken hineingeklebt hat, der sich aber mittlerweile verschoben hat. Gut. Also kaufen wir einen neuen Reifen!

›Ist das Ihr Ernst? Einen 650/16er haben wir noch nie gehabt.‹

Die einzige Lösung – eine schlechte – besteht darin, einen neuen Flicken anzubringen; sobald das Ganze aufgepumpt wird, entsteht eine bedenkliche Aufquellung.

›Das kann man nicht als Ersatzrad betrachten‹, erklärt mir liebenswürdig der Mechaniker.

Da ich aber sowieso unfähig bin, ein Rad abzumontieren, falls ich wieder einen Platten habe, brauche ich auch kein Ersatzrad mehr. Ist doch logisch, lieber Watson, oder?

Wir laden unsere Tüten, Taschen und Kartons wieder in den Kofferraum; die Mädchen, triefend vor rotem Sirup und die Füße voll Lehm, setzen sich wieder ins Auto mit Kiki, der sich dauernd den Hintern abschleckt, und dem Hamster, der die Pause leider nicht ausgenutzt hat, um das Weite zu suchen. Die restliche Route absolviere ich mit zusammengekniffenem Po, schimpfend und fauchend gegen das entsetzliche Individuum, den Liebhaber von Oldtimern, der dieses hinreißende Gefährt an Arnaud verkauft hat, ›weil er in Paris keine Verwendung dafür hatte‹. Arnaud war einfach berauscht vom Gedanken, durch diesen Kauf in die erlesene Zunft der Besitzer von Rassetieren, Daimler, Rolls, Bugatti und Co. aufgenommen zu werden. Was ihm dabei wie üblich gefällt (bei meiner Person dürfte das ähnlich sein), ist der Besitz und nicht das Benutzen. Fahren? Wie gewöhnlich! Ein Kunstwerk ist nicht dazu da, um eine Familie zu transportieren.

Besagtes Kunstwerk ist übrigens kein reiner Geist: Es schluckt achtzehn Liter auf hundert Kilometer, aber dafür besitzt es zwei Mahagoni-Tischchen und eine versenkbare Trennscheibe, um die Ladies und die Sirs, die im Fond sitzen, vor den Ausdünstungen der Chauffeure, Köchinnen und sonstigen Lakeien zu schützen. Außerdem gibt es noch eine Kristallvase und ein eingebautes Sprachrohr, das dazu dient, James Anweisungen zu geben: ›Halten Sie bei Ricordeau, James. Sie wissen schon, in Loué. Gegenüber gibt es ein Bistro, wo Sie derweil etwas zu sich nehmen können!‹

Und schließlich lagern unter der endlos langen Motorhaube des Rassetiers unzählige leise, stilvolle PS. Auf die deplacierte Frage: ›Wieviel PS genau?‹ antwortet angeblich der britische Verkäufer schlicht: ›Genügend‹. Es stimmt auch, daß die Scheinwerfer nach zwanzig Jahren keine einzige Roststelle aufweisen, daß der Zigarren-Anzünder blendend funktioniert und daß der Anblick des Motors den alten Mechanikern, die Monsieur Bugatti noch gekannt haben, stets bewundernde Pfiffe entlockt.

In Deauville mit so einem eleganten Renntier wie vor einer Jury vorbeiziehen, wunderbar! (Vorausgesetzt ein Simca steht parat, mit dem man dann nach Paris zurückfährt.) Aber eine Familie mit Kindern und einen Zoo von einer Person transportieren lassen, die nur beschränkte technische Kenntnisse hat, ist ein Verbrechen. Denn unsere Abenteuer sind noch nicht beendet, meine liebe Agnès. Ach, ich erinnere mich an unsere Ferien als junge Mädchen, als wir keine Sorgen außer uns selbst und unseren Rucksack mit uns herumschleppten! Nie wieder! *Nevermore*, wie diese widerlichen Engländer sagen.

Gegen neun Uhr abends also, es war schon Nacht, landete die ganze Gesellschaft endlich in Kerviglouse – Christopherus sei Dank! Nein, es regnete nicht, aber es hatte geregnet. Vévette hat während der Fahrt viel gekotzt, aber Oma hatte ja Plastiktüten dabei, so daß die Queen Mary nichts von diesen skandalösen Umtrieben abbekam. Josèphe, die uns um fünf erwartete, hatte Feuer gemacht, aber es war längst wieder ausgegangen. Grabesstimmung. Wir haben schnell alle Heizkissen und Heizdecken angeschlossen, und ich habe Pauline und Frédé zu mir ins Bett gepackt. Aber Kiki schnarcht wie eine alte Muttersau und hat mich einen Großteil der Nacht am Schlafen gehindert.

Als ich mich dann morgens gerade der Euphorie hingeben wollte, weil ich wieder in der Bretagne war, kam Pauline von ihrer ersten Erkundungstour zurück und verkündete strahlend (Kinder lieben Katastrophen!), die Queen Mary habe wieder einen Platten.

Unmöglich, den Reifen abzumontieren, aus denselben Gründen wie am Tag zuvor. (Diesmal ist es hinten rechts.) Es ist Ostersamstag und ausgeschlossen, in Névez, Pont-Aven, Tregunc und sogar in Quimperlé einen 650/16er-Reifen zu finden. Ich bin ganz niedergeschlagen und hege bittere Gedanken an Arnaud, der in unserem 4 CV wie ein Fürst durch Paris gleitet. Ich habe ihn vom Postamt aus angerufen, und er hat mir erklärt: ›Einen Bentley muß man sich erst verdienen. Er spürt genau, daß du ihn nicht magst.‹

Das stimmt. Ich verbringe eine Stunde auf dem Postamt, um schließlich zwei 650/16er-Reifen in Vannes ausfindig zu machen – dazu lasse ich mir versprechen, daß ein Wagenheber und ein Schraubenschlüssel für Traktoren mitgeliefert wird. Aber abholen kann ich das Ganze erst in drei Tagen. Egal, am liebsten würde ich ihn küssen, diesen Mann, der das Format 650/16 auf Lager hat, ich würde mich ihm sogar hingeben, mitsamt meinem Format 85/65/85!

Im übrigen läßt uns die Hütte ganz schön hängen, wie jedes Jahr. Die Klärgrube wurde zwar ausgehoben, aber noch nicht in Funktion gesetzt, und das schlammige Loch übt eine ungeheure Anziehungskraft auf die Mädchen aus. Die Klomuschel und das Handwerkszeug liegen im Garten – es sieht aus wie in den Slums. Bignolet setzt alle Hebel in Bewegung, um die Hütte in eine Pariser Concierge-Wohnung zu verwandeln. Sie wuselt herum und zieht sich nur mehr halb an, Hausschuhe, Morgenrock, Lockenwickler – ›Wir sind auf dem Land, das muß man ja ausnutzen.‹

Was dann kam, erspare ich Ihnen, es ist gar zu schrecklich. Wie ich mit dreißig Stundenkilometern nach Vannes fuhr, mit einem Reifen, der bei jeder Radumdrehung Tuck-Pluck machte. Auf den Feldern hörten die Bauern auf zu arbeiten und lauschten grinsend, wie ich mit einem Auto vorbeifuhr, das sowieso nicht zu übersehen ist.

›Und Ihre beiden andern Reifen, haben Sie die gesehen?‹ fragt mich der Spezialist in Vannes.

›Hm, auf jeden Fall ist noch Luft drin.‹

›Ja, aber sie sind total abgefahren.‹

Kurz und gut, unser ›gutes Geschäft‹, das uns ein Butterbrot gekostet hatte, wird demnächst ein Vermögen verschlungen haben.

Es ist zehn Uhr abends, die Zeit, wo die Kinder einen endlich freigeben. Madame Bignolet, die sich morgens verspätet und die Verspätung im Lauf des Tages nicht wieder aufholt, sitzt in der Küche beim Abendessen mit Vévette. Kerviglouse gefällt ihr nicht, überhaupt nicht. ›Ach, mein Kikilein, mach dir nichts draus, in acht Tagen sind wir wieder in Paris!‹ Sie findet die Hütte feucht, von Jobs Hummer hat sie Verdauungsprobleme bekommen, die Austern sind ihr zu salzig. Noch dazu hat Kiki angeblich Heimweh. Soll er doch krepieren! Sein Fell ist gelb geworden wie die Tasten eines alten Klaviers, und den ganzen

Tag schläft er auf einem Stück wunderschön geblümtem Perserteppich, das extra aus Paris mitgebracht wurde, damit er sich nicht gar so fremd fühlt.

Das Wetter ist gewitterig, und Frédé ist teuflisch: Sie will weder essen noch schlafen noch aufstehen noch ins Bett gehen. Ich bin entsetzlich nachgiebig, aber wenn ich es mit Autorität und Zwang versuche, ist es noch schlimmer: Heute mittag habe ich ihr das Essen zwangseingeflößt und ihr den Hintern versohlt, damit sie ins Bett geht. Eine Viertelstunde später war ihr Bett kaputt (der Bettrost war in drei Teile zerfallen), und ihr Essen hatte sie wieder ausgespuckt. Also mußte ich sie wohl oder übel wieder aufstehen lassen, das Luder, und es blieb mir nichts anderes· übrig, als ihr auf Schritt und Tritt zu folgen. Nach wenigen Sekunden verliere ich sie aus den Augen: Sie ist in einem Pferdestall der Nachbarschaft verschwunden, hat sich zwischen den Beinen der Pferde in den Mist gesetzt; oder sie klettert in der Küche auf eine Bank, steigt zum Fenster hinaus und fällt auf der anderen Seite in die Brennesseln, und dann ertappe ich sie dabei, daß sie vor einem Hasenstall auf- und abgeht, mit beiden Händen auf dem Rücken, wie Arnaud.

Schreiben Sie mir nicht mehr hierher, Agnès, wir fahren am Sonntag nach Hause, Arnaud holt uns ab. Die Queen Mary schaut jetzt schon ganz verlogen. Am Sonntag, in der Hand ihres Herrn, wird sie sich brav und unterwürfig benehmen; sie wird alle lieben kleinen Franzosenautos kinderleicht überholen, und wenn wir dann in einer Rekordzeit in Paris ankommen, wird Arnaud erklären: ›Das ist doch was anderes als ein 4 CV, da kannst du sagen, was du willst.‹

Aber nein, ich werde ihm nicht sagen, was ich will. Nur Ihnen. Kann man je einem Mann sagen, was man will?

Ihre Louise«

16
Meine liebe Seele

Bis zu etwa ihrem vierzigsten Lebensjahr merkte Louise nicht, daß sie einmal ganz jung gewesen war und später weniger jung; sie fragte sich nicht, ob sie wirklich glücklich war, wünschte sich kein anderes Leben als das ihre. Vielleicht ist eben das die Jugend, vielleicht dauert sie nur so lange, wie sie selbstverständlich ist.

Es kann auch passieren, daß man jemanden mehr liebt für das, was man ihm gibt, als für das, was er einem bringt, und daß eine ständige leichte Angst besser für die Liebe ist als die Sicherheit.

Drei Ereignisse setzen die Zeit wieder in Bewegung: die Geburt eines dritten Kindes, die Veröffentlichung von *Meine liebe Seele* von Louise Morvan und Agnès Deleuze und Vivianes Scheidung.

Das dritte Kind wurde in einem Gummiring gezeugt ... Früher hatte Adrien manchmal einen dummen Schlager gesungen, der von Gummiringen handelte. Und diesen Schlager summte sie jedesmal vor sich hin, wenn sie das Diaphragma einsetzte, das ihr eine englische Freundin mit der Information geschickt hatte, sie vögle seit drei Jahren munter drauf los mit diesem »diskreten und leicht zu handhabenden« Ding. Diskret, na ja ... Leicht, vielleicht, aber kein Mensch hatte Louise erklärt, wie man es einsetzen mußte. Jedenfalls waren Louise und Arnaud sechs Monate später wieder schwanger, nachdem sie geglaubt hatten, sie könnten sich dem Kalender gegenüber ein paar Freiheiten leisten. Sie erfuhren etwas spät, daß Louise nach London hätte fahren müssen zum Maßnehmen und daß nur ein Diaphragma nach Maß wirkliche Sicherheit bot.

Louise hatte keine Lust mehr, die Engelmacherin zu spielen, und schon beim Anblick ihrer kleinen Anglerausrüstung, die zwischen ihren Handschuhen versteckt war, wurde ihr übel. Die letzte Selbstbedienung hatte übrigens mit einer Ausschabung in der Klinik geendet. Schließlich wartete Gustave ja noch immer auf seine Zukunft, und die Mädchen waren sechs und sieben Jahre alt. Also beschloß sie, schwanger zu bleiben. Mit fünfunddreißig Jahren schätzt man es noch mehr, daß das Wunder der Herstellung von lebender Materie sich scheinbar so leicht vollzieht. Sie nahm sich vor, ihre Arbeit bei der Nachrichtenabteilung kurz vor der Geburt aufzugeben und dabei von einem geplanten Personalabbau zu profitieren, denn auf diese Weise holte sie ein Jahreseinkommen als Abfindung heraus, und auf der anderen Seite wollte sie an diesem Buchprojekt arbeiten, das Agnès und sie seit einiger Zeit vorbereiteten. Sie wollten ein Zeugnis aus erster Hand ablegen, und zwar über eine im Aussterben begriffene Spezies: das junge Mädchen von 1936, das sich so wenig unterschied von seinen Vorgängerinnen von 1900, die von Francis Jammes, Laforgue und Giraudoux mit Ironie, Zärtlichkeit und Verachtung beschrieben worden waren; kostbare Dingerchen, die sorgsam im geheimen Hort der Familien und der religiösen Internate herangezüchtet wurden, damit sie sich problemlos wie ein Stück aus einem gut konstruierten Puzzle in die zwingende soziale und familiäre Gesellschaftsstruktur einpaßten. Heutzutage ist die Phase zwischen Kindheit und Erwachsensein kein Zustand mehr, sondern ein so kurzer Übergang, daß man ihn kaum wahrnimmt, wenn man nicht sehr aufmerksam ist. Man geht auf Reisen, und wenn man zurückkommt, ist das ruhige Kind, das man, ohne irgendetwas Fragwürdiges an ihm zu erkennen, zu Hause gelassen hatte, ein »Halbwüchsiger« geworden, ob geschlechtsreif oder nicht: Es gehört nun einer gesonderten Rasse an, die einen plötzlich einschüchtert mit ihren merkwürdigen Neigungen, ihren Rechten, ihrer Musik, ihrer Kleidung, lauter Dingen, die mit einem selbst nichts mehr zu tun haben.

Zum ersten Mal seit ihrer fernen Lehrerinnenzeit genoß Louise in diesem Sommer, im fünften Monat schwanger, den Luxus von drei Monaten Ferien. Ein Schatz. Am ersten Juli fuhr sie mit ihren Töchtern, mit einem Buchprojekt und mit einem dritten Kind im Bauch nach Kerviglouse – diesmal trug sie es sehr nach vorn, was deutlich vorauszusagen schien, daß es ein Junge würde. Viviane und Félicien hatten für Juli ein Häuschen in einem Nachbardorf, in Kerspern, gemietet. Im August sollte Agnès dorthin kommen, um mit der Arbeit an dem Buch zu beginnen, und auch Louises Eltern wollten dort eine Woche verbringen, bevor sie dann mit Lou »in die richtige Sonne« fahren würden, wie Hermine zu sagen pflegte.

Arnaud, der die geballten Familientreffen nach Möglichkeit vermied, irrte sich diesmal im Terminplan und sah sich ein Wochenende lang konfrontiert mit einer Schwiegermutter, die immer offener ihrer Mißbilligung darüber Ausdruck gab, daß ihr Schwiegersohn seinen Aufstieg auf Kosten ihrer Tochter durchsetze, die immer mehr in die Rolle der Ehefrau gedrängt werde. Diese dritte Schwangerschaft störte sie sehr.

»Noch ein Hindernis für deine Freiheit, schöpferisch tätig zu werden«, sagte sie.

»Aber Mama, ich bin ja nicht schöpferisch tätig.«

»Ja, wie denn auch! Du schaffst dir nie günstige Bedingungen. Wenn ich drei Kinder gehabt hätte und dazu noch einen Ehemann, um den ich andauernd vor Liebe gezittert hätte, wäre es mir nie gelungen zu malen. Man muß sich eine gewisse Dosis Egoismus bewahren. Nicht alles an die andern verschenken, was man in sich als Liebesfähigkeit hat. Sie nehmen alles, die anderen.«

»Ist man dann glücklicher? Ich höre dich selten sagen, daß du glücklich bist, Mama.«

Sie waren ausnahmsweise allein. Die Mädchen waren mit Adrien ausgeflogen zum Botanisieren, und Arnaud war nach Saint-Malo gefahren; dort wurde eine Ausstellung über Lamennais eröffnet. Das Wetter war schön, es war einer jener Tage, die um so anrührender sind, als die Bretagne die Gabe hat, sie als ein Wunder erscheinen zu lassen, da ja immer die Gefahr eines Wetterumschwungs besteht.

»Setz dich endlich ein wenig hin. Hör auf, dich dauernd mit irgend etwas zu beschäftigen«, sagte Hermine. »Komm, gehn wir an den Strand. Dort wirst du zumindest kein Unkraut finden, das du jäten mußt, und keine Nägel, die du in die Wand schlagen könntest. Du bist unfähig, dich zu entspannen.«

Seit wie vielen Jahren waren sie nicht mehr gemeinsam zum

Strand gegangen? Im Sand, am Saum des Meeres, lebt man wie am Rand der Zeit, da wird man alles los, man findet zurück zu einer Art Unschuld. Die Zeit floß in ihren Adern, der Ursprung der Zeit, die Folge der Zeit und das Ende der Zeit, mit diesem Kind, das wie eine russische Puppe in Louises Bauch lag, während sie selbst gegen den Bauch ihrer Mutter lehnte ... All diese Bäuche, diese weiblichen Schöße, aus denen andere weibliche Schöße hervorgingen, die unermüdlich das Leben neu schufen. Hermine legte ihre schöne Hand mit den rotlackierten Fingernägeln auf den Bauch ihrer Tochter. »Das ist wahr. Ich sage nicht, daß ich glücklich bin. Das erscheint mir albern. Wahrscheinlich bin ich auch nicht das, was die meisten Frauen glücklich nennen würden. Aber ich bin mehr als das. Wenn es einem gelungen ist, das zu tun, was man gerne tut, und wenn das, was man gerne tut, einen erfüllt, und wenn man außerdem auch noch davon leben kann – du kannst dir gar nicht vorstellen, was für ein Glück das bedeutet, vor allem wenn man älter wird. Laß dich ohne das nicht älter werden!«

»Aber ich halte die Liebe für sehr wichtig, du wirfst es mir oft genug vor. Auch das bedeutet Glück.«

»Aber auf jeden Fall ist es kein Beruf. Das, was du dein Glück nennst, macht mir oft Kummer. Du stellst es her, du ganz allein; so wie dieses Kind da in deinem Bauch – es frißt alle deine Kraft auf. Ich will nicht sagen, daß ich Arnaud nicht mag. Arnaud an sich durchaus, aber anderswo! Arnaud mit dir zusammen mag ich nicht. Er neutralisiert dich, er löscht dich aus.«

»Aber ich komme dabei auch auf meine Rechnung, Mama. Ich laß es zu. Ich will es ja.«

»Und das macht mich traurig. Wenn du unglücklich wärst, würde ich dir helfen. Aber so bin ich machtlos ... ich kann nur zusehen, wie die Jahre vergehen und wie du bleibst, wie Dornröschen.«

»Ich habe zweieinhalb Kinder, immerhin, und einen nicht allzumiesen Beruf, einen Partner ...«

»Pffft« – Hermine lachte bösartig, wie nur sie es konnte. »Er hat eine Partnerin, richtig. Du bist allein. Und du bist viel mehr wert als das, was du da beim Rundfunk machst, in aller Demut, im Schatten eines Ehemannes und eines Chefredakteurs.«

»Es kann doch nicht jeder Chefredakteur sein, Mama, oder ein anerkannter Künstler oder ein Bestseller-Autor ... Was machst du denn mit all den anderen, den Mittelmäßigen, den Lauwarmen, den Ruhigen?«

Hermine verschwieg ihre sarkastische Antwort: daß all jene sie überhaupt nicht interessierten. Lag es daran, daß sie ihren Harnisch aus eleganten Kleidern abgelegt hatte, daß sie im heißen Sand lag und nur noch ein Körper war, der sich in nichts von den andern unterschied, außer daß er noch immer schön war (»Dein Diana-Leib«, sagte Adrien) – jedenfalls war es Hermine plötzlich müde, sich als Mutter zu benehmen. Egal, sie würde ihrer Tochter nie beibringen, wie man mit eigenen Flügeln fliegt. Vielleicht hatte sie sie ihr abgebrochen, als sie versuchte, diese Flügel in Gang zu bringen.

»Ich hätte mir so sehr gewünscht, daß du alles hast und daß du es leichter erreichst als ich.«

Louise ertrug tapfer jede Kränkung, aber ein zärtliches Wort konnte sie vollkommen verstören. Eine Träne lief über ihre Wange, aber sie widerstand dem Kitzeln und wartete, bis die Sonne sie trocknete, damit Hermine sie nicht sah. »Vielleicht war ich zu anspruchsvoll in meiner Liebe zu dir.«

»Hör auf.«

»Ich habe das Gefühl, man muß so furchtbar hart sein, einfach um nicht unterzugehen. Danach bleiben kaum genug Kräfte übrig, um zu existieren, um sich selbst zu verwirklichen. Außerdem bist du gutmütig. Das ist immer undankbar mit den Männern, zumindest mit Männern wie Arnaud. Mir würde es so gut gelingen, ihn wahnsinnig zu machen, wenn ich so alt wäre wie du! Genau das Gegenteil von dem, was du machst, mein armes Mäuschen.«

»Fangen wir nicht wieder damit an, Mama. Du weißt genau, daß der Gedanke an Strategie mich rasend macht. Außerdem bin ich unfähig dazu.«

»Schade! Es würde mir ganz gut gefallen, wenn er diese Gewißheit, daß du ihm gehörst und daß er sich nicht die geringste Mühe um dich machen muß, verlieren würde.«

Nach einem langen Schweigen, das nur vom regelmäßigen *Schsch* der Wellen unterbrochen wurde, die sich langsam am hellen Sand emporleckten, fuhr sie fort: »Schau mal, wenn dieses Kind geboren ist und wenn du wirklich mit Agnès an diesem

Buch arbeiten willst, dann würde ich mir an deiner Stelle jemanden ganztags einstellen. Das Baby könntest du mir bringen. Man kann nicht arbeiten, wenn so ein Wurm dauernd brüllt. Nicht einmal malen kann man dabei.«

»Oh Mama, das wäre eine wunderbare Lösung . . .«

»Aber nur unter der Bedingung, daß du diese Zeit auch wirklich für dich nutzt. Ich werde keine Nurse für dich zahlen, damit du mit Arnaud balzen kannst!«

Immer findet Hermine ein Wort, das die Liebe lächerlich macht. Aber um sie beide herum ist alles so friedlich, so glücklich, da kann man sich nicht wegen eines Wortes böse sein. Die Kühe des Nachbarn stapfen in aller Ruhe zurück, den Tamarisken-Weg entlang, ihre Euter schaukeln wie dicke Glocken. Die Flut kommt sanft gleitend herauf, bald wird der Strand unter Wasser stehen. Dann wird das Meer warm sein. »Ich will das Kind baden«, sagt Louise und steht auf. Sie ist ganz von der Hitze durchdrungen.

Die Kühle des Wassers erschreckt sie doch ein wenig, und das Kind in ihrem Bauch zuckt.

»Kalt, gell?« sagt sie ihm und legt sich die Hand auf den Bauch, um es zu besänftigen. »Schau mal, das ist das Meer. Es ist viel sanfter, wenn ich schwimme, anstatt zu gehen . . .« Das Ungeborene läßt sich tragen im Frucht- und im Meerwasser. Glück, das ist vielleicht nicht der Erfolg, denkt Louise, während sie schwimmt, schwerelos im klaren Wasser gleitend; sie läßt sich durchdringen von der ruhigen Schönheit dieses Ozeans, von dem glühenden Himmel, von der Küste, an der die noch ungeschnittenen Felder langsam in der Sonne erblonden. Es muß ja auch nicht die Wahnsinnsliebe sein, die vollkommen geteilte. Vielleicht ist's eher eine undeutliche Liebe für das ganze Leben; vielleicht kommt es darauf an, daß man sich in die Welt einfügt, daß man die Harmonie einer Landschaft nicht bricht.

Lou kommt an jenem Abend mit dem Wagen an. Sie will in Kerviglouse zu Abend essen und dann Hermine und Adrien mit nach Spanien nehmen.

»Ich habe gerade einen Brief von deinem großen Bernhardiner bekommen«, verkündet sie. »Der Arme, er heiratet!«

Lou läßt sich niemals eine Gelegenheit entgehen, um in Anwesenheit von Arnaud zu betonen, wie untröstlich Werner, den sie auch »dein Werther‹ nannte, darüber gewesen ist, Louise zu verlieren.

»Wenn er eins von diesen abgefeimten amerikanischen Ludern heiratet, wird er nicht alle Tage was zu lachen haben«, sagt sie.

»Wen soll er denn sonst heiraten, wo er in Philadelphia wohnt?«

»Schließlich ist er Pilot und fliegt in der ganzen Welt herum, oder?«

»Auf jeden Fall bist du es, meine kleine Ratte, der er sein Leben lang nachtrauern wird«, sagt Lou abschließend. »Ich finde es wunderbar, wenn man irgendwo auf der Welt einen Mann hat, für den man die einzige ist.«

»Vor allem wenn man mit einem Mann lebt, der sich aus der Vielfalt eine Pflicht macht«, wirft Hermine ein, die der Meinung ist, das Thema sei noch nicht genügend ausgeschöpft.

»Fast eine Frage der männlichen Würde!« fügt Lou hinzu.

»Soviel ich weiß, war die Treue auch nicht gerade Ihre Stärke, meine liebe Lou«, erwidert Arnaud lächelnd.

»Bei mir ist die Freiheit eine Krankheit, das stimmt. Aber wenigstens heirate ich nicht, mein lieber Arnaud.«

Während des ganzen Abendessens wechseln sich die zwei Frauen bei ihrem edlen Versuch ab, Louises Werte hervorzuheben und Arnaud zu verunsichern; er jedoch ist unerschütterlich in seiner Gewißheit, und die deutlich sichtbare Anwesenheit eines dritten kleinen Castéja erspart ihm auch den geringsten Selbstzweifel.

Das Wetter ist in diesem Jahr sehr schön in der Bretagne, es ist wie eine Gnadenzeit vor dem Sturm; für alle ist es der schönste Sommer ihres Lebens, aus vollkommen verschiedenen, sogar aus entgegengesetzten Gründen, wobei jeder einzelne Grund, würde er bekannt werden, ausreichte, um das Glück der anderen zu vermasseln.

Viviane beschließt endlich, dem reizvollen Unbehagen einen Namen zu geben, das sie in Gegenwart von Arnaud stets befällt. Ihre letzte Fehlgeburt hat ihr jegliche Hoffnung genommen noch ein Kind zu bekommen, und sie hat nur noch ein Bedürfnis: ihr Leben durch eine neue Liebe zu reaktivieren. Félicier glaubt, seine Frau hätte sich mit ihrer Unfruchtbarkeit abgefunden und beschlossen, trotz allem glücklich zu sein, und er leg eine kindliche Seligkeit an den Tag. Arnaud fragt sich, ob er nicht seit langem in Viviane verliebt ist, aber er glaubt – und das wird er noch lange glauben –, daß dies nichts ändern wird und daß es ihm ganz sanft gelingen wird, wenn nicht die Quadratur des Kreises, so doch die Dreiecksstruktur des Paares zu verwirklichen. Und Louise ist sicher, daß es diesmal ein Junge sein wird; sie beginnt sich leidenschaftlich für ihr zukünftiges Buch einzusetzen und glaubt, da Arnaud so aufgeschlossen und heiter ist, er habe jetzt Gefallen gefunden an Kerviglouse und vielleicht sogar am Eheleben – schließlich ist nichts unmöglich.

Was die Eifersucht betrifft, so tut sich bei ihr nichts, gar nichts. Seitdem sie Arnaud liebt, schwebt sie sowieso in einem Zustand diffuser Angst, und sie macht sich derartige Vorwürfe deswegen, daß sie vollkommen blind wird für Symptome und merkwürdige Zufälle, die selbst einer Nonne ins Auge stechen würden. Als Arnaud eines Tages erklärt, er habe es satt, seine Zeit und sein Geld auf Pferderennbahnen zu verlieren, er wolle nun seine Sonntage lieber mit ihr und den Kindern auf dem Land verbringen, da sind Louise und Félicien hoch erfreut und legen selbst den Grundstein zu ihrem späteren Unglück. Die Reys fahren jedes Wochenende zur Villa ihrer Eltern nach Rambouillet und bieten den Castéjas an, das freie Pförtnerhäuschen zu benutzen. Eine Idee, die ihnen allen sehr gefällt.

Louise verbringt bereits die letzten Wochen ihrer Schwangerschaft dort, um Hunderte von Briefen, aus denen *Meine liebe Seele* zusammengestellt wird, zu sortieren, zu ordnen, in einen Kontext zu bringen. Das Buchprojekt ist bereits ein Familienunternehmen geworden: Adrien durchforscht in der Bibliothèque Nationale die Zeitungen der Besatzungszeit, um historische Irrtümer auszumerzen; Lou kümmert sich um Pauline und Gustave, wenn sie frei hat, und Louise tippt ihre Manuskripthälfte, die von Hermine korrigiert und sortiert wird.

Im Oktober wird das Manuskript dem ersten Verleger angeboten, und sofort angenommen, obwohl ihnen jeder eine lange Reihe von Zurückweisungen prophezeit hat. Die beiden Freundinnen können es kaum glauben: Für sie ist das die Fortsetzung eines Traumes, der zu einer Zeit begonnen hatte, als sie den Boulevard Saint-Michel auf und ab gingen, ein Bier im Capoulade oder eine heiße Schokolade bei Pons tranken, erfüllt von einer Zukunft, die ebenso undeutlich wie aufregend war.

Das Kind erscheint noch vor dem Buch, und die Mutter, die eine »schmerzhafte Geburt« geübt hat, begrüßt es mit einem lauten »Scheiße« der Enttäuschung. Denn es ist noch immer nicht Gustave. Der Castéjan-Clan ist sowieso frustriert, also wird das Kind Adrienne genannt.

Zum Glück läßt das Erscheinen des Buches diese dritte mißlungene Auflage bald vergessen. Auf dem Buchumschlag kreuzen sich zwei Federhalter, Federhalter, wie die Schulmädchen sie früher in ihren Federmäppchen aus Pappmaché hüteten, mit mehrfarbig marmoriertem Holzgriff, der an Knetröllchen erinnert, wie sie nach langem Zögern entstehen, wenn man endlich beschließt, aus sämtlichen Farben ein langes Würstchen zusammenzurollen.

Der wunderschöne Traum geht weiter: Der Erfolg setzt auf der Stelle ein. Die Frauenzeitschriften interessieren sich für ihre vertraulichen Geheimnisse. Die Illustrierte *Elle* will sie in mehreren Folgen abdrucken; die beiden Autorinnen werden vom Rundfunk eingeladen. Es gibt sie also wirklich? Einige Kritiker loben die jugendliche Frische des Buches, seinen authentischen Tonfall. Andere entdecken darin ihre Jugend wieder, den Alltag unter der deutschen Besatzung, den man hatte vergessen wollen und der nun wieder in Mode kommt. Man bittet sie um Artikel, um Stellungnahmen, sie äußern ihre Meinung über die Sitten der jungen Mädchen heute, über die Jungfräulichkeit, die Treue, die Liebe. Sie werden aufgefordert, an der Sendung »Rendezvous um fünf« teilzunehmen; das ist die Krönung. Ihre liebe Seele verkauft sich wie warme Semmeln, 6 000 Exemplare am Tag. Arnaut hört artig zu, wie seine Frau von Auflagen, Nachdruck, Signierstunden redet. Er hat nur wenig Anteil an der Fertigstellung des Buches, denn Briefwechsel, insbesondere zwischen Frauen, begeistern ihn nicht sonderlich. Das wichtigste für ihn ist die Tatsache gewesen, daß Louise einen »Zeitvertreib« gefunden hatte, seitdem sie »nicht mehr arbeitete«.

Aber sie ermißt mit einiger Bitterkeit, was sie noch trennt vom Status des Schriftstellers. Da sie gerade Mutter eines dritten Kindes geworden ist und Agnès fünf Kinder hat, stellt man ihnen gern die Frage, was denn schmerzhafter sei, ein Buch oder ein Kind in die Welt zu setzen. Titel der Kritik im *Figaro:* »Wenn die Damen den Staubwedel mit der Schreibfeder vertauschen.« Man stellt sich Fragen über das Wesen ihrer Freundschaft: »Zwei Frauen, die sich nicht streiten, sind selten . . .« In der Tageszeitung *Nice-Matin* wird zwar über ihr Buch berichtet, aber auf der Seite »Für Sie, verehrte Damen«, statt im Feuilleton. Da vergißt man völlig, von Stil, von vorhandener oder nicht vorhandener Substanz der Figuren zu sprechen. In der Öffentlichkeit verteidigen sie sich nicht sehr gut. Agnès bekommt vor lauter Lampenfieber eine Fistelstimme und stottert; Louise verliert bei der geringsten Kritik die Nerven. Als ein Rundfunkjournalist ihnen vorwirft, sie seien nur »zwei Bürgerstöchter, die Nabelschau betreiben«, fällt ihr keine Antwort ein, und sie fühlt sich plötzlich ihrer Herkunft schuldig.

»Na und?« sagt Hermine, die keine einzige Sendung mit ihrer Tochter ausläßt, »das ist ja schließlich kein Makel! Die meisten Schriftsteller waren Bürger, und dieser Journalist ist sicher auch kein Bergarbeitersohn. Du darfst dich nie in die Position der Angeklagten drängen lassen, du mußt immer einen Gegenangriff starten.«

»Aber wie denn nur?« jammert Louise.

»Zum Beispiel hätte ich dem Typen gesagt: ›Wenn wir zwei Arbeiterkinder wären, inwiefern wäre unser Buch dann besser?‹ Auf diese Weise bringst du ihn in Schwierigkeiten.«

Louise versucht, die Lektion zu lernen, aber noch sind Agnès und sie zwei dumme Schäfchen, die den selbstsicheren Grünschnäbeln von Journalisten zum Fraß vorgeworfen werden; diese haben im allgemeinen nur neunzig Sekunden Zeit für sie und eröffnen ihnen kurz vor der Sendung: »Ich hatte leider keine Zeit, Ihr Buch zu lesen. Sagen Sie mir kurz, wovon es handelt.« Oder aber sie beginnen die Sendung mit der Bemerkung: »Heute möchten wir Ihnen, liebe Zuhörer, ein reizend gestricktes Opus vorstellen . . .«, womit ein für allemal jegliche Annäherung an »die echte Literatur« ausgeschlossen ist.

Meistens muß Louise das Buch verteidigen. Agnès ist oft verhindert. Ihr Mann ist sehr bestürzt darüber, daß ein Verleger die Herzensergießungen zweier Weibsbilder hat ernst nehmen können. Daß das Publikum mitmacht, ist eine andere Sache; vom Publikum weiß man ja, daß es doof ist. Also richtet Etienne es so ein, daß an dem Abend, an dem Agnès nach Paris gerufen wird, ein Essen mit dem Generaldirektor seiner Firma stattfindet. Er schneidet die Kritiken aus, mit Vorliebe die bösen, wie z.B. die in *Combat,* die in *Meine liebe Seele* einen »ganz anständigen Lore-Roman« sieht. Er grinst höhnisch, als das Buch auf Platz drei der Bestseller-Liste der Zeitschrift *Candide* steht, und behauptet – er, der ausschließlich Bestseller liest (aber für Männer geschriebene, zum Beispiel *Die Geschichte der Luftfahrt* oder der *Roman des Atoms*) –, die Umfragen seien gefälscht und von den Verlegern bezahlt.

Agnès bekommt nur Ausgang zu Lesungen und Signierstunden in nahe gelegenen Städten. Poitiers, Lyon, Clermont-Ferrand. Dort nimmt man sie ernst; Leserinnen betrachten sie voller Bewunderung, bitten sie um Rat, betrachten sie als Schriftstellerin. Aber sobald sie nach Saint-Etienne zurückkehrt, wird sie wieder Mme. Etienne Pichonnier. Man erklärt ihr, als handle es sich um eine Reihe von Fehlern, die sie begangen hat, ihre Tochter habe in der Nacht Bauchkrämpfe gehabt, ihr Sohn habe ununterbrochen nach ihr gerufen, das Dienstmädchen habe soeben gekündigt. Niemand fragt sie, ob sie eine gute Reise hatte, ob die Begegnung mit den Buchhändlern und den Lesern sie befriedigt hat. Etienne nimmt sie väterlich in seine Obhut zurück und legt ihr ein halbes Dutzend dringend zu lösender Probleme vor: Lederflicken für sein Jagdsakko, der Weihnachtsbaum für die Angestelltenkinder der Firma – man muß billiges Spielzeug kaufen, das trotzdem nach was aussieht, dem Betriebsrat hat er gesagt, seine Frau würde sich selbstverständlich gern darum kümmern; und dann das Monatsessen der ehemaligen Schüler der ETP,★ das diesmal bei ihnen stattfindet, sie muß daran denken, ihm einen Menüvorschlag zu machen. Er wird sich natürlich um den Wein kümmern, denn Agnès ist, was Wein betrifft, eine Null, und er gibt sich alle Mühe, sie in dieser Unwissenheit schmoren zu lassen. Ebenso frohlockt er insgeheim darüber, daß sie so schlecht autofährt. Dafür, daß sie nie Fortschritte machen wird, sorgt er, indem er sie mit Ratschlägen und Vorwürfen überschüttet. Sie ist einfach zu »nervös« und läßt sich von ihren Kindern nervlich überstrapazieren.

»Was würdest du tun, wenn ich dir kein Dienstmädchen bezahlen könnte?«

★ Ecole des Travaux Publics: Hochschule für Tiefbau. Anm. d. Ü.

Und wenn sie von ihren Tourneen mit Louise müde nach Hause kommt, dann ist das nur allzu erklärlich, »sie nimmt sich eben einfach zuviel vor.«

»Komm, bring mir doch lieber einen schönen Martini *on the rocks,* ich hatte einen fürchterlichen Tag mit diesen ganzen Streiks. Unglaublich, wie man sich mit diesen Kerlen verausgaben muß.«

Agnès fragt sich, ob es ihr jemals gelingen wird, ein zweites Buch zu schreiben.

»Ich finde, es ist überflüssig, sich für so etwas kaputtzumachen«, sagt ihr Mann. »Das ist kein Beruf für dich. Du hast hier doch genug zu tun!«

Als wollte sie sich einen zusätzlichen Grund schaffen, um aufzugeben, wird sie bald darauf zum sechsten Mal schwanger. Der Große Meister aus Saint-Etienne, der die Kinder aller Honoratioren-Frauen zur Welt bringt, hat einige Wochen lang von einem Fibrom gesprochen, und nun ist es zu spät, um sich von Ovocyclin oder Lutocyclin noch irgendeinen Erfolg zu versprechen. Aber so kurz nach ihrer letzten Schwangerschaft ist diese hier, bei ihrem derzeitigen Gesundheitszustand, nicht wünschenswert:

»Das ist nicht vernünftig, Madame«, erklärt er vorwurfsvoll. »Ich hatte Ihnen doch geraten, mindestens ein Jahr zu warten.«

Agnès lauert auf seinen Blick; dieser Unbekannte, der sich hinter seinem Schreibtisch verschanzt, hat ihr Leben in der Hand – aber es ist nicht sein Problem: Ob sie diesmal an einer Embolie stirbt oder ob sie selber im Bauch herumsticht, ist ihm egal, er wäscht seine Hände in Unschuld, die Standesregeln erlauben es. Sein Beruf besteht darin, Kinder zur Welt zu bringen, egal wie, unter welchen Umständen auch immer, von welchen Müttern auch immer, selbst wenn sie fünfzehn Jahre alt sind. Die Natur hat es so gewollt. Aber der Große Meister ist menschlich: Er kann Agnès zwar keine Adresse vermitteln, aber Patientinnen haben ihm mitgeteilt, daß es mit Aquariumschläuchen geht, wenn man sich aufs Bidet setzt. Offenbar leisten solche aquatischen Gerätschaften mancherlei Dienste. Etienne ist etwas schockiert darüber, daß sie sich sträubt. »Was? Ist es denn so langweilig, Kinder zu kriegen?« Eine fünfte Tochter würde er ja gern ausschalten, aber einen zweiten Sohn hätte er ganz gern. Er hat nur einen bisher, unglücklicherweise ist es ein zarter, sanfter, und behindert obendrein.

Agnès schickt einen Hilferuf an Louise. Sie hat ebenso Angst, sich an eine Fremde zu wenden, wie Louise Angst hat, sich an einen anderen Körper als den eigenen heranzuwagen. Etienne ist entsetzt; da er jedoch keine bessere Lösung vorzuschlagen hat ... Schließlich sind Frauen an derlei Dinge gewöhnt. Er weiß ja nicht einmal, wie das da drin so alles beschaffen ist. Also reist Louise übers Wochenende an, ihr Instrumentarium in der Tasche und ihre dritte Tochter unterm Arm. Für niemanden würde sie das tun – aber wäre Agnès nicht noch mehr geschockt, wenn sie eine Fremde ranlassen müßte? Und das Risiko, in einer Kleinstadt verraten zu werden, der Skandal ...

Also machen sie sich an die Arbeit: Agnès quer über dem Bett liegend – sie hält sich die Nachttischlampe, deren Schirm sie entfernt hat, zwischen die Schenkel –, Louise auf dem Bettvorleger kniend.

»Wenn ich nur die Lampe eines Hals-Nasen-Ohren-Arztes auf der Stirn hätte!« jammert sie.

»Oder wenigstens eine Bergarbeiter-Lampe und einen Helm ... Du könntest dir ja die Taschenlampe in den Mund stecken«, schlägt Agnès vor; sie bemüht sich zu scherzen, während Louise anfängt, mit diesen abwegigen Instrumenten im Innern ihrer Freundin herumzustochern.

Die Szene in diesem bürgerlichen Schlafzimmer mit den Ahnenportraits an der Wand und den Kinderfotos auf der Kommode, diese Szene, die sich wohl schon tausend und abertausendmal abgespielt hat in der geheimen Geschichte der Frauen, erscheint ihnen plötzlich so grotesk, daß sie schallend zu lachen beginnen, ein hysterisches, befreiendes Lachen. Agnès verbrennt sich die Schenkel mit der Lampe, die sie nicht mehr aufrecht halten kann vor lauter Lachen.

»Wenn du so herumhampelst, schaffe ich es nie!« ruft Louise.

»Weißt du, an wen du mich erinnerst mit deiner Vaselin-Tube, deinem Schlauch und deinen Nadeln? An die Voisin.* Vergiß

---

* Anm. d. Ü.: *Die Voisin* Catherine Deshayes, verehelichte Monvoisin, genannt La Voisin, Pariser Abenteurerin (1640–1680). War 1679 in eine Giftaffäre verwickelt und wurde öffentlich verbrannt.

328

nicht, daß sie für ihre Verbrechen auf der Place de Grève verbrannt wurde, die Voisin...«

»Sei still, du mit deinen Schauergeschichten, ich arbeite! Stell dir vor, ich habe noch nie ein weibliches Geschlechtsteil gesehen; das ist das erste Mal! Das muß man feiern. Du hast doch hoffentlich Etienne gesagt, er soll Champagner kühlstellen!«

»Ich gestehe, daß ich nicht daran gedacht habe«, sagt Agnès, immer noch lachend. »Weißt du, Etienne ist in völliger Panik!«

»Aber ich doch auch, was glaubst denn du? Gerade deshalb brauchen wir ja Champagner. Zumal da ich es spüre, wenn ich mir weh tue. An dir zu arbeiten ist viel beeindruckender. Gib ja niemandem meine Adresse. Ich hab' überhaupt keine Lust, den Job zu wechseln und Engelmacherin zu werden«.

Sie reden ganz locker drauflos, aber auch nervös, auch zärtlich, um dieses makabre Handwerk zu überspielen, und endlich gelingt es Louise, ihre Aufgabe zu erfüllen. Angès wird frei sein. Nun braucht sie nur noch die Fehlgeburt vorzuspielen: Blutungen, wenn möglich etwas Fieber, Besuch beim Großen Meister, der dann mit viel Brimborium einschreiten, die Belegquote seiner Privatklinik verbessern und ein Honorar einstreichen kann, das er eigentlich, wenn es gerecht zuginge, mit Louise teilen müßte. Die Aufregung hat Louise ziemlich mitgenommen, aber sie fühlt sich wieder mal wie eine *dea ex machina,* sie selbst hat das blinde Schicksal übermannt.

Viviane hat sich um die zwei Mädchen gekümmert, während Louise operierte. Die beiden Ehepaare wohnen seit einiger Zeit im selben Haus, das ist recht praktisch und angenehm. Die Reys holen Louise am Abend, wenn sie allein ist, zu sich; am Sonntag, wenn sie mit den Kindern spazierengeht, kommt Félicien und spielt mit Arnaud Schach. Unentwegt erscheint Viviane und fragt, ob man ihr nicht eben mal aushelfen könnte, ihr fehlt immer Öl, Petersilie oder Aspirin. Seit sie verheiratet sind, hat Louise ununterbrochen Angst gehabt, Arnaud könnte sich mit ihr langweilen. Immer wenn sie allein sind, schläft er, verschwindet hinter einem Wall von Zeitungen oder schaut sich ein Fußballspiel im Fernsehen an. Nie hat er Lust, sie zum Essen oder ins Theater auszuführen. Ganz offensichtlich genügt sie ihm nicht; hingegen sind alle Probleme gelöst mit der kleinen, kommuneähnlichen Gemeinschaft, die sie zu viert gebildet haben. Das Leben ist fröhlich, harmonisch geworden. Arnaud liebt seine Frau mehr, wenn sie zu viert sind als nur zu zweit; und jeder schätzt die drei andern, sowohl einzeln als auch in der Gruppe. Warum sollte sie unter diesen Umständen die Gelegenheiten der Begegnung nicht fördern? Sie fahren gemeinsam nach Italien, entdecken die Schluchten des Tarn, verbringen Wochenenden im Elsaß, wo Félicien herstammt, um neuen Wein oder das erste Wild zu kosten. Wenn Félicien, der Louise bewundert, anwesend ist, zeigt sie sich gern witzig, es gelingt ihr sogar, Arnaud zum Lachen zu bringen. Viviane ist die perfekte Freundin, unzurechnungsfähig, doch stets bereit, hilfreich einzuspringen; Aber sie hat nicht mehr soviel Zeit für ihr Patenkind Adrienne, seitdem sie für *H*, eine luxuriös aufgemachte Männerzeitschrift, arbeitet – H wie Hintern, sagt Louise, das ist ehrlicher! Dort ist sie Sekretärin, bevorzugt aber die schmeichelhaftere Bezeichnung Assistentin. Arnaud hat sich von ihr und Richard Villedieu, ihrem Chefredakteur, überreden lassen, eine monatliche Kolumne für dieses Blatt zu schreiben. Louise sieht das nicht gern, wird aber von Viviane der Biederkeit bezichtigt und von Richard der Sauertöpfigkeit. Sie kann sie nicht davon überzeugen, daß es die Verlogenheit des Unternehmens ist, was sie schockiert. Es wäre ihr lieber, wenn Arnaud wirklich einen Pornoroman schriebe, anstatt als Kultur-Alibi benutzt zu werden von Leuten, die sich in aller Stille einen abwichsen wollen beim Anblick nackter Busen und Hintern, ohne das Risiko, für alte Schweine gehalten zu werden. Sie schätzt Erotika, sogar Pornographie, und würde nicht ungern zusammen mit Arnaud die *Geschichte der O* lesen, an einem langen Wintersonntag ... Aber sie fühlt sich gedemütigt, wenn er im Bett, neben ihr liegend, mit dem größten Ernst in *H* blättert, als interessierte er sich ausschließlich für die technische Qualität der Fotos.

Nun denn, so ist es eben. Arnaud arbeitet fortan mit Viviane und schreibt humoristische oder politische Artikel, in denen nie die Rede ist vom Vögeln, sondern vom Kaiser Bao Dai oder vom Kravtschenko-Prozeß. Warum sollte sie sich beklagen?

Im übrigen arbeitet er immer härter und hat keine Zeit mehr, in die Bretagne zu fahren, höchstens noch im Sommer. Jedes Jahr spricht er davon, daß man das Stroh durch Schiefer ersetzen müßte. »Du hast recht, wir müssen uns drum kümmern«, sagt

Louise und weiß genau, daß es reicht, wenn sie nicht darauf zurückkommt – dann wird die Veränderung nie verwirklicht. In Arnaud wimmelt es nur so von Ideen, aber die Umsetzung in die Praxis langweilt ihn. Also wird die Strohhütte Strohhütte bleiben: Alte Menschen darf man auch nicht zu sehr ummodeln wollen.

Adrien kommt in den »kleinen Ferien«. Er ist erst dreiundsechzig, aber er zieht sich in sein Schneckenhaus zurück, fühlt sich nur noch mit seinen Enkelinnen wohl, während Hermine nach wie vor kämpft und es ihr gelingt, in New York oder London auszustellen. »Mein Traum wäre, mich in ein Kloster zurückzuziehen«, sagt er öfters. Er verbringt jedes Jahr eine Woche in Solesmes, nicht so sehr wegen des christlichen Glaubens, als um mit Hilfe von Entsagung und Stille in das Vorzimmer des Todes einzutreten.

Seine Firma steht auf wackligen Füßen, und er hat keinen Erben als Nachfolger. Die Vitrinen werden immer staubiger, seine Vögel, seine Insekten, seine Mineraliensammlungen gleiten allmählich ins Nichts zurück, und der Laden bekommt mehr und mehr Ähnlichkeit mit einem Friedhof. »Du solltest verkaufen«, rät ihm seine Frau in regelmäßigen Abständen. Aber er will das Erbe nicht in alle Winde verstreuen; es verkommen zu lassen ist nicht dasselbe. Außerdem mag er all diese Fossilien, er findet sie interessanter als die Lebenden. »Ich bin selbst ein Fossil«, erklärt er. Auf dem Markt von Concarneau gibt er hartnäckig Naturkundeunterricht, indem er bei der Fischhändlerin immer wieder *maia verrucosa* oder *gadus merlangus* verlangt; sie hält ihn für einen sanften Spinner.

Im Sommer darauf fuhr Félicien für einen Monat in die Vereinigten Staaten. Viviane kam allein nach Kerviglouse, um ihrer Freundin zu helfen, denn Louise arbeitete gerade an einer Meinungsumfrage für die Zeitschrift, bei der sie Mitarbeiterin war, und das Au-pair-Mädchen hatte einen Monat Ferien. Aber Félicien fehlte ihr. Er war außer ihrer Mutter der einzige Mensch, der manchmal bemerkte, daß sie müde war; auch einer der wenigen, die sich abends nicht in einen Sessel fallen ließen und in erschöpftem Ton sagten: »Ach, ich würde ganz gern einen zackigen Whisky trinken ... Ja doch, mit Soda, danke ... und mit

Eis.« Er wußte, wenn er den Apéritif servierte, daß das Eis nicht im Backofen und der Korkenzieher nicht im Nähkorb waren. Louise fragte sich, warum er wohl auf seinen allerheiligsten Urlaub in der Bretagne verzichtet hatte. »Ich glaube, Félicien ist krank«, erklärte Viviane. »Ich weiß nicht, was er hat, er ist nicht mehr derselbe wie früher.«

Seit einem Jahr fand Louise ihn in der Tat irgendwie verdüstert. Seine gutmütigen Robbenaugen lachten nicht mehr, und eine traurige Robbe ist doppelt so traurig wie ein Mensch. Aber er schien vertrauliche Geständnisse zu meiden und fand sogar Gründe, um die Wochenenden in Rambouillet zu umgehen, die er früher so sehr zu schätzen schien.

Auf dem Land hatte Viviane angefangen zu weben und Collagen zu machen, wie das so üblich war. Das Kunsthandwerk war in jenen Jahren *en vogue* in den schicken Vororten. Sie klebte Gräser auf Samt und hielt sich für eine Künstlerin. Und Arnaud war plötzlich von einer Töpferleidenschaft gepackt worden; die beiden hatten sich in der Garage ein Atelier eingerichtet. Das Ganze hatte den Kauf einer Töpferscheibe, eines Brennofens, eines Webstuhls und zahlloser Wollstränge zur Folge, die aus teuren, äußerst ästhetisch wirkenden Körben quollen, ehe sie zu Decken wurden, die so kratzbürstig wie Büßerhemden waren und überall einen penetranten Hammelgeruch verbreiteten. Lag es daran, daß sie nie dazu fähig gewesen war, auch nur einen Telegrafenmast zu zeichnen? Diese Hinwendung zum mondänen Handwerk irritierte Louise maßlos, sie machte spitze Bemerkungen und zog sich aufs Nützliche zurück: Sie strich die Fensterläden, versiegelte die Böden oder kalfaterte im Sommer Adriens altes Boot. Jeden Sonntag abend in Rambouillet veranstalteten sie gigantische Picknicks, zu denen Arnaud Claude und Carole einlud, und selbstverständlich auch Richard, den Chefredakteur, dessen mondäne Beziehungen, Zynismus und glorreiche Liste »gehabter Frauen« den Provinzler, der Arnaud nach wie vor war, beeindruckten. Zumal da sich Richard darum kümmerte, den »Alltag« ein wenig aufzumöbeln, indem er neben seiner wackeren Ehefrau Marie-Thé, ihres Zeichens Archivarin bei einem biederen Wochenblatt, noch zwei, drei »Hübsche« anschleppte; allerdings trennte er sich nie von seiner Frau, denn sie war ihm zugleich Chauffeur und Kindermädchen an den Abenden, an denen er einen sitzen hatte.

Eines Sonntags im Dezember war Louise in Rambouillet zufällig allein mit Félicien, der gekommen war, um seinen kranken Vater zu pflegen; sie wollte endlich den Grund seiner Schwermut erfahren.

»Warum hast du mir nicht gesagt, daß du kommst? Wir hätten zusammen zu Mittag gegessen. Aber du sagst mir ja nichts mehr...«

»Ach, ich bitte dich«, antwortete er in einem Ton voller Andeutungen.

»Was ist denn los, Félicien?«

»Was los ist? Vermutlich, daß ich etwas altmodisch bin, das ist los. Aber es gibt Situationen, die ich einfach nicht akzeptieren kann. Und ich muß schon sagen, daß ich auf dich ganz besonders böse bin.«

»Auf mich?«

»Ja, auf dich, weil ich dachte, du seist eine Freundin. Spiel nicht die Unschuldige. ›Ich weiß alles‹, heißt es in den schlechten Boulevard-Stücken. Ihr habt euch ganz schön lustig gemacht über mich, und ich finde, du hättest mich wenigstens warnen können.«

Louise sieht so ehrlich verblüfft aus, daß Félicien zu zweifeln beginnt. Er ist entsetzt darüber, daß er ihr wehtut, und gleichzeitig erleichtert, daß sie von nichts weiß. Je tiefer er ihr das Messer ins Herz rammt, desto mehr entspannt sich sein eigenes Herz.

»Sag mir nicht, du wußtest von nichts!« fügt er noch hinzu.

Nein, Louise wußte von nichts, aber plötzlich weiß sie genau, was Félicien sagen wird. Diese grausame Wahrheit, die sie so lange in ihr tiefstes Inneres verdrängt hatte, sickert jetzt hervor.

»Und ich habe geglaubt, daß ihr alle drei euren Spaß daran hättet, daß ihr flotte Dreier mögt, daß du Arnaud dazu angeregt – aber jetzt plötzlich erscheint es mir pervers, daß ich mir so was auch nur habe vorstellen können...«

»Hör mal, du kennst mich doch einigermaßen. Wieso hast du mir nie etwas gesagt?«

»Wozu auch? Du hast so ruhig gewirkt. So verliebt in Arnaud; so verbunden mit Viviane... Du warst es ja meistens, die sie eingeladen hat!«

»Das stimmt, ich war es.«

»Wie hätte ich denn unter diesen Umständen sehen sollen, daß du blind warst? Daß du nicht gemerkt hast, daß sie sich lieben?

Die einzige logische Folgerung war, daß du die Frauen liebst und daß...«

»Daß wir ein Dreiecksverhältnis hatten wie in *L'invitée*«.[*] Louise fühlte, wie ihr der Boden unter den Füßen weggezogen wurde, wie sie langsam ertrank, aber sie wollte nicht zusammenbrechen in Gegenwart von Félicien. Sie wußte, sie zeigte nie sofort Wirkung, es dauerte bei ihr. Sie lief weiter wie ein Huhn, dem man den Kopf abgehackt hat, nicht wissend, daß sie tot war, sie fuhr fort, wie eine ruhige, geliebte Frau zu reden.

»Louise, es ist sicher nicht der richtige Augenblick, um es dir zu sagen, aber du kannst dir gar nicht vorstellen, wie glücklich ich bin. Glücklich, daß ich mich geirrt habe, glücklich, dich so wiederzufinden, wie ich dich immer mochte. Ich bin derjenige, der in dieser Geschichte alles verloren hat.«

»Mir scheint, ich habe auch einiges verloren...«

»Weniger, als du glaubst, davon bin ich überzeugt. Viviane hat mich nie wirklich geliebt. Aber Arnaud liebt dich, da bin ich ganz sicher. Du bist die Frau seines Lebens, das ist ganz offensichtlich.«

»Gut, aber welchen Lebens? Er hat immer eine Menge verschiedener Leben gehabt.«

»Das ist nur so ein Eindruck... vergängliche Liebschaften... das Wesentliche... nichts verderben...«

Louise hörte von fünf Wörtern nur noch eines; einige Felsen ragten aus dem stürmischen Meer, und sie hielt sich krampfhaft daran fest. Sie mußte nach Paris fahren, um sechs Uhr Pauline bei einer kleinen Freundin abholen, vor allem mußte sie flüchten, sonst würde sie jetzt auf der Stelle umfallen, hier, vor Félicien, und dann könnte sie nicht mehr aufstehen, nicht mehr Auto fahren, nicht mehr aussehen wie eine normale Frau. Er spürte es, der liebe Robben-Mann, und umhüllte sie mit seinem zärtlichen, dunkelbraunen Blick.

»Ich bringe dich heim«, sagte er, »ich kann dich jetzt nicht allein zurückfahren lassen.«

Er legte ihr den Arm um die Schulter, aber diese zärtliche Geste war fatal für sie: Sie brach in Tränen aus und schluchzte erbärmlich. Hilflos klopfte er ihr auf den Rücken.

---

[*] Anm. d. Ü.: *L'Invitée*: deutsch *Sie kam und blieb*, von Simone de Beauvoir, 1943

»Was wirst du jetzt tun?«

»Was soll ich denn tun? *Ich* liebe Arnaud, bis auf weiteres. Er muß sehen, was er tun will, nicht ich.«

»Ich sage es dir gleich: Ich werde mich wohl scheiden lassen. Diese ganze Geschichte widert mich an. Ich kann dir das gar nicht so richtig erklären, es ist, als ob meine Liebe für Viviane mir plötzlich vom Arm gefallen wäre. Ich hätte es ertragen, daß sie mich mit irgend jemandem betrügt, aber nicht mit Arnaud!«

»Das sagt man immer, mein armer Félicien. Man glaubt immer, ein anderes Kreuz wäre leichter zu tragen gewesen. Wie hast du es erfahren?«

»Viviane hat es mir gesagt. Sie ist mir gegenüber immer sehr ehrlich gewesen. Sie behauptet, sie hänge trotzdem sehr an mir ... na ja, der übliche Salat ... Und sie wisse, sie würde stets nur an zweiter Stelle in Arnauds Leben stehen, weil er zutiefst an dir hängt ...«

»Ach, ich bitte dich, hör auf«, unterbrach ihn Louise.

»Doch, zutiefst«, betonte Félicien.

»Das bedeutet, daß er mit Viviane schlafen möchte, während ich schön in Sicherheit in der Tiefe seines Herzens sitze?«

Sie hatte sowieso keine Lust mehr zu sprechen, sie verweigerte sich Féliciens armseligen Worten des Trostes – Félicien, der sich aus dem Staub machte und seiner Frau freie Bahn ließ.

»Weiß sie, daß du dich scheiden lassen willst? Sie hat uns nichts gesagt.«

»Nein, sie weiß es noch nicht. Ich warte, bis ich eine kleine Wohnung gefunden habe. Ich möchte in der Lage sein, meine Koffer zu packen, an dem Tag, an dem ich ernsthaft mit ihr rede. Ich bin unfähig, sie weinen zu sehen, und genauso unfähig, freundlich zu ihr zu sein. Ich habe dir schon immer gesagt, daß ich altmodisch bin.«

»Ich finde das idiotisch, eine solche Entscheidung allein zu treffen, nur weil Viviane einen Anfall von Verliebtheit hat.«

»Es dauert schon mehr als ein Jahr«, erwiderte Félicien. »Das ist kein Anfall mehr, sondern eine chronische Krankheit.«

Eine Flut von Selbstmitleid übermannte Louise: mehr als ein Jahr! Verdammt!

»Trotzdem, entweder du liebst deine Frau, oder du liebst sie nicht. Das ist es doch, was ausschlaggebend ist, oder?«

»Ich liebe sie nicht mehr«, sagt Félicien kühl.

»Du hast Glück.«

»Ich bin nicht so sicher. Das Unglück ist immer noch eine Art zu leben. Ich, ich fühle mich alt, am Ende . . . Du, du bist voller Leidenschaft. Arnaud wäre ein Trottel, wenn er dich verließe, und er weiß es. Du wirst einen Weg finden, du wirst sehen.«

»Aber vorläufig findest du einen Weg, nämlich auf und davon! Sag mal, erinnerst du dich an meine Gelbsucht, nach Griechenland? Mein Körper wußte wohl schon lange vor mir, was heute passiert. Aber ich mit meiner albernen Anständigkeit . . .«

»Anständigkeit ist nie albern.«

»Doch, wenn sie ins Unglück führt. Letzten Endes war ich diejenige, die diese Geschichte gefördert hat. Ich bin wirklich eine dumme Gans. Das Schlimmste ist, daß ich nicht einmal sicher bin, ob ich mich ändern kann.«

Félicien warf ihr einen gerührten Blick zu, der sie nur noch tiefer in das Gefühl von Ohnmacht hineindrückte.

17

Arnaud, Viviane und Louise
oder Arnaud, Louise und Viviane

Die Niederlagen im Leben sind viel fruchtbarer als die Siege. Sie zwingen zum Nachdenken, zum Abwägen, während das Glück oft nur ein Status quo ist.

Wie aber soll ich heute von dem erzählen, was ich für die schlimmste Zeit meines Lebens halte? Die feigste, die rührendste, die ungeschickteste, die entsagungsreichste, die mutigste, auf jeden Fall die fremdeste Zeit meines Lebens. Das geht so weit, daß ich mich außerstande fühle, »ich« zu sagen, wenn ich von jener Frau rede, die ich damals war. Über wen aber wundert man sich mehr als über sich selbst?

Im nachhinein bin ich unfähig, irgend etwas zu erklären. Ich verstehe bis heute nicht, wie jene Frau fröhlich sein, immer wieder lachen konnte, wie sie letztlich doch verhältnismäßig glücklich sein konnte, wie sie weiter ihre drei Töchter erziehen konnte, wie sie es schaffte, niemandem ein Sterbenswörtchen zu sagen, vor allem Hermine nicht, die sich gleich bestätigt gefühlt und zur sofortigen Trennung geraten hätte; nicht einmal Agnès. In aller Stille. Sie haßte das Gejammer unter Weibern. Im übrigen hätte sie schlecht über Arnaud reden, also auch schlecht über ihn denken müssen; wie hätte sie dann aber überleben können, wo sie ihn doch nach wie vor liebt? Arnaud machte seiner Frau nicht den Vorschlag, ihre Beziehung zu beenden, er überließ ihr die Freiheit der Entscheidung, also letztlich die Verantwortung. Die Art, wie er sich weigerte, andere zu beeinflussen, hielt er für besonders liberal, aber es bedeutete nichts anderes, als daß er seine eigene Verantwortung anderen zuschob.

»Du bist mein Leben, nur du, das ist mir vollkommen bewußt, und ich möchte dich nicht verlieren. Aber *ich* bin glücklich dabei ... Ich finde sogar, daß wir seit ein, zwei Jahren besonders gut zusammengelebt haben. Also ist es *dein* Problem. Du mußt dich entscheiden. Ich werde mich nach dir richten.«

Das war leider genau das, was man ihr sagen mußte, um das Beste aus ihr herauszuholen.

Viele Frauen von der Sorte der gräßlichen Blanche de Castille sehen ihren Mann lieber tot als in den Armen einer andern. Louise wollte einen glücklichen Mann, am liebsten mit ihr zusammen, aber zur Not nahm sie in Kauf, daß er *auch* mit ihr glücklich war. Sie hatte größte Angst davor, einen schlimm versehrten Arnaud zurückzugewinnen. Nun ging es also darum, daß er Viviane vergessen mußte: Sie würde doppelt soviel Sex-Appeal an den Tag legen, vor Glück strahlen müssen, das würde das mindeste sein, nachdem sie ein solches Opfer von ihm gefordert hatte ... Was für ein abscheuliches Programm!

Sie würde auch Viviane berücksichtigen müssen, die vollkommen in Auflösung begriffen war, seitdem Félicien zur Scheidung entschlossen war, was sie merkwürdigerweise nie vorausgesehen oder in Erwägung gezogen hatte.

Sie ist gerade operiert worden, ihre letzte Hoffnung, ein Kind zu bekommen, endgültig vom Winde verweht, und jetzt hängt sie dafür leidenschaftlich an Adrienne. Treuherzig erklärt sie sich bereit zu teilen und sich sogar – welch ungeheure Güte! – mit dem zu begnügen, was Louise ihr übrig läßt, ohne zu sehen, daß es ja Louise ist, die teilen muß, und nicht sie! Aber wie sollte Louise das Feld auch allein beherrschen – sollte sie vor den Fenstern der unglücklichen Rivalin, der verlassenen, unfruchtbaren, vorbeigehen, Adriennes Kinderwagen schiebend, umrahmt von Pauline und Frédérique, gefolgt von Arnaud an der Leine? Wenn das die Ehe war ...

Im Grunde verlangt man ja nicht mehr von ihr, als daß sie ein winziges Stückchen ihres Lebens abtrete, ein paar Pfund ihres Fleisches – das aber lächelnd, denn sie ist ja in voller Kenntnis der Sachlage darauf eingegangen.

»Nichts wird sich ändern zwischen uns, weißt du. Eigentlich haben wir ja sowieso schon zu dritt gelebt. Habe ich dich jemals auch nur einen einzigen Abend allein gelassen, um mit Viviane essen zu gehen? Habe ich dir ein einziges Mal den Eindruck vermittelt, ich ziehe ihre Gegenwart deiner vor? Du hast ja auch nichts bemerkt.«

Nein ... ja ... nein ... Was soll man da antworten?

»Eine Liebe nimmt der anderen nichts weg.«

»Im Gegenteil«, antwortet Louise.

»Ich weiß, wir waren nie so ganz einer Meinung über das, was du meinen Dilettantismus nanntest. Übrigens eines der schönsten Wörter der französischen Sprache. Aber selbst wenn man nicht einer Meinung ist, kann man sich ja wie erwachsene, zivilisierte Menschen verhalten.«

»Wenn in mir aber eine wilde Eifersucht steckt? Was mach' ich dann?«

»Wenn es über deine Kräfte geht, mich so zu ertragen, wie ich bin ...«

Ja, so wie er ist, ja, denn *er* wird sich nicht ändern: Seine größte Sorge ist, sich selbst treu zu bleiben, sich selbst nicht zu verraten, als ob dieses »sich selbst« nicht ein Witz wäre und der Einklang mit sich selbst eine aussichtslose Wette. Und ihr Einklang mit sich selbst, wo liegt der verborgen? Im Hinnehmen einer anderen Gesetzmäßigkeit? Arnaud ist stets militant für das Recht auf Vielseitigkeit eingetreten – sowohl für die Frau als auch für den Mann, wie er immer hinzufügte –, und dabei ist er, wenn es um die Theorie geht, um so ehrlicher, als die Praxis sowieso nur ihn betrifft, zumindest in der nächsten Zukunft. Die Vielseitigkeit für sie, für Louise? Sie denkt nicht einmal daran, und keiner ihrer Freunde scheint für sie daran zu denken. Die innere Bereitschaft einer Frau wittern die Männer. Treue hingegen ist vollkommen geruchlos.

Sie beneidet die Menschen, die es für selbstverständlich halten, hofiert und umschwärmt zu werden. Daß sie weniger geliebt wird, hält sie für selbstverständlich. Sie denkt sich oft, daß sie sich nicht in sie verliebt hätte, wenn sie ein Mann gewesen wäre, und daß Arnaud mit Viviane viel glücklicher gewesen wäre. Ein Ziervögelchen entspricht seinem Geschmack viel besser. Warum hängt er gerade an ihr, die sie ihm doch in so vielen Dingen auf die Nerven geht? Aber verheiratete Männer sind unglaublich! Félicien hat sich oft über die Unselbständigkeit und die Unverantwortlichkeit von Viviane beklagt. Er hatte sich ein entzückendes Kindweib ausgesucht, das nicht arbeitete, weil es ihm gefiel; aber gleichzeitig hätte er auch eine verständnisvolle, intelligente und mütterliche Gefährtin haben wollen. Und Louise? Ist nicht auch sie auf der Suche nach dem Unmöglichen? Ein Mann, der ihr genügend entgleitet, damit sie in ihn verliebt bleibt, selbst auf die Gefahr hin, daß sie leidet, jedesmal, wenn er ihr entgleitet ... Ein Mann, den sie beherrschen möchte, wovor sie sich aber gleichzeitig auch fürchtet, so wie Hermine mit Adrien ... Muß man diesen Widerspruch nicht immer ertragen?

»Ich wäre sehr unglücklich, wenn du mich verlassen würdest, Liebling. Ich schwanke nicht zwischen dir und Viviane, davon kann keine Rede sein; das mußt du ein für allemal wissen.«

Als ob diese Worte ein für allemal helfen könnten ... Aber es stimmt, daß Arnaud sie mehr liebt, seitdem er auch Viviane liebt, als ob die Freiheit, sich eine zweite Frau zu leisten, ihn der ersten gegenüber entkrampft hätte. Jetzt kommt ihm das Wort »Liebling« ganz leicht über die Lippen, jetzt scheint er ihre Intelligenz zu schätzen, seit er die fröhliche Un-Bildung Vivianes und die bedingungslose Bewunderung, die sie ihm zollt, voll genießt.

»Wer garantiert mir, daß du Viviane mit der Zeit nicht mehr lieben wirst als mich?«

»Ich. Ich sag' es dir doch. Ich liebe sie *auch,* das ist nicht dasselbe. Und ich werde alles tun, damit du so wenig wie möglich darunter leidest. Ich habe nur deshalb nicht früher mit dir darüber gesprochen – und das war falsch –, weil ich überzeugt war, du wüßtest es, und du wüßtest auch, daß sich zwischen uns nichts Wesentliches verändert hat.«

Kurzum, es wird beschlossen: Niemand macht mit niemandem Schluß.

»Jeder behält alles«, sagt Arnaud, der die Gabe hat, Menschen, von denen er Opfer verlangt, davon zu überzeugen, daß sie sie ganz freiwillig auf sich genommen haben.

Die Entscheidung geht nicht ohne Tränen ab. Zwanzig Jahre danach lese ich die Entschuldigungsbriefchen wieder, die Louise ihrem Mann schickte, damit die Mühsal gelindert werde, die er sich auflud, um so gerecht wie nur möglich zwei Frauen auf einmal zu lieben. Und ich traue meinen Augen nicht: »Gestern bin ich glänzend und ganz mutig gefahren. Nein, das soll keine Erpressung sein, aber es ist mir alles ein bißchen egal, seitdem mir das, woran mir am meisten liegt, egal sein muß. Du weißt ja, daß Kerviglouse immer die beste Medizin für mich ist, selbst bei schneidender Kälte. Adrien zieht auch im Haus den Mantel und den Hut nicht mehr aus, und wir haben den kleinen Gasofen und den Ölofen in die Küche gestellt. Hier habe ich Zeit genug, und vor allem auch genügend Abstand, um über uns nachzudenken. Ich weiß, daß Du meine Tränen satt hast, Geliebter, ich weiß, daß Du diesen Kummer, den Du weder verstehen noch akzeptieren kannst, satt hast. Ich weiß, daß Du mich für schuldig und dumm hältst, weil ich unglücklich bin, und ich selbst hasse mich in dieser Rolle. Warum solltest Du nicht ein paar Wochen ins Hotel ziehen, weg von meinem Jammergesicht, so lange, bis ich mich körperlich an eine Situation gewöhne, die ich von der Ratio her bereits akzeptiere?

Ich bedaure es nicht, daß Félicien mir alles gesagt hat. Ich weiß, wie sehr ich an Dir hänge. So sehr, daß ich nicht mehr ich selbst bin. Ich kann mir das erlauben. Du nicht, ich weiß. Ich habe es ein bißchen vermasselt, dieses Gleichgewicht zu dritt, das Dich so glücklich zu machen scheint, aber daran bist Du schuld: Wenn Du Dir die Mühe machen würdest, mehr mit mir zu reden, wenn meine Briefe und meine Fragen nicht immer in ein bodenloses Loch fallen würden ... Glaub nicht immer von vornherein, daß ich alles errate, dank jener berühmten weiblichen Intuition, die mir nie das geringste Signal gesendet hat. Ich verstehe nur eines: daß ich Dich genügend liebe, um an Deinem Glück mehr als an meinem eigenen zu hängen.«

Und mit der aufrichtigen Ergebung eines Waschlappens, verehrter Herr Gemahl, verbleibe ich ... Genau wie fünfzehn Jahre vorher meiner Mutter gegenüber. Aber wo ist die Frau, die nicht irgendwann in ihrem Leben ihre eigene Identität aufgegeben hat?

In den ersten Monaten gibt sich Louise ganz dem Stolz hin, in diesem Trio, wenn nicht die angenehmste (o nein, gewiß nicht!), so doch die heldenhafteste Rolle zu spielen, und sie leidet so gut wie gar nicht. Nur nachts. Oft wacht sie auf, tränenüberströmt, und hat immer wieder denselben, erbärmlich gewöhnlichen Traum: Sie ertappt die beiden eng umschlungen. Arnaud dringt in Viviane ein, und sie johlt vor Wollust; sie scheinen Louises Anwesenheit nicht zu bemerken und machen weiter. Oder aber sie sucht Arnaud durch eine ganze Flucht von Zimmern hindurch, in denen alle Gäste übereinanderliegen und sich beackern wie die Schweine, zu zweit, zu dritt, zu viert.

Nur sie ist allein in der Menge, schlimmer noch: Sie ist durchsichtig.

Am strahlenden Morgen, wenn sie Arnauds Lächeln wiederfindet, seine plötzliche Art, sie in die Arme zu nehmen in dem Augenblick, wo er ihre Gedanken errät, wenn sie ihre drei fröhlichen kleinen Frauenzimmer in die Schule schickt, wenn sie die sanfte, weiche Kinderhaut streichelt, dann tadelt sie sich. Schließlich – muß nicht ein jeder sich der Lebensfreude und der Furcht vor dem Ende, die untrennbar sind, gleichermaßen entgegenwerfen? Sie muß akzeptieren, daß in ihrem Leben von nun an zwei Wirklichkeiten nebeneinander einhergehen, die eine so lebendig wie die andere, wobei die eine vielleicht die Gewähr für die andere ist.

Tagsüber gelingt es ihr, sich Vernunft einzureden, aber nachts muß sie ihren Alpträumen entrinnen und nimmt Oblivon, dessen leichter Knoblauchgeruch in Zukunft für sie ein Synonym für Kummer bleiben wird. Arnaud und sie sprechen immer weniger miteinander. »Worte können töten«, behauptet er. Wohl fühlen sie sich nur, wenn Freunde da sind oder wenn sie ausgehen. Er hat für eine Wochenzeitung und für eine Fernsehzeitschrift die Theaterkritiken übernommen, und an zwei Abenden in der Woche gehen sie ins Theater. Sie treffen sich oft mit dem Ehepaar Weiss. Er ist ein faszinierender Plauderer, weil er alle hohen Tiere der Politik kennt, und Caroles Wirkung bei den Diners wissen alle zu schätzen, bringt sie doch die Portion junges Blut herein, die für das Gelingen eines Abends unentbehrlich ist. Sobald sie jedoch Richard Villedieu einladen, den skandalumwitterten Modeschriftsteller jener Jahre, wird der Anteil an eben diesem erforderlichen jungen Blut leider überproportional, denn Richard würde seine Ehre verletzt glauben, wenn er nicht seine neuesten Entdeckungen zur Schau stellen könnte, absolut unschlagbare schwedische Mannequins, deutsche Walküren oder vietnamesische Miniaturen. Dann kippt der Abend um. Hundertachtzig Kilo gestriegeltes, parfümiertes, koloriertes Mädchenfleisch, das nur dazu dient, die bösen Schlingel in den Männerhosen zucken zu lassen, das polarisiert die Unterhaltung: Sie erhebt sich dann nicht mehr über das Niveau jener unnachahmlich pariserischen Anekdoten, in denen sich der köstlich schlüpfrige Witz unserer lieben Landsleute so überzeugend entfaltet.

Der etwas diabolische Charme von Richard, sein schönes mageres Gesicht, das sowohl einem Asketen als auch einem wüsten Nachtschwärmer gehören könnte, läßt Louise kalt; sie haßt seinen Zynismus und seine Verachtung für die großen Ideen und für diejenigen, die daran glauben. Louise würde Arnaud die Demütigung gerne erklären, die sie empfindet, wenn er mit seinen frischen Exemplaren aus der *H*-Herde auftritt, als ob alle anderen Frauen nicht mehr existierten.

»Ich fühle mich gedemütigt als deine Frau, gedemütigt für Marie-Thé und gedemütigt, einem Geschlecht anzugehören, das auf diese Weise benutzt wird.«

»Das sich dazu benutzen läßt, willst du sagen«, verbessert er sie.

»Aber ich weigere mich, mit dir über dieses Thema zu diskutieren. Da bist du nie weit davon entfernt, mich für alle Prostitution und alle Sklaverei dieser Welt verantwortlich zu machen, wie üblich!«

Vielleicht, ja, aber ist das nicht eine notwendige Entspannung, von Zeit zu Zeit? Allzuschwer trägt Louise an der Last der treffenden Widerreden, der Beleidigungen und Beschimpfungen, die sie nicht wagt, Arnaud ins reglose Gesicht zu schmeißen, und deren Gift in ihr Herz zurückfließt. Sie beginnt sich nach den effektvollen Auseinandersetzungen ihrer Eltern zu sehnen, aus denen die Gegner erschöpft hervorgingen, aber auch frei von Spannungen, befreit von ihrem Grimm, plötzlich ganz weich und zärtlich.

Viviane ist bei jedem Diner dabei, ob es in kleinem oder in größerem Kreis stattfindet, und jedesmal, wenn Richard eine Neue mitbringt, hat Louise jenes Solidaritätsempfinden Viviane gegenüber, das die erste und die zweite Konkubine empfinden müssen, wenn der Sultan mit einer neuen Favoritin nach Hause kommt. Paradoxerweise fühlt sie sich am wohlsten, wenn sie zu dritt sind. Sie weiß dann wenigstens, was Arnaud und Viviane tun oder, genauer gesagt, nicht tun. Sie fühlt fast so etwas wie einen Schub von Zärtlichkeit Viviane gegenüber, wenn Arnaud mit umwerfender Offenheit erklärt, er sei jetzt müde, er möchte nach Hause. »Kommst du, Louise? Wir gehen.« Jetzt mußt du, arme kleine Viviane, entdecken, daß Arnauds Liebe nicht jeden Tag Fiebertemperaturen durchhält.

Viviane hat angefangen, nach solchen Abenden anzurufen, um

sie zu kommentieren, und diese Gewohnheit hat sie nach und nach verfestigt, nun ruft sie jeden Morgen an. Louise hat nun wieder jenen nur scheinbar anwesenden Körper neben sich, wie in der Zeit der Telefonate von INF 1 – die übrigens erst aufgehört hatten, als die Post einen Strich durch die Rechnung machte. Wieder einmal bleibt im Ehebett nichts als eine leere Hülle, deren Seele von den Telefondrähten aufgesogen wird ... dieses undeutliche Gesicht, dieses Lachen über Worte, die sie nie hört.

»Was erzählt sie denn heute morgen?«

»Nichts Besonderes«, antwortet Arnaud und legt auf.

Warum hat das Gespräch dann fünfundzwanzig Minuten gedauert? Andererseits telefonieren sie ja vor ihr, aus einer Art Ehrlichkeit heraus. Er hätte Viviane ja auch vom Büro aus anrufen können.

Zum Glück wird ihr ein Übermaß an Denken erspart, denn da ist das neue Buch. Sie arbeitet zusammen mit ihrer Mutter an einem sehr ehrgeizigen, fesselnden Projekt: an einer Geschichte der Malerinnen, der bekannten und der unbekannten, die in Wirklichkeit eine ganze andere Geschichte enthüllen wird: die Geschichte aller Künstlertöchter, -frauen und -schwestern, ob Malerinnen oder Bildhauerinnen, die, wie die von Virginia Woolf erfundene Schwester Shakespeares, entsagen mußten, Selbstmord begingen oder wahnsinnig wurden, weil sie ihrer Berufung nicht folgen konnten. Als Huldigung an Virginia, die Hermine in London einmal kennengelernt hat, soll dieses Buch *Ein eigenes Atelier* heißen.

Hermine ist der Meinung, sie habe sich nun lange genug auf die Malerei beschränkt und müsse der Öffentlichkeit jetzt etwas Neues bieten, um weiterexistieren zu können. Nicht als weiblicher Maler – der Ausdruck versetzt sie in Wut, denn er klingt für sie, als würde sie »diesen behinderten Künstlern, die mit dem Mund oder dem Fuß malen« und die ihre Kunst auf Weihnachtskarten feilbieten, gleichgestellt: Nein, ganz einfach als Malerin, oder als Schriftstellerin, warum nicht?

Lou, die ein Bild von Rosa Bonheur besitzt, behauptet, daß diese Frau nur deshalb soviel Erfolg sowohl in Europa als auch in Amerika hatte, weil sie der Ehe entrann und fünfzig Jahre lang mit einer Gefährtin zusammenlebte. Hat Hermine über ihr Leben während des Krieges an Lous Seite nachgedacht, hat sie sich überlegt, welch merkwürdiges Dreiecksverhältnis sie mit Adrien gelebt haben? Sie bringt es zum erstenmal zur Sprache, als sie beide in ihrem Atelier arbeiten, umgeben von jenem Terpentingeruch, der für Louise immer der Geruch der Mutter sein wird.

Schon seit zwei Jahren hat sie in Europa und Amerika in den Archiven und Speichern der Museen den Werken jener Frauen nachgeforscht, die zu Lebzeiten oft sehr bekannt waren, die aber fast alle von der Kunstgeschichte vergessen oder von ihrer Familie daran gehindert wurden, ihre Karriere fortzusetzen: Marietta Tintoretta, Tochter des Tintoretto, deren Ruhm bis zu den Höfen von Österreich und Spanien vordrang, die aber niemals die Erlaubnis bekam, das väterliche Atelier zu verlassen; oder Margarethe van Eyck, die bereit war, ein Leben lang im Schatten ihres ruhmreichen Bruders zu stehen, dessen Haushalt sie auch noch führte und für den sie auf die Ehe und den eigenen Ruhm verzichtete.

Louise arbeitet jeden Tag mit ihrer Mutter zusammen und beschäftigt sich leidenschaftlich mit dieser Geschichte der Mauerblümchen der Kunst, aber sie geht früh nach Hause, denn meistens ist Arnaud da, als wolle er ganz besonders betonen, daß er nicht regelmäßig nach Büroschluß zu Viviane geht. Er ist kein Mann der fest reservierten Dämmerstündchen. Jedesmal aber wenn sie nach Kerviglouse fährt, zieht er hinunter zu Viviane. Schließlich kann Louise ja nicht wollen, daß er allein zu Abend ißt und sich von Knäckebrot ernährt. In dieser Situation stellt sich immer wieder die quälende Frage: Welche Rolle ist die bessere – die der Ehefrau oder die der Geliebten? Wenn sie die Ehepaare in ihrer Umgebung betrachtet, die Weiss', die Pichonniers, die Villedieus, selbst ihre Eltern, dann fragt sie sich, ob nicht die meisten Ehen vertuschte Mißerfolge sind – dann fragt sie sich, ob eine gewisse Atmosphäre der Leidenschaft, des Dramas sogar, nicht besser ist als die trübe Niederung der freundlichen Gleichgültigkeit.

Manchmal wiederum erscheint ihr die Unternehmung, zu dritt zu leben, als etwas nicht Bewältigbares: Diese Mühsal also soll den wichtigsten Teil ihres Frauenlebens, die feurigste Etappe ihres Liebeslebens ausmachen? Sie läßt sich auf die Prüfung ein, kann sich aber nicht daran gewöhnen, und ihre Eifersucht ist gleichbleibend heftig. Sie wird sich erst mit dem Tod der Liebe legen, und dies zu wünschen, dazu kann sie sich nicht entschließen.

Während der folgenden zwei Jahre gelingt es ihr jedoch, mit der Lage fertigzuwerden und alles, bis auf ihre Träume und das Zittern ihrer Hände, wenn der Name Viviane ausgesprochen wird, in den Griff zu bekommen. Sie verbirgt sie, die zitternden Hände, damit sie den munteren Tonfall nicht Lügen strafen, den zu bewahren sie sich bemüht. Viviane verhält sich musterhaft: Sie ist sehr diskret, nicht ein einziges Mal läßt sie ein Wort oder eine Geste der Intimität mit Arnaud erkennen; sie ist bereit, die Mädchen zu hüten, wenn Louise mit ihrem Mann übers Wochenende wegfährt; nie scheint sie sich mehr zu erhoffen, als das, was sie hat, nämlich den zweiten Platz. Eine heilige Theresa von Lisieux, alles in allem, die der Familie ihren Rosensegen spendet und die Abwesenheit ihres Herrn akzeptiert.

Louise wäre eher zwischen Martha und Maria anzusiedeln: Sie versucht abwechselnd, die Perle des Hauses zu spielen (Viviane kocht schlecht und lebt in einem vollkommenen Durcheinander) und sich auf dem Gebiet der Arbeit unentbehrlich zu machen. Sie korrigiert Arnauds Artikel durch und springt manchmal bei den Theaterkritiken für ihn ein. Aber das Berechnende und die Hintergedanken, die nun ihr Inneres auffüllen, die mag sie nicht.

Man sollte glauben, mit der Zeit, mit den Jahren, die vergehen, würde sich die Lage entspannen, Resignation eintreten, aber manchmal kommt es anders, manchmal bricht Aufruhr an die Oberfläche durch. Denn das Tragische am Ehebruch ist, daß er auf die Dauer alles vergiftet, selbst die besten Augenblicke. Und das absolute Geheimnis über das andere Leben, diese undurchdringliche Wand, die Arnaud aufgebaut hat, die keinerlei Information durchsickern läßt, sie werden für Louise schließlich immer unerträglicher. Wieder einmal kommt er gerade aus Venedig zurück, mit glücklicher Unschuldsmiene, wie üblich, und hofft, mit einem »Aber ja doch, hervorragende Reise, mein Liebling...« davonzukommen, aber sie spürt, daß sie diese Blackouts nicht mehr ertragen kann.

»Erzähl mir wenigstens von der Landschaft, von den Restaurants, von den Leuten, die du getroffen hast, ich verlange ja keine Reportage über deine Nächte...«

»Es ist mir unangenehm, solche Abschnitte meines Lebens mit dir zu besprechen.«

»Weniger unangenehm als für mich, daran zu denken, glaubst du nicht? Bist du denn überhaupt nicht fähig, dir etwas Unangenehmes zuzumuten?«

Nein, er kann es nicht. Er kann ihr auch nicht schreiben, wenn er mit der Heiligen Theresa unterwegs ist. Das wäre geschmacklos. Aber ist es nicht ebenso geschmacklos, wenn er aus Griechenland oder aus Algerien zurückkommt und ihr ein kretisches oder ein Berber-Halsband schenkt, und wenn dann an Vivianes Arm ein kretisches oder ein Berber-Armband prangt?

»Und was ist mit deinem vierzigsten Geburtstag? Hast du ihn zweimal gefeiert? Da bist du aber alt geworden auf einen Schlag!«

Wie soll man da auf Dauer nicht faulig werden und giftig zugleich?

In solchen Momenten erinnert Arnaud mit nostalgischer Stimme an die »erfolgreiche« Ehe jenes berühmten Mannes, den er anläßlich der Premiere seines letzten Films interviewt hat: Nicht nur, daß der mit einer zwanzig Jahre jüngeren Frau verheiratet ist, außerdem kommt er auch noch in den Genuß einer sehr jungen Geliebten, die vermutlich auch die Geliebte der Ehefrau ist.

»Für mich ist das eine bestimmte Form von Lebenskultur!«

»Ich kann nicht glauben, daß seine Legitime glücklich ist.«

»Du hast sie ja gesehen. Sie sieht blühend aus. Nicht alle Frauen sind Tigerweibchen...«

»Ich würde das gern mal aus der Nähe erleben. Immerhin ist es seine Frau, die seine Anzüge in die Reinigung bringt, die seine Unterhosen in die Waschmaschine steckt und die ihm seine Abführtabletten kauft. Das sind die ›Privilegien‹, die ihr übrigbleiben.«

Arnaud setzt seine schmerzlich berührte Miene auf: Louise führt einfach alles auf materielle Einzelheiten zurück. Solche Diskussionen werden meist mit einer Kälteperiode bestraft, so lange, bis es ihr gelingt, weniger zu lieben, was er interpretiert als: besser zu verstehen.

Ein- oder zweimal im Jahr findet sie zurück zu einem schatten-
losen Glück, ohne das vertraute Gespenst, dann, wenn sie zum
Wintersport fahren: Viviane haßt die Berge. Gemeinsam machen
sie lange Skitouren durch den Tiefschnee. Sie wird schön, wenn
das Gespenst nicht da ist. Sie stürzen sich die jungfräulichen
Hänge hinab wie zwei Götter. Irgendwo auf einem Gipfel essen
sie zu Mittag, erschöpft, glücklich. Arnaud hält ihre Hand und
sagt, er fühle sich wohl mit ihr. Was will das Volk mehr?
Aber am Vorabend der Rückfahrt taucht das Gespenst wieder auf.
Als in der Sylvesternacht Arnaud ihr zuflüstert: »Meine Glück-
wünsche, Liebling. Du weißt, daß ich dich liebe«, lächelt sie ungläubig. Ich liebe *euch* wäre richtiger. Und seine Wünsche haben
mit ihren Wünschen nichts zu tun. Sie wünscht sich, daß er aufhört, Viviane zu lieben. Er wünscht sich, daß sie nicht allzu sichtbar leidet. Ein wenig nur, ein wenig kann er ertragen.
Jedesmal kommt sie voll des Mutes zurück, fest entschlossen,
»modern« zu sein.
»Hast du etwas dagegen, wenn ich morgen mit Viviane ins
Theater gehe? Sie hat zwei Plätze, und wir könnten sowieso
nicht zusammen gehen, weil Ingrid morgen Ausgang hat. Wenn
es dich stört, gehe ich nicht, aber das Stück würde mich schon
sehr interessieren . . .«
Was könnte Louise Interessantes bieten als Gegenleistung?
Wenn sie jedoch antwortet: »Aber natürlich sollst du gehen,
mein Liebling . . .«, dann kommt er hinterher gleich nach Hause,
um ihr deutlich zu zeigen, daß . . . Hat sie unter diesen Umständen eine Wahl?
Sobald gewisse Situationen, auch wenn sie noch so fest etabliert
schienen, Louises Zerreißgrenze erreicht haben, genügt oft ein
winziger Stoß, und alles gerät ins Wanken – und der albernste
Anlaß ist der beste. An dem Tag, als das Ende begann, war Arnaud im Begriff, nach Luxemburg zu fahren, um dort zu einem
Dokumentarfilm einen Kommentar aufzunehmen, den er gerade geschrieben hatte. Er schien seit einiger Zeit deprimiert und
übernachtete im Wohnzimmer, unter dem Vorwand, er schlafe
schlecht; aber Louise war an seine Zyklothymie gewöhnt. Sie
hatten bei Richard und Marie-Thé zu Mittag gegessen, wo der
Wagen von Radio Luxemburg ihn abholte. Lag es daran, daß sie
Richards verblödenden Reden zugehört hatte: »Die Leute sind

alle entweder Dummköpfe oder Schweine; was willst du lieber sein?«

Jedenfalls hatte sie plötzlich, als sie nach Hause kam, keine Lust mehr, ein Dummkopf zu sein; dann lieber ein Schwein. Sie griff zum Telefon und rief Viviane an; das spanische Dienstmädchen erklärte ihr, Madame sei bis Montag mittag auf Reisen. Na und? Sie wußte ganz genau, daß Arnauds Dienstreisen für ihn die Gelegenheit waren, Viviane zu sehen, ohne an seinem ehelichen Alltag zu knabbern.

Ein anderer unglücklicher Zufall trug dazu bei, die empfindliche Maschine, die sie mit soviel Sorgfalt unterhielten, zum Stocken zu bringen. Als Louise Nachrichten hörte, erfuhr sie, daß in Luxemburg die Filmtechniker streikten und daß alle Produktionen unterbrochen waren. Also waren *sie* nicht in Luxemburg. Eigentlich änderte es nichts an der Lage. Aber an diesem Wochenende kam ihr die Hausarbeit besonders widerlich vor. Zum erstenmal wünscht sie, Arnauds Leben kaputtzumachen oder ihn nicht mehr zu lieben. Sie nahm sich vor, nach seiner Rückkehr ein ernstes Wort mit ihm zu reden.

»Ich bitte dich, wenn du die geringsten Zweifel hast, entscheide dich für Viviane. Wenn du gehst, kann ich von dir geheilt werden, ich bin ganz sicher. Dich jeden Tag zu sehen, bringt mich um. Ich habe meine Verständnisreserven aufgebraucht. So.«

So. Sie fühlte sich ganz entschlossen. Aber sie wollte erst wissen, was er in puncto Luxemburg für eine Ausrede erfinden würde.

Am Montag abend bei seiner Rückkehr scheint er vollkommen glücklich, wieder nach Hause zu kommen, zu seinen Töchtern, seinem Sessel, seinen Gewohnheiten, seiner Frau sogar zurückzufinden.

»Wie war das Wochenende?«

»Ausgezeichnet, danke.«

Sie läßt einige Minuten verstreichen, aber da kommt nichts.

»Und die Arbeit? Wie lief es in Luxemburg?«

»Ich ... war schließlich doch nicht in Luxemburg«, antwortet er mit tonloser Stimme. »Das ganze Filmgewerbe streikt, es wäre nur ein Zeitverlust gewesen.«

Arnaud hofft auf die gewohnte Diskretion seiner Frau. Aber heute ist alles anders.

»Und warum bist du dann nicht nach Hause gekommen? Du warst wohl mit Viviane zusammen!«

»Ja, und da diese Reise sowieso fest geplant war, haben wir zwei Tage in Dieppe verbracht, stell dir vor.«

In Dieppe? Das ist wohl der Gipfel! Am Meer! Das Meer gehört doch ihr, ihr allein! Soll er doch mit ihr nach Blois, nach London oder sogar nach Rom fahren, aber nicht nach Dieppe. Auch nicht nach Honfleur übrigens, nicht nach Cancale, Saint-Malo, Ouessant, Groix ... Das alles gehört ihr, mindestens bis zur Ile d'Yeu.

Dieses winzige Detail war der Tropfen, der den Topf zum Überlaufen brachte, den Topf voller schmählicher Verrate.

»Ich versteh' nicht«, verteidigt sich Arnaud, »kannst du mir erklären, was an unserer Situation neu ist seit drei Tagen? Hättest du es vorgezogen, wenn ich dir die Einzelheiten vorher geschildert hätte?«

»Ich hätte es vorgezogen, wenn du Lust gehabt hättest, *mich* mitzunehmen, ausnahmsweise mal. Das spontane Wegfahren, die guten Restaurants, das passiert alles mit Viviane, und wenn du nach Hause kommst, mußt du Fleischbrühe trinken, um dich von den Ausschweifungen mit dritten zu erholen.«

»Weil du das Gefühl hast, daß ich aus Gewohnheit bei dir bleibe, was? Weil es praktischer ist? Sei vorsichtig, deine Antwort ist wichtig für mich!« haucht er.

»Ich habe das Gefühl, daß ich von dir seit einiger Zeit nur den Alltag abkriege. Und der ist nicht besonders lustig!«

»Was meinst du damit?«

Louise gerät aus der Fassung. Es ist Arnauds erprobte Taktik, immer mit einer Frage zu antworten, wenn er in die Defensive gedrängt wird, dann nimmt er den anderen aufs Korn. Nie wird sie es wagen ihm vorzuwerfen, er komme mit ihr nicht sehr »auf Touren«, ihn zu fragen, ob er mit Viviane besser »auf Touren« kommt, und ob sie, Viviane, von all dem ungestörten Schlaf, den er hier auf der Wohnzimmercouch genießt, profitiert. Hermine hätte keine Angst davor, gemein zu werden, gemein von einer gemeinen Situation zu reden, an der sie auf ganz gemeine Weise leidet. Aber Louise kann das nicht. Arnaud schaut sie an, wartet mit seiner unbewegten Richtervisage darauf, daß sie ihre Aussage macht, daß sie genauer zum Ausdruck bringt, »was sie meint«. Denn sie ist die Angeklagte, nicht wahr, wir verstehen uns doch richtig!

»Geh!« schreit sie plötzlich brutal. »Geh! Ich kann nicht mehr mit dir leben!« Sie läßt sich schluchzend aufs Bett fallen.

Arnaud erlebt es zum ersten Mal, daß sie die Selbstkontrolle verliert, er ist bestürzt. Er beugt sich über sie und weiß nicht, was er tun soll; er begnügt sich damit, ihr ganz ungeschickt mit dem Zeigefinger die Hand zu streicheln. Wenn sein Fixpunkt, seine Absolutheit, seine Ausdauer, sein Schutzwall, seine Zuflucht zusammenbrechen, dann geht alles den Bach hinunter. Selbst Viviane. Ohne Louise bricht auch Viviane zusammen. Aber wie kann er ihr das erklären? Hat sie es denn nicht verstanden, ist sie denn so beschränkt? Er bückt sich, legt ihr den Kopf auf den Rücken, streichelt mit einer Hand über ihr Haar, aber sie verschanzt ihr Gesicht hartnäckig im Kopfkissen. Mit vierzig Jahren machen Tränen nicht mehr schön.

»Denkst du auch nur eine Sekunde an mich, wenn du weggehst? Hast du manchmal eine Spur von schlechtem Gewissen?« stottert sie später, und ihr armes Stimmchen dringt gedämpft aus dem Kopfkissen hervor.

»Ich denke so wenig wie möglich daran. Aber ich denke daran, doch.«

Und da sie weiter weint wie ein kleines Mädchen, fügt er hinzu: »Das kann nicht so weitergehen, ich kann dich nicht weiter in einen solchen Zustand versetzen. Ich ertrage es nicht, dich derart leiden zu sehen.«

»Wußtest du das nicht?«

»Nein. Du hast immer so mutig gewirkt. Aber daß auch du zusammenbrichst...«

»Auch ich? Wieso auch ich?«

Arnaud vergräbt den Kopf in seinen Händen, vollkommen niedergeschlagen.

»Wie die reumütigen Schuldigen, die der Inbegriff all dessen sind, was ich hasse, möchte ich dir sagen: Ich habe nicht gewollt, was geschieht.«

»Ich vielleicht?«

»Ich möchte alt sein, und daß all das zu Ende ist. Es kotzt mich an, als euer beider Folterknecht zu gelten... Keine von euch beiden glücklich zu machen. Ich werde einen Strich unter diese ganze Geschichte machen.«

Wie sie ihn so verzweifelt sieht, möchte sie schreien: »Behalt'
sie, ich komm schon zurecht!« Aber sie sagt nichts. Sie denkt, daß
vielleicht auch Viviane jetzt gerade heult, ein paar Meter entfernt
von hier, aus den gleichen Gründen.
»Nie, nicht einen einzigen Tag hatte ich den Wunsch, mich
scheiden zu lassen. Glaubst du mir wenigstens?« wiederholt Arnaud und sieht nicht, daß die Scheidung ihr vollkommen egal ist
und daß sie ganz andere Worte hören möchte. Worte, die er nicht
sagen kann, das weiß sie.
»Nicht einmal mit dem Kopf unter dem Fallbeil würdest du sagen: Ich liebe dich!« sagt sie, laut denkend. »Das gefällt mir übrigens.«
»Das wäre der letzte Ort, um so was zu sagen«, antwortet er mit
einem schalen Lächeln.
Aber mit Humor werden sie sich nicht mehr aus der Affäre ziehen. Sie sitzen in der Tinte. Vor allem Arnaud. Das Leben widert
ihn an. Sein Leben widert ihn an. Außerdem hat er versprochen,
für *H* einen Artikel zum Thema »Lob des Vierzigjährigen« zu
schreiben, ein Thema, das ihm zum Hals raushängt. Es gibt nur
noch einen Ausweg für ihn: die Krankheit. Er stürzt sich buchstäblich in sie: Angina, Kehlkopfkatarrh – den Louise natürlich
zu seinem Ärger auf Halsweh und Schnupfen herunterstuft –
und, um dem Ganzen noch Gewicht zu verleihen: Hämorrhoiden. Er rasiert sich nicht mehr, weigert sich sicherheitshalber,
Fieber zu messen (er behauptet: wegen der Hämorrhoiden), und
suhlt sich in seinen Ausdünstungen, wobei er an einen kalabresi-
schen Bandit erinnert, den die Mafia verraten hat. Natürlich wird
Louise beauftragt, *H* anzurufen, um den Artikel abzusagen, Viviane anzurufen, um alles andere abzusagen . . . Sie hat eine merkwürdige Stimme, Viviane. Louise ahnt, daß dort wohl auch die
große Szene zum Thema Dreieck stattgefunden hat, und sie kann
nicht umhin, innerlich zu frohlocken beim Gedanken, daß er,
wo er doch Auseinandersetzungen verabscheut, auf beiden Seiten welche über sich ergehen lassen mußte.
Vorläufig reden sie nicht mehr miteinander, aber nachts kuschelt
sie sich an ihn, hängt sich an seinen Rücken wie eine Napf-
schnecke. Er ist lieb und läßt sich dazu herab, ihr als Felsen zu
dienen.
An Adriennes Geburtstag steht er wieder auf, und nun verbrin-

gen sie noch einmal einen Abend zu dritt, die Mädchen sind auch dabei. Viviane kommt an, beladen mit Geschenken für ihr Patenkind, aufgedonnert wie üblich: Sie trägt ein Kleid der kommenden Saison aus Bananen-Crêpe, unten zusammengenäht wie ein Sack mit zwei Löchern für die Beine und Konfettis aus weißem Papier auf dem Oberteil. Auf Louise, die seit jeher bereits vor einem etwas tiefen Dekolleté oder einer etwas eng anliegenden Hose zögert, wirkt sie grotesk; die Männer jedoch scheinen sehr nachsichtig zu sein, wenn man sich für sie lächerlich macht: Gibt es einen schöneren Beweis der Abhängigkeit?

Aber die Familienatmosphäre hat sich verändert, selbst die Kinder spüren es. Pauline beobachtet sie neugierig. Es ist aus mit den Hoffnungen auf glückliche Bigamie! Alles riecht verdammt nach Torschlußpanik, wenn man mal über vierzig ist. Wird sie sich eines Tages nach der Zeit der Leidenschaft sehnen, nach der Zeit, als Arnaud glücklich war? Natürlich liebt er Louise noch. Leider . . .

»Ich nehme an«, sagt er ein paar Tage später, »daß du genausowenig wie ich Lust hast, Weihnachten in Paris zu verbringen, zumal da Pauline und Frédé in die Berge fahren. Ich hab' einen Vorschlag: Wir bringen Adrienne zu meiner Mutter und fahren weiter zu den Weiss' nach Maridor. Richard und Marie-Thé sind auch dort, sie fahren jedes Jahr runter, und da ist noch ein Haufen anderer Freunde. Was hältst du davon?«

»Viel!« antwortet Louise schlicht. »Viel. Man schwärmt uns sowieso seit Jahren die Ohren voll von Maridor . . .«

Es ist in der Tat eine Erlösung, nicht auf den Trümmern eines vierjährigen Kartenhauses feiern zu müssen. Niemand ist als Sieger aus dem bösen Spiel hervorgegangen, und Louise wundert sich, daß sie überhaupt atmet, wie eine Ertrunkene, die langsam wieder an die Oberfläche emporkommt und eine Luft einsaugt, die ihr plötzlich nirgendwo mehr weh tut.

In Maridor ist die Landschaft überwältigend, das Meer ist überwältigend, das Dorf ist überwältigend, nur die Menschen sind verzweifelt. Das ist äußerst schick in diesen Jahren.

Man steht spät auf: Die Tage beginnen um elf mit zwei Alka-Seltzer-Tabletten. Zu Mittag ißt man gegen drei. Dann legt man sich wieder hin, zur Siesta, und wenn man wieder aufsteht, ist es schon dunkel. Louise hat den Eindruck, daß es in Maridor immer dunkel ist! Die Nächte hören nie vor dem Morgengrauen auf, denn man bleibt an den Bistro-Tischen hängen wie alte müde Fliegen und wiederholt zehnmal: »Also gut, noch einen, aber das ist der letzte!«

Es wird gepokert, geflirtet, man versucht intelligent zu schwatzen, oder zumindest brillant, und verlangt währenddessen unentwegt nach Eiswürfeln und Soda für die Whiskys, die man jedesmal am laufenden Band bestellt, wenn man in eine Kneipe kommt, sich auf eine neue Café-Terrasse setzt, oder zu X oder Y geht, wenn man das Bistro oder die Gruppe wechselt und wenn ein Neuer hinzukommt, der immer derselbe ist, weil man ja mittags bei ihm was getrunken hat und weil man ihn zu einer Runde einlädt heute abend.

Hat sich Louise zur Misanthropin gemausert? Die kleine Welt von Maridor scheint ihr sämtliche Nuancen des Liebesschmerzes zu illustrieren: Alte Ehepaare, die sich nicht mehr die Mühe machen, sich zuzuhören, und die neues Publikum suchen, verbrauchte Typen mit kleinen, ganz taufrischen Nüttchen, einsame Mädchen, die nicht lange einsam bleiben werden; eine alleinstehende Frau in Louises Alter ist mit ihrem jungen Nutterich da, aber jeder tut so, als würde er ihn bemitleiden, weil er eine alte Schachtel beschläft.

Es verkehrt durchaus gehobenes Publikum in Maridor: eine Sängerin, eine prominente Schauspielerin, der fantastische Filmemacher Arturo, Schriftsteller, Journalisten, aber auch viele Schnorrer, die ihren Whisky, ein wenig Abglanz von der Prominenz und oft auch Kost und Logis herausholen dafür, daß sie die Claque besorgen und die Rolle des unentbehrlichen Publikums übernehmen. Und dann ist natürlich auch entsprechendes Frauenmaterial vorhanden.

In Maridor redet man von Politik und vom Vögeln. Liebe ist für die Trottel da. Jeder glaubt nur an die Erotik. Politik, das ist Scheiße. Man steht links, aber »Mollet ist ein Schwein«. D'Astier ist eine Nutte, und die kommunistische Partei ist zum Kotzen. Überhaupt ist Frankreich dekadent. Dieses Land denkt nur ans Fressen. Man muß das Essen »desakralisieren«!

Dann kommt man auf die Rolle der Presse zu sprechen: »Zu viele Frauen in den Wochenzeitungen, lauter blöde Ziegen . . .« sagt

Richard. »Beim Fernsehen hat man sie zu Sprecherinnen gemacht, das ist normaler. Man würde es nicht wagen, sie in die Nachrichtenabteilung zu setzen!« Eine nicht ganz junge Frau protestiert. »Wenn man Feministin wird, hat man zerknitterte Eierstöcke«, läßt Richard fallen. Die jungen Eierstock-Inhaberinnen lachen unterwürfig, und die, die in Verdacht geraten könnten, zerknitterte Eierstöcke zu haben, halten die Schnauze. Wie sollte man diesen Männern auch beweisen, daß die eigenen Eierstöcke weniger zerknittert sind als ihre Prostata?

»Ich vögle sowieso seit langem nur noch mit Zwanzigjährigen«, erklärt Richard in Gegenwart von Marie-Thé, die einiges gewohnt ist, aber trotzdem...

Neben ihm sitzt der alte Playboy vom Dienst, der sich für Curd Jürgens hält, sehr schön, aber dem Verfaulen nahe, kurz davor, in Staub zu zerfallen, der jedes Jahr mit einer Neuen hierherkommt; er nickt ernst und verweist auf Gladys, Cuvée einundsechzig, die nur lächelt – mit dem Mund und mit dem Busen. Louise überläuft ein kalter Schauer bei dem Gedanken, eine ihrer Töchter könnte in eine solche Herde geraten.

Ein Intellektueller, der sich als Schriftsteller ausgibt (aber keiner ist in der Lage, auch nur einen einzigen Titel von ihm zu nennen), ein Individuum in den Fünfzigern, mit fettigem schütterem Haar, das er auch noch lang trägt, gibt kund, seiner Meinung nach sei die Beauvoir nicht »vögelbar«. Die Duras übrigens auch nicht. Wenn man ihn hört, könnte man meinen, sie hätten ihn beide angefleht, seien auf den Knien gelegen vor ihm, damit er es ihnen besorgt. »Außerdem hat die Beauvoir nicht die Spur von Talent, die Arme!« Es wird laut gelacht. Wer käme auch auf den abwegigen Gedanken, sie für eine Schriftstellerin zu halten? Und ihre Philosophie, daß ich nicht lache! Ohne Sartre, nicht wahr...

Beim x-ten Whisky fällt das Niveau noch um einen Grad weiter ab. Richard erklärt mit angewiderter Hängelippe, daß es »selbst bei ganz jungen Mädchen fad wird, sie zum Schäumen zu bringen«.

»Du scheinst aus deiner eigenen Impotenz ein System machen zu wollen!« wirft seine Frau ein, die es plötzlich satt hat.

»Du hast nichts kapiert, wie üblich. Wenn ich nicht mehr vögle, dann aus Selbstdisziplin. Vögeln ist etwas Totes – aus, zu Ende. Es hat sich ausgevögelt.«

»*Du* wirst nicht mehr vögeln«, erwidert seine Frau halblaut.

»Und du bist eine blöde Kuh. Du hast seit zwanzig Jahren nie was kapiert. Überhaupt werde ich mich scheiden lassen.«

Das sagt er jeden Abend vom zehnten Glas an. Und beim zwölften fixiert er Gladys' Hintern, die am Arm ihres alten Katers die Kneipe verläßt, und sagt:

»Dieses Mädchen kenn' ich gut. Die vögelt wie ein Besenstiel.«

Die Abende werden meist in einer der beiden Tanzbars des Dorfs beendet. Während die Ehemänner mit den Töchtern ihrer Freunde Bebop tanzen, tun sich einige Ehefrauen zusammen, um über den Leidensweg ihrer Ehe mit Richard, Jérôme oder Jean-Michel zu berichten. Aber sie laufen los und holen ihnen die Zigaretten oder Aspirin, wenn die Herren nur die Brauen runzeln.

Louise fragt sich, warum diese albernen Ziegen bei ihren Folterknechten bleiben. Keine drei Tage würde sie mit einem Richard zusammenleben! Aber wie viele stellen sich wohl die Frage, warum sie Arnaud noch nicht verlassen hat, wo man ihn doch seit Jahren überall mit Viviane trifft? Was man nicht versteht, ist, warum die anderen mit den anderen zusammenbleiben. Oh, ich an ihrer Stelle ... Aber man vergißt immer, daß es den Liebestrank gibt. Den Liebestrank, der verzaubert, aber auch Unheil bringt.

Arnaud hat nichts gegen diese Atmosphäre hier. Sie paßt zu seiner derzeitigen Seelenlage. Er mag solche unzusammenhängenden, brillanten Sprüche ganz gern, solche dem Säuferhirn entspringenden Aphorismen, solche Abende, bei denen man ganz sicher sein kann, daß auch die ernstesten Probleme sich auf das Niveau eines Kneipengesprächs bringen lassen werden. Louise sieht sich außerstande, an derartigen Diskussionen teilzunehmen, und wird allergisch gegen diese Form von Humor. Sie spürt ganz deutlich, daß sie hier nur als Anhängsel ihres Mannes gilt. Für diese Männer existiert sie weder als junges Fleisch noch als Intellektuelle. Ihr und Agnès' Buch? Ein schlichter Briefwechsel! Manchmal schließt sie daraus, daß sie unfähig ist, sich in Gesellschaft zu amüsieren, und daß Arnaud ohne sie sehr viel mehr Spaß hätte, was wahrscheinlich auch stimmt. Also versinkt sie in ein feindseliges Schweigen oder wird aggressiv, und auf dem Nachhauseweg macht er ihr den Vorwurf, sie habe ihn wieder einmal vor den andern angegriffen.

Der einzige Vorteil von Maridor für sie liegt darin, daß sie sich bewußt wird, in welchem Maß ihr solche Urlaube verhaßt sind und wie sehr sie im Gegensatz dazu die Bretagne mit ihren friedlichen Morgenstimmungen liebt. Sie verabscheut es, beim Morgengrauen schlafen zu gehen. All diese Nachtschwärmer lösen sich total vom Rhythmus der Erde. Zum Glück gibt es Claude, der sich für ein Jahr in ein Häuschen im Dorf zurückgezogen hat, um seine Memoiren zu schreiben: in ein ganz weißes Häuschen mit einem Innenhof und einem Feigenbaum. Er sei zu alt, um spät schlafen zu gehen und dieses unordentliche Leben zu führen, sagt er. Louise und er gehen morgens oft fischen, während Arnaud und Carole noch schlafen. Inzwischen scheint es ihm vollkommen egal zu sein, daß Carole in einer anderen Welt ihr eigenes Leben führt. Es dringt nichts von ihm herüber ... Sie stellt keine Fragen über seine Arbeit. Sie leben, ohne sich zu sehen, sie möchte am liebsten, daß sich seine Anwesenheit durch kein einziges Detail bemerkbar macht. Sie erträgt weder seine Asche in den Aschenbechern, die sie provozierend leert, noch sein lautes Gähnen, nicht einmal den Anblick seines Bettes, das sie in eine Ecke der Bibliothek geschoben und hinter einem Vorhang versteckt hat. Er denkt nur noch an sein Buch, das ihn vom Leid des Altwerdens ohne Liebe retten wird.

Nachmittags leiht sich Louise manchmal Claudes Boot und fährt mit Arnaud kleine Buchten an, die sie an Griechenland erinnern. Rudern tut ihr gut und bringt ganz sanft ihr Leben wieder in Ordnung.

Sie hat während dieser Ferien fast gar nicht an Viviane gedacht, und bei der Rückkehr in Paris ist sie ganz erstaunt, als sie im Flur auf einem Berg von Briefen die nur allzu bekannte Schrift auf einem der berühmten violetten Kuverts erkennt, so daß sich ein wohlbekannter Schmerz wieder einstellt: eine ganz scharfe Klinge bahnt sich den gewohnten Weg, ein Schmerz, den sie schon vergessen geglaubt hat ... Was bedeutet das? Hat sie denn zwei Wochen lang nicht mehr gelitten? Dieser merkwürdige Zustand, der nichts mit Freude zu tun hatte, war vielleicht eine Art wiedergefundenes Glück. Sie denkt an Viviane mit einem seltsamen

Mitgefühl, fast mit Zärtlichkeit, als ob sie denselben Krieg durchgemacht und die gleichen Verwundungen abbekommen hätten. Dann öffnet sie ein bißchen zu hektisch den Brief, der an sie adressiert ist:

»Ich wollte Dir sagen, Louise, daß ich Frieden schließen möchte mit Dir. Ich habe ihn mit mir selbst geschlossen, es war hart. Arnaud wird es Dir bestätigen. Ein paar graue Haare und ein paar Falten habe ich davongetragen. Auch Dir habe ich welche verpaßt. Das Spiel geht unentschieden aus.

Deinen Mann, Arnaud, habe ich geliebt mit dieser Übersteigerung, die Du an mir kennst. Ich habe im Laufe des letzten Jahres zweimal mit ihm Schluß gemacht. Das erstemal war die Sache noch nicht ganz reif, nennen wir's mal so. Ich glaube, diesmal ist es soweit. Und Arnaud fühlt sich sicher erleichtert.

Letzten Endes hast Du Deinen Mann dabei nicht verloren, und Du brauchst mich nicht mehr als Deine Feindin anzusehen: Ich nehme Dir nichts mehr weg. Und ich werde nicht mehr von diesem unerträglichen Gefühl verfolgt werden, das mich seit Jahren plagt: schuldig zu sein.

Ich habe Euch neulich zusammen im Theater gesehen; ihr scheint Euch miteinander wohlzufühlen wie zwei Komplizen; das nimmt ein wenig von soviel angesammelter Reue. Du wirst sagen, ich bin jahrelang ganz gut zurecht gekommen mit solchen Gefühlen. Aber was hätte ich denn tun sollen? Ein noch mächtigeres Gefühl siegte über alles andere. Ich muß Dir auch sagen, daß ich einen gewissen Mut brauchte, um die mehr oder weniger offene Kritik unserer gemeinsamen Freunde zu ertragen. Aber es war mir alles egal.

Arnaud weiß nicht, daß ich Dir diesen Brief geschrieben habe. Wie wird er es auffassen? Ich weiß es nicht. Wie alles andere, nehme ich an.

Ich umarme Dich, wenn Du es erlaubst.   V.«

»Meine liebe Viviane,
Ich habe Deinen Brief nicht gleich beantwortet, weil auch ich nach vielen Jahren Frieden gefunden habe, einen Frieden, der zum Teil mit Eurer Trennung zusammenhängt, aber auch mit einer großen Erschöpfung, glaube ich, einem heiteren Egoismus,

der mir mit fortschreitendem Alter zugefallen ist. Wie gern hätte ich diese Empfindungen vor ein paar Jahren schon genossen! Das hätte uns allen viele Probleme erspart. Aber auch mir ist es nicht gelungen, meinen Gefühlen zu befehlen. Du mußt wissen, was das heißt.

Ich hätte mich niemals mit Gewalt zwischen Euch gestellt, wenn Arnaud es nicht fertiggebracht hätte, meine Waagschale immer gerade hoch genug zu halten, um mich daran zu hindern, brutale Entscheidungen zu treffen – die eigentlich meinem Temperament sehr viel besser entsprochen hätten.

Heute habe ich den Eindruck – wie romantisch! –, daß ich vier Jahre lang mit einem Dolch im Rücken gelebt habe. Du, Du schriebst mir einmal in süßlichem Ton, Du habest ein Gleichgewicht gefunden, das Dich vollkommen glücklich mache. Somit waren wenigstens zwei glücklich. Ich, für meinen Teil, konnte dieses Gleichgewicht nie finden. Deshalb gibt es mir einen Stich, wenn Du abschließend sagst: Das Spiel geht unentschieden aus. Dieses Spiel habe ich nicht angesetzt, und ich habe es auch nicht spielen wollen. Es wurde mir aufgezwungen, und ich konnte nicht einmal passen und mich zurückziehen. Wenn man mit jemandem verbunden ist, trifft man seine Entscheidungen nicht allein. Natürlich bereue ich es heute nicht. Aber das ist eine andere Geschichte. Ich bin nicht mehr dieselbe. Auch Arnaud nicht. Und wir wissen noch gar nicht, wie sehr wir verändert sind.

Du bist der festen Meinung, ich hätte gewonnen bei diesem Spiel.

Wenn Arnaud ein Geschenk des Himmels ist, dann ja. Aber ich habe dabei meine Begeisterungs- und Vertrauensfähigkeit verloren. Ich werde nie mehr so stark lieben, vielleicht ist das eine gute Sache, und ich glaube, ich werde auch nie mehr sehr leiden.

Ich habe feststellen können, sagst Du, daß mein Mann an mir hängt. Er ist treu wie eine Dogge, aber bei ihm genügt es, wenn man ausharrt, dann wird er anhänglich. Er hängt mehr an unserer Vergangenheit als an mir.

Ich nehme an, ich muß mich bei Dir bedanken, daß Du mir geschrieben hast. Dir sagen, daß es mutig und loyal von Dir war. Ich wußte, daß Du loyal bist, obwohl das in unserer Situation merkwürdig klingt. Ich werde Dich vermissen. Du wirst mir immer fehlen. Aber du trägst noch zu sehr das Gesicht meines Unglücks, als daß ich Dich wiedersehen möchte.

Ich wünsche Dir, daß Du eines Tages glücklich wirst, ich wünsche es Dir um so aufrichtiger, als es nicht mehr auf meine Kosten geschehen wird . . .

Deine Freundin, Louise.«

18

Ein eigenes Atelier

»Es ist nicht sehr schön«, sagte Arnaud.

»Was denn? Regen? Wind? Nebel?«

Es gibt Leute, denen es nie gelingt, das Wetter zu beschreiben.

»Hm ... graue Soße. Im Augenblick sieht's nicht nach Regen aus.«

Louise hofft, daß es ein Friedhofswetter sein wird: Sie fahren in die Nähe von Port-Manech, um ein Haus zu besichtigen, das sie vielleicht kaufen werden. In Kerviglouse müßte man alles erneuern: das Strohdach, den Dachgiebel, die undichten Fenster, die Wände, auf denen die Feuchtigkeit jeden Winter in schwärzlichen Flecken blüht. Man müßte eine richtige Heizung einbauen, ein Telefon installieren lassen, und der nächstgelegene Anschluß ist zwei Kilometer entfernt ...

Wir werden so viel ausgeben, wie ein komfortables Haus kostet, und der Garten wird immer noch zu klein sein, keine Garage vorhanden, nur ein einziges Zimmer für die Kinder, kein Gästezimmer ...«

Louise kennt sie, die unausrottbaren Mängel ihres Hauses, und sie hatte immer nur zwei Argumente entgegenzusetzen: Ich liebe mein Haus, und da bin ich zu Hause. Aber seit Josèphe gestorben ist, ist sie nicht mehr so stur, denn mit ihr scheint das Dorf das Beste seiner Seele verloren zu haben. Josèphes Häuschen wurde von einem pensionierten Postbeamten aus Quimperlé gekauft: Monsieur und Madame haben ein adrettes Landhäuschen mit Butzenscheiben daraus gemacht, die Kieswege sind mit dem Lineal abgezirkelt, und die Beete wurden mit weißgestrichenen Jakobsmuscheln umrandet. Der Pensionär verbringt seine Tage mit Hacken und Jäten, und die Riesen-Dahlien, die er hegt und pflegt, hat er unter den allerhäßlichsten Sorten des Katalogs ausgesucht; außerdem streut er Napalm auf seine Wege vor lauter Angst, ein einziger böser Grashalm könnte ihn daran erinnern, daß er auf dem Lande ist. Er haßt alles, was kriecht, klettert, Raum füllt, jubelt: wilden Wein, Efeu, Winden und Wicken, die seinen funkelnagelneuen Drahtzaun verdecken könnten. Über den Zaun hinweg – jeder hält den Garten des anderen für eine permanente Herausforderung – mustern sich Louise und der Pensionär mit gleich großer Verachtung.

Josèphe, die sie immer ein wenig als ihre bretonische Großmutter betrachtete, hatte schon mehrere Herzanfälle gehabt und sich vom letzten nur mehr schlecht erholt. Seitdem hatte sie immer blaue Lippen gehabt. Aber mit oder ohne Kollaps, es kam überhaupt nicht in Frage, daß sie sich ausruhte. Eine Frau läßt sich nicht pensionieren, denn eine Frau hat ja keinen Beruf! Ein Seemann schon. Er hat das Recht erworben, nichts zu tun. Der Beweis: Der Staat bezahlt ihn dafür. Hier in der Gegend setzen sich die Fischer und Seeleute an den Hafen, wenn sie nicht mehr ausfahren können: Dann beobachten sie den ganzen Tag das Meer und die Boote der anderen, wie sie manövrieren, was sie zurückbringen; manchmal legen sie noch ein wenig Hand mit an, das ist das einzige, was ihnen noch Spaß macht. Sie sind seit langem keine Landmenschen mehr … sie verachten die Gemüsegärten, die Blumen. Vom Meer zum Tod, dazwischen wird kein Übergang sein.

Josèphe geht nie an den Hafen, der gehört nicht zu ihrem Territorium. Aber sich zum Ausruhen in den Garten setzen, das kommt nicht in Frage, auch dann nicht, wenn sie aus dem Krankenhaus zurückkommt, wo sie zwei Tage im Koma gelegen hat. Sie setzt sich vor die Tür auf einen unbequemen Stuhl, den sie aus der Küche hervorgezogen hat, aber nur um Erbsen zu schälen oder ihre schwarzen Wollstrümpfe zu stopfen. Louise hat ihr einen Liegestuhl geschenkt, aber den hat sie weggeräumt – für die Besucher oder die Verwandten, die manchmal am Sonntag kommen. Sie würde sich schämen, ihn zu benutzen. Sie hat gleich wieder damit angefangen, im Garten zu arbeiten und auf dem Hof ihrer Schwägerin mitzuhelfen, wo sie noch immer zu vierzehnt am Tisch sitzen, und da muß man bedienen, denn die Männer stehen nicht auf, wenn sie am Essen sind. Krankheit hin, Krankheit her, so ist das halt. Jeder muß schließlich mal sterben.

Man wird doch deshalb nicht sein Leben ändern! Niemand würde hier einen Gedanken daran verschwenden, nicht einmal der Urgroßvater, der, seitdem er die Kühe nicht mehr auf die Wiese führen kann, in einer Stallecke schläft und sich weigert, einen Arzt aufzusuchen; er will schneller sterben, wo er doch zu nichts mehr nutze ist. Er fühlt sich bei den Kühen, im altbekannten Duft, in der Nähe der Stampf- und Kaugeräusche seiner alten Freundinnen, wohler als im weißen Saal eines Krankenhauses, mit Krankenschwestern um sich herum, die stets in Eile sind, und mit Schläuchen am ganzen Körper, die ihn am Leben halten sollen, wo er doch gerade niemandem zur Last fallen will.

Josèphe ist gestorben wie es sich gehört, plötzlich, als sie den Schweinen das Fressen brachte. »Ein schöner Tod«, haben die Nachbarn gesagt.

Die Tochter hat das Strohhäuschen ganz schnell verkauft, mit allem, was darin war, bis auf den großen Schrank mit den Kupfernägeln und dem Küchentisch mit der Resopalplatte, den sie ihrer Mutter geschenkt hatte, damals, als der Kohleherd durch einen Propangasherd ersetzt wurde, den Josèphe aber nie benutzt hat: Sie zog es vor, ihren Pfannkuchenteig auf dem langen Holztisch zu rühren, an dem sie auch aß, einem sehr alten Tisch, der durch den vielen Gebrauch ganz ausgebuchtet, aber auch sehr solide und vor allem sehr normal war. Der hellblaue Resopaltisch erinnerte immer an eine Pariserin zu Besuch bei Bauern. Mit seinen verchromten Spinnenbeinen, die schon anfangen zu rosten, steht er noch nicht einmal eben auf dem gestampften Boden. Der alte Tisch und der Fußboden dagegen verstanden sich schon so lange so gut, daß sie aneinander gewöhnt waren wie zwei alte Eheleute in einem Bett.

Natürlich wird der pensionierte Postbeamte diesen alten Krempel nicht behalten. Er hat den Boden zementiert und ein wunderschönes Stragula gelegt, grüne Marmorimitation. Nichts will er von diesem Dreckszeug, das an den Fassaden hochklettert, im Winter die Feuchtigkeit und im Sommer die Bienen anzieht. Der ehemalige Aborteimer rechts vom Eingang, der vor Jahren zum Aronstab-Eimer erhoben worden war, nach und nach sein Aussehen durch Wind und Wetter änderte und fast schön wurde: auf den Müll! Die Aronstäbe, die den Aborteimer mochten, mögen sich nicht an den rustikaler Borke nachempfundenen Plastikeimer gewöhnen und sterben langsam ab. Der alte Rosenstock über der Tür, der unzählige dicke, rosarote, kohlförmige Blüten trieb und die ganze Nachbarschaft mit Duft erfüllte: auch er geopfert, zugunsten einer mageren Polyanthas-Reihe von wässerigem Lila – eine der ganz seltenen Pflanzen-Arten, die Louise verabscheut. Es fehlten eigentlich nur noch die blauen Salbeiblüten! Und siehe da, es dauerte nicht lange, bis sie die muschelumrandeten Beete schmückten. Damit war das Maß voll. Das Dorf Kerviglouse, so verwundbar mit seinen nah aneinander gelegenen Häusern entlang der einzigen Straße, mit seinen kleinen angrenzenden Gärtchen, vertrug kein Pariser Vorstadthäuschen. Nun konnte Louise gehen.

Hermine fand die Gegend spießiger denn je und fragte sich, warum ihre Tochter sich nicht früher dazu hatte entschließen können. Und Adrien, der sich nach seinem Rückzug aus dem Geschäft von allem Irdischen langsam löste, gab seinen Segen zum Verkauf eher aus Müdigkeit.

Die Vorstellung, daß er demnächst von den tausend Sorgen um Kerviglouse erlöst sein würde, stimmte Arnaud etwas nachsichtiger dem alten, malerischen Dorf gegenüber, das er im übrigen seinen luxusgewohnten Pariser Freunden gerne zeigte: Sie stiegen im Vieux-Prieuré oder im Schloßhotel Locquénolé ab, fanden es jedoch hinreißend, am Nachmittag im Hermès-Rock und Cardin-Tuch, oder umgekehrt, Kerviglouse zu entdecken und vor dem alten Mistwagen oder über die Drescharbeiten im Nachbarhof in Verzückung zu geraten:

»Wie wunderbar, so etwas noch zu sehen. Das ist doch das wahre Leben, oder? Und kein Telefon, das einem das Leben vergiftet«, sagten die Leute, die keinen Tag ohne überlebt hätten!

Sie begeisterten sich fürs Fischen, also lud man sie zum Fischen ein. Aber diese ganze schöne Gesellschaft ruderte, wie es ungeschickter nicht ging, von Wriggen gar keine Rede. Unfähig, eine Makrele richtig anzupacken, wenn es ihnen zufällig gelungen war, eine an Bord zu hieven; zwischen ihren Füßen verwandelte sich die Angelschnur unter den Zuckungen des schönen steifen, glänzenden Tieres in ein dramatisches Knäuel. Sobald die Rede vom Meer und von den Gezeiten war, wurden sie strohdumm, oder genauer gesagt, dumm wie Seetang, und stellten ausschließlich idiotische Fragen.

»Aber nein, das Dreiwandnetz, das wirft man nicht aufs Gerate-wohl aus ... aber natürlich gibt es im Atlantik Seewolf, nur nennt man ihn hier Barsch ... Aber natürlich ist es das gleiche Tier!«

Wozu ihnen auch beibringen, wie man eine Angelschnur ent-wirrt oder wie man eine Samtkrabbe aus dem Netz nimmt? Sie würden ja sowieso nicht wiederkommen. Im nächsten Sommer würden sie die jugoslawische Küste oder Kreta »machen«. Das Schlimmste war, wenn sie um zwölf Uhr mittags aufkreuzten.

»Siehst du, wenn wir Telefon hätten ...«, sagte Arnaud.

Aber Louise kannte diese Art von Leuten: Sie langweilen sich in der Bretagne derart, daß sie einen selbst im hintersten Versteck noch ausfindig machen würden. Auch konnte Arnaud im Winter dem Bedürfnis nicht widerstehen, Einladungen auszusprechen: »Ihr müßt unbedingt vorbeischauen, wenn ihr in die Bretagne kommt, wir wohnen da in einem außerordentlichen Nest, ihr werdet sehen ...« Und Louise fügte dann, so entmutigend wie nur möglich hinzu: »Ja, ja, wir würden uns freuen«, und sah sie an wie ein Teufelsrochen. Und sie kamen, die Widerlinge, zu viert oder zu fünft, in Begleitung von lärmenden Kindern und Hunden, die nichts Besseres zu tun hatten, als die seltensten Blu-menzwiebeln in Windeseile auszugraben oder in den Lavendel zu kacken. Und das ganze Volk legte sich auf die Wiese, die plötzlich wie ein Taschentuch wirkte, und wenn es regnete, stürmten sie die Wohnküche, die dann merkwürdig armselig wirkte. Louise fühlte sich wie ein Mann, der eine nicht allzu hübsche Frau liebt, und es auch weiß, der aber ihre Mängel wirk-lich erst in den Augen der Fremden entdeckt.

Sie versuchte mit den Mädchen zum Strand zu flüchten, um nicht gezwungen zu sein, sich mit dem Filmemacher Arturo oder dessen neuester Eroberung Patricia Pat, die das Haus so »wahnsinnig sympathisch« fand, zu unterhalten.

»Du willst einfach nicht verstehen, daß Kerviglouse nur zu ganz alten Freunden paßt. Tja, wenn wir erst eine Ferienvilla haben ... und jemanden, der da dauernd wohnen wird, dem wir dann nur zurufen brauchen: ›Gertrude, heute abend sind wir zehn zu Tisch! Gefüllten Krebs für alle bitte, und zwar ganz leicht ange-schmort!‹«

»Du wirst mir doch nicht erzählen, daß es ein Drama ist, sechs

Eier mehr in die Pfanne zu hauen fürs Omelett. Die Nachbarin kommt doch morgen früh sowieso zum Geschirrspülen ...!«
Doch, Louise empfindet es als ein Drama, sechs Eier ins Omelett und vier Gedecke hinzuzugeben, wenn man sowieso schon immer zu fünft ist. Nach sieben Uhr abends und um die Mittagszeit herum erscheinen ihr die Leute nur als große Schlünde, als Münder, die gestopft werden wollen, offene wartende Münder, Münder, die auf ihrem Hintern sitzen und sagen: »Ich trinke ganz gern einen Schluck Cidre!« oder: »Ja, einen Whisky, aber einen ganz kleinen bitte ...«, als ob das nicht immer dieselbe Prozedur zur Folge hätte, ob klein oder groß: Gläser, Eiswürfel, Korkenzieher, Mineralwasser, Flaschenöffner, Tablett, Salzgebäck, und bitte noch ein paar Eiswürfel, meine Liebe. Zwar steht Patricia Pat liebenswürdigerweise auf, um zu helfen, aber Arturo ist ein Mann, und außerdem noch ein Südamerikaner; da sie die Busenträgerin ist, erscheint es ihm selbstverständlich, daß sie ihn bedient, während er mit Arnaud, der Kolumbien kennt und ja so intelligent ist, ein leidenschaftliches Gespräch führt. Natürlich hat er Zeit, intelligent zu sein, schließlich fischt er nicht die Eiswürfel aus der Gefrierform, deckt er nicht den Tisch und gibt nicht zusätzlich sechs Eier ins Omelett! Und selbst wenn ein Chirurg ihr, Louise, beide Brüste, die Gebärmutter, die Eierstökke und die Eileiter wegoperieren würde, wäre es noch immer an ihr, den Salat zu waschen, vom Tisch aufzustehen, um den Senf, den Käse oder Wasser für Patricia zu holen, die nur Wasser trinkt, und schließlich den Tisch abzuräumen, während Arnaud an seinem Ruf, intelligent zu sein, herumpoliert, indem er mit Arturo, Kaffee schlürfend, über die Dritte Welt redet. (Tassen, Untertassen, Löffel, Tablett, Kaffeekanne, Filter, kochendes Wasser, Würfelzucker.)
Ihre Freiheit beginnt nachts, wenn die Aschenbecher geleert sind, der Müll herausgetragen ist, die lieben Leute zufrieden, vollgegessen und -getrunken im Bett liegen, wenn niemand mehr nach etwas verlangt oder etwas schmutzig macht. Nächstes Jahr, wenn sie Kerviglouse verkaufen, werden sie ganztags ein Dienstmädchen anstellen, das steht fest. Übrigens sagt man nicht mehr Dienstmädchen, Vorsicht! Man sagt »Hausangestellte«. Alle zehn Jahre muß der Name geändert werden, alle zehn Jahre versucht man, das schale Gift der Hausarbeit hinwegzueskamo-

tieren. Zu Hermines Zeit sprach man von »Domestiken«, ein Wort, das inzwischen ebenfalls verboten ist. Wie dem auch sei, und das war immer so, für eine Frau besteht die größte Gnade darin, eine andere Frau zu benutzen! Rosa Bonheur hatte recht, denkt Louise, ich komme mir vor wie eine Negerin, die erleichtert ist, wenn die zweite Frau ins Haus kommt . . .

Vorläufig jedoch duldet sie nicht, daß über Kerviglouse schlecht geredet wird. Wenn Arnaud den Freunden erklärt, daß er den fauligen Schlickgeruch bei Ebbe nicht mehr erträgt und es ihn nervt, daß das Boot zu manchen Tageszeiten nicht benutzt werden kann, fragt sie sich, mit welchem Recht er, der aus dem Süden kommt, an Ebbe und Flut herummäkelt! Schimpft sie etwa über den eiskalten Wind, der durch Montpellier fegt? Ja . . . aber das ist noch lange kein Grund.

Zum Glück kommen in jenem letzten Sommer auch viele echte Freunde. Sie mieten wie üblich das Haus in Kerspern. Die Weiss' verbringen dort vierzehn Tage. Carole, von ungebrochener und unverschämter Üppigkeit des Fleisches, bedenkt die Männer, die das Wort an sie richten, mit so glückselig geblendeten Blicken, daß man sich fragt, was eigentlich noch mehr passiert, wenn sie einen Orgasmus hat. Aber Claude ist Louises Komplize auf dem Meer, immer bereit, ein Netz auszulegen, wo es verboten ist, im Morgengrauen loszuschippern, um es einzuziehen, bevor die Fischer es entdeckt haben, die sechzig Angelhaken aufzurigen, Stinte zu fischen, als Köder für Barsche . . . Sie reden nicht über ihr Leben, über die Probleme, die Claude mit zwei großen Söhnen aus erster Ehe hat, die fast so alt wie seine zweite Frau sind; sie reden vom Sea-Gull, dem immer zuverlässigen, gemütlichen Außenbordmotor, der neuerdings so viele Algen mit der Schraube einfängt, vom alten bleibestückten Schleppnetz, das auszuwechseln man sich nicht entschließen kann, weil die Fischer sagen, es sei »fischiger« als die neuen, deren Bleischnüre sich nicht so gut an den Meeresgrund anpassen. Sie reden über das, was sie fangen, was sie nicht gefangen haben, was sie morgen fangen werden, lassen sich von der Morgendämmerung begeistern, egal, ob sie grau oder blau ist, sagen sich immer wieder unermüdlich, daß es keinen schöneren Augenblick gebe, als den, wenn man aus dem Hafen hinaus ins noch schlafende Meer fährt, wenn das Boot das Wasser zerteilt wie zwei schön parallel gehaltene Skier den Pulverschnee. Arnaud begleitet sie, wenn er abends nicht gar so lange mit seinen Freunden getrunken und geredet hat. Er ist nun einmal Nachtmensch.

Nach den Weiss' kommen die »Cherubim« mit ihren drei Söhnen; dem Cherub steht das Älterwerden ganz gut, wie allen großen Egoisten; seine Zeit teilt er ein zwischen der Klinik, der Musik und dem Skiwandern, so daß so wenig wie möglich für seine Frau übrigbleibt, die ohne zu murren den Dienst leistet, für den sie programmiert wurde: den Haushalt führen, ein paar Kinder in die Welt setzen – männlichen Geschlechts, wenn möglich –, Kollegen ihres Mannes empfangen, ihm als Chauffeur, Krankenschwester oder Sekretärin, je nach Bedarf, zu dienen, und schließlich ihm zuzuhören – das ist das Wichtigste. Oder so tun als ob, denn eine Antwort erwartet er nicht. Er fürchtet sie sogar, denn sie könnte seinen Redefluß unterbrechen.

Wenn er in diesem Sommer nach Kerviglouse gekommen ist, so nur, um über sein Lieblingsthema zu sprechen, über seine Jugend, die seit dem Tod der Ruchlosen zum Heldenepos geworden ist, das er seiner nächsten Umgebung unermüdlich aufzwingt. Mit sanftem Blick, wirrem Lockenkopf und mit der geliebten Jugend, die ihm zu allen Poren herausquillt, beschwört er die Zeit der Frechheit herauf, die Zeit der besiegten und hinter dem Streitwagen hergeschleppten Mädchen, die Zeit der wahnsinnigen nächtlichen »Ausschweifungen«. Er hat noch immer dieses und jenes unbekannte Gedicht von Jean-Marie auf Lager, zum Vorzeigen, ein Foto von Hugo, eine wieder aufgetauchte Erinnerung. »Und du, was ist aus dir geworden?« wirft er manchmal ein, und ohne auf die Antwort zu warten, greift er seinen vorhergehenden Satz wieder auf und redet weiter.

Louise ist jedesmal gerührt, wenn sie ihn wiedersieht: Er ist der einzige Zeuge einer Vergangenheit, die sie als glücklich betrachtet. Der Cherub ist ein Monster, er ist charmant, er kann gut erzählen, er ist schön, obwohl sein Engelshaar allmählich schütter wird; er hat das Aussehen eines ewigen Studenten beibehalten, trotz erfolgreicher Karriere. Es ist unwichtig, daß er nichts von ihr weiß, sie empfindet für ihn eine grenzenlose Nachsicht, die vermutlich nichts anderes ist als die Sehnsucht nach einer verlorenen Jugend.

Einer endgültig verlorenen. Man geht nicht aus vier Jahren permanenter Anstrengung, das eigene Unglück zu negieren, hervor, ohne daß jemand dabei schlimm zu Schaden kommt. Das junge Mädchen, das sie einst war, ist irgendwo auf der Strecke geblieben.

Sie fühlt sich ziemlich glücklich, aber vollkommen erschöpft. Fröhlich zu erscheinen wäre aufgesetzt, aber wie Arnaud Trauer um Viviane zu tragen, das kommt auch nicht in Frage. Trauer um sich selbst, vielleicht. Sie schlafen nicht mehr miteinander seit der Trennung, denn er ist außerstande, wieder Freude am Leben zu finden. »Jeder behält alles«, hatte er anfangs gesagt und es ehrlich geglaubt. Heute hat keiner mehr etwas, und Arnaud ist auf seine beiden Frauen böse.

»Empfindest du denn keinerlei Dankbarkeit für alle Bemühungen, die wir unternommen haben, um die Situation so zu leben, wie es dir am angenehmsten war?«

»Nein, ich empfinde nur Groll. Gegen euch beide, gegen dich und gegen Viviane. Ich dachte, ihr würdet am Ende glücklich werden, ihr würdet verstehen.«

»Was genau wirfst du uns denn vor?«

»Man muß jemandem nicht unbedingt etwas vorzuwerfen haben, um böse auf ihn zu sein.«

»Jedenfalls kann ich dir sagen – auch wenn es dir im Augenblick keine besondere Freude machen wird, daß ich nicht mehr unglücklich bin. Das ist doch schon etwas, oder? Glaube ja nicht, ich betrachte mich in der ganzen Sache als Siegerin. Ich glaube, daß wir letzten Endes alle Verlierer sind. Aber vielleicht wird es uns gelingen, glücklich zu sein, etwas später?«

Arnaud beugt sich über den Tisch und legt seine Arme um Louises Schultern.

»Im Grunde bin ich mir selber böse. Darüber, daß ich mich so massiv geirrt habe. *Ihr* seid unglücklich gewesen, und *ich* komme nicht darüber hinweg!«

Er steht den Kindern viel näher, seitdem dieser Mißerfolg ihn sentimental gemacht hat. Inzwischen stellen sich die echten Erziehungsfragen. Pauline wird fünfzehn und klaut zum erstenmal eine Strickjacke im Kaufhaus, wie ihre Freundin Christiane oder Valérie, die im »Printemps« bereits einmal erwischt worden ist.

»Dann geh' ich jetzt eben in ein anderes Kaufhaus«, erklärt sie in aller Seelenruhe.

»Valérie stellt sich blöd an«, meint Pauline. »Schau dir Christiane an, die ist sehr gut angezogen. Glaubst du vielleicht, ihre Mutter kauft ihr das ganze Zeug?«

Gewissen? Wie sollte man es wagen, darüber zu sprechen? Sie würden nur grinsen. Ein Anti-Gewissen ist an dessen Stelle getreten. Man kann nicht mehr mit den positiven Instinkten der jungen Menschen rechnen, denn in der Schule nehmen sie nur schlechte Gewohnheiten an. Bei der Schulaufgabe mogeln ruft weder Verachtung noch Scham noch irgendein anderes Urteil hervor. »Das ist so üblich Mama, überall. Wir sind doch nicht mehr bei deinen Nonnen!«

Louise erinnert sich gerührt an ihre panischen Ängste von früher ... Nur ganz außergewöhnliche Persönlichkeiten wagten es zu mogeln oder an einem Lehrer Kritik zu üben, damals. Im übrigen, was das Lernen betrifft, so hält sich auch da alles sehr in Grenzen. Bis auf Adrienne, die beschlossen hat, in Mathe gut zu sein, um sich nicht mit ihren Schwestern messen zu müssen, die die literarischen Fächer für sich beanspruchen. Die andern, die Kinder der Freunde, die Söhne von Claude Weiss, die Kinder von Marie-Thé, sie alle vegetieren dahin, ihnen ist alles egal. Die guten Lateiner sind mindestens so selten geworden wie die Wassernüsse, von deren Eßbarkeit bei George Sand und Colette noch zu lesen steht.

Sie werden ausdrücklich dazu ermuntert, nichts auswendig zu lernen. Acht mal neun? Da schaut man eben auf der Tabelle nach, und die steht praktischerweise auf dem Hefteinband. Die Departements? Die Hauptstädte? Schwachsinn? Dazu gibt's doch Lexika, oder? Die Grundregeln der Rechtschreibung? Ein Traum! Kreativitätshemmend für die Jugendlichen! Wie viele kreative Menschen werden auf diese Weise verschont? Zugunsten von wie vielen Faulpelzen? Faulheit, Unwille, Aggressivität sind keine strafbaren Mängel mehr, sondern Anpassungsschwierigkeiten, die man mit Calcium, Skiurlaub oder Besuchen beim Schulpsychologen bekämpft, der um Gottes willen keine Vorwürfe machen wird. Nur die Eltern und die Lehrer haben heutzutage Fehler, die wiederum sehr streng geahndet werden müssen.

Frédérique hat sich in den Kopf gesetzt, mit Latein aufzuhören. Irgendwo in der Presse hat sie gelesen, daß die Schüler zuviel arbeiten. Diese fürsorgliche Behandlung wird sie weit bringen, diese verdammten Schüler. Sie fordert eine Katze als Haustier und mehrere Hamster, um Versuche über das Zusammenleben der Tiere zu machen. Die Schulpsychologin findet, das sei eine exzellente Idee, zumal da ihrer Ansicht nach die Pariser Familien zu sehr von der Natur abgeschnitten leben. Sie wird ja auch den Hamsterkäfig nicht putzen und die Katzenstreu nicht fünf Etagen hinaufschleppen.

»Lassen Sie sie das doch selber machen, Madame. Auf diese Weise wird sie auch Sinn für Verantwortung lernen. Sie bemuttern sie zu sehr!«

Einer der Hamster wird sehr bald von der Katze aufgefressen, da fehlt's wohl an Bemutterung. Der zweite führt ab sofort ein Gefangenenleben in einem mit schleimigen Konfetti gepolsterten Käfig. Außerdem stellt sich an dem Tag, als er anfängt, seine Sehnsucht hinauszuröhren und sich den Hintern auf den Teppichen reibt, heraus, daß der Kater eine Katze ist. Adrienne ist verblüfft, denn Weiblichkeit unter diesem Aspekt zu entdecken, empört sie.

»Die Natur!« sagt Frédérique irgendwie gerührt.

»In der Natur würde sie einen Kater treffen und sich sehr bald beruhigen«, bemerkt Pauline, die über Dinge des Geschlechts immer genau Bescheid weiß.

Wir müssen warten, bis die Rolligkeit vorüber ist, um das Tier zu operieren, erklärt der Tierarzt.

»Gell, Mama, du bringst sie hin? Ich will das nicht sehen.«

Mama sieht ihre Alltagsaufgaben wachsen und hat nicht den Eindruck – trotz der Voraussagen der Psychologin –, daß der Verantwortungssinn ihrer Tochter größer geworden ist.

Pauline macht auf Außenseiterin. Sie ißt nur nachts. Setzt sich nicht an den Tisch, unter dem Vorwand, sie lebe Diät, aber die Krabben verschwinden auf mysteriöse Weise von den Mayonnaise-Eiern, und die Schlagsahne auf der Saint-Honoré-Torte ist zu einer hauchdünnen Schicht geschrumpft. Selbst wenn man sie auf frischer Tat ertappt, protestiert Pauline: »Ich esse nicht, ich nasche nur ein bißchen.«

Louise fragt sich immer dringender, ob sie ihrem Beruf (dem Journalismus) den Vorrang geben soll oder lieber ihrem tiefsten Wunsch (einen Roman zu schreiben) oder aber der Erziehung ihrer Töchter – oder ob sie alle drei Dinge vernachlässigen soll, was ohnehin zwangsläufig meist der Fall ist. Adrienne, von der sie am meisten beansprucht wird, die Feldzüge Franz I. gegen Karl V. abfragen, nebenbei die Fahnen von *Ein eigenes Atelier* korrigieren, mit einer Feuchtigkeitsmaske auf dem Gesicht, weil sie heute abend mit Arnaud eine Premiere besucht und zweiundvierzig Jahre alt ist, was nicht so ganz selbstverständlich ist – all dies erscheint ihr wie ein ewiger Kraftakt, der ihr immer weniger leicht gelingt.

Hermine hat fest vor, aus dem Gemeinschaftswerk mit ihrer Tochter ein künstlerisches, literarisches und pariserisches Ereignis zu machen. Es ist ein schönes Buch mit vielen Illustrationen; auf dem Umschlag ein Bild von Mary Cassatt von 1891, *Das Bad,* und darunter der berühmte Satz von Degas über sie: »Nie werde ich einsehen, daß eine Frau so gut zeichnen kann!« Das Buch ist Virginia Woolf gewidmet, als Verneigung vor *Ein eigenes Zimmer*,* das sie 1929 geschrieben hat, das aber erst zweiundzwanzig Jahre später von Clara Malraux ins Französische übersetzt wurde.

Hermine war nie, was man hätte eine Feministin nennen können. Von ihrem Wahlrecht machte sie keinen Gebrauch. Sie sah nicht ein, warum sie mit mehr als sechzig Jahren eine Erlaubnis in Anspruch nehmen sollte, die ihr eine Versammlung von Männern erteilt hatte – die gleiche Versammlung, die sie ihr verweigert hatte, als sie einundzwanzig war! Ihre Rechte nahm sie sich einfach, oder aber sie tat so, als verachtete sie sie. Sie wollte keine Geschenke, nicht einmal vom großen Charles de Gaulle, dem einzigen Politiker, den sie bewunderte. Im übrigen hatte sie Karriere gemacht, indem sie die Hürden umgeworfen hatte, auch die der Wohlanständigkeit; der Ironie oder Herablassung der Kritiker antwortete sie mit Unverschämtheit, unter Umständen sogar mit Grobheit, was immer wirkt, wenn es von einer Frau kommt. Ihre bissigen Scherze wurden in der Presse zitiert, ihre Antworten an jene Kritiker waren bekannt, die, anstatt ihre Kunst zu beurteilen, sie fragten: »Wie faßt es Ihr Mann auf, daß er eine Frau hat, die berühmter ist als er?« oder wissen wollten, was ihr letzten Endes lieber sei, Pinsel oder Staubwedel? »Im allgemeinen bediene ich mich der Wasserspülung«, lautete ihre Antwort.

Sie hatte sich immer geweigert, sich in ihrer Küche fotografieren

* *A Room of One's Own*

zu lassen (die sie sowieso nie betrat) oder mit ihrer Tochter auf dem Schoß.

»Ich will nicht als malende Mutter abgestempelt werden, ich will als Malerin angesehen werden, die zufällig auch Mann und Kind hat, so wie andere Kollegen eine Mätresse oder ein Holzbein haben!«

Auf die Frage: »Haben Sie Kinder?« antwortete sie stets: »Und Sie, Monsieur?«, bis der Interviewer zum Thema Malerei zurückkehrte.

Es war das erste Buch über dieses Thema in Frankreich, und es hatte sehr bald großen Erfolg, sowohl wegen des Inhalts als auch wegen der Persönlichkeit der Hauptautorin. Hermine bot mit ihren fünfundsechzig Jahren, ihren unverschämt blauen Augen, der schmalen, behenden Gestalt, ihren kurzen, immer perfekt blond gelockten Haaren ein zugleich altmodisches und so zeitloses Bild, daß man vergaß, an ihr Alter zu denken.

Sie beschließt bald darauf, ihre Signier- und Ausstellungstourneen durch Vorträge anzureichern, denen sie provokative Titel gibt, um ein empörtes Publikum anzuziehen, was ihr einen Heidenspaß macht. »Muß man häßlich, unverheiratet, geschieden oder homosexuell sein, um Erfolg zu haben?« Sie beschränkt sich natürlich nicht auf die Malerei, da die Literatur ihr ebenso berühmte wie vielsagende Beispiele bietet, von Christine de Pisan bis Getrude Stein oder Marguerite Yourcenar, über die Damen de Sévigné, de Lafayette, de Staël, George Sand, die Brontë-Schwestern, Flora Tristan und viele andere, die ihr den Beweis liefern, daß das Talent und, mehr noch, das Genie nur in Abwesenheit eines Ehemannes zum Ausdruck kommen. Bis auf einige Ausnahmen jüngeren Datums.

Adrien begleitet sie, aber öfter noch Lou, die ihr Geschäft gerade verkauft hat und nur noch für einige wenige reiche, treue Kundinnen Modelle entwirft, Damen, die sich nicht vorstellen können, anders zu sterben als in Kleidern von Lou.

»Jetzt wird es Zeit, daß du dich dazu entschließt, allein zu schreiben«, wiederholt Hermine immer wieder. »Aber ich flehe dich an, keine Schlafzimmergeheimnisse einer betrogenen Ehefrau und keine deprimierende Nabelschau voller Selbstmitleid. Schreib ein starkes Buch, ein heiteres Buch. Die Frauen waren zur Genüge weinerlich in der Literatur.«

Aber Louise fühlt sich noch nicht reif, um stark und heiter zu schreiben, sie ist noch zu sehr in ihrer eigenen Geschichte verwickelt, um Fantasie an den Tag zu legen, sie wird von ihren Töchtern zu sehr in Anspruch genommen, sie ist gezwungen, viel von ihrer eigenen Substanz zu liefern, um ihnen zum Erwachsenwerden zu verhelfen; sie ist noch zu sehr damit beschäftigt, sich vom Gebaren, von den Reflexreaktionen, von den Komplexen der betrogenen Frau zu befreien. Sie hat einen Mann, sie hat Kinder, sie hat einen Beruf, sie hat eine gute Gesundheit, hat alles, um glücklich zu sein, wie man so schön sagt. Aber wie armselig zu *haben,* wenn man nicht selbst etwas *ist.*

Sie spürt jedoch, daß sie auf dem richtigen Weg ist. Später vielleicht. Später ganz sicher.

»Vorsicht«, sagt die unerbittliche Hermine. »Ich sehe schon graue Haare an dir!«

19
Mütter und Töchter

Meine arme Louise von 1965, die glaubte, sie sei schon so alt, die sich mutig dem Kap ihrer Fünfziger näherte und meinte, das Kap der Guten Hoffnung sei längst vorbei, und auch Kap Horn, und von nun an würde sie in ruhigen Gewässern segeln ... ich kann dich nur belächeln!

Während Arnaud seine Verwundbarkeit entdeckte – seine Mutter war krank, die Ärzte hatten sie aufgegeben, und seine Frau war nicht mehr dieses Reservoir an Nachsicht und Bewunderung, das er wohl für unerschöpflich gehalten hatte –, entdecktest du, Louise, gerade deine Unverwundbarkeit. Ein unbekanntes Wesen ging nach und nach aus dir hervor, stieg empor aus den Tiefen deiner Seele, breitete sich aus wie Rauch, nahm mehr und mehr Platz ein, drang in alle deine Gedanken.

Wieder einmal geschah diese Kehrtwendung, dieser Bruch mit der Vergangenheit anläßlich eines Hauswechsels.

Kerviglouse war verkauft worden. Da Arnaud auf Reisen war, Adrien krank und Hermine durch eine Gehirnblutung sehr geschwächt, blieb die unschöne Aufgabe des »Räumens« an Louise hängen. Das Aussortieren dessen, was man behält, und dessen, was man wegwirft, die Entdeckung der verschiedenen Schichten, die den Nährboden alter Häuser ausmachen, das jämmerliche Aussehen der vertrauten Dinge, wenn sie aus ihrem Rahmen gerissen und ins Freie gezerrt werden, vielleicht nie wieder ihren richtigen Platz finden, und schließlich der schmachvolle Abschied von dem Dorf, in dem man für alle Zeit verwurzelt zu sein glaubte und das plötzlich »nicht mehr gut genug« ist ... Lauter Prüfungen, die noch härter sind, als man ahnt, und aus denen man nie ganz heil hervorgeht.

Dabei ist das einige Kilometer westlicher gelegene Locmaria objektiv viel schöner als Kerviglouse. Das traditionelle bretonische Granithaus mit seinem Schieferdach, den seitlich über den Giebeln aufragenden Kaminen und seinen vorspringenden Dachfenstern hat zwar weder den Charme noch vor allem das historische Gewicht des alten, aber es blickt auf einen terrassenförmig angelegten Garten, der einige Meter oberhalb eines jener winzigen bretonischen Flüßchen liegt, die bei Ebbe wie Süßwasserläufe wirken zwischen ihren grünenden Ufern, wo die Felsen, der Stechginster und die Kiefern sich um den Platz streiten. Sanfte ländliche Szenerie, die innerhalb weniger Stunden vom Pflanzen- zum Wasserreich überwechselt, nämlich sobald das Meer sie überflutet und in jede kleine Bucht eindringt, wo das Gras bis zur äußersten Grenze ans Wasser heranwächst und der Seetang bis zur äußersten Grenze zur Erde hinauf. Alle zwölf Stunden herrscht Locmaria für ein paar Stunden über eine aus der Ordnung geratene Welt, in der alles schwankt: die festgemachten Boote zerren an ihren Ketten, Boote laufen aus, andere kommen, legen am Kai an, Fisch wird ausgeladen, dann werden sie in Sechser- oder Achterreihen zwischen den Ufern festgemacht.

Zwölf Stunden später, vor allem nach Springflut, scheinen die Kais, der Kran und die Seeleute ihre Daseinsberechtigung verloren zu haben, und Locmaria ist nur noch eine Sand- und Schlicklandschaft; der Tang, der von den Felsen hängt, wirkt ganz traurig, als würde er das Meer nie wieder sehen, die Boote nehmen die seltsamsten Stellungen ein, vornübergeneigt, auf einer Flanke oder steif auf ihren Kielen; die Möwen vergessen, daß sie fliegen können, und spazieren wie Geflügel auf dem Bauernhof durch das Hafengelände und picken emsig im Schlamm herum. Die Einheimischen sind mit Haken und Körben unterwegs, wie indiskrete Lumpensammler heben sie die feuchten Röcke der Ufer hoch, um die Strandschnecken, die Napfschnecken oder die seltenen Samtkrabben aufzulesen, die den Weg zurück verpaßt haben. Es herrscht eine unnatürliche Stille.

Dort draußen wartet das Meer, bis seine Stunde kommt, ruhig, ironisch. Es weiß, daß die wahre Welt die andere ist, die, in der es alle Buchten ausfüllen wird, alle Strände überfluten wird, die echten Geräusche mit sich bringen wird; den Flügelschlag und das krächzende Gelächter der Möwen, das Brummen der

Schiffsmotoren. An Land die Stimmen der Fischer, die sich von einem Ufer zum anderen zurufen, und das große, unaufhörliche Geflüster, das ein Zeichen seiner Gegenwart ist, der Gegenwart des Meeres.

Unermüdlich betrachtet Louise diese ewige Vorstellung, die keine Überraschungen bietet und dennoch immer wieder überraschend ist. Das Haus heißt *Chal i Dichal,* Ebbe und Flut. Sie liebt es schon, und den Umzug bereut sie nicht. Sie glaubt, daß sie ihn nicht bereut.

Die paar Jahre seit den »Ereignissen«, wie sie das Ende ihres Lebens zu dritt nennen, waren glückliche Jahre, wenn man sich an die Definition des Philosophen Alain hält: Glück ist Abwesenheit von Unglück. Louise mag Alain nicht so sehr, aber seine Philosophie entspricht ziemlich gut der Zeit, die sie gerade durchgemacht hat.

Als Tochter geht ihre Karriere langsam zu Ende. Auf dem Höhepunkt ihres Ruhms bekam Hermine einen Schlaganfall, woraufhin sie einige Tage gelähmt war. Da sie eine vorsichtige Lebensart nie ertragen konnte, folgen der Niedergeschlagenheit nun Anfälle von Auflehnung. Sie besteht darauf, sich jeden Morgen anzuziehen und ins Atelier zu gehen. »Wenn ich nicht mehr malen kann, kann ich gleich sterben.« Alterslos steht sie vor ihrer Staffelei und fährt mit der Zunge zwischen ihre Lippen, wie sie es seit eh und je getan hat, wenn sie Farben mischte. Jetzt malt sie Ungeheuer in öden Landschaften, als ob sie plötzlich alle Konventionen vergessen würde und ihrer Angst vor dem Nichts freien Lauf ließe.

Adrien tut so, als bemerke er nicht, daß sie sich verändert hat, daß sie stundenlang regungslos ins Leere starrt. Jeden Tag liest er ihr die Zeitung vor.

»Du siehst doch, daß sie nichts mitbekommt«, sagt Adrienne mit der Grausamkeit, deren nur Kinder fähig sind.

»Wer weiß?« antwortet Adrien ruhig.

Nach einiger Zeit hat sie vergessen, was man tun muß, um zu essen, und ähnelt dem Storch von La Fontaine, wenn sie vor ihrem Teller sitzt. Adrien füttert sie; wenn er etwas auf ihren Morgenrock fallen läßt, fängt sie an zu schluchzen. Er tröstet sie mit unendlicher Geduld. Sie hängt sich an ihn. Sie muß verwöhnt werden, sie braucht es, sie braucht es ganz schrecklich.

»Iß! Sonst wirst du abmagern«, sagt Adrien. »Dann hast du überhaupt keinen Busen mehr!«
Er neigt sich zu ihr und tastet die Brust seiner Frau unter der großen Serviette ab, die er ihr umgebunden hat.
»Ich mochte deinen Busen sehr gern, weißt du, ich habe deinen
Busen immer gemocht. Deinen Diana-Busen, so nannte ich ihn,
erinnerst du dich noch?«
Hermine lacht irr. Aber sie hat auch ganz klare Momente. »Schau
mal«, sagt sie eines Morgens zu ihrer Tochter, die ihr beim Waschen hilft, »ich habe einen Hintern wie eine Tote!«
Louise rät ihrem Vater, sie in ein Pflegeheim zu bringen. Hermine dreht den Gasherd auf, sie geht im Morgenrock auf die Straße
hinunter und irrt zwischen den Autos umher. Aber Adrien
scheint diese Abhängigkeit zu schätzen, in der seine Frau sich
endlich ihm gegenüber befindet, allein ihm gegenüber. Er kümmert sich um nichts anderes mehr. Er versucht ihren Reden einen
Sinn abzugewinnen, beantwortet ihre absurden Fragen: »Um
wieviel Uhr bin ich verabredet? ... Wo ist Adrien?« Er wäscht
sie, zieht sie an, hat ihr einen Fernsehapparat gekauft, damit sie
nicht mehr ins Leere starrt. Sie bevorzugt die Kindersendungen.
Ihr Leben ist dermaßen reduziert, daß der Tod keinen sehr gro-
ßen Unterschied darstellen wird.
Schließlich beschließt Adrien schweren Herzens doch, seine
Frau einem Pflegeheim anzuvertrauen; alle Nachmittage ver-
bringt er bei ihr. Lou geht jeden Morgen hin.
Für die Tochter Louise hat die Welt der Stille eingesetzt, für
Louise als Mutter jedoch beginnt die Zeit der Wirbelstürme:
Pauline ist neunzehn, Frédé wird demnächst achtzehn, und diese
Bestie von Adrienne ist erst zwölf, aber sie ist ein Frühentwick-
ler.
So stürmisch die Beziehungen zur Schule, zu den Direktorinnen,
zu den Lehrern der lieben Kleinen auch gewesen sein mögen, so
wuterfüllt, so kampfbegierig, so reich an Prügel, Ängsten und
Gram die Zeit, als man noch wirkliche Kinder um sich hatte ...
das ist alles noch gar nichts. Die echten Aufstände, die tatsächlich
zu befürchtende Flucht aus dem Elternhaus, die unsühnbaren
bösen Streiche, die Phasen der Mutlosigkeit, in denen man hundertmal glaubt, es sei alles im Eimer, die Töchter seien unheilbar
dumme Gänse und würden ihr Leben lang nur Dummheiten

machen, sie seien schmutzige, faule, egozentrische Triebwesen, all das ist das tägliche Brot für einen Zeitabschnitt, der noch viel, viel länger dauern wird als die Kindheit. Denn Sie werden sie zunächst als Heranwachsende genießen, dann als verschlampte junge Leute, dann als Erwachsene, diese Menschen, für die es keine fixe Idee mehr ist zu heiraten, da sie ja die wichtigsten Annehmlichkeiten der Ehe in Anspruch nehmen und dabei aber im guten Hotel, zu Hause, leben können! Und ihre Krallen werden sie an Ihnen schärfen, bei Ihnen werden sie heulend antanzen nach den Idyllen, deren Ende allzu voraussehbar war; bei Ihnen werden sie zwischen zwei Liebschaften Trost suchen, ehe sie Sie ohne Vorankündigung wieder sitzen lassen, obwohl Sie doch gerade alle Hebel in Bewegung gesetzt haben, sogar Ihren eigenen Urlaub geopfert haben, nur um ihnen eine Bildungsreise nach Italien zu bieten. Aber genau in diesem Moment haben sie eben den soundsovielten Mann ihres Lebens getroffen ... »der zur Zeit dummerweise einige Schwierigkeiten mit der Polizei hat, aber ansonsten ist das ein ganz toller Typ, du wirst sehen, Mama ...«

Denn Sie werden sie natürlich alle sehen, die tollen Typen, Sie werden sie als Dreingabe bekommen, diese Macker. Wenn Sie sie sympathisch finden – selber schuld! Von heut auf morgen können sie Ihrer Zuneigung wieder entrissen werden. Wenn Sie sie nicht riechen können, dann müssen Sie sich halt damit abfinden – so lange, bis Pauline oder Frédérique beschließen, daß »sie's denn doch übertreiben«, oder bis sie einem anderen über den Weg laufen, aber diesmal »ist er wirklich toll, Mama, du wirst sehen; kann er morgen zum Mittagessen kommen?«

Nicht enden wollende Zeit, in der Sie es dulden müssen, daß Ihre Töchter im Irrtum herumplanschen, daß sie mit entnervender Begeisterung auf riesige Enttäuschungen zusteuern, die sie und nur sie nicht vorausgesehen haben, oder schlimmer noch: Sie müssen zusehen, wie sie mit seligem Lächeln und im Hochzeitskleid in eine hirnrissige Ehe sinken.

Aber genauso wie auf den Tod eines geliebten Menschen eine Trauerarbeit folgt, die Zeit und Tränen kostet, und von der einen kein Ersatz befreien kann, genauso erfolgt der Reifeprozeß eines Heranwachsenden nur über Fehler, Enttäuschungen, Kummer und Irrtum, lauter Phasen, durch die er hindurch muß, die er ertragen und schließlich verdammen muß, und die niemand ihm abnehmen kann und sollte.

Arnaud fand, Louise sei den Töchtern gegenüber zu nachgiebig, und wahrscheinlich hatte er recht. Aber man darf nicht glauben, es sei einfach, schwach zu sein. Die Schwäche oder, in ihrer respektableren Version, der Liberalismus erfordert im täglichen Leben eine gewisse Dosis Heldenmut. Vielleicht auch Feigheit, aber bei Louise entsprang diese Schwäche auch dem Wunsch, zu verhindern, daß ihre Töchter wegen des Unverständnisses oder der Sturheit ihrer Eltern auch nur die geringste Gelegenheit verpaßten, glücklich zu sein. Sie selbst hatte zu viele solche Gelegenheiten verpaßt, wegen Hermine.

Keine Frist setzen, wenn sie ausgehen, nicht insistieren, um zu erfahren, bei wem die Party stattfindet, mit welchen Kerlen Pauline und Frédérique in die Diskotheken gehen, mit welchen Rowdies am Steuer sie ins Wochenende fahren; lächelnd einem Individuum Kost und Logis anbieten, das Sie abscheulich finden und das auch noch Ihre edle kleine Perle vernascht – das bedeutet auch, schlaflose Nächte in Kauf zu nehmen, in denen man nach den vertrauten Schritten im Flur lauert, auf das Knarren des Parketts ... Es bedeutet, daß man sich freut auf den Lärm im Badezimmer um drei Uhr früh, der beweist, daß sie auch heute nacht weder vergewaltigt noch entführt wurden und daß sie auf keinem Motorrad einen Unfall hatten.

Es bedeutet auch, mit der Empörung der konservativen Mütter konfrontiert werden und oft mit der Undankbarkeit der Betroffenen selbst. Die Belohnung, das himmlische Sich-Verstehen, das kommt erst sehr viel später.

»Findest du es normal, daß sie ihre schmutzigen Spiele unter deinem Dach treibt?« fragt Marie-Thé empört. Ihrer Tochter hat sie die Liebe als ein schmutziges Spiel dargestellt; mit achtzehn verläßt das Mädchen seine Familie und macht ein Jahr später einen Selbstmordversuch.

»Willst du ihr nicht das Geld sperren, um sie zur Arbeit zu zwingen, wenn sie nicht mehr weiterstudieren will?« fragt Carole, die kein Kind hat und noch nie zittern mußte beim Gedanken, diese schönen Körper, die man zur Welt gebracht, gepflegt, ernährt, mit Vitaminen versorgt hat so viele Jahre lang, könnten beschädigt oder gar langsam vernichtet werden.

»Du kannst ihnen ja gleich am Morgen danach das Frühstück ans Bett bringen!«

Ja, warum nicht? Alles, nur nicht die Zurückweisung, die Verweigerung einer ständig garantierten moralischen und materiellen Zuflucht für den Fall einer Katastrophe. Alles, nur nicht die alte Versuchung begünstigen, der die Frauen ausgesetzt sind: sich von einem Mann aushalten oder übernehmen zu lassen. Diese Existenzsicherungs-Ehen, diese Familienflucht-Partnerschaften, die sie bei den Altersgenossinnen ihrer Töchter beobachtet, bestärken Louise in der Meinung, zu Hause ließen sich die Schäden noch am ehesten begrenzen.

Diese Haltung wird ihr durch Arnauds Umzug nach Amerika leichter gemacht. Seit den »Ereignissen« hat er noch immer nicht zur Lebensfreude zurückgefunden und kann Louises neue Verhaltensweise schlecht ertragen. Er weigert sich, an seinem Benehmen irgend etwas zu verändern, leidet jedoch darunter, daß er nicht mehr hundertprozentig akzeptiert wird und daß sie ihm auch nicht ganz und gar verziehen hat. Es stimmt: Sie hat seine unüberwindbare Schwäche den Frauen gegenüber gehaßt, aber nun bleibt davon nichts als eine Art traurige Verachtung, wie für jemanden, der dem Anblick von Pralinen nicht widerstehen kann; es geht ihm ja nicht einmal so sehr um den Genuß an sich, sondern darum, sich eine Aura von amourösem Interesse zu schaffen, ein virtuelles *Ja,* zu dessen Konkretisierung es nur eine Gelegenheit braucht. Nicht Viviane wirft sie ihm vor, sondern die kleinen andern, die andern Kleinen. Die Tatsache, daß er sein Leben nach der Trennung um diese kleinen Zerstreuungen, diese Eitelkeiten, diese Süßigkeiten herum organisiert hat. Er hat nie Rücksicht genommen auf Louises Verletzbarkeit in diesen Dingen, denn sich keinen Zwang anzutun gehört zu seiner Auffassung von ehelicher Aufrichtigkeit. Hart hätte sie sein müssen, von Anfang an, »es ihm zeigen«, wie Hermine immer sagte. Eine traurige und banale Entdeckung, die über ihrer Beziehung lastete. Als man ihm dann anbietet, die Stelle des Fernsehkorrespondenten in New York zu übernehmen und den Nachrichtendienst zu leiten, sieht er darin den Tapetenwechsel, den er braucht, und auch die Gelegenheit, nachzudenken, um vielleicht zu einem neuen Gleichgewicht zu finden.

Louise ihrerseits möchte diese Ferien von der Ehe dazu benützen, ein Buch zu schreiben, das ganz allein ihr Buch sein wird; die Idee dazu schleppt sie schon sehr lange mit sich herum. Sie fühlt sich endlich reif zum Schreiben, sie hat ihre innere Heimat erobert. Bei einem andern, für einen andern zu leben ist unvereinbar mit dem Egoismus, dem Nährboden allen echten Schreibens. Den Titel hat sie schon gefunden: *Diesseits*. Den Rahmen wird ein bretonisches Dorf abgeben, das nach und nach von den Parisern verunstaltet wird, die die Bauernhäuser und Strohhütten aufkaufen, nachdem die alten Bewohner gestorben sind; dabei vernichten sie genau das, was sie dort gesucht hatten, denn von einem bestimmten Zeitpunkt an übersteigt die Zahl der Zweitwohnsitze eine bestimmte Erträglichkeitsschwelle.

Die Dauerabwesenheit des Vaters verändert die häusliche Atmosphäre sehr schnell. Das ist übrigens ein immer wieder auftretendes Phänomen: Das Verschwinden des Männchens aus dem Bau gibt das Signal zur Unordnung. Man vergißt die Uhrzeit, man hat Lachkrämpfe, man liegt im Bett herum oder bricht um sechs Uhr früh zu einem Spaziergang in den Bois de Boulogne auf; die Kinder geraten außer Rand und Band, aber mehr noch die Ehefrauen. Hängt das damit zusammen, daß Arnaud sich immer bestenfalls als Zuschauer, schlechtestenfalls als Richter betrachtete, aber nie als ein wirkliches Familienmitglied? Auf jeden Fall weht der Wind der Anarchie, und Louise ist unter dem Einfluß ihrer Töchter in die Jugend zurückgefallen.

Adrienne hat zum erstenmal ihre Periode. Nun sind es vier im Haus, die mit dem Mond gehen. Es wird offen darüber gesprochen, es gibt keine fremden Ohren mehr. Ganze Schwärme von Höschen hängen wie die Schwalben zum Trocknen über der Badewanne. Das Badezimmer, der einzige Raum, wo eine anständige Frau sich einschließen darf, ist immer auch Sprechzimmer und Beichtstuhl gewesen; hier wurden wichtige Entscheidungen getroffen. Aber nun ist es das Herz des Hauses geworden. Immer hält sich da jemand auf, der sich schminkt, duscht, die Augenbrauen zupft oder Lockenwickler eindreht.

Louise hat es immer genossen, stundenlang mit den Mädchen in der Badewanne zu liegen. Das hier ist eines der riesigen Exemplare, wie man sie zu Beginn des Jahrhunderts herstellte, ein altes, tiefes, langes Etwas mit Löwenfüßen. Am Sonntagmorgen kommt die dünne Pauline und setzt sich mit angezogenen Knien quer in die Mitte. Frédé und Louise legen sich lang, und die sechs seifenglänzenden Beine geraten durcheinander, während die Hände sich den Schwamm oder die Seife reichen und sich bespritzen; das Ganze bildet einen ungeheuren Familienkraken mit drei Köpfen und zwölf Gliedmaßen, die sich im Dampf hin- und herbewegen. In dieser Hammam-Atmosphäre wird über die ganz großen Probleme des Augenblicks diskutiert: Soll eine Frau »schlucken«? Soll man die besten Jahre seiner Jugend für die berüchtigten großen Prestigeexamina opfern, um im reiferen Alter versorgt zu sein? Verachten die Jungen die Mädchen, die mit ihnen schlafen?

»Hast du schon mal einen Beschnittenen gehabt, Mama?«

»Ja: mein Amerikaner, weißt du, Werner, der Pilot, der mir öfter schreibt.«

»Und? Fandst du das gut?«

»Ich kann es eigentlich nicht so richtig sagen ... Ich hatte nicht viele Vergleichsmöglichkeiten, weißt du ... Es kommt ja auch darauf an, wie man damit umgeht. Auf jeden Fall ist mir der Gedanke nicht so sympathisch, daß man da an ihnen herumgeschnippelt hat.«

»Also, ich mag die beschnittenen Dingens lieber«, erklärt Frédérique. »Da ist echte Haut am Ende. Es hat nicht dieses Muffige, Zerknitterte ...«

Verträumtes Schweigen. Die Fantasien gehen spazieren.

»Sag mal, schluckst du runter, Pauline? Muß das sein?«

»Um sie nicht zu kränken, sollte man wenigstens ein bißchen so tun als ob. Man braucht sich ja nur einzubilden, es sei Joghurt!«

»Ääh, lauwarmer Joghurt ... Pfui! Ich hab' immer Angst, daß ich kotzen muß, wenn ich mich dazu zwinge. Den Geschmack finde ich scheußlich. Das ist doch nicht kränkend. Ich bin eben sehr heikel, was das Essen und Trinken betrifft, ich kann ja auch Whisky nicht ausstehen!«

»Wenn man liebt«, erklärte Pauline weise, »dann kriegt man alles runter.«

»Eben nicht, *das* nicht. Stimmt es, daß man sich dran gewöhnt, Mama?«

»Ich muß dir gestehen, daß es mir früher ähnlich ging wie dir. Ich fühlte mich verpflichtet mich zu zwingen; aber ... heute nicht mehr.«

»Oh, das beruhigt mich.«

Jedesmal, wenn Louise Anstalten macht, auszusteigen, wird sie von vier Beinen festgehalten.

»Noch nicht, Mine, wir haben uns noch ganz viele Dinge zu erzählen. Wenn man angezogen ist, ist es nicht mehr das gleiche ...«

Dann lassen sie noch ein wenig warmes Wasser ein, und Louise betrachtet liebevoll diese beiden kleinen Körper, die noch von nichts beschädigt wurden: Pauline mit ihren winzigen Brüsten, ihrer ganz dünnen Taille und dem runden, kindlichen Zelluloidpuppengesicht mit den vergißmeinnichtblauen Augen und dem herzförmigen Mund, das sie immer noch hat; und Frédérique, die größer ist, mehr Reh, mit richtigen Brüsten, mit goldener Haut und einer wiegenden Anmut, die sie von Arnaud hat.

Im Wohnzimmer beschimpft Adrienne indessen das Klavier, weil sie die Noten von *Jolie Môme,* dem Schlager des Augenblicks, nicht finden kann. Nachher wird Frédérique sich in ihrem Zimmer, zusammmen mit Boris, ein Tschaikowsky- oder ein Rimskij-Korsakow-Konzert anhören; Pauline wird das Mittagessen vorbereiten und dabei einer Nummer des Komikers Francis Blanche zuhören; und Louise wird in ihrem Zimmer, am Kreuzungspunkt all dieser störenden Geräusche, zu schreiben versuchen. Die Sonntage der Mütter setzen sich fort. Niemand bringt einem Toleranz besser bei als die eigenen Kinder. Louise fühlt sich durch eine höhere Macht – vielleicht ist es die der Natur – gezwungen, ihre Töchter selbst dann zu lieben, wenn sie ihr mißfallen, ihr entgleiten oder sie traurig machen. Sie nimmt es beispielsweise hin, daß Pauline sich die Haare bleicht bis zum Gehtnichtmehr und in kleinen Lederröckchen, bunten Zirkusblusen und Stiefeln in Leuchtfarben herumgeht; sie tut so, als interessiere sie sich für die rasch wechselnden Berufungen, die Pauline in sich entdeckt: Mal fühlt sie sich zur Schlagersängerin geboren, mal zur Journalistin, mal zur Managerin eines Nachtlokals, und immer reicht der persönliche Einsatz so weit wie die sexuelle Anziehungskraft des jeweiligen Vertreters des Metiers. Louise widerspricht ihr nie direkt, denn ebensowenig wie Arnaud verträgt Pauline Kritik. Sie reagiert mit Verzweiflung oder Aggressivität.

»Wenn ich dagewesen wäre, wäre die Sache anders gelaufen, das kann ich dir versichern«, schreibt Arnaud, als Louise ihm mitteilt, daß Pauline zwei Monate vor dem Abitur beschlossen hat, nicht zur Prüfung anzutreten. Dabei waren noch im Dezember alle Hoffnungen auf einen erfolgreichen Gymnasialabschluß berechtigt: Pauline war in ihren Lateinlehrer verliebt. Leider hielt die Sache nicht den ganzen Winter über, aus unerfindlichen Gründen, und die kleine Strafandrohung, die von Arnaud aus New York kam, veranlaßte sie endgültig dazu, die Schule hinzuschmeißen. Wenn Arnaud in Paris gewesen wäre, hätte sie die Familie hingeschmissen. Sie besitzt den sturen, düsteren Stolz ihres Vaters, der ebenfalls mit achtzehn Jahren auf eine Laune hin das Haus verlassen hatte. Aber er hat nichts gelernt daraus. Manche Menschen können hundert Jahre leben, ohne etwas zu lernen.

Da die sexuelle Freiheit sich schneller eingebürgert hat als die Möglichkeit, ihre Konsequenzen zu kontrollieren, vergehen zwei Jahre, die für Pauline und für ihre Mutter eine Zeit der monatlichen Ängste sind. Zumal da Pauline nicht zu den Pferdenaturen gehört, die am Freitag abend abtreiben und am Montag früh wieder zur Arbeit gehen. Mit ihrer stürmischen Art, ihrer Disziplinlosigkeit und ihrem zerbrechlichen Körper läuft sie Gefahr, frigide oder steril zu werden oder sich mit chronischen Eileiterentzündungen herumzuplagen, oder alles auf einmal, da fällt ihr zum zwanzigsten Geburtstag das schönste Geschenk, das die Götter den Frauen seit Eva jemals gemacht haben, in den Schoß: die Pille. Das kleine Büro der Aktion Familienplanung in der Rue des Colonnes, wo Louise ihre Töchter hinführt, sobald sie von seiner Existenz erfahren hat, erscheint ihr wie dem erschöpften Schwimmer der rettende Hafen. Da es ein für allemal klar ist, daß weder das Gespenst einer Schwangerschaft noch die Angst, leiden zu müssen, noch die Erniedrigung noch das Risiko, ihrer Gesundheit zu schaden, Pauline davon abhalten würden, sich mit Haut und Haaren und mit erschütterndem und letztlich rührendem Leichtsinn in die Leidenschaft zu stürzen, ist Louise dem Himmel dankbar, daß er ihre Tochter an der Schwelle zwischen zwei Epochen hat zur Welt kommen lassen: Zumindest wird sie sich einmal ohne Blasiertheit an die heroischen Zeiten erinnern. Bei der Gelegenheit nimmt sie auch Frédérique mit, die sich nicht dazu entschließen kann, ein Diaphragma zu benutzen. »Ach, wenn du wüßtest, es ist so wunderbar, einen Männerkörper zu spüren!« Louise macht keinerlei Bemerkung über das »wenn du wüßtest«. Es stimmt ja, daß diese Entdeckung bei ihr schon sehr lange her ist, es ist, als hätte sie es bereits vergessen.

Frédérique liebt *den* Mann und mag sich nicht als Frau. Louise wünscht sich so sehr, daß ihre zweite Tochter sich schneller, als sie selbst es getan hat, von ihren Komplexen befreit, daß sie einem Werner begegnet, der sie über ihre Anatomie beruhigt, für die auch sie sich schämt. Frédé findet sich viel zu »rosa« und fragt sich, ob das Geschlecht bei anderen Frauen genauso häßlich ist. »Wenn ich in manchen Pornodingern lese, es genügt, daß man sich ohne Höschen auf einen Stuhl setzt und die Beine breit macht, um die Begierde der Typen zu wecken, kann ich es einfach nicht glauben. Ich will nicht, daß man mich anschaut, und niemals würde ich es wagen, die Schenkel mehr als zehn Zentimeter zu spreizen. Und ich will nicht, daß man mich an dieser Stelle küßt, ich hätte viel zu viel Angst, daß der Junge ein Haar zwischen die Zähne bekommt . . .«

Wer wird sie genügend lieben: Wer wird ihr jene überlieferte Angst nehmen, die Louise so gut kennt? Auf jeden Fall nicht dieser Boris, seines Zeichens Schauspieler, Dichter, Alkoholiker und Narziß.

»Sag mal, meine Mine« (wenn die Töchter sie ›meine Mine‹ nennen, weiß Louise von vornherein, daß etwas Unangenehmes auf sie zukommt), »ich möchte Boris gern zu Ostern nach Locmaria mitnehmen. Er hatte gerade einen Abszeß im Hals und ist sehr erschöpft. Der Arme, man müßte ihm wieder auf die Beine helfen. Bist du einverstanden?«

Natürlich nicht. Warum sollte gerade sie sich die Mühe machen, dem armen Boris auf die Beine zu helfen? Soll er doch erst einmal weniger trinken und früher ins Bett gehen, der Knabe . . .

»Aber weißt du, Mine, er ist so einsam im Leben! Sein Vater hat ihn vor die Tür gesetzt, weil er zum Theater wollte. Jetzt arbeitet er halt in einer Autowerkstatt, um den Schauspielunterricht bezahlen zu können . . .«

»Ich kann mir gar nicht vorstellen, daß er in einer Autowerkstatt arbeitet, wenn er immer mittags um zwölf aufsteht!«

»Aber Mama, zum Schauspielunterricht geht er nachmittags, und jeden Abend spielt er, natürlich kann er da nicht . . .«

Vorläufig jedenfalls findet ihn Louise ständig in ihrer Wohnung, unrasiert, mit unerträglicher Weinfahne, hingelümmelt vor dem Plattenspieler ... er sieht immer hingelümmelter aus als jeder andere, was ihn keineswegs daran hindert, Hunger zu haben, diesen Dichter, der dicke blutige Steaks, Whisky, weiche Kissen und Arnauds Zigarren schätzt und Louises Häschen vernascht, das er für die Heilsarmee in Person hält. Er prahlt damit, daß er Knasterfahrungen hat, daß er der Liebhaber von Jeanne Moreau war – in einem ihrer Filme hat er als Statist mitgewirkt –, und faselt endlos von seiner Vision des neuen Theaters, wobei er seine Asche ungeniert auf den Teppichboden fallen läßt. Während dieser Zeit lernt Louise den vorsichtigen Egoismus von Pauline schätzen, »die nicht die physische Kraft hat, um sich in einen Gestrandeten zu verknallen«. Aber natürlich wird Mine den armen Boris mitnehmen nach Locmaria, denn sonst wird Frédé auf ihre Ferien verzichten, um bei ihm zu bleiben.

Soll sie wenigstens zu dieser ganzen Aufopferungsbereitschaft nicht auch noch die Schrecken durchleben müssen, die alle vier Wochen sich drohend zusammenballen.

Bei der Familienberatungsstelle ist es Louise fast peinlich, mit ihren beiden Töchtern aufzutreten. Dort trifft man hauptsächlich Ehefrauen, die ihre Männer und Kinder mitgenommen haben, als wollten sie beweisen, daß sie ihrer Pflicht der Gesellschaft gegenüber bereits nachgekommen sind. Die meisten Mütter begnügen sich damit, ihre Töchter für jungfräulich und nicht entflammbar zu halten. Sie sich so vorzustellen, wie sie sind – verrückt, leicht herumzukriegen, unbekümmert, liebeshungrig –, das stört nur.

Liegt es vielleicht an Arnauds Abwesenheit, daß sie den Mädchen jetzt so nahe steht, daß sie ihre Vertraute geworden ist? Louise merkt plötzlich, daß ihr die reizvolle Welt des Begehrens jahrelang fremd geblieben ist. Nun sehnt sie sich danach zurück. Aber warum eigentlich zurück? Sie ist doch nicht tot. Es würde doch genügen aufzublicken und sie wahrzunehmen, die in Vergessenheit Geratenen, die Männer ... Und weil sie sie wieder *anschaut, sieht* sie sie. Weniger schön mit fünfundvierzig als mit fünfundzwanzig Jahren? Das ist gar nicht so sicher. Sie ist ruhig geworden, lässig fast, als ob die Jahre des Unglücks ihr die Fähigkeit genommen hätten, sich Sorgen zu machen, zu zweifeln.

Sie kaut nicht mehr an ihren Fingernägeln. Na ja ... fast nicht mehr. Pauline und Frédérique sind stets der Meinung gewesen, daß sie sich zu damenhaft kleidet. Jetzt, wo sie sich nicht mehr von Lou anziehen läßt, sucht sie sich ihre Kleider mit Hilfe der Mädchen aus.

Ihren ersten Liebhaber findet sie schlicht bei sich zu Hause. Es gibt in der Tat eine Kategorie von Männern – die Kinderärzte –, die mit ihren Klientinnen eine mehr oder minder diskrete Stimmung des »Warum nicht?« pflegen. Darin liegt einer der Reize dieses Berufs: Ihre Besuche gelten nicht nur den kleinen Kranken, sondern auch deren besorgten jungen Müttern, die ihnen gerührt zusehen, diesen Zweitvätern, die ausziehen, abtasten, herumfummeln, die die Kinder oft viel besser kennen als die legitimen Erzeuger und ihnen manchmal sogar ein neues Leben schenken.

Sie ist immer gerührt gewesen, wenn sie zusah, wie liebevoll Bruno die Kinder anfaßte. Warum sollte sie es nicht zugeben? Alle Ärzte erregen sie sexuell, selbst ihr alter, kahlköpfiger, glubschäugiger Gynäkologe und Geburtshelfer, der ihr niemals einen zweifelhaften Blick zugeworfen noch je die geringste Bemerkung über ihre Person gemacht hat. Hängt das mit der Erinnerung an die Ruchlosen zusammen? Oder mit der niemals endgültig erloschenen Reue, daß sie damals nicht Medizin studiert hat? Sie läßt sich von dieser Sprache, diesen wissenden Händen beeindrucken. Dazu kommt noch, daß Bruno auf wirklich ungeheuerliche Weise Mann ist. Und wenn schon, dann ... Ein immer hellwacher Seitenblick unter sehr stark gebogenen Augenbrauen, sehr sanfte, geschwungene Lippen, breite Schultern, auf denen der Hals wie ein fester, runder, sehr gerader Stamm sitzt. Und dichtes schwarzgekräuseltes Haar wie auf dem Kopf der Ziegenböcke.

Bruno ist ein Kenner, der das Begehren, das er erweckt, sehr schnell diagnostiziert. Bei den zahlreichen Besuchen und Konsultationen der Kinder wegen hatten sie immer das Gefühl, sich schon sehr gut zu kennen. Manchmal hatten diese früheren Begegnungen zu ein paar vertraulichen Bemerkungen geführt, während er in seiner schönen, unleserlichen Schrift, die an Arabisch erinnert, Rezepte ausstellte. Sie wissen voneinander bereits, daß sie alle beide wilde Landschaften, alte Gemäuer, ganz besonders die romanische Architektur, die Musik der Renaissance, Drei-Sterne-Restaurants und Obstschnäpse lieben. All das bildet einen idealen Rahmen für ein Wochenende. Bruno spricht mit Leidenschaft von seinem Beruf, glaubt an den Fortschritt, an die Gerechtigkeit, an die Linke ... Eigentlich haben sie viele Gemeinsamkeiten ... Noch weiß Louise nicht, daß man links wählen und rechts vögeln kann!

So oft sind sie einander in Brunos Praxis oder in Louises Wohnzimmer begegnet, einen nackten Kinderkörper zwischen sich, daß es Louise unmöglich ist, in eine andere Rolle zu schlüpfen, ohne auch den Rahmen zu wechseln. Sie entscheiden sich für Vézelay und reservieren einen Tisch in einem guten Restaurant. Ihr erstes gemeinsames Essen ... Es ist sehr wichtig, sich beim Essen zuzusehen, ehe man sich gegenseitig genießt.

Bei Tisch beobachtet Louise nachsichtig seinen naschsüchtigen Mund und wundert sich, wie er den Wein um die Zähne spült, bevor er ihn schluckt. Es ist ein wenig unanständig, aber faszinierend. Wenn man zum erstenmal miteinander schläft, ist alles ein Zeichen. Sie sind in der *Hostellerie de la Poste et du Lion d'or* abgestiegen – ein Name, der alte französische Küche und altmodische Zimmer vermuten läßt. Zum erstenmal in ihrem Leben jedoch zögert Louise, das große Menü zu bestellen ... Hat Altwerden nicht etwa damit zu tun, daß man, weil man gleich vögeln wird, auf Forelle blau zurückgreift, anstatt das Dutzend Schnecken »nach Art des Hauses« zu genießen?

Sie reden über alles, nur nicht über das, wozu sie hierhergekommen sind; über den Kongreß im Palais d'Orsay, der sich mit den republikanischen Institutionen beschäftigte und zu dem sie unabhängig voneinander gegangen waren, über die Stellungnahme Guy Mollets und über die von Brigitte Gros, der niemand zugehört hatte. Kaum war sie auf die Tribüne gestiegen, hatten die Männer untereinander zu reden angefangen, ihre Terminkalender herausgeholt und ihre persönlichen Probleme besprochen.

»Sie war auch nicht besonders gut«, bemerkt Bruno.

»Besser als manche männlichen Redner, finde ich. Ein paar waren absolut tödlich. Aber unter Männern ist man fair, da hört man sich zu. Aber die Revanche wird kommen!«

»Interessiert Sie die Politik denn so sehr? Warum gehen Sie dann nicht in die Politik?«

»Aus einem einzigen Grund, stellen Sie sich mal vor! Weil ich Angst habe vor den Männern. Angst vor ihrer Trutzburg. Jedesmal wenn ich eine Frau ans Rednerpult gehen sehe, zittere ich für sie. Mir ist es noch nie gelungen, das Wort zu ergreifen, außer auf Frauenversammlungen, bei der *Demokratischen Frauenbewegung* zum Beispiel; und selbst da . . .«

»Das kann ich gar nicht glauben. Sie wirken so energisch, so selbstsicher . . . Schüchtern kann ich Sie mir nicht vorstellen. Der Beweis: Wir kennen uns seit Jahren, und ich habe es nie gewagt, Sie zum Essen einzuladen. Dabei waren Sie oft allein. Manchmal habe ich mich gefragt: Ist sie schüchtern oder ist sie sittsam?«

»Ich könnte mir vorstellen, daß das in Ihrem Mund kein Kompliment ist . . .«

»Stimmt, mit sittsamen Frauen habe ich eher Mitleid.«

»Vor allem, wenn Sie über das Privatleben ihrer Männer Bescheid wissen.«

»Sittsame Ehemänner kenne ich nicht. Keinen einzigen. Dagegen kenne ich Frauen, die ihre Männer dafür halten.«

»Wenn sie damit glücklich werden . . .«

»Meines Erachtens gehen sie eines Tages daran zugrunde. Sie wissen, daß eine Gewebekultur sich in einer bestimmten Umgebung nur eine bestimmte Zeit lang hält. Auf Dauer verfällt sie, verkümmert sie. Nicht etwa weil sie sich nicht in der richtigen Umgebung befindet, sondern weil sie Veränderung braucht. Die Veränderung an sich ist lebensnotwendig.«

»Im Grunde bin ich also auf ärztliche Anordnung hier mit Ihnen in Vézelay?«

Er lächelt und sieht plötzlich wie ein Kind aus. Das Lächeln ist für Louise sehr wichtig. Ein Gesicht kann man aufsetzen, ein Lächeln ist ein Geständnis.

»Ich möchte Ihnen auch ganz gern einen alten Himbeergeist verordnen, wenn Sie erlauben. Er ist vorzüglich hier.«

Der Himbeergeist heizt die Atmosphäre noch mehr an; sie finden sich gegenseitig unwiderstehlich und beginnen Albernheiten zu sagen. Man spürt, daß es nicht mehr sehr weit ist bis zum Du.

Bruno war so verwegen, nur ein Zimmer zu bestellen, und Louise ertappt sich bei einem Jungmädchen-Reflex: Er hätte doch wenigstens die Formen wahren können, so tun als ob . .

Schließlich kann man nie hundertprozentig sicher sein, wie es kommt.

»Wir wußten doch ganz genau, was wir vorhatten, oder?« sagt er spöttisch. Aber er weiß ja nicht. wie lange es her ist, daß Louise sich das letztemal mit einem andern Herrn als Arnaud in einem Zimmer aufgehalten hat. Ihm sieht man an, daß er es gewohnt ist. Er zieht sich einfach aus, ohne die kleinen Pausen einzuhalten, die sie genießen würde. Ihr zukünftiger Liebhaber ist bereits »schön in Fahrt«, wie Frédérique sagen würde. Er zieht sie ins Bett und entkleidet sie vollends, dabei küßt er sie auf den Mund, gierig, genau wie beim Essen. Und dann geht es ganz schnell: Eine Brust wird gepreßt, eine Hand macht sich kurz auf Erkundungstour – ja, richtig, ganz normales Frauengeschlecht –, dann geht er in Stellung. Sehr schnell hat sein Gesicht den animalischen Ausdruck des Mannes, dem es gleich kommen wird, einen Ausdruck, in dem sie sich alle ähnlich sehen. Er legt los, dringt ein, durchpflügt sie, er genießt es und sagt es auch, er beschreibt keuchend seinen Weg und tut Louise kund, was sie zu empfinden hat.

»Spürst du ihn, tief in dir? Tut er dir weh, hm? Er besetzt dich, er füllt dich ganz aus ... So, so, so. Es tut gut, sich in dich hineinzupflanzen. Ich habe' oft an dich gedacht, weißt du, mir oft vorgestellt, wie ich mich in dir ergieße, in dir, auf dir, überall. Spürst du, wie ich dich überflute? Es tut gut, überflutet zu werden, hm? Los, geh deiner Frauenaufgabe nach, genieße die Lust! Ich mag das Gesicht einer Frau, wenn es ihr kommt. So ... So ...!«

Die Direktreportage ist an sich nicht unangenehm, aber Louise findet, daß die Überflutung vielleicht doch nicht den höchsten aller Genüsse darstellt! Nach einem letzten Holzfällergeräusch dreht sich Bruno um und fällt auf den Rücken, die Augen halb geschlossen. Mit einer Hand streichelt er ihr ganz mechanisch einen Schenkel, nur um zu beweisen, daß er nicht schläft, daß er genau wie sie in sich hineinhorcht, um die Wellen der Lust abebben zu hören. Sie legt den Kopf an seinen Hals ins schwarze Gekräusel seines Persianerfells. Er riecht gut. Sie ist froh, daß sie ihren Exklusivvertrag mit Arnaud gebrochen hat. Bruno öffnet die Augen:

»Siehst du, wie er wieder steif wird? Schau nur! ...«

Ähnlich wie Napoleon erholt er sich rasch von seinen Feldzügen und spricht von seinem Anhängsel wie von einem ruhmreichen Kämpfer, dessen Verhalten er nicht voll kontrolliert. Sie schläft nicht mit einem Mann, sondern mit seinem Glied, dem edlen Glied einer edlen Bruderschaft. Bruno schiebt ihr den Kopf nach unten.

»Wirst du mich ganz austrinken, sag? Willst du? . . . ja, so . . . pack ihn in seiner ganzen Länge. Greif ihn fest!«

Nach Beendigung der ferngesteuerten Besichtigung schläft er ein, vollkommen ausgepumpt; sie dafür vollgepumpt. Es ist alles in Ordnung.

Am Morgen wacht sie auf an der Seite des Chefarztes der Kinderklinik, des brillanten Unterhalters, des kundigen Romanik-Liebhabers, des Beweihräucherers von Mendès-France . . . Waren wir denn nicht heute nacht noch, Verehrtester, ineinander ergossen, nackt wie die Tiere? Habe ich mich geirrt?

Aber vermutlich ist Bruno stolz darauf, daß er sein Sexualleben vom anderen trennen kann – ein weitverbreitetes Phänomen und eine besondere Spielart der Misogynie. Er ist der Meinung, man müsse äußerst vorsichtig sein mit den Damen.

Bevor sie die Vorhänge zurückzieht, eilt Louise ins Badezimmer – sie ist mißtrauisch. Tatsächlich, im Spiegel erkennt sie das morgendlich trübe Auge nach den allzu guten Weinen und den von nächtlich bewegter Kür zerzausten Haarschopf. Sie streckt sich die Zunge heraus. Den Kopf ihrer Töchter möchte sie haben. Sieht sie nicht aus wie ein kleines Mädchen, wenn sie die Strähne übers Auge fallen läßt? Nein, nein, sie ist es wirklich, mit ihren vierzig und ein paar zerquetschten . . . Noch häßlicher, weil sie wenig geschlafen hat. Das Schwierigste ist: dem Morgenlicht die Stirn zu bieten. Anstatt ihre kosmetischen Tricks anzuwenden, möchte sie ins Zimmer zurückgehen und sich mit geballten Fäusten die Augen reiben, den Nachthemdträger über die Schulter gleiten lassen und sich an den mit Croissants brechend vollen Frühstückstisch setzen; dann würde er denken: »Sie ist hinreißend!«

Aber solche Späße mußt du dir abschminken, Mama. Das mit dem Nachthemdträger, das geht ja noch, wenn du unbedingt darauf bestehst. Aber du solltest dir lieber den Kopf herrichten. Wann werde ich endlich in aller Ruhe häßlich sein können? Solange du noch eine Chance hast, auch nur ein ganz klein wenig, zu gefallen, solange du nicht wie eine alte Hexe aussiehst, wirst du so tun als ob, mein armes Kind!

Das Wetter ist schön, und sie brechen früh auf, um die Basilika der Heiligen Magdalena zu besichtigen, selbstverständlich, und das alte Dorf Montréal mit seiner Kirche aus dem zwölften Jahrhundert, zehn Kilometer von hier. Bruno beherrscht die Kunst des Besichtigens: Im Auto hat er die richtigen Führer, er kennt die verborgenen kleinen Kapellen, Schlösser, die man nur mit Sondergenehmigung besichtigen kann, und Restaurants, die kein Touristen-Nepp sind. Er ist immer bereit, ein Museum zu besichtigen, bei einem Antiquitätenhändler haltzumachen, in einen Versteigerungssaal zu gehen. Louise hatte vergessen, daß man auch all das im Leben teilen kann. Arnaud hat es immer eilig, er ist das Gegenteil eines Schlenderers. Nie bleibt er mit ihr vor einem Schaufenster stehen. Er geht im gleichen Schritt weiter und gibt dadurch seine Mißbilligung kund. Wenn sie ihm nicht nachläuft, verliert sie ihn aus dem Blickfeld und findet ihn erst im Hotel wieder. Nie lesen sie gemeinsam dasselbe Buch, wie sie es mit Jean-Marie tat. Sie hat es sogar aufgegeben, sich den Hals zu verrenken, um mit ihm die Zeitung zu lesen; er hält sie ostentativ weg und blättert die Seiten um, ohne abzuwarten, bis sie soweit ist. Plötzlich weiß sie, sie möchte nicht sterben, ohne noch einmal solche Freuden zu erleben.

Aus Vézelay kommt sie mit einem Gefühl zurück, als hätte sie eine Verjüngungskur gemacht. Das Bett führt manchmal viel, viel weiter als zwischen zwei Laken. Bruno und sie haben sich versprochen, das Erlebnis zu wiederholen, wenn sie aus New York zurückkommen wird.

Arnaud wartet dort mit einer Ungeduld auf sie, die er nicht verbirgt. Die Briefe, die sie ihm schreibt, beantwortet er oft ganz zärtlich, als ob er zum erstenmal das Bedürfnis hätte, sich an die Wurzeln seines Herzens zu klammern:

»Ich liebe Deine Briefe, sogar die, die ich nicht mag, und ich liebe Dich dafür, daß Du es wagst, Dinge zu schreiben, von denen Du voraussiehst, daß sie mir unangenehm sein werden.

Ich arbeite sehr viel. Abends gehe ich aus mit den wenigen französischen Freunden, die ich hier habe, und wir trinken uns ganz anständig einen an.

Glaub mir oder glaub mir nicht, der Gedanke an Dich weicht

nicht von mir, Dein Gesicht prägt sich in alle Landschaften, und Deine treuen Briefe liegen hier auf meinem Nachttisch. Du bist schon zu lange daran gewöhnt, allein in der Gegenwart zu leben, um noch das Gefühl zu haben, die Vergangenheit könne von irgendeinem Wert sein. In diesem Punkt sind wir verschieden. Unsere gemeinsamen Jahre binden mich auf eine Weise an Dich, die mich selbst erstaunt.

Diese lange Abwesenheit macht mir ein wenig Angst für uns. Versuche, die Mädchen unterzubringen, um Weihnachten für lange hierherzukommen. Ich bereite ein königliches Programm für Dich vor, damit Du die Freuden der Freiheit vergißt, die Du ohne mich sehr zu genießen scheinst, was mich betrübt, wie Du weißt.«

Was Arnaud ebenfalls betrübt, ist die Tatsache, daß Louise Félicien und andere Freunde von *vorher* wiedertrifft; seit Jahren hatte sie sie vernachlässigt, weil sie spürte, wie mürrisch er Konzessionen an das frühere Leben seiner Frau machte. Was Arnaud schreibt, freut sie und tut ihr gleichzeitig weh. Sie hat sich so sehr bemüht, seine Gegenwart zu sein, und nun ist sie plötzlich seine Vergangenheit! Wie ist dieser Zaubertrick zustande gekommen? Ist sie schon »die geliebte Gefährtin« geworden, die man nicht mehr verlassen wird?

Sie reist öfter nach Saint-Etienne, wo Agnès nach und nach in der Entsagung versinkt. Sie ist sehr dick geworden, als wolle sie damit ihre Stagnation dokumentieren, und erklärt, sie sei unentwegt müde, um diese Stagnation zu entschuldigen. Sie bindet ihr schönes Haar in einem Knoten zusammen, der sie älter macht und dem Haar den rötlichen Flammenschimmer nimmt. Mit dem allzeit sicheren Instinkt der Ehemänner war Etienne stets der Meinung, ein Knoten stünde seiner Frau sehr gut, und ihr zu wildes Haar ertrage keine freie, weiche Frisur. »Ich mag Frauen mit Knoten«, verkündet er, was eine schamlose Lüge ist. Er vergißt, dazuzusagen, daß seine Mutter seit dreißig Jahren einen Knoten trägt.

Er verehrt seine Mutter; ein Jahr zuvor hat er sie zu sich ins Haus genommen, als sie, halb gelähmt, zum Pflegefall wurde. Natürlich wird sie von Agnès gepflegt, aber er versäumt es nie, jeden Tag einen Augenblick an ihrer Seite zu verbringen, und er is stolz darauf, ein so guter Sohn zu sein. Es ist ihm nicht aufgefallen, daß es die Schwiegertöchter sind, die pflegen, füttern, anfassen, wenn keine Töchter vorhanden sind, es sind die Schwiegertöchter, von denen all diesen Müttern beim Sterben geholfen wird, all diesen Müttern, deren Erinnerung die Herren Literaten in so edlen Tönen heraufbeschwören.

Vom Schreiben redet Agnès nicht einmal mehr. Sie beklagt sich über Migräne, Bauchschmerzen, Rückenschmerzen. Aber das ist normal nach fünf Kindern. Frauen haben doch immer »irgend etwas«. Da seiner Frau von der Pille mit Nachdruck abgeraten wird, schläft Etienne mit seiner Sekretärin, das ist lustiger; das Dienstmädchen kneift er in den Po, wenn er ihm begegnet, um zu beweisen, daß das *Jus primae noctis* noch nicht gestorben ist. Vom gleichen Prinzip ausgehend gibt er, wenn er ganz besonders gut gelaunt ist, auch seiner Frau kleine Klapse auf den Po, und wenn sie dann wie ein beleidigter Frosch aussieht, findet er das erheiternd. An diese spezifische Handbewegung hat sie sich nie gewöhnen können; ganz zu Anfang hat sie es ihm auch gesagt: »Aber Etienne, wir sind doch nicht auf dem Bauernhof!«

Seine Freude wurde dadurch nur verdoppelt, ebenso wie durch die Tatsache, daß sie ihn siezt. Er mag seine Frau übrigens sehr. Aber gelegentlich erlaubt er sich auch bei Pauline oder Frédérique kleine Übergriffe, wenn er zum Beispiel hinter ihnen die Treppe hinaufsteigt, oder wenn Agnès oder Louise in der Nähe sind – dann kann er sicher sein, daß die Mädchen nicht protestieren werden. Ach was, die mögen das alle sehr gern, auch wenn sie wie die abgestochenen Ferkel quieken – so denkt er und ist ehrlich davon überzeugt.

Félicien hat vor kurzem wieder geheiratet, eine sprühende, temperamentvolle Frau, genau das, was eine alte Robbe braucht: dicker Körper und kleine Füße, auf die sie auch noch stolz ist, gekräuselte Haare, die sie mit Henna einfärbt, schokoladenfarbene Augen unter fetten Augenbrauenbogen, die dem Blick einen ausgefallenen Reiz verleihen; im Alter werden sie eher einen Ausdruck von Härte hervorrufen. Sie besteht hartnäckig darauf, ihren üppigen Hintern in enge, glitzernde Satinhosen zu zerren; oder sie trägt Kleider, die ihr übermäßig hohles Kreuz betonen, breite Dekolletés, in denen empfindliche Haut zum Vorschein kommt, der geringste Druck hinterläßt rötliche Flecken. Aber breite Hintern und üppige Nährbrüste scheinen eine beruhigende Wirkung auf bestimmte Männer auszuüben: auf solche, die auch übervolle Wäscheschränke und überquellende Schlachtschüsseln lieben.

Seit drei Monaten ist Arnaud weg, und nun hat Louise all die Freunde wiedergefunden, die sie ihm nicht antun wollte, weil nicht er sie ausgesucht hatte. Sie schaut sich nicht mehr dieselben Sendungen im Fernsehen an und hat ihre Eßgewohnheiten geändert ... Sie läßt jetzt die Rohkost, die Arnaud liebt, beiseite, ebenso das halbrohe Fleisch, an das sie sich schließlich gewöhnt hatte. Ihr wirklicher, eigener Geschmack kommt langsam wieder zurück.

Aber in New York, weit weg von den Wurzeln, wo die alten Machtverhältnisse nicht mehr gelten, kann einem Paar Gnade widerfahren. Arnaud erfährt von seiner Frau, daß es seiner Mutter sehr schlecht geht, was sie ihm in ihren Briefen nie mitgeteilt hatte; instinktiv nähert er sich Louise, weil er den Verlust vorausahnt, der ihm Angst macht. Die Mutter der eigenen Kinder ist immer auch ein wenig die Urmutter.

In einem Anfall von Großzügigkeit macht Arnaud den Vorschlag, mit Werner und dessen Frau essen zu gehen. Sie treffen sich in einem französischen Restaurant, und nun spielt er Debbie gegenüber die Rolle, die sie von jedem Franzosen erwartet: die Rolle des Verführers. Auf diese Weise kommen die andern beiden Gäste in den Genuß einiger Augenblicke der Vertraulichkeit.

Ihren Werner, ihren Werther hat sie seit Jahren nicht gesehen, seit er sich einmal kurz in Paris aufhielt und sie sich zwischen zwei Flugzeugen im Flughafenrestaurant trafen. Inzwischen hat er silbergraue Schläfen, was ihm ein Flair von Abgeklärtheit verleiht, das jedoch durch den kindlichen Ausdruck seiner Augen und das wundervolle Lächeln dementiert wird. Auf englisch sagt er ihr: »Duft der Zeit, Heidekraut, vergiß nicht, daß ich auf dich warte ...« Sie antwortet: »Ich liebe dich schon lange nicht mehr, aber ich werde dich nie vergessen.« Sie können sich vor den beiden anderen nicht einmal an den Händen fassen, und am Abend steigen Werner und Debbie wieder ins Flugzeug nach Cincinnati, wo er derzeit stationiert ist. Bei einem amerikanischen Paar ist es wohl nicht möglich, der Ehefrau zu sagen: »Ich komme in vierundzwanzig Stunden wieder, Honey; laß mir einen Abend und eine Nacht Zeit, um den Heideduft meiner Jugend zu atmen.«

Ist da nicht doch die französische Variante vorzuziehen, die vorsieht, daß jeder, und sei es unter Schmerzen, sich bemüht zu akzeptieren, daß auch der Partner Ansprüche ans Leben hat?

Debbie ist eine irische Katholikin, eine amerikanische Puritanerin, der die Ehe heilig ist. Nicht die Bett-Ehe, sondern die Ehe als Sakrament. »Als sie in die Wechseljahre kam«, flüstert Werner in schlechtem Französisch, damit seine Frau ihn nicht versteht, »hat sie ihn wissen lassen, daß sie Satan und allen seinen Werken fortan widersage.«

»Das heißt also, daß sie bis zum Vorabend der Wechseljahre deine Brunst nur im Namen der Zeugungspflicht akzeptiert hat?«

»Nicht einmal das. Nach dem dritten Kind habe ich mich einer Vasektomie unterzogen. Nein, es war nur die ›eheliche Pflicht‹, wie ihr in Europa sagt. Aber von uns, in unserem Alter, nimmt man an, daß wir solche Sauereien nicht mehr brauchen.«

»Aber warum eine Vasektomie? Was ist mit der Pille?«

»Die Kirche ist gegen die Pille. Gegen die Vasektomie übrigens auch. Aber das habe ich alleine beschlossen, ohne ihr Einverständnis.«

»Was hat dich als Juden denn gepackt, daß du eine sture, frigide Katholikin geheiratet hast?«

»Zunächst einmal habe ich sie als Jungfrau geheiratet. Das heißt, da bestand Hoffnung. Und dann habe ich ja auch nicht die Liebe gesucht, wie du weißt, sondern eine Frau, die meine gelähmte Mutter, die ich sehr liebte, pflegen würde . . .«

»Entzückend!«

»Oh, ihre Motive waren auch nicht besser als meine. Sie war zweiunddreißig und hatte Angst, sie würde überhaupt nicht mehr heiraten. Und da ich Pilot war, dachte ich, wäre ich sowieso kaum bei ihr . . . Sie war ziemlich hübsch, Einzelkind, mit reichen Eltern, sie hatten ein *Funeral Home,* weißt du . . .«

»Oh, was für ein häßlicher Jude du bist!«

»Ach weißt du, als Jude bin ich doch ziemlich mißraten: Debbie hat mich immer benutzt: Die Kinder sind katholisch, und sie hat alles auf ihren Namen. Das war mir vollkommen egal, Hauptsache sie pflegte meine Mutter, und ich konnte in Ruhe weggehen.«

»Aber sag mal ... wie war das im Bett? Hast du ihr da was beibringen können ... wie es dir bei mir gelungen ist?«

Sie sehen sich an, und in ihren Augen steht plötzlich alle Lust,
die sie sich einmal geschenkt haben und die nun hier zwischen
ihnen an diesem Tisch fast greifbar wieder lebendig wird. Sie
zittern, sie beben. Wenn Arnaud jetzt herschaut, sieht er mit einem Blick, was los ist, ganz bestimmt. Louise schlägt die Augen
nieder. Die Erinnerungen verflüchtigen sich ein wenig. Aber da
ist wieder seine tiefe Stimme, die sie seit eh und je verrückt gemacht hat.

»Lou-eeze, ich weiß nicht, ob ich dir etwas beigebracht habe,
aber ich habe nie wieder das gefunden, was ich mit dir kannte.
Aber du warst verheiratet, wiederverheiratet, *damn it, I lost hope.*
Ich hätte doch nicht gehen sollen, vielleicht hätte ich dich am
Ende doch überzeugt ...«

»Und wir wären sehr unglücklich gewesen. Du zumindest, *my
darling.* Ich brauchte einen Intellektuellen, ich wäre dir böse gewesen, daß du keiner bist, und außerdem hätte ich es nicht ausgehalten, dir nach Amerika zu folgen, ich hätte auch nicht ertragen, daß du Pilot bist und nie zu Hause.«

»Aber Arnaud war ja auch nie da. Ich wäre nie drei Monate nach
Greenland gefahren ...«

»Du hast recht. Aber zumindest hatten Arnaud und ich das gleiche studiert, wir kannten dieselben Dichter, die Worte hatten für
uns beide dieselbe Bedeutung. Ich wäre dir auf die Nerven gegangen mit meiner Manie, immer über alles zu diskutieren, mit
meinen politischen Auffassungen. Wir wären heute längst geschieden!«

»Ich dagegen fühle mich noch immer wie *the Young Flying Offi-
cer,* der sich, als er dich in der Halle des Independance Club sah,
sagte: Hier ist sie, das ist die Frau meines Lebens. Ich glaube es
bis heute.«

»Glaubst du, du könntest heute nachmittag zwei Stunden Ausgang bekommen, Hauptmann? Arnaud arbeitet, wir hätten Zeit
miteinander zu reden, vielleicht auch nachzusehen, ob ... wir die
gleichen geblieben sind?«

Ganz offensichtlich sind sie die gleichen geblieben, sie wissen es.
Aber Werner wird nicht zwei Stunden Ausgang bekommen, und
schon schließt sich die Falle über ihm: Debbie, die kein Wort

Französisch spricht, aber auf der Hut ist – wie alle amerikanischen Ehefrauen, selbst wenn sie den Samen ihres Mannes nicht mehr in Anspruch nehmen –, findet, das Einzelgespräch habe lange genug gedauert: Diese Französinnen sind doch ziemlich unverfroren, belegen da ihren Ehemann mit Beschlag unter dem Vorwand, sie hätten ihn während des Krieges getröstet – ja, als Nutte vielleicht! Man beginnt ein Gespräch über die Kinder, das ist sicherer. Und dann trennt man sich mit dem Versprechen, beim nächsten Aufenthalt nach Cincinnati zu kommen. Debbie nimmt ihr Eigentum wieder in Besitz, und Arnaud und Louise wandern zurück durch die menschenleeren Straßen, in denen nie jemand zu Fuß geht. Er sagt, er habe sich mit der irischen Katholikin sehr gelangweilt. Louise erzählt ihm die Geschichte mit den Wechseljahren und daß Werner sich, wie viele Amerikaner, einer Vasektomie unterzogen habe.

»Das hätte uns zu einer bestimmten Zeit auch sehr geholfen. Aber als Mann des Südens hättest du der Idee nicht viel abgewonnen ...«

»Beim heiligen Hodensack, da hast du recht«, witzelt Arnaud.

Sie sind beide in melancholischer Stimmung, aber aus verschiedenen Gründen. Ausnahmsweise ist Louise nicht wegen Arnaud traurig. Er hat keine Lust, arbeiten zu gehen; weil er sich aber fürchtet vor dem, was sie sich jetzt möglicherweise sagen könnten, beschließen sie ins Kino zu gehen – um auf andere Gedanken zu kommen.

Bei ihrer Rückkehr nach Paris findet Louise einen Adrien vor, der sein Lebensschiffchen rettungslos treiben läßt. Seitdem Hermine weit weg von ihm abdriftet und er sie nicht mehr pflegen muß, verteidigt er sich nicht mehr, und der Tod greift ihn von allen Seiten an. Nach einer akuten Harnvergiftung wird er ins Krankenhaus eingewiesen, aber es tritt ein Lungenstau auf und außerdem Darmverschluß. Sein Schiff leckt an allen Ecken und Enden. Er wird künstlich ernährt, und weil er sich seines Mundes nicht mehr bedient, schrumpft seine Zunge sehr bald zu einem Stück Leder zusammen. Seine Augen verschwinden hinter einer glasigen Hülle, und um ihn herum schwebt ein Geruch, vor dem sich eine Fliege fürchten würde. Er geht ganz langsam, stückchenweise ein. Zum Glück ist er nahezu ohne Bewußtsein.

Als sein Tod bevorsteht und Louise und Lou damit beschäftigt sind, in seinen Papieren das Familienbuch zu suchen, ruft die Leiterin der Klinik von Suresnes an, wo Hermine seit fast einem Jahr dahinvegetiert: Der Zustand von Madame Morvan habe sich plötzlich verschlechtert. Hermine ist tatsächlich dem Endzustand nah. Ihre Augen sind wie üblich leer, sie scheint nicht zu leiden, aber ihre Arme zucken hektisch, als kämpfe sie gegen etwas Furchtbares an.

»Die bekannten myoklonischen Bewegungen«, sagt der Oberarzt. »Es scheint, daß eine Gehirnblutung oder eine massive Vergiftung durch Nierenlähmung ihren Zustand verschlimmert.«

»Blutung ... Nierenstillstand ... Wie könnten die auch verstehen, daß sie ganz einfach von Adrien gerufen wird«, erklärt Lou seelenruhig. »Er ist wie üblich zuerst bereit, und nun wird er ungeduldig.«

Tatsächlich starb Adrien in jener Nacht, und Lou setzte durch, daß man für das Begräbnis keinerlei Entscheidungen traf. In ihren Augen war klar, daß er für den letzten Akt ihres diesseitigen Lebens auf Hermine wartete und daß man auf diesen Ruf Rücksicht nehmen mußte.

Arnaud wurde per Telegramm aus Amerika gerufen: »Eltern liegen im Sterben.« Der Wortlaut erschien ihm ziemlich unglaubhaft, aber er kam gerade rechtzeitig, um das Mißtrauen des Leichenbestattungsinstituts zu beseitigen, das bereits anfing sich zu fragen, ob es da nicht mit zwei Giftmischerinnen zu tun hatte, deren zweites Opfer sich mit dem Hinscheiden Zeit ließ.

Hermine brauchte noch zwei Tage, um sich zu entschließen, diese Erde zu verlassen. Selbst bei Hirnversagen, wie der Arzt es nannte, widerstrebte es ihrem Körper, zu sterben. Sie bewegte unablässig die Arme, nicht ohne Anmut: Mit der linken Hand griff sie nach der rechten Schulter, auf der Suche nach jener animalischen Zärtlichkeit, die man vermutlich braucht, um zu sterben, und die Louise im Gegensatz zu Lou ihr zu geben nicht in der Lage war. Aber daß es ihr gelang, aus den Tiefen dieser Besinnunglosigkeit, in die sie seit Monaten versunken war, den Ruf ihres Lebensgefährten zu hören, erfüllte ihre Angehörigen mit religiöser Rührung und gewährte ihnen eine Art inneren Frieden. Wenn sie ihr Leben zu zweit auch nicht immer erfolgreich gemeistert hatten, so war ihnen zumindest ein wundersa-

mer Tod geglückt: Hermine verließ die Welt mit einer spektaku-
lären Geste, die ganz zu ihr paßte.

Beide Särge kamen, der eine aus Suresnes, der andere aus dem
zwölften Arrondissement, unter einer ganz sanften Herbstsonne
vor dem Familiengrab auf dem Friedhof von Montmartre zusammen. Sie waren auf roten Rosen gebettet. Die Trauerfeier
fand im engsten Kreise statt.

»Welcher kommt zuunterst?« fragte der Angestellte des Bestat-
tungsinstituts.

Über dieses Problem hatte niemand nachgedacht. Es wurde beschlossen, den zuerst Gestorbenen unten hinzustellen. Als Hermines Kiste ebenfalls herabgelassen wurde, las Louise mit Ver-
blüffung auf dem Kupferschildchen: Mme. A. Morvan, Witwe.
Sie hatte trotz ihrer Bemühungen, Adrien nicht zu überleben,
Zeit gehabt, Witwe zu sein. Die Behörden hatten wieder einmal
das letzte Wort.

Louise betrachtete sich manchmal als unsterblich, aber nun war
sie ganz plötzlich beider Schutzmauern gegen den Tod beraubt:
Nun fühlte sie sich einer brutalen Gefahr ausgeliefert. Soeben
hatte sie für immer ihre Identität als Tochter verloren. Niemand
würde sie mehr so lieben, wie ihre Mutter sie geliebt hatte.

Außer Lou und den Kindern war nur Jeanne noch beim Begräbnis.

»Mein armes Kind«, sagte sie, als sie ihre Nichte umarmte. Dann,
mit einem Blick auf den hellblauen Mantel, fügte sie gehässig
hinzu: »Nun ja, ich sehe, daß du es ganz gut verkraftest.«

Der Tod der Menschen, die man liebt, stürzt einen entweder in
Verzweiflung, oder er erfüllt einen mit einer wilden und sehr
gesunden Lebenslust. Louise hatte gewissermaßen schon »Trauer
getragen« um ihre Eltern, als Hermine das Haus verließ und
Adrien sich in sich zurückzog. In den letzten Monaten hatten die
Eltern weit mehr Zeit in ihrem Leben als Platz in ihrem Herzen
ausgefüllt. Sie spürt, daß sie nun seelisch und auch zeitmäßig in
der Lage sein wird zu schreiben.

Solange man sich nicht mit einem Stoß Papier vor der Nase an
einen Schreibtisch setzt, solange man seinen Füller nicht vier
Zentimeter vom Papier hält mit dem festen Vorsatz, zu warten
und sich nicht mehr vom Fleck zu rühren, bis das Wort »Ende«
unter das Werk geschrieben werden kann, solange ist man kein

Schriftsteller. Louise besitzt viele Ordner voller Fragmente. Sie hat ihre Ideen stets aufgeschrieben, so wie andere Menschen Zigarettenkippen auflesen. Nun ist die Zeit gekommen, das Blei in Gold zu verwandeln – eine alchimistische Handlung, die ungeheure Konzentration und eine starke Dosis Einsamkeit sowie Gleichgültigkeit dem Rest der Welt gegenüber erfordert. Zumal da sie inzwischen eines mit Pétain gemeinsam hat: Sie kann morgens am besten arbeiten. Auf jeden Fall weiß sie jetzt, daß Schreiben ihr wahrer Beruf ist. Ihre Rundfunksendungen hinterlassen bei ihr einen Eindruck von Frustration und Unzulänglichkeit. Niemals wird sie die nötige Gewandtheit und Frechheit besitzen. Selbst in den wenigen Vorträgen, die sie gehalten hat, selbst in den Stellungnahmen anläßlich irgendwelcher politischer oder anderer Veranstaltungen hat sie sich selbst nie ernst genug nehmen können, um sich einer gewissen Sprache zu bedienen, die unentbehrlich ist, wenn man gehört und respektiert werden will. Sie kennt die Bedeutung von Wörtern wie Prolegomena, assertorisch, Thematik oder Semantik sehr wohl, oft viel besser als andere, jene Wörter, die die Männer gebrauchen und die die Frauen zu gebrauchen beginnen; aber sie wagt es nicht, sie in den Mund zu nehmen. Wie die Japanerinnen fühlt sie sich verpflichtet, eine einfachere, bescheidenere Sprache zu verwenden, eine Sprache, die kein Publikum je beeindrucken wird. Sie wird auch deshalb nie eine gute Rednerin werden, weil sie glaubt, sie müsse ein Thema beherrschen, um darüber zu sprechen. Sie fühlt sich nur dann einigermaßen beruhigt, wenn sie sich selbst auf das unwichtigste Thema vorbereitet hat wie für einen philosophischen Essay. Solche Komplexe sind zu tief in ihr verwurzelt, als daß sie je hoffen könnte, sich davon zu befreien. Dazu würde sie noch zehn Jahre brauchen.

Wirklich wohl fühlt sie sich nur beim einsamen Schreiben, und manchmal im Journalismus, aber nur bei Frauenzeitschriften – die erscheinen ihr erreichbarer als die großen Nachrichtenmagazine, absurderweise, denn sie liest dort oft sehr mittelmäßige Artikel von irgendwelchen Schwätzern, die weniger Talent als sie selbst haben. Obwohl sie um die Absurdität ihrer Hemmungen weiß, fühlt sie sich außerstande, sie über Bord zu werfen. Also wird sie ein Buch schreiben. Aber ein großes, hofft sie!

So wie sie sich nach Jean-Maries Tod eine Liebe auf den ersten

Blick mit Werner geleistet hatte, so fühlt Louise auch nach dem Tod ihrer Eltern das Bedürfnis nach einem erotischen Schock. Lieben auf den ersten Blick bringen ein Gefühl der Erfüllung mit sich, das man bei normalen Lieben nicht empfindet. Auch diesmal ist es wieder ein Ausländer, ein Italiener, der zwei Fremdsprachen spricht: die eine, die er für Französisch hält, und die andere, davon kaum verschiedene, die wirklich Italienisch ist. Louise antwortet ihm in klassischem Latein. Aber was soll's? Ihre gegenseitige Anziehung hat nichts Linguistisches, sie ist rein chemisch, es ist H_2, das sich auf O stürzt, um einen einzigen Körper zu bilden.

Sie ist für zehn Tage nach Rom gefahren, um Elena Belotti zu interviewen und sich aus der Nähe anzusehen, wie das von ihr geleitete Montessori-Zentrum für pränatale Psychologie funktioniert; in diesem Zentrum, das in Europa einzigartig ist, werden die Frauen nicht nur auf die Entbindung vorbereitet, sondern gleichzeitig auch darauf, mit dem Säugling ein Verhältnis aufzubauen, das frei ist von jeglichen geschlechtsbezogenen Vorurteilen – was sie später eine anti-sexistische Erziehung nennen wird. Vincente ist der Fotograf, der Louise überall hin begleitet. Er ist jünger als sie. Zehn Jahre? Fünfzehn Jahre? Auch hier sagt sie sich: Was soll's? Wie in den Träumen, in denen man nie ein genaues Alter hat, spielen solche Details keine Rolle, wenn es sich um Liebe auf den ersten Blick handelt.

Man liebt viel schneller im Ausland. Kein Zeitverlust mit langen Redemanövern. Außerdem muß die ganze Geschichte in zehn Tagen gelaufen sein. Beide sind verheiratet, nicht unzufrieden mit ihrem Leben, beide haben Kinder. Also geben sie sich klaren Verstandes dem Elektroschock hin, und es wird zu einer jener Wochen, von denen im Leben eine Erinnerung bleibt, die so farbig ist, daß sie nie erlischt. Aber man weiß, diese Art von Gefühlen lassen sich nicht gut vereinbaren mit familiären Zwängen, Terminplänen und sonstigen Hindernissen. Vincente kommt einmal nach Paris, um sie wiederzusehen. Sie würde ihn gerne nach Locmaria mitnehmen, oder sich mit ihm in Wien, New York oder Venedig verabreden: Egal wo, nur nicht in ihrem Wohnzimmer, wo jeden Augenblick die Gefahr besteht, daß jemand ruft: »Mamaah! Bist du hier, Mamaah?« – ein Ritual, das von allen drei Töchtern begangen wird, sobald sie die Wohnung betreten. Egal wo, nur nicht in der Absteige der Rue Scribe, wo er sich ein Zimmer genommen hat.

Vincente weiß, daß Louise Kinder hat, aber das gehört zu einem imaginären Leben. Jegliche Konfrontation kann fatal sein: Beim zwölften Schlag um Mitternacht, beim »Mamaah«-Schrei würde Louise sich zurückverwandeln in eine Kröte und Vincente in einen ganz gewöhnlichen Aufreißer. Außerdem kommt Arnaud bald nach Paris zurück. Sie leisten sich noch eine Woche des besinnungslosen Glücks, sie sind überwältigt – das Besondere an solchen Affären ist die Tatsache, daß das Glück des Körpers als Seelenglück erscheint –, und am letzten Tag beschließen sie gemeinsam, kein neues Stelldichein zu vereinbaren.

»Bis vielleicht«, sagt er zu ihr, ein hübscher Ausspruch.

»*Vale et me ama*«, antwortet Louise, weil es die einzige Art ist, die sie kennt, auf Latein Adieu zu sagen.

Die heutige Welt ist der Ausübung von Leidenschaft abhold. Außerdem rückt das Erscheinen ihres Romans näher und nimmt sehr viel Zeit in Anspruch. Und Frédé will heiraten; Louise macht sich Sorgen: Sie findet sie noch zu jung und zu zart. Frédé ist verliebt in einen hübschen, reichen, autoritären Rechtsanwalt aus Nizza, und sie glaubt, sie brauche genau das, Autorität, Geld, Tradition. Louise spürt, daß sich ihre Tochter über sich selbst täuscht, aber wie sollte sie sie daran hindern, im Namen einer Person, die sie noch nicht ist, eine Entscheidung zu treffen? Philippe, der seinen Urlaub in Locmaria verbracht hat, benimmt sich bereits wie der Besitzer ihrer Tochter: Fortan betrachtet er es als eine Aufgabe, über ihre Neigungen zu entscheiden, an ihrer Erziehung nachzubessern. Wichtig ist, daß sie in Nizza leben wird, was einen doppelten Vorteil mit sich bringt: Erstens wird sie dadurch dem schädlichen Einfluß ihrer Mutter entzogen, zweitens wird sie dann unter dem Einfluß der Schwiegermutter stehen – und die ist eine Garantie gegen emanzipatorische Flausen. Er hat bereits ihren gemeinsamen Terminplan organisiert: Einen Abend in der Woche wird er mit seinen Freunden ausgehen. Großzügig billigt er ihr zu, daß sie an diesem Abend ihre Freundinnen besuchen darf.

Arnaud, der vor kurzem endgültig aus New York zurückgekommen ist, bekundet eher Zufriedenheit mit dieser Heirat, aber Louise hat das Gefühl, Frédérique einer fremden Sippe auszuliefern, die ihr ihre Totems und ihre Ahnen aufzwingen wird. Sie versucht Zeit zu gewinnen, was bedeutet, daß sie selbst sehr viel Zeit zu verlieren bereit ist. Denn wenn die Kinder ein gewisses Alter erreichen, läuft Erziehung auf eine Art Bereitschaftsdienst hinaus. Mehr noch als den mütterlichen Rat brauchen die Mädchen die Möglichkeit, ihre Probleme endlos auseinanderzunehmen in Anwesenheit eines Menschen, der sie weder für verrückt noch für verkommen erklärt. Wenn sie das Bedürfnis haben, um Mitternacht nach einer Party zu reden, dann muß man eben um Mitternacht zuhören. Am nächsten Morgen ist es zu spät, am Vorabend hatten sie keine Lust. Man muß bereit sein, bis um zwei Uhr früh zu diskutieren, selbst wenn man vor Müdigkeit umfällt, muß bereit sein, einen Kinobesuch abzusagen: Die Freundin, mit der man verabredet war, hätte zwar auch nur von ihrer Misere erzählt, aber es wäre so wunderbar entspannend gewesen, weil einen letztlich diese Misere doch nicht unmittelbar betrifft. Man muß bereit sein, das Manuskript in die Schublade zu räumen, in einem Augenblick, der ganz bestimmt die Inspiration gebracht hätte ...

Arnaud hält sich für einen guten Vater, weil er seinen Töchtern Termine einräumt. Am Sonntag morgen zum Beispiel setzt er sich in seinem japanischen Kimono dekorativ ins Wohnzimmer und sagt der einen oder der anderen: »Na, mein Liebling, erzähl mir mal, wie es mit dir steht. Aber hol uns zuerst was zu trinken: Mit einem Whisky fühlen wir uns wohler! Geh, bring noch die Eiswürfel, sei so lieb.« Das wirkt wie eine kalte Dusche. Louise und ihre Töchter haben einen Eiswürfel-Komplex. In die Küche laufen, sich mit einem Behälter herumschlagen, dessen besonders schlaues System zum Auswerfen der Würfel nie funktioniert, weil es in einem Eisklumpen steckt, an den man mit einem Pickel ranmüßte, endlich vier Eisstücke herausklauben, von denen drei sofort in den Brotkorb oder unter den Tisch schlittern, den leeren Behälter *leer* wieder in das Kühlfach schieben, obwohl man weiß, daß Arnaud morgen »Scheiße« brüllen wird, wenn er keine Eiswürfel vorfindet ... eine Reihe von widerwärtigen Handlungen, die für den lauwarmen Portwein sprechen. Aber Arnaud mag ausschließlich Whisky. Inzwischen hat sich die Lust auf Vertraulichkeiten aus dem Staub gemacht. Die Vertraulichkeit muß man im Flur erwischen und festhalten, oder vor der Klotür, auch wenn man gerade dringend müßte.

1967 schien für die Eltern ein fatales Jahr zu sein. Als hätte sie auf Arnauds Rückkehr gewartet, um zu sterben, verschlechterte sich Madame Castéjas Zustand ganz plötzlich. Nach Louises Einschätzung hat sie ihren Ältesten nie besonders geliebt, hatte ihm die beiden anderen Söhne immer vorgezogen, und er hatte seine Mutter nur aus Prinzip gemocht. Aber was wußte Louise über Arnauds wirkliche Gefühle? Hatte sie sich nicht so oft schon über ihn geirrt?

Er ertrug es nur schwer, seine Mutter im Krankenhaus von Montpellier zu sehen, ihrer Würde, fast sogar ihrer Menschlichkeit beraubt. Ein anonymer Körper in der Horizontalen, demütig inmitten all dieser schreienden, sich herumwerfenden Leiber in den Nachbarbetten, ein Körper, der im Geruch der alten Menschen schwimmt, dem immer gleichen Geruch aller alten Menschen, in allen Pflegeheimen der Welt, so wie der Geruch aller Kinder in allen Schulen der gleiche ist. Später riecht man nach sich selbst, hat man seine eigene Ausdünstung, seinen Schweiß. Am Anfang und am Ende riecht man nach seinem Alter.

Nach der Beerdigung bricht Arnaud zusammen. Seine Verzweiflung scheint viel tiefer zu sein, als es seine Liebe war. Er hängt sich wie ein kleines Kind an seine Frau, denn seine Kindheit ist gerade gestorben; diesen Gedanken erträgt er nicht. Im Grunde ist jeder Mann für sich allein das Ende einer Rasse. Die Tatsache, daß Arnaud keinen Sohn hat, verstärkt vielleicht dieses Gefühl von Endstation. Sogar vor Hermines Grab fühlte Louise, umgeben von ihren Töchtern, etwas von Kontinuität, jene ruhige Gewißheit der Mütter, der Töchter, der Enkelinnen, in denen allen der gleiche fruchtbare Fluß weiterströmt. Trotz ihrer drei Söhne ist Arnauds Mutter viel mehr tot als Hermine, und ihr Sohn ist mehr Waisenkind als Louise.

An den folgenden Tagen bleibt er schmerzerfüllt und niedergeschlagen in seinem Sessel kauern. Am liebsten hätte er weder Frau noch Kinder noch Auto noch Haus, am liebsten würde er ins Bett flüchten und die Decke über den Kopf ziehen. Louise müßte eigentlich gerührt sein, aber statt dessen ärgert sie sich irgendwie über diesen Kummer. Sie hat immer befürchtet, Arnaud als Mutter dienen zu müssen, auf tückische Weise in diese Rolle gedrängt zu werden, die insgeheim so viele Männer beglückt, sobald ihre Frau in ihren Augen kein schlichtes Sexualobjekt mehr ist, oder wenn sie selbst Mutter geworden ist – was bei ihnen eine Art von Eifersucht erweckt und die Lust, auf die gleiche Weise verwöhnt und liebkost zu werden.

Nach den »Ereignissen« war ihm nicht so recht klar gewesen, welche Form der Beziehung er mit Louise eingehen sollte; also hatte er es mit dem Infantilismus versucht: »Wer wird heute mittag in sein Haia-Bettchen gehen?« hatte er dann manchmal gesagt und einen Schmollmund gemacht.

Louise hatte nicht den Mut zu antworten: »Und wer ist heute mal wieder ganz kindisch geworden?«; aber sie weigerte sich, das Spielchen mitzuspielen und eine zärtliche Babysprache aufzunehmen: »Atta ... Atta ... die Mami kommt gleich und deckt das liebe Bärchen zu ...«

Man rutscht so leicht in gewisse beruhigende Register, die man dann möglicherweise bis zum bitteren Ende ausspielen muß. Louise hatte schon die Verantwortung für drei Babys: Sie würden es auch ihr Leben lang bleiben können, und sie würde sie immer zudecken, wann immer sie danach rufen würden.

Sie will nicht, daß Arnaud unglücklich ist, nein, das will sie wirklich nicht. Aber sie mag nicht mehr die Verantwortung für ihn übernehmen. Man bleibt in den seltensten Fällen ein Leben lang der Starke oder der Schwache innerhalb einer Partnerschaft. Und vermutlich ist es unmöglich, daß zwei Starke nebeneinander leben. Es ist das schlimme Prinzip der kommunizierenden Gefäße – schlimm, wenn es sich um Gefühle handelt. Schlimm auch für den, der der Schwache sein wird und für den diese Rolle neu ist. Oder der für sie keine Begabung hat.

Von Zeit zu Zeit trifft sich Louise mit Bruno, aber sie sagt Arnaud nichts davon, eher um seine Eitelkeit zu schonen, denn Angst vor ihm hat sie nicht mehr. Aber sie beeilt sich zu leben, diese neuen Kräfte zu nutzen, denn sie beginnt, den steilen Abhang der Fünfziger und deren undankbare Landschaften wahrzunehmen. Sie kann es nicht akzeptieren, daß ihre Jugend bald zu Ende gehen wird. Mit dem Alter ist es übrigens wie mit den Jahreszeiten, bis zum letzten Augenblick ist alles in bester Ordnung. Bis Neunundvierzigeinhalb ist sie in den Vierzigern. Es ist immer nur der Übergang, der weh tut. In Locmaria, genau wie früher in Kerviglouse, lauert sie schon Mitte August auf den furchtbaren Tag, an dem der Sommer umkippen wird. Alles scheint prachtvoll, unschuldig, ewig, das Meer gibt sich schön, und plötzlich kommt der Tag und unterbricht das Fest, plötzlich ein Gewitter, plötzlich ein Tief, das anders ist als die vorhergehenden … und dann, am nächsten Morgen, hängt jene tückische Feuchtigkeit in der Luft, ein Hauch von Fäulnis, schon sitzt der Wurm in der prächtigen Frucht. Die Blumen haben schon verstanden und tragen ein anderes Gesicht. Sie werden sich nie mehr ganz erholen. Der Zerfall beginnt, selbst wenn noch einmal schöne Tage kommen, die einem vormachen, man habe sich getäuscht. Im Grunde ist alles vorüber, man weiß es. Später wird man sich mit dem Herbst natürlich abfinden; man wird sich in dieser neuen Jahreszeit einrichten, ihr sogar besondere Reize abgewinnen, aber es gibt ihn, jenen fatalen Tag des Übergangs, und Louise fragt sich langsam, wie alt sie sein wird, wenn er bei ihr eintritt.

Im Augenblick aber schreibt sie und erlebt das Glück des Schaffens, während Arnaud ganz langsam wieder hochkommt. Er hat sich sehr verändert seit seiner einjährigen Abwesenheit und dem Tod seiner Mutter, sehr zu seinem Vorteil. Zu *ihrem* Vorteil. Er hat eine Wegstrecke hinter sich gebracht, aber da sie ihren Weg in die Gegenrichtung gegangen ist, hat sich die Distanz zwischen ihnen nicht verändert. Er versteht nicht so genau, was passiert. Er weiß nicht, daß er bei seiner Rückkehr nicht Louise Castéja wiedergefunden hat.

Sondern MICH.

20

Ein eigenes Gesicht

Die Fünfzig, immer wieder hinausgeschoben, haben mich schließlich doch eingeholt. Mit nun fast zweiundfünfzig Jahren komme ich nicht mehr um die gräßliche Bezeichnung »Frau in den Fünfzigern« herum.

Im großen und ganzen hat sich eigentlich nichts wirklich verändert. Keine Orangenhaut auf den Oberschenkeln, kein Hängebusen, kein schlaffer Bauch, kein Doppelkinn; keines der Leiden, über die sich Frauen um Fünfzig sonst beklagen. Doch das Gesicht hat inzwischen, verglichen mit dem übrigen Äußeren, einen unzulässigen Vorsprung. Diese Doppelfalte auf beiden Seiten meines Mundes, zwischen deren Furchen die Haut einen Wulst bildet, die kleinen Fleischlappen, die wie bei einer Truthenne meinen Unterkiefer säumen und, wenn ich den Kopf senke, den Umriß meines Gesichts zerstören; diese zu lang gewordenen Oberlider, die immer wie nach innen gezogen wirken, dieser nicht mehr glatte Hals ... Und dann auf der Brust dieser neue Leberfleck, der gerade auftauchte und doch zu spät kommt; denn künftig ist es ein Altersfleck ... All diese kleinen Anzeichen des Verfalls werden täglich deutlicher sichtbar unter meinen ungläubigen Blicken. Man müßte ständig mit hochgerecktem Kinn und gestrafften Schläfen leben, immer leicht lächeln, um die Mundwinkel anzuheben, das Lächeln jedoch sofort abbrechen, sobald es anfängt, Falten zu zeichnen; niemals den Kopf drehen, um ein glattes Dekolleté zu behalten, den Hals emporrecken, um den Stiernacken nicht zu deutlich hervortreten zu lassen, stets daran denken, den Bauch einzuziehen, und schließlich bei all diesen Vorsichtsmaßnahmen auch noch spontan und natürlich bleiben.

Jeden Morgen stehe ich auf, als ob nichts wäre, voller Schwung und Liebe zum Leben, so wie ich seit eh und je aufgestanden bin, selbst in den schlimmsten Tagen; und dann begegne ich mir vor dem Spiegel im Badezimmer: ein Schock! »Bin das wirklich ich?« Sicher nicht. Ich verändere den Blickwinkel, ziehe die Augenbrauen hoch und mache mein völlig verändertes, gefälschtes Spiegelgesicht. Aha, so ist es besser. Doch im Laufe des Tages trifft man immer wieder unvorhergesehen auf irgendeinen Spiegel, zum Beispiel auf den in der Metzgerei. Ich weiß nicht, warum ich in diesem Spiegel immer so besonders häßlich aussehe! Es ist jedesmal ein neuer Keulenschlag.

Schließlich habe ich, wenn das Licht allzu unbarmherzig war, einfach die Straße überquert, um das Vorbeigehen an gewissen Schaufenstern zu vermeiden und mir meinen Seelenfrieden zu erhalten.

Ich wollte diese Frau einfach nicht sehen. Innerlich fühlte ich mich so herrlich jung – oder besser: alterslos, daß ich es nicht fertigbrachte, diese häufiger werdenden Unschönheiten und Mängel mit meinem Bild von mir selbst zu vereinbaren. Ich habe eine eiserne Gesundheit, aus rostfreiem Stahl sozusagen, und mir tut nichts weh, bis auf mein Alter. Es hieß also etwas tun, um diesem hinterlistigen Älterwerden entgegenzutreten, ihm ganz energisch den Befehl zu erteilen, erst in zehn Jahren wieder vorbeizukommen.

Ich wollte mir einen neuen Kopf leisten.

Es schienen verschiedene Ereignisse zu sein, die mich zu dieser verschwenderischen und egoistischen Entscheidung brachten: Agnès hat Krebs, der erst sehr spät entdeckt und operiert wurde. Sie kämpft; aber sie liebt sich selbst nicht genug, um den Kampf zu gewinnen. Weil sie ihre Bedürfnisse immer zugunsten anderer zurückgestellt hat, konnte sie nicht genügend Energie für sich selbst sammeln. Unsere tiefe, zurückhaltende Freundschaft werden wir bewahren bis zum Tod. Ihrem, natürlich. Ich hatte schon immer den Eindruck, daß ihr Leben nur an einem seidenen Faden hing und daß Mme. Etienne Pichonnier seit langem Agnès verdrängt hatte, trotz meiner kläglichen Anstrengungen.

Meine Eltern sind tot, und Kerviglouse gibt es nicht mehr. Es ist nicht nur so, daß ich dieses Haus nicht vergessen kann, das wäre ganz normal, doch mein Heimweh wächst. Ich liebe Locmaria, aber Adrien wird niemals hiergewesen sein, Hermine wird nie einen lustigen neuen Namen dafür erfunden haben, Pauline und Frédérique werden nie als kleine Mädchen über die Gartenwege gelaufen sein ... diesem Ort werden immer zwanzig Jahre meines Lebens fehlen.

Ich lebe sehr angenehm an Arnauds Seite ... wenn ich es mit der noch frischen Vergangenheit vergleiche. Aber ich bedaure es fast. Er hat sich schließlich über das Ende seiner großen Liebe zu Viviane hinweggetröstet, indem er die Zahl der kleinen Affären vervielfachte, und ich empfinde dafür so etwas wie Verachtung. Meine Eifersucht hat sich wie eine Flut zurückgezogen und ist nicht wieder zurückgekehrt. Die »Große Liebe« auch nicht.

Wir leben ein bißchen wie zwei, die sich auf dem Weg der Genesung befinden. Zugleich aber stoßen wir jetzt hart an jenes Unabänderliche, das es in jeder Partnerschaft gibt: was man nie beim anderen wird akzeptieren können, was man von seinem Denken oder Handeln nie wird verstehen können.

Wie zum Ausgleich bin ich jetzt aber nicht mehr die Dame, die ein bißchen auf Literatur macht, sondern eine Schriftstellerin. Mein Buch *Diesseits* ist sehr gut gegangen. Ich habe damit nicht schlecht verdient, einen Literaturpreis bekommen und einige neue Freunde gefunden. Liebe Hermine, du warst leider nicht da, um dich darüber zu freuen.

Und schließlich das neueste Ereignis: Frédé läßt sich scheiden. Ich war nicht in der Lage – oder unfähig –, ihr diesen Umweg über bürgerliche Heirat und patriarchalische Gesellschaftsordnung zu ersparen. Doch wahrscheinlich mußte sie diesen Weg alleine gehen, und ihre eigene Wahrheit mußte sie von innen erfahren, nicht aus ihrem oder meinem Kopf heraus. Philippe sagt ihr voraus, sie werde wie eine streunende Hündin enden, wenn sie ihn verlassen und nach Paris zurückkehren würde. Das sagen sie alle! Er spricht von ihr wie von einem widerspenstigen Tier, bei dem er mit seiner Dressur gescheitert ist. Sie ist der PSU, der Vereinigten Sozialistischen Partei, beigetreten und will ihr Studium wieder aufnehmen. Philippe zuckt nur die Schultern. Wenn sie im Bett und im Haushalt besser gewesen wäre, hätte sie das alles nicht nötig gehabt. Das wichtigste ist, daß sie wenigstens nicht auf die Lösung Kind zurückgegriffen haben!

Durch all diese verschiedenen Vorfälle habe ich entdeckt, daß ich mir selbst mein kostbarstes Gut bin und daß ich dieses unanständig teure Geschenk verdient habe, diese Behandlung für Stars: ein Lifting. Bei der Gelegenheit werde ich auch meine Nase ein bißchen korrigieren lassen.

»Aber wenn ich dich doch so liebe, wie du bist?« hat mir Arnaud immer gesagt, wenn ich mich über den Schatten beklagte, den meine zu lange Nase auf mein Gesicht warf, vor allem im Fernsehen.

Ja, sicher, wenn er mich so liebte, was wollte ich mehr? Ich war zweimal unter die Haube gekommen, trotz dieser Nase, mit dieser Nase ... und jetzt? Jetzt plötzlich war ich es, die mir selbst gefallen wollte.

»Du weißt genau, daß du für dein Alter fantastisch aussiehst«, versicherte mir Arnaud immer wieder. Lieb von ihm.

Aber wieso »für mein Alter«? Ist mein Alter an sich schon häßlich? Ich möchte schön sein, ganz einfach. Oder auch häßlich, aber beides unabhängig von meinem Alter.

Kurz und gut, ich, die ich niemals einen Fuß in einen Kosmetiksalon gesetzt habe, wollte nun auf einen Schlag alles ausgeben, was ich mir dadurch ein Leben lang gespart hatte; ich wollte mir ein Gesicht leisten, so wie man sich ein Benehmen kauft. Und wer weiß, vielleicht erwerbe ich obendrein noch ein anderes Benehmen.

Ich hatte meine fünfzig Lenze ganz im geheimen gefeiert. Arnaud ging schon auf die Fünfundfünfzig zu, aber er erinnerte uns immer rechtzeitig an das Datum, auf daß wir ihn mit Geschenken überhäuften. Mir war es lieber, wenn meine Töchter vergaßen, daß ich nicht mehr ganz so aussah wie sie. Schließlich hatte ich ihre Tänze noch gelernt, ich lief die hundert Meter am Strand immer noch schneller als Pauline ... Fünfzig? Was sollte das schon heißen. Auf jeden Fall würde mir nie jemand beweisen, daß ich fünfzigmal ein Jahr gelebt hatte. Ich hatte nämlich jahrelang immer dasselbe Jahr gelebt:

»Na und, was ergibt das nun insgesamt für ein Alter?«

»Na ja ... Das macht ungefähr ein durchschnittliches Alter, das überall hinpaßt, so etwas wie vierzig, was eigentlich überhaupt nichts heißt. Im Grunde habe ich eigentlich überhaupt kein Alter.«

War es Zufall, daß ich am Vorabend meines zweiundfünfzigsten Geburtstages träumte, ein Fremder legte mir in einem Speisewagen den Arm um die Taille? Arnaud saß mir gegenüber, doch er sprach weiter, ohne etwas zu bemerken. Ich wußte, daß dieser Mann mir zu verstehen geben wollte, daß ich für ihn eine sinnliche Anziehungskraft besaß, es war eine Lust zu fühlen, wie er mit seinen Fingern meine Taille drückte, und wir brauchten uns dabei nicht einmal anzusehen. Seine Geste erschien mir ebenso natürlich wie meine Erregung. Man lebt unmittelbarer in seinen Träumen: Moral und gesellschaftliche Konventionen haben keinerlei Bedeutung. Nichts. Es passierte nichts, doch zum ersten Mal in meinem Leben wachte ich auf mit der Angst, alt zu werden, mit der Angst, es würde mir nie wieder jemand in einem Speisewagen Avancen machen. Eines Tages würde ich mich nur noch in meinen Träumen begehrt fühlen.

Niemand war da, dem ich diese Angst hätte mitteilen können, diese Angst, vorzeitig von der Welt der Lebenden ausgeschlossen zu werden. Agnès befand sich auf einer Reise, die unendlich viel tragischer war, und meine Ängste wären ihr lächerlich erschienen. Doch ich stellte einige beunruhigende Symptome fest: Es kam vor, daß ich mich freute, weil ich eine gute Nacht verbracht hatte. Nicht weil ich eine schöne Liebesnacht hinter mir hatte, sondern weil ich gut geschlafen hatte. Dieses Abdriften, diese hinterlistige Abnutzung der Worte! »Eine *gute* Nacht, *gute* Erholung« wünscht man sich, und: »Vor allem eine *gute* Gesundheit!« Was soll man mit einer guten Gesundheit, wenn man nicht auch noch das Glück hat? Ich konnte nur mit Félicien darüber reden. Seit den »Ereignissen« sind wir uns sehr nahe gekommen. Er ist nicht sehr glücklich mit seiner energiegeladenen Frau. Sie ist kleinlich und besitzt kein bißchen Poesie. Er war dazu geschaffen, jemanden wie Viviane zu lieben, und konnte mit diesem Typ Frau nur unglücklich werden. Sein Fall ist unlösbar.

»Die einzige schlimme Behinderung ist das Verschwinden des Verlangens«, sagt er mir, nachdem ich ihm bei einem gemeinsamen Mittagessen, das wir uns von Zeit zu Zeit leisten, um über unser Leben zu sprechen, von meinem sanften Traum erzählt habe. »Solange du noch träumst, solange du die Fähigkeit besitzt, zu bedauern, solange gibt es kein Alter. Siehst du, ich habe noch genügend Kondition, um Tennis zu spielen oder Ski zu laufen, aber es macht mir keinen Spaß. Vielleicht weil nichts von dem, was ich mag, auch Geneviève gefällt. Nicht einmal mehr die Liebe.«

»Ich frage mich, ob nicht das erste Organ, das bei vielen Frauen in Rente geht, das Geschlecht ist. Schau dir Werners Frau an ... Die Männer geben in dieser Beziehung wohl nicht so schnell auf, oder vielleicht haben sie einfach ihre Sexualität nie verabscheut?«

»Da irrst du dich, das ist nicht allein den Frauen vorbehalten. Ich fühle mich auch gelegentlich wie ein Rentner, der nicht einmal mehr Lust hat, irgend etwas Neues auszuprobieren.«

Félicien zieht eine Grimasse wie eine alte, kranke Robbe, die Lider halb geschlossen über seinen gutmütigen Glubschaugen, und macht ein Gesicht wie ein altes, schmollendes Kind. Das Gespräch erinnert ihn plötzlich an sein Magengeschwür, und er zieht eine kleine Emaildose aus der Tasche: seine Magenpillen. Natürlich hat er ein Magengeschwür! Außerdem pflegt er seine Zähne nicht, weil er der Meinung ist, daß er mit ihnen so, wie sie sind, noch den Rest seiner Tage über die Runden kommt. Er stellt ein altes, gelbes Pferdegebiß zur Schau, daß es mir den Appetit verdirbt.

»Du bringst mich zur Verzweiflung, Félicien! Du solltest dich zwingen. Du weißt, daß so ein Schwanz rostet, wenn man ihn schlafen läßt. Die Vorstellung, daß ich mir eines Tages, wenn ich meine Töchter reden höre oder einen Roman lese, vielleicht sagen werde: Ach ja! Es stimmt, die Leute sind zu allen möglichen Torheiten bereit, um sich das Dings in dieses Dings zu stecken, das soll wunderschön sein! ... und es mir dann nicht einmal mehr wünsche! Es läuft mir kalt den Rücken herunter. Und außerdem wäre es für eine Romanschriftstellerin wirklich ein Gebrechen.«

»Ach weißt du, man gleicht es irgendwie aus. Man verlegt sich auf Bilder oder man pflegt seine Obstbäume, wie ich in Rambouillet ...«

»Wie entsetzlich! Ich mache auch Gartenarbeit, aber nicht als Ersatzhandlung!«

»Aber du hast noch deine Töchter, ich beneide dich. Du kannst gar nicht vergessen, wie das Leben ist.«

»Na und du, gerade weil du keine Kinder hast, zieh doch mit einem jungen Mädchen zusammen, fahr nach Tahiti ... mach ir-

gend etwas, um nicht mit neunundfünfzig schon tot zu sein!
Und warte nicht, bis du Hüftgelenksarthrose hast oder einen
Schlaganfall bekommst . . .«
»Du bist ja wirklich optimistisch!«
Eigentlich ist Félicien entzückt, er mag es, wenn man ihn brüskiert. Er braucht manchmal eine Ohrfeige, um wach zu werden,
um sich an das Leben zu erinnern. Er gießt sich ein großes Glas
Rheinwein ein. Zuhause darf er nur Wasser trinken. »Aber Féli,
sei doch vernünftig!« Es gibt aber auch Torheiten, die heilsam
sind. Ich wußte an diesem Tag noch nicht einmal, in welche
Richtung ich wollte, aber ich glaube, dieses Glas Rheinwein und
Féliciens Fatalismus haben meinem Plan zur Entstehung verholfen.
Im Grunde hatte ich mich selbst nie genug gemocht, um mich
einer solchen Mühe für würdig zu halten. Doch wenn ich mir
nun schon einmal das schönste Geschenk meines Lebens machte,
wollte ich dabei nicht knausern. Ich besaß schließlich weder einen Nerz noch Diamanten noch einen eigenen Wagen.
Ich kannte niemanden in meiner Umgebung, der sich schon einem Lifting unterzogen hatte. Die »erfolgreich« Gelifteten hüten sich wohl, darüber zu sprechen, und ziehen es vor, die anderen an eine natürliche Verbesserung glauben zu lassen. Dagegen
erzählt man Ihnen schmunzelnd die ganze lange Geschichte der
»Vermasselten«: jene »übergeliftete« Star-Schauspielerin, der
man nicht einmal genug Haut übriggelassen hat, als daß sie noch
lächeln könnte, oder bei der jetzt ein Auge höher sitzt als das andere. Man vergißt dabei, daß die Falten ihrer »alten Haut« dasselbe ironische Mitleid erregt hätten. »Die Sowieso, haben Sie gemerkt, die sieht aus wie Frankenstein, die hat es fünf- oder
sechsmal machen lassen«, sagen Männer, die absolut nichts darüber wissen, aber hoffen, die Frauen (vor allem ihre eigenen)
durch solche Reden zu entmutigen und sie dazu zu bringen, sich
widerspruchslos aus der Arena zurückzuziehen und sie mit den
jungen Mädchen allein zu lassen.
Ganz zufällig wollte ich einen Gynäkologen aufsuchen, obwohl
ich noch kein Anzeichen der Wechseljahre festgestellt hatte: Ich
nahm seit fast zehn Jahren die Pille. Aus Schamgefühl mochte
ich jedoch nicht zum selben Arzt gehen wie meine Töchter. Diese dumme Ziege von Carole kannte einen sehr berühmten, und

ich beging den Fehler, zu ihm zu gehen, obwohl es sich um einen nicht mehr jungen Mann handelte, der bei der hormonalen Verhütung nur widerwillig noch mitgemacht hatte. Es befriedigte ihn sichtlich, reife Frauen zum alten Eisen zu werfen – sicher gehörten seine Frau und seine selige Frau Mutter auch dazu.

»Sie bekommen noch Ihre Periode ... vielleicht ... aber wissen Sie, mit vierzig ist für eine Frau der Zug schon abgefahren. Ihre Fruchtbarkeit sinkt um drei Viertel, während die der Männer voll erhalten bleibt. Man kann sagen, daß die Frau ihre Fähigkeit zur Fortpflanzung mit dreiundvierzig oder vierundvierzig Jahren endgültig verliert.«

»Aber ... ich nehme an, das ist für viele eine sehr gute Nachricht?«

Der Doktor musterte mich streng.

»Jedenfalls sehe ich bei Ihnen, Madame, keine Notwendigkeit, Verhütungsmaßnahmen zu ergreifen. Es erscheint mir sogar gänzlich unangebracht. Man läßt keine Gebärmutter bluten, die nicht mehr will. Selbst wenn man dafür ein paar Hitzewallungen bekommt.« Er tat diese Möglichkeit mit einer nachlässigen Geste ab.

»Aber angeblich halten die Hormone den Organismus in Form, Herr Doktor, und verhindern die Knochenporosität. Ich habe gelesen, daß man in Amerika bei Eintritt der Menopause ...«

»In Amerika machen sie alles mögliche. Wir dagegen sind der Ansicht, daß bei über Fünfundvierzigjährigen Östrogene nutzlos und sogar schädlich sind. Dieses Risiko sollte man nicht eingehen.«

»Aber die meisten Männer gehen doch auch das Risiko ein, weiter zu rauchen und zu trinken, wenn sie über fünfundvierzig sind ... Man steigt ja auch immer noch in ein Auto, obwohl es zwanzigtausend Verkehrstote im Jahr gibt. Das ganze Leben ist ein Risiko ...«

»Sie fragen mich nach meiner Meinung, Madame«, sagte der Doktor, der immer ärgerlicher wurde. »Nun, ich sage sie Ihnen: Lassen Sie die Natur nur machen, das ist sicherer, glauben Sie mir. (»Natürlich« wäre es, wenn ich zur Strafe für meine Vermessenheit ein großes Fibrom bekäme!) Sie sind schon in den Genuß einer Verlängerung gekommen; mit zweiundfünfzig Jahren kann man nicht mehr viel verlangen.«

Und warum nicht? Ich hatte Lust, ihn zu fragen, ob er sein männliches Glanzstück auch ausrangiert habe, er, der mindestens sechzig war, dicke Adern an den Händen und einen wenig appetitanregenden Mund hatte, der nach kaltem Aschenbecher roch. Wozu hätte ich ihm von meinem Lifting erzählen sollen? Er wäre dagegen gewesen. Auf jeden Fall bestärkte mich seine Rede nur noch: Ich war entschlossen, die böse Natur nicht »machen zu lassen«.

Zuerst besuche ich also einige Institute, die sich auf den Betrug mit der Schönheit spezialisiert haben und die in den Frauenzeitschriften, für die ich arbeite, inserieren.

»Vertrauen Sie uns, gnädige Frau, es ist überhaupt nicht schlimm, Sie werden sehen, eine Sache von ein paar Tagen.«

Die Lügen der altväterlichen Medizin: keine Erklärungen, sondern schöne Versprechungen. Die Kandidatinnen werden behandelt wie die zukünftigen Mütter von früher, arme, gläubige Wesen, hilflos und bereit, jeden Preis zu zahlen für den beruhigenden Blick eines Mannes, der sich um alles kümmert.

Es ist entschieden teurer bei Poulet, aber auch seriöser. Die Adresse hat mir Nadine anvertraut, eine alte Journalistin, die selbst bereits dreimal an den Augenlidern operiert worden ist und die weiß, wer sich in Paris von wem liften läßt. Politiker, Film- und Fernsehstars, von allem etwas. Poulet hat Micheline und Danièle und Jeanne »gemacht«, man kann ihm vertrauen – sehen Sie sie nur an. Er ist nicht sehr sympathisch, aber das liegt wohl an seinem Fach.

»Unser Fach ist frivol, Madame«, sagt er mir mit sichtlicher Verachtung für die Kundinnen, mit denen er sein Vermögen macht, die ihn jedoch, weil er das Geld so sehr liebt, zu einem Metier verdammen, das seine Berufskollegen als lächerlich und fast schon gaunerhaft betrachten. Aber wie sollte er sonst all die Kohle verdienen, an die er sich inzwischen gewöhnt hat? Gaunerchirurgie, vielleicht, doch dafür muß man den Mangel an beruflichem Prestige ausgleichen, den Verdacht auf Scharlatanerie, vor allem die Tatsache, daß man sich nicht mit edlen Krankheiten abgibt. Ich meinerseits registriere mit einem gewissen Groll seine Bräune, die nach einem teuren Wintersportort aussieht und die mit unserer dramatischen Gefallsucht gekauft wurde.

»Also, sagen wir zehntausend Francs, Madame, ein Preis, der die

Nase – in diesem Fall keine große Sache –, die Lider, die untere Gesichtshälfte und den Hals einbezieht. Plus sechshundert Francs für den Operationssaal und zusätzlich der Preis für die Anästhesie, eine heikle Sache, das sage ich Ihnen gleich, sie dauert mehrere Stunden. Und schließlich müssen Sie mit tausend Francs für die zwei Tage Klinikaufenthalt rechnen.«

Er verfolgt mit, wie diese Informationen in mein Hirn dringen. An meinem Blick errät er wohl, daß mein Wunsch, einen neuen Kopf zu bekommen, so stark ist, daß mich der Preis nicht abschrecken kann; und meine Kleidung läßt ihn darauf schließen, daß ich das Geld zusammenbekommen werde.

»Ich empfehle Ihnen die Klinik H. in Neuilly. Aber ich warne Sie, die kleinen Ausdrucksfalten, die Sie haben, besonders in den Augenwinkeln, kommen immer wieder. Was sich verändert, ist das Ganze, das Gesamtbild des Gesichts.«

In dem Moment, als ich endgültig ja sage, steigt ein Gefühl von Schuld und Scham in mir hoch ... etwas, was ich schon einmal erlebt habe und an das ich mich plötzlich erinnere: Die Atmosphäre der Abtreibungen bei den Engelmacherinnen, meiner eigenen und der beiden von Pauline ... Dieselbe Maske von honigsüßem Haß auf dem Gesicht des Arztes, der sauer ist, weil ich eine Frau bin, die abtreiben oder schönbleiben will, beides ist für ihn dasselbe. Und was *er* will, ist mein Schwarzgeld. Der Zorn des einen nährt den des anderen. Jetzt glaube ich, mich rechtfertigen zu müssen: »Mein Beruf, Sie verstehen ... Ich habe mehr als andere die Verpflichtung, zu scheinen ... und der Bildschirm ist entsetzlich unbarmherzig ...« Mein Beruf? Von wegen, mein guter Poulet! Selbst wenn ich Kanalarbeiter, Kellermeister oder Bandwurm wäre, selbst wenn ich meine Tage auf einer einsamen Insel beschließen müßte, ließe ich mich operieren. Für mich. Ich habe keinen ständigen Liebhaber, und allen ist es schnuppe, auch meinen Töchtern und zuallererst Arnaud.

»Ich bin hundertprozentig dagegen«, sagt der, als ich ihm meinen Plan verkünde. »Aber wenn du dadurch bessere Laune bekommst, ist es unbezahlbar.«

Ich bin wie vom Donner gerührt. Wozu sind dreiundzwanzig Jahre Zusammenleben gut? Ich habe mich immer für außergewöhnlich ausgeglichen und gleichmäßig gutgelaunt gehalten, so wie viele Leute, die an sich selbst zweifeln. Man muß sich wohl damit abfinden, daß man den Menschen nicht das gibt, was man ihnen zu geben glaubt. Man vermittelt ihnen immer etwas anderes. Nur was, in aller Welt?

»Und außerdem, wenn du wirklich deine Schriftstellertantiemen dafür verwenden willst . . .« fügt er hinzu in der Hoffnung, mir damit ein schlechtes Gewissen zu machen, mir, die er mich für eine seriöse und sparsame Person hält. Doch was das schlechte Gewissen angeht, damit ist jetzt Schluß. Schließlich und endlich, wenn ich mir einen Renoir oder eine Indienreise leisten würde, was wäre daran weniger unmoralisch? Weniger himmelschreiend angesichts des Elends auf dieser Welt? Ich leiste mir das, was mir guttut, und ich, die ich immer zum Verzweifeln ehrlich war, ich fange nun sogar an, mich über den hübschen Streich zu freuen, den ich den Leuten und dem Leben spielen werde. Ich habe mich immer schon mehr ertragen als akzeptiert, und bald werde ich mich verabschieden von dieser alten, viel zu braven Freundin, die ich nie sehr gemocht und so oft schlecht behandelt habe. Alt werden ist letzten Endes eine Krankheit des Willens. Ich habe beschlossen, diese Haut, die »ausleiert«, wie es Lou bei einem schlechten Stoff nennen würde, in ihren früheren Zustand zurückzuversetzen, ob sie es will oder nicht, so wie man zu einer Schneiderin geht, um ein zu großes Kleidungsstück enger machen zu lassen.

Noch achtundvierzig Stunden Bedenkzeit habe ich mir selbst gegeben, denn zu dem finanziellen Verlust kommen noch die Schmerzen, acht Tage mit verbundenem Gesicht, acht weitere mit einer falschen Nase und blutverkrusteten Haaren, die man nicht anfassen darf, bevor der letzte Faden gezogen ist. Gar nicht zu reden vom Risiko eines Hämatoms, verschiedener Schwellungen und partiellen Haarausfalls.

Wunderbar. Aber schließlich wäre es noch viel schlimmer, wenn ich eine Hepatitis hätte.

Arnaud hat es aufgegeben, mir abzuraten. Er ist sich noch nicht im klaren darüber, woher dieses Gefühl von Fremdheit und Melancholie bei ihm kommt. Ich weiß es: Zum ersten Mal in unserem Leben, nach dreiundzwanzig Jahren, habe ich keine Rücksicht auf ihn genommen, ich allein habe die Entscheidung getroffen und ihn vor vollendete Tatsachen gestellt. Er hat es nie für sinnvoll gehalten, in Erfahrung zu bringen, unter welchen

Opfern und mit wieviel Verzicht sich am Ende unsere Partnerschaft stabilisiert hat. Auf jeden Fall wollte er nie darüber sprechen. Er hat nur seinen eigenen, ganz realen Verzicht abgewogen. Aber Verzicht, Opfer, das ist leicht gesagt. Es ist unehrlich, rückblickend seine Vergangenheit zu verurteilen unter dem Vorwand, sie sei nicht ewig gewesen oder sei auf dunkle Stellen, ja sogar auf Lügen gebaut. Als diese Vergangenheit meine Gegenwart war, hätte ich sie für nichts auf der Welt geopfert. Ich liebte Arnaud, den frivolen und naiv-egoistischen Betrüger, und da ich mich selbst so wacker ertrug – betrogen, unterworfen, verliebt –, warum hätte er sich ändern sollen? Schuld ist in den meisten Fällen ein verlogener Begriff, eine mißbräuchliche Rechtfertigung.

Heute bin ich es, die sich verändert hat. Ich mache mir nicht jedesmal, wenn er weggeht, Sorgen, ob er mich betrügt oder nicht. Wenn er einen ganzen Sonntag lang zu Hause bleibt, habe ich keine Angst mehr, er könnte sich mit mir langweilen, und manchmal langweile sogar ich mich mit ihm! Ich finde nicht mehr, daß er immer recht hat, und wenn er recht hat, fühle ich mich nicht mehr besiegt. Ist er im Unrecht, halte ich jetzt nicht mehr den Mund, aus Angst, ich könnte ihn kränken. Auch wenn mein Ich ihn stört oder sein Mißfallen erregt, werde ich dieses Ich doch künftig nicht mehr unterdrücken. Ich strenge mich nicht mehr an, um komisch, fröhlich oder verführerisch zu wirken, und plötzlich findet er mich komisch und lustig, plötzlich gefalle ich ihm. Selbst wenn wir uns lieben, bin ich nicht mehr im siebten Himmel. Wir haben uns einander angepaßt und erfinden nichts Neues mehr. Im dreiundzwanzigsten Jahr schippern wir nun nebeneinander her. Kein Wunder, daß wir am Ende auf der Sandbank der Langeweile stranden. Ob die Herren Sexualberater, die für alles ein Rezept wissen, unser Schiffchen nochmal flottmachen könnten, sei dahingestellt; eigentlich jagen sie mir eher Angst ein. Wo haben die das denn alles gelernt? Zerstört die hohe Kochkunst am Ende noch die Freude am Essen? Na ja, wenn es eben mit dem Appetit nicht mehr so richtig hinhaut ... wird man mir erklären.

In letzter Zeit bin ich am liebsten mit Frauen ausgegangen, die es schon hinter sich haben. Ich habe ganz unerwartete Fälle entdeckt. Wie bei den Freimaurern: »Ach, Sie gehören auch dazu?«

Marina zeigt mir ihre Narben. Auch sie war bei Poulet und zählt inzwischen zu seinen Stammkundinnen. Juliette ist eine »Vermasselte«: Sie hat ein glänzendes Rechteck, wie eine Impfnarbe, auf den Schläfen zurückbehalten, sie mußte ihre Frisur ändern. Trotzdem hat sie den Liebhaber nicht zurückerobert, letzten Endes ist er doch bei seiner Legitimen geblieben. Nicht wegen der Narben, die hat er gar nicht mal bemerkt, davon bin ich überzeugt – den Frauen gelingen die größten Wunder, damit *sie* nichts merken. Zwar kann man wegen seiner Falten einen Mann verlieren, aber man fängt ihn nicht wieder ein, indem man sie ausmerzt. Sich selbst fängt man wieder ein. Das Wichtigste also. Vorausgesetzt, man liebt sich selbst genügend.

Den letzten Tag mit meinem alten Kopf habe ich alleine verbracht. Arnaud war schon auf Vortragstournee. Für mich war es die Nachtwache des Knappen vor dem Ritterschlag; der Abschied von einem Gesicht, das ich erst in acht oder zehn Jahren wiedersehen würde.

»Was machst du bloß für eine Dummheit«, hatte er mir beim Abschied zugeflüstert und mich mit einer gewissen Rührung in die Arme genommen. »Was für eine Dummheit, Liebling!«

Eine nett gemeinte Äußerung, die aber keinerlei Gewicht hat. Er wird in aller Gemütsruhe älter, dem Haarausfall läßt er freie Bahn, weder Zahnlücken noch Speckfalten um den Bauch erwecken in ihm Bedauern oder schlechtes Gewissen. Sein Rücken wölbt sich, aber nichts vermag seine Erfolge bei Frauen zu beeinträchtigen: Nach außen hin wirkt er stets frisch und munter, zu Hause jedoch schlurft er in Pantoffeln herum. Kein Mensch wird ihm den Vorwurf machen, er trage auf dem Bildschirm allzu schwere Tränensäcke zur Schau, oder er habe das Gesicht eines alternden Playboys. Die Fernsehzuschauer lieben die schöne Häßlichkeit oder die gemütliche Fettleibigkeit ihrer Star-Kommentatoren. Sie bleiben alle potentielle Frauenvernascher, und in jedem Alter vögelbar, egal wie fortgeschritten ihr Verfall ist. Trotzdem halten sie sich bis zum bitteren Ende für befugt, eine Frau zu disqualifizieren, sie in Schach oder Bann zu halten, Terror auszuüben und ihr den Status des dritten Geschlechts zu verleihen. Bei der ersten weißen Haarsträhne, beim geringsten Ansatz von Doppelkinn heißt es: »Worauf wartet denn diese alte Schachtel noch, um sich endlich pensionieren zu lassen?«

»Welche Rolle spielt bei deiner Entscheidung das Bedürfnis, ohne Komplexe mit Männern ins Bett zu gehen?« fragt mich Pauline. Gute Frage. Ich bin dankbar dafür. Ehrlich gesagt, keine große. Zur Zeit habe ich keinen Liebhaber, und es steht auch keiner in Aussicht. Ich will nicht unbedingt mit jemandem schlafen, aber ich will auch durch nichts daran gehindert werden und durch keine Hautkomplexe in meiner Auswahl eingeschränkt sein. Nach diesem Lifting werde ich sie alle aufreißen, diese Dummköpfe.

Eine Rolle spielt auch die Tatsache, daß meine Altersgenossen die Geschmacklosigkeit besitzen, bereits zu sterben. Agnès war die erste. Hermine war auch immer empört, daß man in ihrem Alter sterben konnte. Sie reagierte immer gereizt, wenn sie im *Figaro* las, daß der und der Maler ihrer Generation diese schöne Erde verlassen hatte. Zur Strafe ging sie dann nicht zur Beerdigung.

Am 12. Februar, am Morgen meiner Fassadenrenovierung also, deckte ich mich mit Büchern und Zeitschriften ein, als ob ich eine längere Reise antreten würde. Ich stellte mich im Badezimmer vor den Spiegel und sagte meinem alten Gesicht adieu. (An diesem Morgen fand ich mich gar nicht so häßlich ... War es denn wirklich nötig?) Danach fuhr ich in die Klinik H. Die Schwester an der Aufnahme machte ein überraschtes Gesicht, als ich ihr sagte, daß ich wegen einer kosmetischen Operation käme. Allerdings war die Eingangshalle schlecht beleuchtet. Noch überraschter war sie, als ich mein Alter angab. Ich fühlte mich verpflichtet, mich zu rechtfertigen:

»Ich trete nämlich viel in der Öffentlichkeit auf, das Äußere spielt für mich also eine große Rolle, wissen Sie ...«

Der Schwester war das alles ziemlich egal.

Eigentlich kam ich ja nur, um der Zukunft vorzubeugen, nicht so sehr um eine immer noch präsentable Gegenwart zu korrigieren. Aber man muß handeln, bevor sich die Umgebung an ein verwelktes Gesicht gewöhnt, wie es das meine bald gewesen wäre, wenn ich nichts dagegen unternommen hätte. Späte Heirat ... erstes Kind mit achtundzwanzig ... – das schnelle Kopfrechnen der Journalisten, die einen interviewen, läßt einem einen Spielraum von zehn Jahren ... Weg also mit diesen zehn Jahren!

Als ich aus der Narkose aufwachte, blieb alles dunkel: Meine Augen waren bandagiert, und der Verband würde erst vierundzwanzig Stunden später abgenommen. Mein erster Gedanke war: Wenn ich blind werde, nehme ich mir das Leben. Taub sein, ein Holzbein haben, meinetwegen. Aber Himmel und Erde nicht mehr sehen, damit finde ich mich nicht ab. Richtige Schmerzen spürte ich keine, aber ein unaufhörliches Stechen, Ziehen und Reißen an den Schläfen und hinter den Ohren. Beinahe so, als hätte man mir eine Dornenkrone in den Kopf gedrückt. Mein Nacken wurde von einem kleinen steifen Kissen gestützt. Das Unangenehmste an der Sache war die Nachwirkung der endlos langen, immerhin dreistündigen Narkose: Jedesmal wenn ich einen Schluck Wasser trinken wollte, mußte ich mich übergeben, obwohl mir schon jede Faser meines Körpers ausgedörrt schien. Ich tastete nach dem Glas und versuchte wenigstens meine Lippen anzufeuchten, aber sofort war der Brechreiz wieder da; ich mußte zum Waschbecken links von meinem Bett laufen. Gott sei Dank hatte ich mir noch vor der Beruhigungsspritze am Morgen die Stelle gemerkt, an der es sich befand. Keiner war da, der mir half, und ich wollte auch nicht läuten, weil ich mir vorgenommen hatte, mich nicht selbst zu bemitleiden. Es ist schließlich normal, daß die Krankenschwestern sich zuerst einmal der richtig Operierten annehmen. Als ich auf dem Weg zum OP von meiner Bahre aus durch einen Türspalt in den Kobalttherapieraum gesehen hatte, war ich mir ziemlich frivol vorgekommen. Poulet hatte recht. Aber sind nicht im Grunde die einzig »guten« Operationen solche, denen man sich freiwillig unterzieht?
Im Operationssaal hatten drei weißgekleidete Männer, umgeben von beeindruckenden Apparaturen mich erwartet. Diese Menschen, die sonst mit schweren Gesichtsverletzungen zu kämpfen haben – sie operieren auch Opfer von Brandkatastrophen und Unfällen –, was dachten die wohl von mir? Es war mir scheißegal. Ich würde sie nie wiedersehen. War ich denn nicht selbst ein Opfer? Ein Opfer des Alters, war ich nicht frontal gegen die Mauer der Fünfzig gefahren?
Ich wußte nicht, wohin ich meinen armen Kopf mit seiner Dornenkrone legen sollte und konnte die ganze Nacht nicht schlafen. Nur die Stirn war unversehrt. Aber wie schläft man auf der

Stirn? Also bemühte ich mich, zu entspannen, mich in das Unabänderliche zu fügen und den einzelnen Muskeln und Nerven meines mißhandelten Gesichts gut zuzureden. Diesen großen Hautfetzen, den man mir auf beiden Seiten meines Gesichts entfernt hatte, hätte ich gerne gesehen. Wie sieht Haut aus, in der nichts mehr drinsteckt? Der Gedanke, daß jetzt zum Erschlaffen oder zur Fältchenbildung nicht mehr genug vorhanden war, entlockte mir unter meinen Bandagen ein schmerzhaftes Lächeln.

Am zweiten Tag wird mir der Augenverband abgenommen. Ein Wunder: Alles ist noch hell. Man gibt mir einen Spiegel. Auf dem oberen Lid entdecke ich einige schwarze Stiche: die Fäden. Warum verwendet man dazu keine hautfarbenen? Am unteren Lid ist nichts zu sehen, höchstens eine leichte, gerötete Schwellung. Die Fäden verlaufen unsichtbar zwischen den Wimpern.

»Sie haben kaum Hämatome«, bemerkte die Krankenschwester. »Sie haben Glück, manche bekommen ein ganz blaues Gesicht.«

Der Schnitt verlängert sich etwas zu den Schläfen hin, vermutlich um die Lachfalten zu glätten. Die Wangen werden freigelegt, aber das Kinn bleibt in einem Korsett von Bandagen gefangen, vielleicht damit die Haut an den Schläfen und am Hals wieder Wurzeln faßt in jenen Tiefen, von denen sie gelöst wurde. Ich trage eine Nonnenhaube und die Nase eines Weißen Clowns. Das bißchen, was man vom Gesicht sieht, ist kaum angeschwollen – aber vor allem glatt, meine liebe Louise, hast du das gesehen? Himmlisch glatt! Aber warten wir ab, ehe wir in Verzückung geraten, vielleicht ist es doch nur die Schwellung.

Eine unendliche Müdigkeit hat mich erfaßt – eine Folge der langen Narkose –, und ich lasse mich ganz von meinem Glücksgefühl tragen. Es ist vollbracht! Zu spät, um noch hin- und herzuüberlegen.

»Hast du das Gefühl, das gleiche Gesicht wie vor zehn Jahren zu haben?« fragt mich Pauline bei ihrem Besuch in der Klinik. Offen gestanden erinnere ich mich gar nicht an mein Gesicht von damals. Besonders stolz auf mein Aussehen war ich ohnehin nie, weder in meiner Jugend, als ich angeblich wie Loretta Young aussah, noch später, als ich Arnaud verdächtigte, mich gerade deshalb zu betrügen, weil ich Loretta Young nicht ähnlich genug war. Das ist überhaupt der Grundirrtum, dem alle Frauen erliegen: Arnaud betrog mich, weil ich seine Frau war, alle anderen Gründe sind immer nebensächlich. Sogar Elizabeth Taylor wird betrogen!

Fünf Minuten vor zwölf kommt endlich ein Arzt und schaut mich kurz an, ein Assistent, den ich noch nie gesehen habe. Warum sollte der große Poulet auch persönlich kommen? Er wird wohl nur fürs Schneiden und Zusammennähen bezahlt. Der Assistent ist jung und jovial, aber eine Sternschnuppe wie sein Chef. Der Trick ist, sich ja nicht zu setzen, an der Tür stehen zu bleiben, von vornherein auf dem Sprung zu sein. Wenn er sich setzen würde, finge der Patient nur an, überflüssige Fragen zu stellen, zum Beispiel, ob er mit der Operation zufrieden sei (als würde er jemals »nein« sagen!), ob man schon auf die Narben drücken könne und so weiter. Man würde so gern hören, daß die eigene Haut ganz gut zu schneiden gewesen sei, daß die Nähte gut halten würden, daß der Eingriff ein außergewöhnlicher Erfolg sei. Aber der Arzt hat ein Gesicht operiert, nicht einen Menschen. Seine Krankenschwester, die sehr kompetent sein soll – zum Glück! –, wird mir später in der Praxis die Fäden entfernen. Poulet ist nur ein Kunsthandwerker in Sachen Fleisch. Man trifft ihn zu Beginn der Behandlung, um ihm die eigenen Wünsche und Gründe mitzuteilen, damit er den Kopf auch richtig taxieren kann. Wenn man mit allem einverstanden ist, sieht man ihn erst drei Minuten vor dem Narkoseschlaf wieder und dann, wenn alles gutgeht, nie mehr. Wenn etwas schiefläuft wahrscheinlich erst recht nicht!

Am Morgen des dritten Tages holt mich mein Paulinchen ab und fährt mit mir im Auto zu Lou. Ich habe zu allen meinen Freunden gesagt, ich würde in die Berge fahren, und Lou hat mir angeboten, mich bei ihr zu verstecken. Vor meiner Entlassung aus der Klinik hat man mir einen leichteren Kopfverband angelegt, und die Fäden an den Augen wurden entfernt. Mein Gesicht ist zwar nicht blutunterlaufen, aber geschwollen, wie bei einer Eskimofrau; eigentlich habe ich jedoch gar nicht so viel gegen diese Tatarenphysiognomie. Vor allem, glaube ich, bin ich froh, mich nicht wiederzuerkennen. Auf der linken Seite sieht man die Spur der Stiche auf den Augenlidern schon nicht mehr, aber an den Schläfen trage ich immer noch ein breites Pflaster, damit die genähten Stellen sich im Schlaf nicht dehnen. Pauline führt mich in das Zimmer, das Lou für mich hergerichtet hat; es ist vollgestopft mit Blumen, Büchern und meinen Lieblingssüßigkeiten. Aber leider fühle ich mich noch außerstande, Karamellen zu kauen.

Nur Geneviève, die von Félicien eingeweiht worden ist, kommt mich besuchen. Sie ist fünf Jahre jünger als ich, aber sie merkt nicht, daß ich ihr gerade zehn Jahre gestohlen habe! Die Ärmste, denke ich mir, als sie zur Tür hereinkommt, sie hat immer noch ihre alte Haut im Gesicht. (Während ich gegen den Strom der Zeit schwimme, läßt sie sich von ihm weitertreiben!) Was unterscheidet uns eigentlich? Ein schmaler Streifen an den Augenlidern, ein kartoffelschalendünnes Stück Haut am Haaransatz, eine halbmondförmige Narbe hinter den Ohren ... und die Partie ist gewonnen. Aber für wen? Seit Jahren spricht sie von einem Lifting, aber dazu entschließen wird sie sich nie. Sie redet übrigens nur von den Mißerfolgen.

»Ach, weißt du, ich kenne Frauen, bei denen häßliche Narben vor den Ohren zurückgeblieben sind«, sagt sie zu mir; nicht, um mich zu entmutigen, sondern um vor sich selbst zu rechtfertigen, daß sie zwar über das Älterwerden lamentiert, aber nichts dagegen tut. Sie zeigt unverhohlen ihr Erstaunen, als sie meine Augen sieht. Sechs Tage sind erst vergangen, und nichts weist mehr auf eine Schönheitskorrektur hin.

Die Kopfhaut verursacht allerdings Unannehmlichkeiten. Sie beginnt sich abzuschuppen, wenn man sie berührt, ganz steif ist sie und tut weh; es bilden sich Krusten, in denen ganze Haarbüschel stecken. Die Gesichtsschwellung geht zurück, aber es bleiben zwei blaue Flecke unter dem Kiefer zurück, oder besser: es bleibt das Gefühl, als seien dort zwei blaue Flecke; denn man sieht nicht einmal die Spur eines Blutergusses. Der Anblick meines glatten – am liebsten würde ich sagen »normalen« – Halses macht mich schon glücklich. Das Unnormale ist das Altern, sind die überflüssigen, schlaffen Hautsäcke. Hat man denn Seelensäcke? Oder Herzsäcke?

Jeden zweiten Tag, wenn ich mein Kopftuch umbinde und mich auf den Weg zu Poulet mache, riskiere ich einen Blick in den Spiegel. Komisch, was sofort ins Auge fällt, ist die Adrettheit. Die Falten lassen einen unsauber, schlampig und vernachlässigt aussehen. Allmählich bin ich davon überzeugt, daß sich der Einsatz für mein neues Gesicht gelohnt hat, daß es mir unendlich viel mehr Freude machen wird als das alte. Bei meiner Nase sieht man kaum einen Unterschied, was ein »Beweis für den Erfolg« der Operation ist, wie mir die Assistentin versichert. Wenn man mich jetzt sieht, sagt man sich nicht mehr: »Schade, daß ihre Nase so lang ist.« Mein Gesicht war mir vom Schicksal auferlegt worden, es wurde mir mitgegeben. Mein jetziges Gesicht habe ich gewollt, und ich kann sagen, daß es mir nicht geschenkt wurde.

Vorerst ist mein Alltag genau festgelegt: Er beschränkt sich auf eine Tablette, damit die Schwellung zurückgeht. Am Abend dann eine Schlaftablette, damit die Schmerzen an den Schläfen und an meinen Ohren nicht zu stark werden, wenn ich meinen Kopf auf das Kissen lege; und am Morgen das zähe Erwachen, das Aufgedunsensein, das Schlaffsein. Das ist der Tiefpunkt des ganzen Tages. Wie alle Pariser Intellektuellen höre ich Bouteiller im Radio und schalte dann um zehn Uhr auf France-Musique um. Beim Mittagessen bin ich allein; das ist der einzige Zeitpunkt, zu dem ich Gesellschaft vermisse. Für mich ist dies der Inbegriff der Einsamkeit überhaupt: eine Frau, die sich zu ihrem bescheidenen Mahl an einen sorgfältig gedeckten Tisch setzt, vor sich ein Glas, eine angebrochene Flasche Wein, eine Scheibe Schinken, eine armselige Scheibe Butter statt des opulenten Klumpens für die ganze Familie ... Dann lege ich mich wieder ins Bett, in einer Hand meinen Claude Manceron, in der anderen ein kleines Kratzeisen, mit dem ich mich unter dem Verband ständig vorsichtig reibe; ich fummle an meinen Lidern herum, die entsetzlich jucken, und greife immer wieder zum Taschenspiegel, um zu überprüfen, ob das Ödem abklingt und diese verdammten Falten wiederkommen oder nicht. Nachmittags schlafe ich nicht, denn dazu müßte ich meinen Kopf wieder auf dem Kissen zurechtlegen, eine unangenehme Prozedur, die mir ohnehin jeden Abend bevorsteht. Dann ist es endlich Zeit zum Abendessen; Lou taucht auf, mit ihrer zarten und rosigen Haut bringt sie die ganze Frische von draußen mit, dazu ihre kindliche Stimme und ihre Freude darüber, meine Komplizin in dieser Sache zu sein. Sie bringt mir Kaviar mit, logisch, »weil er leicht zu kauen ist«; außerdem violettes Briefpapier, das man nur mit weißer Tinte benutzen kann, und ein sexy Nachthemd für später.

Niemals das Nützliche; immer das Angenehme. Ich höre ihr zu unter meinem Verband, in dem ich mich merkwürdig weich und zu jeder Anstrengung unfähig fühle. Was für eine gräßliche Schnippelei habe ich nur hinter mir, daß ich so erschöpft bin? Vermutlich sehe ich aus wie das weibliche Pendant zu dem künstlichen Herrn, den Papa früher in seinem anatomischen Kabinett immer für mich zerlegte.

Die Krankenschwester, die mir die Fäden zieht, jeden zweiten Tag ein paar, erzählt mir, daß die Operation wirklich beeindruckend sei und daß eines der größten Probleme für den Chirurgen dabei die Symmetrie sei, das heißt, an der einen Seite nicht mehr zu entfernen als an der anderen, weil sonst der Gesichtsausdruck völlig entstellt würde. Aber ich bin überzeugt, daß es viel mehr auf die Gedanken ankommt, die sich unter der Oberfläche abspielen, auf die Muskeln, die Bewegung und Leben ins Gesicht bringen. Ein Gesichtsausdruck muß sich von innen heraus wieder aufbauen. Trotz ihres Alters und ihrer weißen Haare hat sich Lous Gesichtsausdruck nicht verändert.

Zehn Tage später ist die Behandlung endlich beendet. Der letzte Besuch beim Arzt. Das Wartezimmer ist überfüllt, weil Poulet für drei Wochen zu einer Safari nach Afrika fliegt. Mit meinen Moneten! Ich warte über eine Stunde, aber ich wage nicht zu protestieren: Nie vergesse ich, daß ich schließlich zu meinem Vergnügen hier bin. Jeder mustert verstohlen die anderen und versucht zu erraten, was sie sich wohl haben machen lassen. Ich sitze neben »einer Nase.« Schönheitskorrektur oder Unfall? Luxus oder Unglück? Eine gepolsterte Tür führt zum Zimmer des großen Meisters, der die echten Verletzten empfängt und solche, die sich freiwillig unters Messer begeben. Gegenüber liegt die Tür der beiden Assistentinnen, die für den reibungslosen Ablauf sorgen, den Verband entfernen, die Fäden mit der Pinzette ziehen und den menschlichen Kontakt aufrechterhalten. Ein Minimum. Ich hätte es zu schätzen gewußt, wenn der Meister sein Werk wenigstens ein einziges Mal selbst begutachtet hätte, aber das scheint ihn nicht zu interessieren. Ist er sich seiner Sache so sicher? Bis ich drankomme, habe ich genügend Zeit, die Illustrierten durchzublättern, es sind immer dieselben. Mit unserem Geld könnte er seinen Bestand auch erneuern. Man kündigt die Rückkehr des Faltenrockes an, kombiniert mit Pullovern mit V-

Ausschnitt à la Suzanne Lenglen. Sehr gut. Ich bin auf den V-Ausschnitt vorbereitet. *Vorher* hätte ich mir die Modeseiten nicht so gelassen ansehen können.

Letzte große Prüfung: der Friseurbesuch, erst nach zehn Tagen genehmigt, und dann nur bei einem Spezialisten, dessen Salon diskret versteckt in einem Innenhof liegt und der an solche Kundschaft gewöhnt ist. Ich sehne mich nach der Haarwäsche, und gleichzeitig habe ich panische Angst davor, zu erfahren, wie es unter diesen riesigen Verkrustungen aussieht. Die Kopfhaut wird sorgfältig angefeuchtet, betupft und dann abgerubbelt, um die alten blutigen Krusten zu lösen. Das Ganze ist gar nicht so unangenehm, aber viele Haare verlassen aus Wut über die Behandlung zusammen mit den Krusten ihren angestammten Platz. Gott sei Dank kennt Eveline die heiklen Stellen und frisiert mich mit Sachkenntnis. Ich entdecke schließlich die Narben, die an den Schläfen entlang des Haaransatzes verlaufen; sie sind extrem schmal, flach, weder rot noch weiß, einfach toll. Aber »sie werden sich verändern«, sagt man mir. Die Narben hinter den Ohren scheinen aufgequollen, wenn man sie berührt, aber wer wird sie je sehen? Ich fühle mich beschwingt, zugleich aber auch ganz und gar steif, als hätte ich von der Schläfe bis zu den Ohren und unter dem Lymphknoten dreifingerbreite Streifen aus Pappe, die völlig unempfindlich gegenüber Berührungen und auch ein bißchen hart sind, aber nur für mich selbst fühlbar. Von außen sieht es schon ganz prächtig aus. Ich kaufe mir sofort einen neuen Pullover à la Suzanne Lenglen, marineblau, ganz im Stil von 1925, und einen raffinierten Schlafanzug, dessen weiter Ausschnitt einen perfekten, absolut faltenfreien Hals enthüllt. Mein Hals! Ja, ja! Diese Operation wird auch teure Folgen haben. Ich bin in derselben Lage wie eine Mutter, die bisher immer ein mongoloides Kind einzukleiden hatte und sich unversehens im Besitz eines schönen Kindes befindet, dem alles steht. Mit einem Mal beurteile ich die Klamotten ohne Feindseligkeit, nach ganz anderen Maßstäben. Das ist auch eine der Folgeerscheinungen, und es werden noch ganz andere auftauchen.

Jeden Tag ein bißchen hübscher. Wo wird das enden? Naive, ungeübte Beobachter werden sich einfach sagen: »Nanu, Louise sieht aber verdammt gut aus!« Oder: »Diese Frau ist ja wirklich hübsch, das ist mir noch nie aufgefallen ...« So wenig Leute können sich genau an einen erinnern!

»Diesen Clowns-Schlafanzug hättest du dir *vorher* nie zugelegt«, behauptete Lou, als ich abends nach Hause komme, beladen mit Geschenken, mit denen ich mir selbst zu meinem neuen Kopf gratulieren möchte. »Du wirst schon sehen: Jetzt wird sich allerlei Erstaunliches ereignen. Zunächst einmal wirst du schreiben, und zwar das Buch, von dem du immer geträumt hast. Ich mag dein *Diesseits* zwar recht gern, aber das bist doch eigentlich noch nicht du selbst. Nun hast du aber etwas getan, was ich dir nie zugetraut hätte. Zum ersten Mal erkenne ich deine Mutter in dir.«

»Es ist traurig, ihr Tod hat mich von etwas befreit und es mir zugleich ermöglicht, so zu handeln, wie sie es gerne gesehen hätte.«

»Wie du es gerne gesehen hättest, meine kleine Ratte, wie du gehandelt hättest, wenn du in einer anderen Familie aufgewachsen wärst. Du bist dummerweise auf solche Ungeheuer gestoßen, und ich bin auch eines gewesen, das wußte ich immer schon. Deine Eltern mußten erst sterben, damit du endlich ganz geboren werden konntest. Aber du weißt, daß die Zeit Adriens für dich zu Ende ist. Im Leben ähnelt man oft nacheinander Vater und Mutter. Ich bin ja nicht so unbequem. Erstens bin ich nicht ganz deine Mutter. Und außerdem bin ich alles andere als ein gesitteter Mensch.« Lou bricht in ihr berühmtes, perlendes, klingendes Lachen aus.

Übrigens lacht sie nur über ihre eigenen Scherze. Sie hört selten so aufmerksam zu, daß es jemandem gelingt, sie zum Lachen zu bringen. Aber in einem ganz unerwarteten Moment enthüllt sie ihrem Gesprächspartner dann plötzlich etwas über sich, das er vorher nicht wußte.

»Du hast ganz recht, meine kleine Ratte«, sagt sie nach einem melancholischen Schweigen. »Das Alter dauert so lange, daß man es nicht zu früh beginnen lassen sollte. Das kannst du mir glauben.«

Ein paar Tage später, »wenn alle Spuren verschwunden sind, wenn du frisch frisiert bist und ihm mit einem Lächeln auf den Lippen entgegentreten kannst«, wie Hermine bei meiner Entbindung sagte, kehrt Arnaud von seiner Tournee zurück. Er ist gerührt, besorgt, beinahe hilflos, als er mich so euphorisch und eher seelisch als körperlich verjüngt vorfindet.

»Ich habe das Gefühl, über meiner Haut eine Maske zu tragen«, erkläre ich ihm im Restaurant, wo wir seine Rückkehr nach Hause und meine ins normale Leben feiern.

»Was für eine Blamage, wenn man sie mir wieder abnähme. Alle Frauen, die sitzengelassen wurden oder die mit Fünfzig allein sind, sollten das Recht haben, ein Lifting auf Kosten der Krankenkasse durchführen zu lassen. Das käme die Gesellschaft nicht teurer als eine Depression, eine bösartige Gürtelrose, eine Schlafkur oder ein seelisch bedingtes Krebsgeschwür . . .«

»Ich möchte dich nur darauf aufmerksam machen, daß man dich nicht sitzengelassen hat, wie du das nennst«, wagt Arnaud einzuwenden.

»Vielleicht habe ich mich selbst sitzengelassen. Auf alle Fälle bin ich jetzt endlich von meiner Nase geschieden. Gott sei Dank. Das hätte ich schon viel früher veranlassen sollen. Du kannst dir nicht vorstellen, wie sehr ich mich verändert fühle.«

»Ich hoffe nur, daß ich dich wiedererkennen werde«, sagt Arnaud mit einem Hauch von Melancholie in der Stimme.

»Du hast mich ja auch mit meinen Falten sehr gut wiedererkannt! Ich bin im Gegenteil wieder die geworden, die du einmal kennengelernt hast, oder?«

»Aber ich bin nicht mehr der, der dich kennengelernt hat«, betont er mit deutlich hörbarer Bitterkeit in der Stimme.

Aber ich tue absichtlich so, als verstünde ich nicht.

»Du, Liebling, hast dich vielleicht immer so gemocht, wie du warst. Alle schienen dich zu lieben, wie du warst. Ich übrigens auch, ob mir das gefiel oder nicht.«

Um Arnauds Mundwinkel zuckt es wie immer, wenn dieses Thema zur Sprache kommt. Aber er spielt niemals darauf an, damit ich – so glaubt er – nicht darunter leide. Und wie soll ich ihm klarmachen, daß sich dabei nichts in mir regt, überhaupt nichts? Daß die Eifersucht keine unabänderliche Charaktereigenschaft ist, sondern die düstere Seite der Liebe, die Qual dessen, der am meisten liebt? Daß nicht ich mehr derjenige bin, der am meisten liebt . . . und daß, was noch schlimmer zu hören ist, ich das angenehm finde. Jetzt ist es Arnaud, der ein Thema anschneidet, das mich nicht mehr sehr interessiert:

»Ich habe es dir schon gesagt, daß du dich um meinetwillen nicht hättest operieren lassen brauchen. Meine Liebe zu dir hängt nicht von solchen Kleinigkeiten ab.«

»Aber ich habe es meinetwegen getan, Liebling! Ich weiß, daß du es nicht so recht verstehen können wirst, wie soll ich es erklären . . .?«

Ich konzentriere mich darauf, den Bart der Austern zu entfernen, von dem Papa immer sagte, er sei das Beste. Seit seinem Tod habe ich keine Lust mehr, ihn Adrien zu nennen. Wir trinken einen herrlichen Wein, das Wetter ist himmlisch, draußen ist Frühling. Ich fühle mich nicht schlecht, im Gegenteil: Arnaud beteuert mir immer wieder, daß er an mir hängt, Frédérique hat beschlossen, ihr Studium wieder aufzunehmen, ich werde ohne Angst in den Spiegel schauen, wenn wir das Restaurant verlassen; um diese Zeit des fahlen Lichts ist das vor dem Abendessen mühsam aufgetragene Make-up meistens völlig verschmiert und zu einem schrecklichen Mischmasch aus Knochen und fleckiger Haut geworden, die schlaff nach unten sackt . . .

Na ja, genug. Ich weiß, daß mich Überraschungen erwarten, und zwar Überraschungen, die von jetzt an bestimmt angenehm sein werden.

»Weißt du, dieses ganze Abenteuer hat mich auf eine Idee gebracht: Ich habe Lust, ein Jahr beruflich zu pausieren!«

»Wozu? Was soll denn das mit der Schönheitskorrektur zu tun haben?«

»Ach, die Zusammenhänge erkennt man immer erst hinterher. Aber es gibt sie, ohne Zweifel; ich glaube, ich werde mich ernsthaft daranmachen, ein Buch zu schreiben.«

Bisher hatte ich nur Briefe oder private Bekenntnisse schreiben und an einem von Hermine angeregten Aufsatz über Frauen mitarbeiten können, aber ich hatte nie gewagt, etwas zu erfinden, ich wagte nicht einmal zu sagen: »schaffen«. Dennoch hatte ich das Gefühl, daß über Frauen noch nichts gesagt worden war. Niemand hatte je so über sie gesprochen oder geschrieben, wie es meinem Gefühl und meinem Geschlecht entsprach, und mit »meinem Geschlecht« meinte ich meine Möse. In den meisten Büchern fühlte ich mich nicht so sehr falsch verstanden oder erniedrigt – dahinter würde ja immerhin eine Meinung stehen –, sondern vielmehr entstellt, vergessen, einfach ignoriert. So war es auch schon den Frauen ergangen, deren Geschichte ich zusammen mit Hermine geschrieben hatte.

»Gehst du etwa von der Zeitschrift weg?«

»Ja genau. Für ein Jahr oder zwei. Ich kann nicht mehr wie früher alles auf einmal machen. Und außerdem glaube ich, daß ich mit meinem neuen Gesicht auch anders schreiben kann ... Lächerlich, oder?«

»Ein Lifting für deine Schreibe also?«

Warum nicht?

21
Es waren seine eigenen Zähne

New York. Mittags.

»Ich werde mich erst nach eingehender Prüfung entscheiden. Wenn man sich in gefährlicher Nähe des sechzigsten Geburtstags befindet, machen acht Jahre mehr einen Mann nicht besser. Eine Frau, manchmal ... wenn sie gemogelt hat. Auf dem Foto schien sein Lächeln mit den hochgezogenen Mundwinkeln noch genau dasselbe zu sein, aber waren das noch seine eigenen Zähne, oder war er etwa dem Eifer der amerikanischen Jacketkronenfanatiker zum Opfer gefallen?

Ich habe Félicien versprochen, ihm die Ergebnisse der Prüfung per Telegramm mitzuteilen. Mit *gut* bestanden: Ich nehme mir nach meiner Vortragsreise zu einigen amerikanischen Universitäten noch acht Tage Zeit, um mich in Florida mit Werner ›auszuruhen‹. Mit *befriedigend* bestanden: Ich begnüge mich mit den achtundvierzig Stunden, die ich sowieso in New York verbringen muß, weil es mir Spaß macht, nach dreißig Jahren eine Neuauflage zu erleben. Gerade noch mit *ausreichend* bestanden: Lieber Werner, wir hatten ein schönes Abenteuer. Laß uns Freunde bleiben.

Ich erwarte ihn in der Halle des kleinen Hotels an der West 81st Street, wo mich der Kulturdienst untergebracht hat, mit dem Rücken zum Fenster, denn ich will ihn im Licht sehen und mich im Gegenlicht zeigen. Ein erster schlechter Eindruck ist nicht wieder gutzumachen! Ich hatte mich hergerichtet wie eine junge Geisha: Sitzung im Kosmetiksalon, die Enthaarung der Beine darf nicht ganz frisch sein (das piekst), aber auch nicht zu lange her (dann wächst es schon wieder). Ich trug meine schwarze Hose aus Leder (sehr sexy, Pauline hatte mir den Tip gegeben) und mein schönes Zehntausend-Francs-Gesicht, das mir schon eine Menge Gutes eingebracht hat.

Er hat keine Zeit mehr gehabt, seine Uniform auszuziehen und sieht – jedenfalls aus zehn Metern Entfernung – genauso gut aus wie im Jahre '45. ›Ganz schönes Format‹, wie die Bretonen von einem wirklich beeindruckenden Barsch oder Krebs sagen. Er ist nicht die Spur breiter geworden, sein Rücken hat sich unter der Last der Jahre nicht gebeugt. Ich sehe immer noch dieselbe stramme Silhouette und seinen lässigen Gang. Nur die Schläfen sind grau geworden. Er kommt noch ein Stück näher, öffnet den Mund zu seinem breiten Lächeln – ah! Seine Eckzähne stehen noch immer etwas schief über seine Schneidezähne, was ihm etwas Raubtierhaftes verleiht, das ich seit jeher gerne an ihm mochte. Kein Zweifel, das sind seine eigenen Zähne! Und wir werden uns heute abend in der Universität von New York treffen, wo ich einen Vortrag halte, mit anschließender Diskussion. Ich weiß nicht, was er von seiner alten Frenchie erwartet hat, aber für mich ist die Sache schon gelaufen: Er wird ganz einfach diese Uniform ablegen, und ich werde mir diesen Mann gönnen – so wahr eins und eins eins ergibt.«

New York. Mitternacht

»Nun ja, für einen Mann, der in zwei Jahren Rentner sein wird ... Vor dem Abendessen sind wir hinauf in mein Zimmer gegangen, um einen Gin-Tonic zu trinken und die Fotos von meinen Töchtern, die ich ihm mitbringen sollte, anzuschauen, mein Programm in Yale, Harvard und Amherst durchzusehen und bei alldem den Unsinn zu reden, der zwischen einem Mann und einer Frau gesagt werden muß, die sich so gut gekannt und so lange Zeit vergessen haben. Ich war fest entschlossen, keinen Finger zu rühren, zumindest nicht als erste, und das Ganze hätte noch lange so weitergehen können, wenn er nicht gesagt hätte:
›Wie benehmen uns wie zwei Patienten im Wartezimmer eines Zahnarztes, findest du nicht?‹
Ich lachte dümmlich wie ein junges Mädchen, das von einem jungen Mann gleich aufs Bett gezerrt wird und weiß, daß er eine Hand auf ihre Brust legen, seine Lippen den ihren nähern und damit endlich einer sinnlosen Unterhaltung ein Ende bereiten wird ... Und alles fing wieder an wie beim allerersten Mal, vor so langer, langer Zeit. Das junge Mädchen hat keine Zeit, sich zu sagen: Aha, er macht es gut oder schlecht ... Oh, seine Zunge ist

lang ... oder breit ... Sie werden dorthin gelangen, wo sie hinwollen, mit der ruhigen Sicherheit derer, die sich seit jeher kennen. Er tut alles, was sie erwartet, schon bevor sie es erwartet, mit einer Selbstverständlichkeit, die sie mag. Vielleicht ist sie eben doch nicht so kompliziert wie die Instrumententafel eines Jets?

Sie sind völlig benommen, als sie zum Abendessen hinuntergehen und haben nicht mehr die Energie, ein anderes Restaurant zu suchen als das im Hotel. Das junge Mädchen stellt sowieso fest, daß es unfähig ist, etwas hinunterzuschlucken. Noch nie hat es dieses Gefühl gespürt, die alte dumme Ziege, dieses Engegefühl in der Magengegend, diesen verknoteten Bauch ... Werner ist erstaunt darüber, daß sie nicht einmal in der Lage ist, ihre Seezunge aufzuessen. Glücklicherweise kann sie wenigstens den Wein trinken, während sie wie im Traum zuhört, wie er über die drei Themen spricht, bei denen er redselig wird: Die Maschinen, die er fliegt, geflogen hat, noch fliegen wird – der Himmel, wo er einen großen Teil seines Lebens verbringt – und die Liebe zu der kleinen Französin von der Place de la Concorde 1945, die er über all die Jahre hinweg gehütet und bewahrt hat! Der alte Jüngling und das alte junge Mädchen gehen schnell wieder in ihr Zimmer hinauf: Er hat die Erlaubnis, bis Mitternacht zu bleiben. Sie findet, daß er Fortschritte gemacht hat; aber nein, sagt er, ihr Gedächtnis ist schlecht, es war schon früher immer wie ein Wunder gewesen. Ach so. Auf jeden Fall macht eine Vasektomie nicht impotent.

Was sie bei alledem überrascht, ist die Tatsache, daß das körperliche Empfinden nichts mit dem Alter zu tun hat. Nicht so das Gefühl: Erfahrung und Reife bereichern es um viele verschiedene Harmonien. Das Fühlen des Körpers jedoch ist, wenn es plötzlich beginnt, immer noch elementar, unwiderlegbar und beglückend neu.

Mit seinen dreiundsechzig Jahren hat er natürlich keinen ganz straffen Hals mehr, und seine Mundpartie ist etwas schlaff geworden. Aber alles in allem hat er sich sehr gut gehalten: Kein Bauch, gerade Schultern, muskulöse Schenkel. Selbst seine Hodensäcke haben nicht die Façon verloren.

›Lässigkeit ist schön und gut, so lange, bis man vierzig ist‹, hat Hermine oft gesagt, ›später ist es Nachlässigkeit.‹

Er ist wütend, weil er um Mitternacht gehen muß wie ein Pennäler, doch mir werden die paar Stunden Schlaf guttun, bevor ich beim *Women's Forum* im Wellesley College über ›*French Feminine Literature today, the importance it has taken*‹ sprechen werde, ein Thema, das mir an diesem Abend so absurd erscheint, tausend Meilen von der Realität entfernt! Morgen werde ich an Félicien telegraphieren: ›Es sind seine eigenen Zähne stop mit *gut* bestanden‹ und in der Eheversion für Arnaud: ›Aufenthalt um eine Woche verlängert stop zärtliche Grüße.‹ Werner wird uns zwei Plätze nach Miami buchen, für die Zeit nach meiner Vortragsreise.«

Miami

»Louise Morvan, Autorin von *Diesseits* und Mitautorin von *Meine liebe Seele,* von einem Essay über die Frauen, der ins Englische übersetzt und hierzulande sehr gut verkauft wurde, ich muß mich ja schämen für dich: Gib zu, daß du immer nur an das eine denkst! Jawohl. Und ich verdiene es ja auch, nur an diese Bagatelle denken zu dürfen nach zwei Wochen Diskussionen über Literatur, Linguistik und Frauenfragen in einer Sprache, die nicht meine ist. Ich habe es wirklich nötig, daß man mich einmal nicht mehr fragt, wie es mit dem Feminismus in Frankreich steht, wie viele Kinderkrippen wir haben und ob der Orgasmus das Ziel der weiblichen Sexualität ist oder nicht. Und was Werner mir vorher erzählt, interessiert mich nicht. Es hat mich nie besonders interessiert. Männergeplapper. Er redet von seinem letzten Flug nach Lissabon, von einem schrecklichen Unwetter bei der Landung, schrecklich . . . ›Ach ja, wirklich? Wann küßt du mich? . . .‹ – ›Am Vorabend wäre um ein Haar das Fahrgestell beschädigt worden . . .‹ ›Too bad! . . .‹ – ›Übrigens ist der Flughafen auf den Azoren sehr gefährlich . . .‹ – ›Na so was, wann, glaubst du, ziehen wir uns aus? . . .‹ – ›Und wie geht es deinem Mann? . . .‹ – ›Und deiner Frau? . . .‹ – ›Oh, die arme Debbie ist gerade an beiden Brüsten operiert worden! Tja, die Chirurgen in den Staaten sind nicht gerade zimperlich . . .‹ – ›Und deine Kinder? . . . Ah, Pauline hat gerade geheiratet? Meinen Glückwunsch . . .‹ Wie gut erzogen er doch ist. Ich will, daß er seine Hose auszieht. ›Gehen wir sofort essen‹, fragt er noch, ›oder willst du dich erst noch im Hotel umziehen?‹ – ›Ja, genau, ich will mich umziehen.‹ Was für galante Umschreibungen . . .

Also haben wir uns umgezogen. Und dann sind wir essen gegangen. Und dann haben wir uns wieder umgezogen. Und in der Nacht zogen wir uns nochmals um.

Unsere Pauschalreise – sechs Tage und fünf Nächte – schließt die Benutzung eines Chevrolet Caprice mit Klimaanlage ein. Unser Zimmer ist groß und hat eine Terrasse mit Blick aufs Meer und auf die Dünen (pardon: ›Djuhns‹), es befindet sich in einem ausgesprochen lächerlichen, maurisch anmutenden Blockhaus. Dahinter aber beginnt der fünfzig Kilometer lange Strand, und das grüne Meer, das bei starkem Seegang farblos weiß wie Absinth wird. Außerdem: Hallenbad in einem großen Atrium, das mit künstlichem Rasen ausgelegt ist, Snack-Bar in Plastik-Strohhütten, Restaurant mit zuckersüßer Musik, die einen bis in den Aufzug verfolgt ... alles, was mich normalerweise anwidert und mich heute entzückt. Ich wünschte, Arnaud könnte mich sehen, nur ganz kurz, in dieser höchst unwahrscheinlichen Umgebung.

Es ist Tag und Nacht fünfundzwanzig Grad warm, und der Himmel ist ... himmlisch, das ist das einzige Adjektiv, das mir noch einfällt, nachdem ich von den mit Diskussionen vollgestopften zwei Wochen völlig erschöpft bin. Ich hatte unentwegt so tun müssen, als wäre ich intelligent, um Frankreichs guten Ruf zu wahren!

Wir ziehen vom Strand ans Meer und vom Meer ins Hotel, wo wir mehrmals täglich ›Hände waschen‹ oder ›Schuhe wechseln.‹ Es gibt tausend Arten zu sagen ›Wollen wir miteinander schlafen?‹, und wir haben schon -zig davon entdeckt. Zwischendurch fehlt es uns nicht an Gesprächsstoff. Es gibt so viel zu erzählen von jenen dreißig Jahren der Trennung: Seine Kinder, meine Töchter, unsere Berufe, unsere Liebeleien am Rande und immer seine Frage: ›Warum hast du damals *nein* gesagt?‹

Miami ist eine Monstrosität, aber nicht uninteressant in seinem ganzen Horror. Der Strand scheint alles Ungeheuerliche der riesigen Stadt auf sich zu konzentrieren: Jeden Morgen wird diese kilometerlange Sandfläche von einem Bulldozer geglättet und geharkt, um dann anschließend von Fettwänsten jeden Alters zugedeckt zu werden, von einer schwindelerregenden Ansammlung amerikanischer Witwen, die sich einen sonnigen Lebensabend leisten können – dank der Leichen Tausender von Ehemännern, die an Überarbeitung gestorben sind. Man hat die Häuser im rechten Winkel zur Küste gebaut, damit mehr davon Platz haben, und den Strand um das Doppelte verbreitert, damit doppelt so viele Körper sich darauf ausstrecken können. Aber hier laufe ich wenigstens nicht Gefahr, auch nur einen einzigen Pariser Intellektuellen zu treffen, ich kann mich benehmen wie ein altgewordener verliebter Backfisch, ich kann engumschlungen mit Werner spazierengehen und ihn in aller Öffentlichkeit küssen. Da das Durchschnittsalter hier übrigens bei siebzig Jahren liegt, bin ich tatsächlich eine wunderbar junge Mieze, und ich laufe jeden Morgen stolz am Meer entlang, zwischen unglaublichen Achtzigjährigen, denen ihr Alter ganz egal ist: Fast alle blondgelockt oder den Kopf seelenruhig mit Lockenwicklern gespickt, immer im Bikini, ohne Rücksicht auf den Zustand gewisser Körperpartien; beim Baden schmücken sie sich mit bunten Plastikhauben, deren Schönheit durch Papageiblumen oder Spinatsträuße noch aufgewertet wird.

Einige männliche Überlebende in Shorts und Sandalen aus durchsichtigem Plastik begleiten gelegentlich ihre Dame und versuchen dabei, ihre Augen durch den Anblick der wenigen jungen Körper zu erfrischen, die vorbeigehen; völlig außerhalb ihrer Reichweite sind sie jetzt, diese jungen Körper, denn die Herren sind Rentner und für immer den wachsamen Augen ihrer Begleitung ausgeliefert, die sie nie vorher so eingehend betrachtet haben und bei der sie zu spät entdecken, daß sie mit ihnen nichts gemeinsam hat. Genau das ist bei Werner der Fall, und es macht ihn jetzt schon verrückt. Seine Fluggesellschaft hat ihm zu verstehen gegeben, daß sie ihn in Kürze nur noch als Copilot beschäftigen wird, da die Reflexe eines Jetpiloten absolut sicher sein müssen. Die Aussicht, daß auch er in ein bis zwei Jahren gezwungen sein wird, nur noch den Chauffeur zu spielen und in den Supermärkten die Tüten zu tragen, verleiht seiner Liebe zu mir eine dramatische Intensität, die ich nicht ungern sehe. Jugend zu verkörpern für jemanden, Abenteuer, alle Begierden, außerdem noch Intelligenz, Kultur und das ›Gay Paree‹ ... O ja, das liegt mir ganz einfach.

Der letzte Tag kommt zu schnell. Ich hatte geglaubt, ich könnte volltanken, und das Gegenteil ist der Fall: Ich brauche jeden Tag mehr. Wer hat behauptet, die Potenz eines Mannes nehme nach dem fünfundzwanzigsten Lebensjahr ab? Dieser hier ist schlimmer als 1945 in Paris. Und ich, ich mache mit, ich fliege, ich kann nicht mehr nein sagen. Ich habe das Gefühl, wie soll ich sagen, zwischen zwei Runden nicht einmal mehr vom Karussellpferd zu steigen.

Gegen Ende des Aufenthalts beginne ich vorsichtig alles zu sammeln, was mich trösten könnte, wenn ich wieder in Paris bin: Seine blöden Wortspiele, seine Schwierigkeiten, mir ein amerikanisches Wort zu erklären, das ich nicht kenne (er wiederholt es mehrfach und jedesmal lauter, als ob dadurch der Sinn von alleine klarer würde). Und seine simplen politischen Ideen, seinen unschuldigen Rassismus, dem man wohl noch weniger entkommen kann, wenn man in Florida lebt, wo man mehr Spanisch als Englisch reden hört, wo man nicht einmal eine Sonnenbrille am Strand liegenlassen kann, wenn man ins Wasser geht, wo einem die Tasche unter dem Kopf weggestohlen wird, wenn man in der Sonne einschläft. Und dann seine zu kurzen Haare, die Schuhe aus falschem Krokoleder, die er gekauft hat in dem Glauben, das hätte etwas mit Pariser Chic zu tun . . .

Leider gibt es aber auch seine Hände, die zu groß sind und aus ewig zu kurzen Ärmeln hervorschauen, seine Hände, deren Anblick mich erröten läßt. Und seine Haut, die schon immer den Geschmack von Lakritze hatte, die Haut eines zu gut gewaschenen Amerikaners, der niemals nach Schweiß riechen wird, obwohl er athletisch gebaut ist. Seinen eigentlichen Geruch kenne ich noch immer nicht; wir müßten dazu wohl im Winter zusammenleben, wenn man Wollsachen trägt. Schließlich, und das ist das Schlimmste, gibt es seine beständige Zärtlichkeit, eine Zärtlichkeit, die nach der Liebe bei ihm so intensiv ist, daß man sich gar nicht des Augenblicks bewußt wird, wo sie ihre Unschuld verliert und wieder Begierde wird. Und seine Art, nie alleine in seiner Lust zu versinken. Ich gerate manchmal in Panik bei der Vorstellung, dieses Glück nie wieder zu finden. Ich fühle mich ganz und gar nicht in der Lage, darauf zu verzichten, als der letzte Abend anbricht, das letzte Tête-à-Tête, das letzte Essen, bei dem er im Restaurant zu weinen beginnt, ohne sich zu schämen, und mir schwört, er werde sich an Frankreich gewöhnen, an alle Bedingungen . . . die ich ihm nicht stelle, denn man entwurzelt keine alte amerikanische Eiche, um sie in Saint-Germain-des-Prés wieder einzupflanzen, und wir sind beide verheiratet und ... all die guten Gründe von früher.«

Bei der Rückkehr habe ich aber doch Liebeskummer wie ein junges Mädchen aus der Vorstadt. Es ist nicht einfach der banale Wunsch, mit einem Mann zu schlafen, es ist das Verlangen, Werner bei mir zu haben. Was für eine Leere ohne seine Fröhlichkeit, seine ständige Sorge um mein Wohlergehen, die Glut seiner Gefühle. Ich leide so sehr unter seiner Abwesenheit, daß mir die Idee kommt, für meine nächste Sammlung eine Erzählung über diesen Aufenthalt zu schreiben. Eine erotische Erzählung, mit dem Titel *Eine außergewöhnliche Woche*. In ihr sollen die Gründe analysiert werden, aus denen eine Frau, die sich endlich persönlich und beruflich selbst verwirklicht hat, sich eine neue Form von Liebe erlauben kann, die ihr zwanzig Jahre früher als abwegig erschienen wäre, wie diese Frau nun eine ganz andere Form der Lust erlebt, eine extreme, die sie nicht mehr so sehr braucht, zugleich aber mehr genießt. Es ist niederträchtig und köstlich zugleich, Werner auf diese gottlose Weise noch lebendig in meiner Schmetterlingssammlung aufzuspießen.

Die Rückkehr in die häusliche Atmosphäre ist nicht einfach. Arnaud weiß ganz genau, daß ich meinen Aufenthalt wegen Werner verlängert habe, aber er stellt wie üblich keine Fragen, und während der Osterwoche, die wir in Locmaria verbringen, zieht er sich in eine Stille zurück, die man mit dem Messer schneiden könnte. Durch einen unglücklichen Zufall ist auch keines der Mädchen hier. Doch ich muß nach drei Wochen Abwesenheit soviel Arbeit nachholen, daß ich nicht die Zeit für Mitleid habe. Auch nicht den Mut. Und nicht mehr die Schwäche. Und mein robustes Leben, diese Gleichgültigkeit gegenüber seinen Launen, die ich inzwischen empfinde, können ihm nur widerwärtig erscheinen. Im Grunde würde mir jetzt ein Halbtagsmann genügen. Fulltime ist zu anstrengend. Mit zwanzig Jahren, da will man noch alles: den Schlaf des anderen, seine Gedanken, seine Blicke.

Am Vorabend unserer Rückkehr gehen wir zum Austernessen in ein Lokal am Ufer des Bélon. Arme liebe Austern, sie sind bei allen Zeremonien dabei, sie passen ebensogut zu Liebesmahlzeiten, zu Auseinandersetzungen, zu Verlobungen wie auch zu

Trennungen. Arnaud, der nicht erkennen will, daß seine Niedergeschlagenheit den Namen Eifersucht trägt, sucht nach anderen Gründen für sein Unglücklichsein: Er gibt sich mit Absicht älter, um mich zu beeindrucken, und sieht schwarz für die Zukunft.

»Bist du dir eigentlich darüber im klaren, daß ich in zehn Jahren siebzig sein werde!«

»Nein, darüber bin ich mir überhaupt nicht im klaren. Weißt du, es macht einen in jedem Alter wahnsinnig, wenn man sich vorstellt, wie man zehn Jahre später aussehen wird. Und immer irrt man sich, es ist dann immer alles ganz anders.«

Er gerät in Panik: Je mehr sich meine Karriere festigt, desto weniger erscheint seine gesichert. Er, der so verzweifelt gerne einen Roman schreiben möchte, hat gerade erleben müssen, daß sein erstes Manuskript bei Maigret abgelehnt wurde. Er kann seine Figuren nicht anritzen, er kann sie nicht bluten lassen. Seine Scham oder die Weigerung, sich selbst zu analysieren, hindern ihn daran, einen gelungenen Roman zu schreiben, und nageln ihn auf den erzählerischen Bericht oder den Essay fest. Zurückhaltung in allen Ehren, aber das Ziel in der Literatur ist nicht die Ehrbarkeit. Man schreibt mit dem, was man hat, das heißt mit dem, was einen zerstört oder quält, und die Sorge um Wohlanständigkeit kann ein Werk nur dünn und fad machen.

Was das Fernsehen betrifft, so wird ihm die Flüchtigkeit des Geschaffenen und die Oberflächlichkeit des Publikums bewußt, das ohne Unterlaß neue Gesichter verkonsumiert. Was bleibt übrig von zwanzig Jahren hartem Berufsleben, von zehn Jahren Nachrichtensendungen, großen Reportagen, die seinerzeit im Gespräch waren, von einigen erfolgreichen Chansons? Ein Ruf, ja, den man aber ständig aufrechterhalten muß und der sich langsam im Winde verflüchtigt. Deshalb klammert Arnaud sich um so mehr an diesen festen Punkt in seinem Leben, an seine Frau, an den Familienkokon, den sie gesponnen hat, während er durch die Weltgeschichte reiste.

Ich versuche immer noch, alles in meinem Leben zusammenzubringen: die von der Zeitschrift in die Wege geleitete Untersuchung über den Alltag der Frauen, die ich zu betreuen versprochen hatte, die Weiterarbeit an meiner Sammlung von Erzählungen, *Le Vent portant (Rückenwind)*, die in drei Monaten erscheinen soll, und die gewöhnliche Arbeit im Haushalt, die immer dringend ist, während ein Buch immer warten kann. Und ich wage weniger als je zuvor, Arnaud zu bitten, mich von einigen Belastungen zu befreien, denn sein beleidigter Blick gibt mir zu verstehen, daß ich weniger überlastet wäre, wenn ich nicht nach Miami geflogen wäre, um mich »bespringen zu lassen«.

Weil es ihm nicht sehr ehrenhaft erscheint zuzugeben, daß er unglücklich ist, hat er seinen erhöhten Blutdruck entdeckt, und ein Gerontologe hat ihm Ruhe und männliche Hormone verschrieben. Also ist es noch mehr als früher meine Aufgabe, das Nummernschild des Wagens zu wechseln, zum Bürgermeister zu gehen wegen unserer Gartenmauer, die auf der Seite zum Hafen zusammenbricht, und zum Schreiner wegen der Bootsreparatur. Und wenn er schon einmal auf die Leiter steigt, muß ich ihm die Nägel reichen. Es gibt die Dinge, die ich allein mache, und die Dinge, die ich mit ihm zusammen mache, aber ich bin auf keinen Fall von den Dingen befreit!

Die täglichen Briefe von Werner, an ihrer großen schrägen Schrift sofort erkennbar, verbessern das Klima auch nicht gerade, doch ich weigere mich, sie postlagernd schicken zu lassen – ich bin kein schuldiges kleines Mädchen! Ich brauche ja auch Hormone, diese *I-love-you*-Transfusion, die jeden Tag durch meine Adern fließt. Er hat mir gerade unsere Fotos aus Miami geschickt, und die fröhliche junge Frau, die da am Wasser entlangläuft, sich in die Wellen stürzt oder sich halbnackt auf ihrem Bett sitzend, die Fußnägel rot lackiert, betrachte ich, als käme sie aus einer anderen Welt. Es ist lange her, daß Arnaud und ich die schöne Angewohnheit verloren haben, uns zu fotografieren, außer ab und zu auf Reisen, wenn er, wegen des Maßstabes, eine Person in einer Landschaft braucht, oder einfach an einem Tag, an dem ich am häßlichsten bin, er aber dringend einen Film zu Ende knipsen will.

Bei einem alten Ehepaar verschwinden manche Dinge einfach so, und man bemerkt es erst, wenn sie endgültig tot sind. Ich habe meine Fotos Lou gezeigt und mich dabei gefragt, warum diese Bilder eine so ungewöhnliche Ausstrahlung haben.

»Schau mal genau hin«, sagte die Hexe, »auf jedem Foto ist eine versteckte Person: das Glück. Es strahlt überall aus. Du trägst das Glück schamlos zur Schau, meine kleine Ratte.«

Und plötzlich schien es auch mir so sichtbar, daß ich mich entschloß, Arnaud die Fotos nicht zu zeigen.

Jede Woche ruft mich Werner in der Redaktion an, und seine tiefe Stimme läßt alle möglichen Erinnerungen aufkommen, nicht unbedingt nur in meinem Kopf. Er gesteht mir, daß er zittert, wenn er meine Stimme hört, daß sein Magen sich zusammenzieht und sein Sonnengeflecht glüht ... *»How can this happen at my age?«* Wunderschöne Albernheit der Liebe, die es möglich macht, mit fünfzig Jahren noch genauso verwirrt und hilflos zu sein wie mit zwanzig! Diese ganze Zärtlichkeit überflutet mich und macht den Rückstand aus all meinen öden und einsamen Jahren wieder gut. Und dabei hatte ich überhaupt keine Lust auf einen alten Sechzigjährigen gehabt. Aber er macht das Wunder wahr, gleichzeitig das Alter meiner Jugend und meiner Reife zu besitzen, und mit dreiundsechzig Jahren feuriger zu sein, als Arnaud es mit dreißig war. Unvorsichtige Formulierung! Ich müßte sagen, daß Arnaud es auch mit dreißig nie war mit mir! Man sollte nicht vergessen, daß man nie wissen kann, wozu ein Mann fähig ist ... mit anderen.

Das gilt selbstverständlich für Frauen genauso. Ich, die ich nie Liebe in der Morgendämmerung gemocht hatte! Die ich glaubte, die Liebe mehrmals hintereinander nicht ertragen zu können ... Ob es wohl vorkommt, daß man stirbt, ohne sich selbst ganz entdeckt zu haben? Sicher, denn es hätte nicht viel gefehlt, eine Begegnung, ein paar dumme Jacketkronen ... Die Mehrheit stirbt, ohne zu wissen. Ich hatte übrigens nichts gelesen, was mir hätte helfen können: Eine Frau, eine Schriftstellerin hatte in den vierziger oder fünfziger Jahren keine Zeit zu verlieren mit der Beschreibung ihrer sexuellen Besonderheiten. Ich wäre nie mutig genug gewesen, um an Jean-Marie – der das allerdings sehr geschätzt hätte – einen erotischen Brief zu schreiben, und noch weniger an Arnaud, der mir, was kindliche und ehrliche Perversität angeht, eher verklemmt zu sein scheint; das erklärt vielleicht auch seine Lust an der einsamen Lektüre von Männerzeitschriften. Aber im Privatleben nie ein vertrauliches Wort. Er ist ein Moralist, allem Anschein zum Trotz, seine Sinne sind abhängig von Prinzipien und stellen sich niemals über diese. Er gebraucht nie Wörter wie küssen ... begehren ..., Liebe machen ..., sie sind ihm zu simpel, es fehlt ihnen der abwertende

Beigeschmack. Was solche Dinge betrifft, spricht er nie von sich selbst, aber von den anderen, die, wie Richard, »besessen sind von Unterhöschen«, oder von den »Häschen«, die sich, wie Carole, gerne »gründlich durchpflügen lassen«. Jedesmal wenn eine seiner Töchter einen neuen Liebhaber hat, ist es natürlich, um »sich richtig hernehmen zu lassen«. Dieser Spaß an schmutzigen Wörtern verbirgt zweifellos einen letzten Rest von christlicher Abneigung gegen die Lust, vor allem gegen die der Frau.

In einer Woche hat mir Werner mehr Fragen über meinen Körper gestellt als Arnaud in fünfundzwanzig Jahren. Ein *Nein* schien ihm endgültig und nicht diskutierbar, und meine Barrieren wurden auf diese Weise langsam zu Beton. Vorprogrammiert durch unsere Erziehung. Das Wort ist Fleisch geworden, aber wir schaffen es nicht, das Fleisch dazu zu bringen, Wort zu werden, obwohl wir keine Tiere mit Gefieder oder Pelz sind, sondern gerade Tiere der Worte! Ich habe es lange Zeit bewundert, daß er mich zu nichts zwang, doch jetzt frage ich mich, ob es nicht eher aus Mangel an Leidenschaft geschah. Vielleicht zu Unrecht. Heute scheint mir, könnte ich mir Arnaud leisten. Als ich ihn liebte, ging er über meine Verhältnisse. Es gibt Wesen, in die man nicht zu verliebt sein sollte.

Es nicht zu sein, ist auch gefährlich, vor allem wenn der Familienkokon sich aufzulösen beginnt: Pauline ist verheiratet und glücklich, Frédé lebt ihr eigenes Leben, und Adrienne bewohnt ein separates Zimmer im sechsten Stock. Aber er wäre wütend auf sich selbst, wenn er auch nur den kleinsten Versuch unternähme, seine Frau »zurückzuerobern«. Übrigens, hat er sie jemals erobert? Im Gegenteil, er setzt seinen ganzen Ehrgeiz darein, ihr zu mißfallen, zum Beispiel indem er in jenem Sommer in Locmaria all die Freunde einlädt, die sie nicht mag. Das »neue« Ehepaar Vitrac, das jetzt nicht mehr aus Bernard und Jacotte besteht, sondern aus Bernard und Nelly. Man sagt trotzdem »die Vitracs«. Und dann Richard, dessen Charme dem Schock, sechzig Jahre alt zu sein, nicht standhält, und der das Leben und diejenigen, die Spaß daran haben, mehr und mehr verachtet. Er kleidet sich lässig, sorgfältig verwaschene Jeans, Jacke aus (echtem) Leder im Stil »Demo-Anzug für den schicken Intellektuellen« und macht sich lustig über die, die immer noch für die Linke kämpfen. Aus der Linken wird nie was, das ist gelaufen, die

Franzosen sind alle Schafsköpfe, der andere hatte recht. Er redet viel darüber, daß er sich umbringen will, nur sterben will er nicht – ein feiner Unterschied. Und alle kultivieren diese Unfähigkeit, ernst zu sein, die typisch für ein gewisses Pariser Milieu ist, und nehmen teil an diesem Freimaurertum der strahlenden Saufköpfe, für die Arnaud seit jeher eine Schwäche hatte. Das Trinken ermöglicht es jedem Idioten, sich voller Würde zu fühlen und gleichgestellt mit Fitzgerald, Malcolm Lowry oder Antoine Blondin. Ich bin allergisch geworden gegen die Schwätzereien dieser Trinkveteranen, die sich hüten, über das Kotzen zu reden, über den Sturz in die Gosse, die Nächte auf Polizeiwachen oder die Übelkeit am frühen Morgen. Sie sprechen lieber von den verprügelten Polizisten und den lächerlichen Spießern in ihren Stammkneipen, wo sie ihre bedingungslosen Anhänger haben und sich in dem illusorischen Schutz aalen, den ihnen der eine Satz gewährt: Also, was trinken wir?

»Was für eine Rigoristin du manchmal bist«, sagte Arnaud.

Sie langweilen mich ganz einfach. Ich arbeite lieber an meinem Buch, in meinem Garten, oder ich fahre Boot mit Adrienne, wenn sie nicht gerade mit einer Meute von Freunden beschäftigt ist, die in diesem Sommer ganz besonders abscheulich sind.

Alt zu werden heißt vielleicht, nicht mehr bereit sein, die anderen zu ertragen. Und nichts gehört so sehr zu »den anderen« wie »die Jugendlichen«. Unsere kampieren auf dem benachbarten Feld, lassen sich aber immer wieder sehen, um ein Bad zu nehmen und dabei eine Überschwemmung zu veranstalten, einen Überfall auf die Vorräte zu unternehmen, im Garten spazierenzugehen und dabei nachlässig die Blumen zu köpfen oder ihre Kippen in den Blumenkästen auszudrücken. Gleichzeitig bekommen wir freundliche Tiraden über die bürgerliche Kleinkariertheit zu hören, über unseren »Komfort«, der angesichts der Dritten Welt schändlich ist, und über die Schrecken der Konsumgesellschaft. Ich habe unrecht, findet Adrienne, wenn ich das nicht ertragen kann und es auch noch sage. »Ich habe doch wohl das Recht, meine Freunde nach Hause einzuladen? Ich bin hier zu Hause, oder?«

»Nein, seit du einundzwanzig bist, bist du nicht mehr bei dir, sondern bei mir zu Hause.«

»Sehr gut, ich werde daran denken«, erklärte Adrienne, die es nur schwer erträgt, wenn man ihr nicht hundertprozentig zustimmt. »Ich kann ja morgen abreisen, wenn du willst.«

»Warum tust du nicht einfach das, worum ich dich bitte? Zu Hause sein, das heißt wohl, daß du alles tust, was du willst, ohne Rücksicht auf die anderen? Ich bin ja schließlich auch hier zu Hause!«

»Na gut, dann bleib, wo du bist. Wenn man nicht mehr leben kann, wie man will zu Hause ... Hm, ich meine, bei seinen Eltern zu Hause, Scheiße!«

Idiotisches Räderwerk, abgenutzte Antworten, unnötige Auseinandersetzungen, die ich normalerweise umgehen kann. Das Ergebnis: Am nächsten Morgen fährt Adrienne nach Saint-Cast mit einer Rotte von Dummköpfen, die in einem nichtversicherten 2 CV »wohnen« und niemanden brauchen.

Es gibt solche Sommer wie diesen, wo einen alles im Stich läßt, wo man nichts außer Beleidigungen erntet: ein Sommer der Lieblosigkeit, ein Sommer des schwierigen Zusammenlebens mit meiner Tochter, ein Sommer des häuslichen Überdrusses und des schlechten Gewissens. Ich frage mich, ob ich nicht schreibe, um vor mir selbst zu flüchten, und in welchem Maß das Schreiben nur ein Ersatz für das Leben ist. Beginnt man nicht, die Arbeit, die Inseln aus Papier, zu sehr in den Mittelpunkt zu stellen, wenn man weniger Zeit damit verbringt, zu leben? Also? Werner als Erinnerung an das Leben? Lou wiederholt, was sie mir 1946 schon sagte:

»Überleg es dir gut. Du hättest jemand in deiner Nähe, der dich anbetet. Das hast du nie gehabt. Es gibt Zeiten im Leben ... Man kann nicht ewig Vegetarier sein!«

Sie sieht Werner (wie auf einem niederländischen Gemälde) zu meinen Füßen sitzen und meine Knöpfe annähen, während ich mich emsig über meine Zauberbücher beuge.

Auf die Dauer, im bösen Alltag, würde ich es schlecht ertragen. Das körperliche Verlangen nimmt ab, die Unzulänglichkeiten und Gegensätzlichkeiten zeigen sich deutlicher, das Leben ist wirklich nicht leicht! Der arme Werner hat im Moment andere Sorgen. Seine Frau ist mit Darmverschluß ins Krankenhaus eingeliefert worden, und die Ärzte zögern noch mit der Operation, weil ihr Gewebe bestrahlt worden ist; und weil er ein schlichtes Gemüt hat, glaubt er, der Himmel strafe ihn für seine Sünden, und opfert sich bedingungslos für Debbie auf.

Da auch ich von einfachem Gemüt bin, sehe ich die Situation völlig klar. Ich fürchte weder Debbies Tod noch ihre Genesung, sondern daß sie ein Pflegefall wird und ständig die Hilfe und Anwesenheit ihres Mannes benötigt! Ich gebe zu, daß ich sie sogar lieber lebendig sähe, denn durch ihr Verschwinden würde Werner mit dem Problem seiner Freiheit konfrontiert und ich vor eine Wahl gestellt, die zu treffen ich nicht die geringste Lust habe, vor Verantwortungen, die ich ablehne.

Das Schicksal und der Krebs haben getan, was sie wollten. Einen Monat später teilte mir Werner telefonisch mit, er sei Witwer.

22

I stand on him

»Du hast mir heute abend schon wieder vor allen Leuten wider-
sprochen. Woher kommt dieses augenblickliche Bedürfnis von
dir, dich nicht mehr mit mir solidarisch zu erklären, sobald jemand dabei ist?« fragt Arnaud mich in dem eisigen Ton, den er
auch anschlägt, wenn er seinen Töchtern Vorwürfe macht. Wir
sitzen Seite an Seite im Wagen, doch wenn er anfängt, in diesem
Ton zu reden, sind hundert Kilometer Wüste zwischen uns. Ich
habe eine fertige Antwort von erfreulicher Frechheit parat: Ich
habe doch wohl das Recht, einmal ganz nebenbei auch eine Persönlichkeit zu besitzen, nicht wahr? Bedrückt dich das? – Aber
ich kann es nicht sagen. Niemand außer Adrienne hat jemals so
mit Arnaud gesprochen. Er hat mich nie geschlagen, doch ich bin
überzeugt, aus verletzter Eitelkeit könnte er mich sofort umbringen. Und genau das, was ich ihm jetzt zu sagen habe, würde seine Eitelkeit verletzen. Ich frage mich, ob das Gefallen, das er immer offensichtlicher an Frauen findet, nicht daher kommt, daß
sie immer bereit sind, ihn zu bewundern, ihm zuzuhören, während seine eigene Frau sich bei seinen besten Geschichten langweilt und die Männer zuviel kritischen Geist zeigen. Die Ehefrauen sind das denkbar schlechteste Publikum für Männer, die
gefallen wollen. Gleichzeitig aber weiß ich, wie verwundbar er
ist, so daß ich nach fünfundzwanzig Jahren immer noch zögere,
ihn zu verletzen, obwohl er mich sowieso für brutal hält und außerdem für eifersüchtig. Auch das bin ich nicht mehr, doch bei
Ehepaaren erstarrt der eine für den anderen in der Rolle, die er,
außer in der Vorstellung des anderen Blinden, schon lange nicht
mehr spielt.

Er ist schlechter Laune, und genau diesen Moment wähle ich,
um ihn zu informieren: Ich werde Werner dieses Jahr wohl von

Zeit zu Zeit wiedersehen. Seit Wochen verschiebe ich das Geständnis immer auf den nächsten Tag, aus Feigheit.

»Stell dir vor, man hat Werner für einige Monate eine Stelle in Irland angeboten. Er wird nach Bantry in Kerry ziehen«, sage ich und bemühe mich um einen scherzhaften Ton. Ein Regisseur würde mir sagen: »Fräulein, Sie können nach Hause gehen!«

»Dann wird es leichter sein, ihn zu treffen, vermute ich«, antwortet Arnaud in absolut eisigem Ton.

Er vermutet richtig. Ich sage nicht, daß wir uns schon in zwei Wochen treffen werden.

»Sag es mir nur einige Zeit im voraus, damit ich auch planen kann.«

Aha? Er hat also nicht vor, zu Hause zu bleiben und sich um Adrienne zu kümmern, die zur Zeit Probleme hat? Er will vor allem nicht den Anschein erwecken, er warte, er habe Sehnsucht, er sei einsam. Er wird in seinem Adreßbuch nachschlagen, kein Problem.

Endlich! Ich habe es gesagt! Zum ersten Mal in meinem Leben habe ich anzukündigen gewagt: »Ich fahre weg von dann bis dann«, und zwar nicht wegen meiner Arbeit. Ich fühle mich, als hätte ich den Annapurna bestiegen.

Wir reden nichts mehr. Der Wagen rollt im Regen dahin, es ist Mitternacht, und die Reichen fahren paarweise in ihren Autos nach einem Theaterstück oder einem Essen in der Stadt zu sich nach Hause zurück. Die Verliebten, die sich trennen müssen, küssen sich bei Rot an den Ampeln. Die Frau legt ihren Kopf an die Schulter des Mannes und schließt die Augen, um eine kurze Nacht mit ihm zusammen zu haben, eine Nacht, die zwei Minuten dauert. Man erkennt die alten Ehepaare schon durch die Heckscheibe, ihre Köpfe sind säuberlich getrennt, sie haben es nicht so eilig, sich zu berühren. Man erkennt ihr Profil im Licht der Neonreklamen, sie sind in Gedanken versunken. Sie hat es eilig, ihre Pumps mit den Pfennigabsätzen auszuziehen, sich abzuschminken; er sagt sich, daß sie schon wieder spät ins Bett kommen. Was für ein Leben!

Wir fahren über die Brücke beim Friedhof am Montmartre, und ich denke an meine Eltern, die hier wohnen, einer nur ein paar Zentimeter vom anderen entfernt. Nie waren sie sich so nahe wie seit sie tot sind.

Arnaud parkt den Wagen, steigt aus und steuert ohne zu warten und ohne sich umzusehen auf das Eingangstor zu. Ich habe immer diejenigen beneidet, die nebeneinander gehen, Arm in Arm, diejenigen, die sich am Flughafen gegenseitig abholen. Das ist kindisch.

Wir legen uns sehr schnell schlafen, und er nimmt sich einen Krimi von dem Stoß neben seinem Bett auf der Backbordseite. Ich rutsche nach Steuerbord, mache es mir auch zum Lesen gemütlich, und dann herrscht Schweigen. Wir wissen, daß wir nicht mehr dieselben Bücher lesen. Ich lege meine kalten Füße an seine Waden, aber er macht sich nicht die Mühe, zu protestieren. Er löscht wie gewöhnlich als erster das Licht und dreht sich mit einem Seufzer zur anderen Seite. An manchen Abenden erschreckt mich die Stille unserer Körper, die ungeheure Breite eines Ehebettes. Doch das hindert mich nicht mehr daran, zu schlafen.

Der Ehebruch heutzutage beginnt und endet auf den Flughäfen. Ich treffe Werner regelmäßig in Cork, und wir verbringen das Wochenende in einem der Bungalows, die seine Fluggesellschaft für ihre Angestellten und Piloten in der Nähe von Bantry, in einer atemberaubenden Landschaft, mietet. Wenn ich die Silhouette dieses Fremden, der mich an jemanden erinnert – vielleicht an einen Helden aus einer amerikanischen Fernsehserie? –, von weitem sehe, dann tritt jedesmal der gleiche Effekt ein: meine Pariser Existenz entschwindet mir restlos.

Während der ersten Minuten frage ich mich, was ich hier zu suchen habe, wozu ich so weit gereist bin. Wenn er nicht in Uniform ist, trägt er karierte Hosen, typisch *made in USA,* und Schuhe Größe 46, die sich vorne nach oben biegen. Er sieht nicht nur nach Provinz aus, sondern nach amerikanischer Provinz, würde meine Hermine sagen! Aber sobald er seine langen Arme um meine Schultern legt und mich ansieht, um herauszufinden, ob er mich küssen darf oder nicht, ob ich im Flugzeug von jemandem erkannt worden bin, den ich nicht schockieren will, stelle ich mir keine Fragen mehr. Unsere Blicke begegnen sich: schnell und flüchtig im nahegelegenen Hotel, wo Werner die Nacht verbracht hat? Nein, das wäre schade, und außerdem muß ich mich erst wieder an ihn gewöhnen. Im Wagen fange ich an, meinen Besitz neu zu erkunden, von den breiten behaarten Handgelenken, die mich mit Zärtlichkeit erfüllen, bis zu den Knien, auf die ich meine Hand lege, um dann langsam ein Stück höher auf seine harten Schenkel zu wandern, damit ihm klar wird, daß ich nicht gekommen bin, um Händchen zu halten. Mit Blicken streichle ich sein Profil und seinen Nacken.

»Du hast dir die Haare noch kürzer schneiden lassen! Willst du denn unbedingt aussehen wie ein preußischer Offizier?«

»Aber ich finde, es sieht ungepflegt aus, wenn die Haare im Nakken hängen.«

»Also findest du mich ungepflegt?«

Er lacht. Wir lachen beide. Wie konnte mir das nur passieren, mir, dem Blaustrumpf? Warum kann ich mich so wohl fühlen bei einem Mann, der weder Literatur noch Kino noch Malerei kennt und kaum etwas von Musik versteht, für den Politiker nur eine Bande von Clowns und Schurken sind, die hinter dem Rükken der armen Welt machen, was sie wollen? Nun ja, es ist eben passiert. Und nach einigen Tagen mit ihm zusammen, frage ich mich, wie ich ohne seine Arme, seinen Blick, die Sicherheit seiner Gegenwart und seine unendliche Liebe leben soll. Ich sehe ihn an und freue mich darüber, daß er schön ist, daß er einmal noch schöner gewesen ist, doch die Erinnerung überdeckt, wenn es sein muß, die Wirklichkeit. Ich überrasche mich dabei, wie ich ihn als Sexualobjekt ansehe, und muß mich zurückhalten, ihm zu sagen: »Lächle mal, damit ich deine Eckzähne sehe ...«

»Zeig mir deine großen starken Knie ...«

In seiner Nähe spreche ich eine andere Sprache, und es macht mir Spaß, undenkbare Dinge zu denken. Und ich krittele an ihm herum, ich befummle und schikaniere ihn ein bißchen, und er, er liebt das. In Macroom besorgen wir etwas zum Abendessen. Er will keinen Lachs kaufen, weil er ihn, wie er behauptet, nicht sehr mag.

»Von wegen! Weil er teuer ist! Ich kenne dich: Du bist nicht nur ein Preuße, sondern auch ein Jude! Und nicht nur, daß du ein deutscher Jude bist, du ziehst dich auch noch an wie ein texanischer Cowboy!«

Er lacht schallend. Im Alter findet er wieder Gefallen daran, ein Jude zu sein, etwas, das er bei der Heirat mit seiner Katholikin wohl vergessen hatte, was ihn aber trotzdem geprägt hat, denn es hinderte ihn an einer einträglichen Karriere als Flugkapitän: 1946 lehnte es American Airlines, die er seitdem Antisemitic Airlines nennt, ab, einen jüdischen Piloten einzustellen, obwohl er seit zwanzig Jahren die amerikanische Staatsbürgerschaft besaß, obwohl er ein Kriegsheld war und von der Luftwaffe kam. Er mußte als Privatpilot für einen Zeitungsverlag arbeiten und wird nur eine sehr kleine Rente bekommen.

Das Häuschen, das er mit seinem Copiloten teilt, liegt in einer kargen Landschaft, wie ich sie liebe, inmitten einer Steppe mit violetten Felsen, an die sich Heidekraut und niedrige Ginsterbüsche klammern. Kahle Berge, nicht höher als zweitausend Fuß, scheinen um zweitausend Meter eine Küste zu überragen, die sich mal aufspaltet in tiefe, bewaldete Fjorde, in denen ein zahmes Meer zwischen palmenbewachsenen Ufern plötzlich an die Riviera erinnert, mal sich weit vorwagt wie eine nackte Wahnsinnige und ihre Felsen, ihre Landzungen und ihre kleinen Inseln wütend einem Ozean entgegenhält, der über viertausend Kilometer hinweg auf kein Hindernis traf. Eine Landschaft, die einen entweder verrückt oder zum Kelten macht.

»Zu Hause« hat er alles vorbereitet, den Tisch gedeckt, die Cocktails schon gemixt, das Torffeuer entzündet. Ich habe das Gefühl, bei einer Frau eingeladen zu sein!

In diesem Stadium meines Lebens ist Intelligenz nicht mehr der wichtigste Trumpf eines Liebhabers. Ich habe immer inmitten von Intellektuellen gelebt, deren IQ vermutlich über 100 lag. Wäre mein Werner so gut im Bett, wenn er zuviel denken würde? Ein männliches Glied wird oft von der Last der Gedanken niedergedrückt. Wenn unsere Beziehung heute in einzigartigen Schwingungen fortlebt, dann weil wir gleichzeitig so jung und so alt sind. Hat man schon einmal erlebt, daß dreißig Jahre Liebe zusammengehen mit einem so glühenden Verlangen? Und dann, ja dann gibt es diese perverse Lust, die ich plötzlich empfinde, wenn ich wie ein geliebtes Kind behandelt werde. Wer sonst würde, ganz ohne zu lachen, zu mir sagen:»*My little girl is sleepy?*« Wer sonst würde je auf die Idee kommen zu bemerken: »Wie süß du bist, wenn du *pffff* machst mit diesem ironischen Schmollmund!« Und dann, noch lächerlicher, hinzuzufügen: »Ich wurde dich am liebsten roh essen!« Was für eine hübsche Verwechslung! Ich bin niemals »süß« gewesen. Na und? Ist nicht gerade das das Beste, was man nicht verdient? Es macht mir keinen Spaß mehr, wenn man mir sagt, ich sei stark oder vermittle ein Gefühl der Sicherheit, ich will, daß man Lust hat, mich »roh zu essen«.

Werner wird nie wissen, warum ich so viel lache: über seine Ungeschicklichkeiten, seine netten Irrtümer, seine Rechtschreibfehler, über den Unterschied zwischen mir und der Königin von Saba, zwischen meinem Alter und dieser verrückten Liebe. Ach ja, wenn das hier der Johannistrieb ist, dann soll er ruhig bis Weihnachten dauern! Ich lache, aber ich weine, weil seine Zärtlichkeit mir das Herz bricht und weil er jetzt frei ist, ich mich jedoch nicht binden will. Ich fürchte sein Alter und vieles andere. Arnaud ist schon drei Jahre älter als ich, und seitdem er unglücklich ist, altert er schnell. Werner ist fünf Jahre älter als Arnaud, auch wenn man sie ihm nicht anmerkt. Ich sehe mich schon eines Tages zwei Rollstühle schieben ... Ist es nicht vernünftiger, auf jedem Kontinent nur einen zu haben? Durch eine glückliche Fügung sehe ich immer nur, wie andere von vorzeitigem Verfall und halbseitiger Lähmung betroffen sind. Ich vergesse, daß es eine verführerische Frau, deren Alter in zwei Jahren mit einer sechs beginnt, »einfach nicht gibt«. Und warum sollte ich nicht auch »eine achtzehn Meter große Ameise mit einem Hut auf dem Kopf«* sein?

Auf jeden Fall kann er, solange er arbeitet, noch keine Entscheidung treffen, und ich gebe mich mit dem derzeitigen Gleichgewicht meines Lebens zufrieden, wobei ich mich anstrenge, Arnauds stumme Bestürzung zu ignorieren. Ein Verhalten, das mir gelingt: Je älter ich werde, desto weniger sieht man es mir an. Ich gehe mit leichterem Schritt, ich ziehe mich anders an, ich bin fast noch schöner geworden, seit man mich mehr liebt, als ich liebe. Und ich staune, daß ich so lange für einen einzigen Mann leben konnte; ich war glücklich über das, was er mir zu geben geruhte, und beklagte mich nie über das, was er mir zu nehmen wagte.

Wenn das Wetter gut ist, erkunden wir die Gegend. Wenn die Flut kommt, gehen wir fischen. In Irland ist die Schatzinsel nicht nur ein Mythos. Niemand hat hier jemals das gestört, was unter

---

* Anm. d. Ü.: Anspielung auf ein Gedicht von Robert Denos *Die Ameise* (aus *Chantefable et Chantefleur*, 1945)

den Algen wimmelt, sich auf den Wellen wiegt, sich an den Felsen festklammert, sich im Sand eingräbt. Unzählige Krabben spazieren zwischen Mauern von Blattang über die großen Boulevards unter Wasser; die Seeigel, die hier nie jemand belästigt hat, werden in ihren Felsspalten übermäßig groß; die Hummer wohnen zwei Schritte vom Strand entfernt; Algenarten, die aus unseren Gewässern längst verschwunden sind, breiten sich in grünlichen Kränzen aus, in rosafarbenen Büschen, in Bändern, in Flechten, unter denen sich riesige Strandschnecken ansammeln; und die Reiher verharren unbeweglich, grau wie die Felsen, verblüfft durch unsere Anwesenheit.

Bis zum Bauch im Wasser stehend, bis auf die Knochen vom Regen durchnäßt und die Lungen voll mit dem Geruch des Meeres, fange ich bei Ebbe mit Netz, Haken und Harpune alle Reichtümer, die sich mir zwei Stunden lang darbieten, zwei Stunden nur. Ich hätte meine Geräte aus der Bretagne mitbringen, das auseinandergenommene Netz wie Bécassines Regenschirm auf meinen Koffer schnüren sollen, denn hier, wo nur Forellen und Lachse gefischt werden, kennt man nur die Geräte für den Süßwasserfischfang.

Werner, der schnell entmutigt ist, wartet meistens im Auto auf mich und hört währenddessen eine religiöse Sendung, wie es sie hier ständig gibt, vor allem sonntags. Er behauptet, es regne – ich halte dagegen, daß *drizzle,* diese in der Luft hängende Feuchtigkeit, die für Irland so charakteristisch ist, nichts mit Regen zu tun hat. Auf jeden Fall kehren wir beide naß nach Hause zurück und gehen dort sofort ins Bett. Wir kennen hier keine festgeschriebene Zeit, um ins Bett zu gehen, die Gezeiten geben das Kommando. Danach stärken wir uns mit Meeresfrüchten und Wodka und schauen in die ruhigen blauen Flammen des Torffeuers. Werner erzählt mir von seiner deutschen Kindheit, seiner Familie, deren Mitglieder alle in den Konzentrationslagern umkamen, bis auf seine Eltern und die beiden kleinen Jungen, Werner und Rudi; 1926 wanderten sie aus Deutschland aus, weil der Vater, Metzger in einem Dorf in Westfalen, von einer dunklen Vorahnung des Unheils gepackt wurde.

Ich kehre nach Paris zurück, völlig erschöpft und glücklich über die geschenkte und die erhaltene Freude: »Max ist nicht brav gewesen, das ist auf seiner Stirn zu lesen«, hieß es in dem alten Lesebuch, in dem ich auf Adriens Schoß das Lesen lernte. Natürlich steht das, was ich gerade erlebt habe, auf meiner Stirn geschrieben, in meinen Augen, auf meinem Mund, meinen Brüsten. Das Glück ist von einer unsäglichen Schamlosigkeit!

Die Aufenthalte in Irland sind gerade so lang, daß sich die Zärtlichkeit der ersten Gewohnheiten festigt, und gerade so kurz, daß ich keine Zeit habe, mich an seinen typisch amerikanischen Unarten zu stören: Er kann sich im Restaurant nicht bedienen lassen, ohne menschliche Kontakte zu knüpfen; er fragt die Kellner, ob sie schon lange dort arbeiten und wie sie heißen, er steigt nie aus einem Taxi, ohne zu wissen, ob der Fahrer verheiratet und mit seiner Arbeit zufrieden ist. In Flugzeugen unterhält er sich mit den Reisenden der benachbarten Sitzreihe, versucht ihnen behilflich zu sein und zu erfahren, wo sie herkommen. Unangenehm! Ärgerlich auch seine Manie, mit lauter Stimme zu kommentieren, was er gerade tut. *»Here we are!«* wenn wir ankommen, *»There we go!«* wenn wir gehen. Jedesmal wenn er zum *»Little Boy's Room«* geht, beruhigt er mich: *»I'll be back«*, als ob ich Angst hätte, er könnte durch die Klobrille verschwinden. Und dieses Vokabular, das er nicht immer meiner Empfindlichkeit anpaßt. Wenn er mir sagt: *»Be mine«*, habe ich Lust zu antworten: »Heh! Hör mal, niemand gehört niemandem.« Aber es würde zu lange dauern, ihm das zu erklären.

Schließlich diese Binsenweisheiten, die er unentwegt in die Unterhaltung einfließen läßt und die er anstelle einer eigenen Meinung vertritt:

»Andere Länder, andere Sitten, weißt du . . .«

»Wir müssen alle eines Tages sterben . . .«

»Der Apfel fällt nicht weit vom Stamm . . .«

»So ist nun einmal das Leben, niemand weiß, wann der Sensenmann kommt . . .«

Ich sage ihm, daß es dumm sei, geistig so abzudanken, erkläre ihm, was eine Nuance ist, eine Ausnahme, ein eigener Gedanke . . . Man muß allerdings mit dem Alphabet anfangen; er hört ergeben zu, strengt sich enorm an, um zuzugeben , daß Sozialismus und Kommunismus nicht dasselbe sind, was für einen Durchschnittsamerikaner schwierig ist; daß die amerikanischen Nervensägen, die exorbitante Unterhaltsforderungen stellen, nicht den Feminismus repräsentieren. Er will gerne alles glauben

Lou-eeze hat recht, Lou-eeze ist die klügste, sie weiß Bescheid, denn sie hat studiert! Alles, was er möchte, ist, ihr das Leben leicht zu machen, schön, ohne Belastungen, damit sie sich ganz und gar dieser wunderbaren Tätigkeit hingeben kann: schreiben, erfinden, schöpferisch sein! Dinge schreiben, die andere kaufen wollen! Er begreift nicht, daß ich soviel Geld mit Hilfe eines Füllfederhalters verdiene. Er kann alles, außer mit Abstraktem oder der Fantasie arbeiten. Das trifft sich gut ... oder besser, das träfe sich gut, wenn nicht seit dreißig Jahren Arnaud der Ehemann von Lou-eeze wäre und ein liberaler Ehemann dazu, der seine Eifersucht zum Schweigen bringen kann, noch etwas, das Werner nicht versteht und unendlich bewundert.

Jedesmal wenn ich nach Frankreich zurückkehre, bin ich auf das Ende des Zauberbanns gefaßt. Ich wünsche es. Für Arnaud. Auch um in Ruhe zu schreiben. Ehebruch nimmt ungeheuer viel Zeit in Anspruch! Und ich stelle mir eine widerliche Frage: Wenn eine Kanonenkugel ihm die bewußten Stellen abreißen würde, wäre ich dann immer noch »verliebt« in Werner? Auf jeden Fall wird die eheliche Atmosphäre nach jeder Rückkehr drückender, doch da Arnaud mir immer die gleiche Freiheit zugestanden und sogar gewünscht hat, wie sich selbst, enthält er sich jeden direkten Vorwurfs. In der Theorie ist es einfach, aber in der Realität ist die Freiheit des anderen nie genau das, was man möchte! Also trinkt er immer mehr, umgibt sich mit einer permanenten Rauchwolke und küßt die Frauen der Freunde und die anderen immer heftiger, um mir zu zeigen, daß Castéjas Charme noch immer wirkt und daß ... nicht wahr ...

Er geht oft aus, wenn ich nicht da bin. Er genießt es, auf der Straße oder im Restaurant erkannt zu werden: »Monsieur Castéja, erlauben Sie, daß ich Ihnen einen kleinen Schnaps aus meinem persönlichen Vorrat anbiete?« Man sagt, er sei schön, und sein Gesicht hat selbstverständlich keine Falten, sondern markante vom Leben eingegrabene Linien. Alle Größen des Showgeschäfts, der Politik und der Kunst hat er interviewt, und er ist stolz darauf. Doch was zählt das, wenn man sich verlassen fühlt? Seine Töchter zu interviewen ist er immer unfähig gewesen!

Wenn ich da bin, zeigt er sich häuslich und macht es sich um neun Uhr vor dem Fernseher gemütlich, die Beine hochgelegt, Er drückt auf den Knopf. Das erste beste Programm flimmert über den Bildschirm.

Ich versinke in Melancholie.

»Was werden wir dann erst mit achtzig tun? Nehmen wir doch die zukünftigen ›Freuden‹ nicht vorweg!«

Er lacht nicht mehr. Vielleicht erinnert er sich daran, daß ich mir diese gemeinsamen Abende früher so gewünscht habe. Heute ähnelt seine Liebe einem Netz, das er über mich wirft. »Papa hat dich noch nie so angeschaut«, bemerkt Adrienne. Es ist keine richtige Liebe, sondern das Fordern von Liebe, wie es Adrienne auch tat, als sie klein war und mich nie wegließ, wenn ich abends ausgehen wollte. Sie umschloß mich fest mit ihren Armen, brachte meine Frisur in Unordnung, tat mir weh, wenn ich mich über ihr Bett beugte, um sie zu küssen, und zwang mich dazu, mich brutal loszumachen, um das Ganze zu beenden, was uns schließlich alle beide wütend machte. Arnaud wird immer anspruchsvoller zu Hause, um mich daran zu erinnern, daß ich, wenn ich auch zuweilen woanders schlafe, immer noch hier zu dienen habe. Er wird krank, um mich zu zwingen, ihn zu pflegen. Er breitet seine Melancholie vor seinen Freunden aus, um mein Mitleid zu erwecken, und benimmt sich wie eine Mischung aus Kind und König, während ich von der Kombination aus Ehemann und Mutter träume!

Unter anderem wegen der völlig anderen Atmosphäre liebe ich Werner: Durch meine Unabhängigkeit, mein Geld, meine Schriftstellerei, sogar meine intellektuelle Überlegenheit kann ich mich bei ihm als Mann fühlen und gleichzeitig auch hemmungslos als Frau, während ich bei Arnaud inzwischen weder das eine noch das andere bin. Werner beeilt sich, mir meine Koffer abzunehmen, er macht mir Drinks zurecht, und zwar so, wie ich einmal gesagt habe, daß ich sie mag, er bringt sie mir zum Sofa, auf dem ich mich endlich ausstrecken kann, nach Art der verwöhnten, zerbrechlichen und anspruchsvollen Frauen. Jetzt leiste ich mir den Luxus, um Hilfe zu rufen, wenn es einen Kurzschluß gibt oder der Ölstand des Motors überprüft werden muß. Er läuft, um mir die Autotür zu öffnen, stützt mich mit seinem starken Arm ab, wenn er plötzlich bremsen muß, besteht darauf, die *zwei* Scheiben Schinken zu tragen, die ich gerade gekauft habe, macht schnell das Bett, während ich mir die Zähne putze, bereitet für mich *French breads* oder *pancakes* zum Frühstück zu und spült anschließend die Pfanne ab! Er hält sie nich nur unter den Wasserstrahl, er wäscht sie nicht nur ab, er scheuert sie. Und er scheuert, ohne die Teflonschicht zu beschädigen, und er weiß, wohin er den Schwamm anschließend wegräumen muß. Er wäscht ab wie eine Frau, der man auch nichts hinterherräumen muß. Zärtlichkeit besteht nicht nur darin, den anderen »mein Herz« zu nennen.

Manchmal frage ich mich, wie ein Mann funktioniert, der nie seine Socken gewaschen hat, die Socken seiner Frau oder seines Kindes nie als Dinge betrachtet hat, deren Sauberkeit ihn etwas angeht – ein Mann, der immer ein Weibchen hatte, das ihm all die kleinen schmutzigen Sachen des täglichen Lebens abnimmt: eins zu Hause und zusätzlich eins in der Küche, wenn die Zeiten gut sind, eins im Büro, ganz zu schweigen von all den netten, die immer bereit sind, einen Verband anzulegen, einen Knopf wieder anzunähen, in die Apotheke oder an den Kiosk zu rennen, wenn ein Mann freundlich mit ihnen spricht ... Unzählige kleine Gesten der Ergebenheit oder der Zärtlichkeit, die das Leben der Männer angenehm machen, es von lästigen Kleinigkeiten befreien und es versüßen. Wissen die überhaupt wie sehr?

Bei mir ist es zu spät, um außer einigen Details noch etwas an diesem so lange Zeit akzeptierten Verhältnis zu ändern. Arnaud ist jähzornig, er regt sich auf über Nichtigkeiten, über kleine Versäumnisse, denn er hat sich verboten, mir das große Versäumnis vorzuwerfen. Ich entdecke sogar, daß jede Frau unter Umständen geschlagen werden kann. Es genügt, das auslösende Moment zu finden. Bei Arnaud ist es ein gewisser Grad an Gleichgültigkeit seiner Person und seinen Bedürfnissen gegenüber.

»Wo hast du mein Lexikon hingetan, es steht nicht mehr an seinem Platz!«

»Nirgendwohin. Ich habe es nicht gesehen. Du weißt genau, daß ich ein anderes benütze.«

»Ich will aber meines. Es stand in meinem Bücherschrank, nur du kannst es weggenommen haben.«

»Ich sage dir doch, ich habe es nicht. Und ich bin nicht für deine Sachen zuständig.«

Unvorsichtiger, unverschämter Satz! Madame Arnaud Castéja *ist* per definitionem für die Sachen von Monsieur Castéja zuständig. Er verändert seinen Gesichtsausdruck, geht auf meinen Bücherschrank zu, findet zu meiner Überraschung mit einem Blick sein Lexikon und hält es mir unter die Nase. Ich habe Lust, laut loszulachen, aber davon kann natürlich keine Rede sein.

»Ich sage dir, ich war es nicht, ich benutze dieses Buch nie!«

»Du bestreitest also die offenkundigen Tatsachen?«

Er geht mit verzerrtem Gesicht auf mich zu: Sein ganzer Widerwillen gegen meine Unabhängigkeit, gegen Werners Liebe und seine täglichen Briefe findet nun endlich ein Ventil. Er packt mich an der Schulter, um mich zu Boden zu werfen, er zittert vor Wut, und ich bin so unglaublich erschrocken, daß ich zur Salzsäule erstarre, ohne Reflexe, unfähig zu einer Bewegung oder zu einem Wort. Mit übermenschlicher Anstrengung beherrscht er sich und zwingt sich, seine Wut mit Worten auszudrücken, mit Worten, die schon lange darauf gewartet haben, ausgesprochen zu werden:

»Ich erlaube nicht, daß du in diesem Ton mit mir redest. Das ist ein Zeichen von Verachtung! Also ändere deinen Ton oder such dir einen anderen Mann.«

Jetzt war es gesagt. Er hat mit mir gesprochen, wie mit seinen Töchtern, als sie klein waren, und wie mit Adrienne heute noch, wenn sie ihm die Stirn bietet. Am Boden zerstört von diesem Ausbruch, dreht er mir den Rücken zu und geht wieder in sein Arbeitszimmer, wobei er, der immer so ruhig ist, die Tür zuschlägt. Jetzt fällt mir wieder ein, daß Adrienne vor einigen Tagen in die Wohnung kam, um zu arbeiten. Natürlich hat dieses kleine Mistvieh das Lexikon falsch eingeordnet. Aber wozu sollte ich hingehen und mich rechtfertigen? Das Problem liegt anderswo, das weiß ich sehr gut.

»Er läßt dich einmal im Monat nach Irland fliegen, er sieht jeden Tag Werners Briefe ankommen, und du willst auch noch, daß er gut gelaunt ist? Du übertreibst«, sagt mir Félicien, als ich ihm erzähle, daß ich um ein Haar auch zu den geschlagenen Frauen gehört hätte.

»Hör zu, er wird im September in die Bretagne kommen, während Arnaud auf den Antillen ist. Ich möchte gerne, daß du ihn kennenlernst und mir dann sagst, wie sehr mich die Liebe blind macht.«

»Ich glaube, daß Liebe immer etwas mit Blindheit zu tun hat, das weißt du. Und ich habe dir schon einmal die Augen geöffnet

Wenn du blind und glücklich bist, werde ich der Letzte sein, der dich entmutigt. Nimm dir vom Leben, soviel du kannst. Es wird sich auf jeden Fall alles hundertfach von dir zurückholen. Aber du, du hast vielleicht schon im voraus bezahlt ...«

»Arnaud behauptet, jeder habe ein gewisses Kapital an Glück und Unglück, das er in seinem Leben verbrauchen kann. In diesem Fall habe ich einen Blankoscheck auf die Zukunft. Du wirst sagen, für das, was mir an Zukunft noch bleibt ...«

»Ich werde dir sagen, daß diese Idee von der Gleichheit des Glücks mir völlig naiv erscheint. Ich habe mir mein Liebesleben vermasselt und bin über sechzig Jahre alt. Wo ist denn mein Kapital? Geneviève ist krank, und ich werde sie nie verlassen.«

»Du bist ein Idiot: Du hast Viviane, die du geliebt hast, verlassen, und du würdest Geneviève, die du nicht liebst, nicht verlassen!«

»Ich bin immer ein Trottel gewesen, was willst du. Glücklicherweise gibt es noch die Freundschaft.«

Im Mai wurde Werner früher als vorgesehen in die Vereinigten Staaten zurückgerufen, weil er die Altersgrenze erreicht hatte, und wir verbrachten unser letztes Wochenende in Irland.

Das Wetter war wie im November: *Drizzle!* Man konnte kaum die Kühe erkennen, die auf den Felsen standen, und die Schafe, die sich entlang der kaum befahrenen Straßen im Schutz der Steinmauern zusammenkauerten. Winzige Esel zogen Milchkannen, schwerer als sie selbst, sie wurden von großen, abgearbeitet aussehenden, in Lumpen gekleideten Bauern geführt, denen der Regen nicht das geringste ausmachte und die so aussahen, als ob sie gerade in einem Stück von Beckett spielten. Unter dem stürmischen Himmel und dem unsteten Licht erschien Irland grün mit seinem kurzen kräftigen Gras und rosa durch die wilden Rhododendronsträucher, die seine Hügel bedeckten. Es war ein wenig unser Land geworden. Wir sind hinausgefahren, um noch einmal den Connemara zu sehen, um etwas zu tun und uns nicht einander gegenüberzusitzen in dem kleinen Haus, wo die Erinnerungen und die Ängste in jeder Ecke lauerten, bereit, uns an die Gurgel zu springen. Vielleicht war es das Ende von Werners Leben. Das Ende seines Prestiges als Pilot. Was wird er sein ohne Flugzeug: irgendein Renter in irgendeiner amerikanischen Kleinstadt.

E finita la commedia? Niemand wird mir mehr etwas über meinen *wonderful body,* mein *beloved face* sagen; wird ein Bett in Zukunft nicht mehr Liebe, sondern Ruhe bedeuten?

Er schaffte es, nicht zu weinen, als er mich zum Flughafen fuhr, doch »Im Innern bin ich tot«, sagte er. Ich hatte das widerwärtige Gefühl, daß all dies mir eines Tages vielleicht als Stoff für ein Buch dienen würde. Ich schreibe alles auf, jeden Abend. Allerdings, wie soll man Leidenschaft und Liebe in unserem Alter in einem Buch begreiflich machen? Obszön oder unzulässig, auf jeden Fall abstoßend. Wie egal mir das ist! Man ist oft erstaunt, wie sehr die Menschen die Menschen lieben! Was können sie wohl aneinander finden?

Ich weiß nicht, was für eine Zukunft uns bevorsteht, doch manchmal erscheint mir die Vorstellung unerträglich, daß Werner allein auf der anderen Seite des Ozeans alt wird und stirbt. Dann kommt mir dieses ganze Abenteuer, aus der Ferne betrachtet, auch wieder lächerlich vor. Soviel Umstände, nur um hinzugehen und eine Hose auszuziehen, würde Arnaud sagen ... Auch vom Standpunkt des Alters aus betrachtet, wird mir das alles lächerlich erscheinen. Zumindest hoffe ich das. Was wäre es sonst für eine Qual! Aber wird man jemals alt? *That is* die wirkliche Frage, neben der *To be or not to be* als ein einfaches Problem erscheint.

Und wenn die Haut an den Armen nicht mehr an eine blühende Rose, sondern eher an eine krause Nelke erinnert, reicht das, fürchte ich, leider nicht dafür aus, daß auch das Herz Falten bekommt und verstummt.

23
Die Unterhaltung

Man sollte nichts entscheiden, bevor man mit einem Mann in einem Haus, im *eigenen* Haus gelebt hat. Und sich vor jener Sehnsucht in acht nehmen, die man in der zweiten Hälfte des Lebens empfindet, der Sehnsucht nach dem, was man nicht erlebt hat. Hermine sprach oft von ihrem unmöglichen Traum: als ausgehaltene Frau zu leben. In Wirklichkeit hätte sie diesen Zustand gehaßt, aber sie hatte das Bedürfnis, davon zu träumen und laut von diesem Traum zu reden.

Werner ist also für drei Wochen an dem Ort der Welt, an dem mein Herz am allermeisten hängt.

Er kennt New Delhi, Nairobi, Hongkong und Mexiko-City, aber Locmaria kannte er nicht!

Während ich die Fahnen meines Erzählungsbandes korrigiere, fühlt er sich wie zu Hause, so zu Hause, wie Arnaud sich nie zu Hause gefühlt hat: Er streicht den Zaun, er kleistert meinen Eukalyptus-Baum zu – ein Hauptast hatte sich vergangenen Winter gespalten –, er mäht den Rasen. Ich hatte die Waschmaschine vergessen, und wie ich zum Mittagessen hinuntergehe, stelle ich fest, daß er »meine« Wäsche ganz allein aufgehängt hat. Ich könnte weinen vor Freude. Noch nie hat jemand so was für mich getan. Es ist mir vollkommen schnuppe, daß er nicht mehr die Hinterbakken eines Stierkämpfers, nicht mehr einen Hals wie ein junger Baum hat, ja eigentlich bin ich ziemlich gerührt, zu sehen, daß es auch ihn nun erwischt, trotz seiner breiten Schultern und seiner Kraft, daß auch er nicht verschont geblieben ist von all den Widerwärtigkeiten, die sich an einen heranmachen und überall eindringen, daß auch an ihm der große Verrat beginnt.

Wir hatten uns seit fünf Monaten nicht mehr gesehen. Waren solche stürmischen Phasen nach langen Phasen der Ödnis gesund für einen alternden Männerkörper? In Wirklichkeit übertrifft die Realität so gut wie immer unsere Hoffnungen.

Wenn wir mit gedrosseltem Motor vom Fischen zurückkommen und uns vom Duft und den Farben der Dämmerung durchdringen lassen, wenn wir ganz ermattet sind von dem, was heute abend auf uns wartet, und von dem, was uns heute morgen geschenkt wurde, dann werde ich von einer Art Vollkommenheit umfangen. Ich habe die Gewißheit, im Innersten all dieser Schönheit zu existieren, zu diesen Felsen zu gehören, eine dieser Möwen zu sein oder ein Baum an der Küste, eine der Wellen, wie unser Boot sie aufwirft. Stille. Entzücken. Es bleibt mir ... ja, was eigentlich? Noch zwanzig Jahre Leben? Zum ersten Mal finde ich das kurz. Meine Zukunft erscheint mir nicht mehr unbegrenzt. Aber dafür um so kostbarer.

Adrienne hat mit Lou eine Woche bei uns verbracht, und sie fanden das Haus ungewöhnlich fröhlich. Wenn Arnaud hier ist, trägt er so offensichtlich Trauer um die Frau, die ich einst war, daß nun ich für die Unterhaltung sorgen muß, was notwendigerweise künstlich wirkt. Ich tue nichts, um die Lage zu verändern, schließlich bin ich nicht Bittstellerin, und Arnauds Stolz läßt nicht zu, daß er laut: »Ich liebe dich doch!« ruft, um mich vielleicht, ehe alles zu spät ist, doch noch aus meinem Traum zu wecken.

»Ich wußte nicht, daß du so heiter sein kannst«, sagt mir Adrienne vor ihrer Abreise, als wir im Bahnhofsrestaurant von Lorient zu Abend essen.

Sie war immer anders als ihre Schwestern, als gehörte sie einer anderen Generation an. Sie hat weder Paulines Hang, die Verführerin zu spielen, noch das leicht entzündbare Herz von Frédé ... Von Hermine hat sie den Ehrgeiz, das Bedürfnis nach Unabhängigkeit und die Lust zu beherrschen geerbt. Die Gleichberechtigung mit den Jungen erscheint ihr nicht wie ein Grundrecht, sondern als eine der Selbstverständlichkeiten, über die man nicht mehr diskutiert. Ich betrachte sie mit etwas Mitleid, mein tapferes Zicklein: Sie wird es nicht leicht haben, denn die Jungen in ihrem Alter hatten Zeit genug zu reagieren, ihre Strategie anzupassen. Jetzt suchen sie sich mit Vorliebe die Sanften aus, mit denen sie nach ihrer Väter Brauch verfahren können. Die anderen werden wählen müssen zwischen Einsamkeit und erheblichen Konzessionen. Vorläufig zieht sie die Einsamkeit vor und die Abenteuer ohne Konsequenzen.

Sie möchte gern wissen, ob ich mir wünsche, daß Werner ganz nach Frankreich zieht.

»Wenn es nur nach mir ginge, ja, sofort.«

»Es ist schön zu sehen, daß du geliebt wirst«, sagt sie und legt jene Reife an den Tag, die aus ihr manchmal sehr viel mehr als meine Tochter macht. »Das klingt ein bißchen scheußlich Papa gegenüber, aber ich finde, du hast dein Leben lang genügend gute Taten vollbracht für ihn und für uns. Ich finde, eure Liebe, die von Werner und deine, ist eine sehr schöne Geschichte, ein bißchen außerordentlich. Ich finde sie ›in Ordnung‹. Und außerdem macht sie soviel Mut für die Zukunft! Daß man sich noch so sehr lieben kann wie ihr beide . . .«

»Ihr beiden Alten, willst du sagen . . .«

Adrienne nickt mit ihrem Lockenkopf und lacht:

»Auf jeden Fall hast du nicht mehr dieselbe Stimme und dasselbe Lachen, wenn Werner da ist.«

»Das merk' ich sehr wohl. Ich habe mich fast geschämt vor dir.«

»Warum? Ich habe diesen Aufenthalt richtig toll gefunden. Und ich muß dir etwas Komisches sagen, Mama: Ich habe entdeckt, daß man dir Freude machen kann, daß du es magst, wenn man sich um dich kümmert. Unglaublich, oder? Für mich warst du bisher, nur weil du meine Mutter bist, jemand, der ganz starr, immer gleich ist: Du hattest weder Launen noch Krankheiten noch Wünsche. Ich habe gerade jemand entdeckt, der mir viel näher steht, eine fast kindliche Person.«

»Du hast geglaubt, ich sei vollkommen, und entdeckst jetzt, daß ich menschlich bin?«

»Genau, und das gefällt mir. Plötzlich möchte auch ich dir Freude machen. Das wäre mir nie eingefallen. Meine arme Mine! Es ist wohl nicht leicht, Mutter zu sein, hm? Ich wollte dir nur sagen: Tu das, wozu du Lust hast, kümmere dich nicht um uns. Papa liebt dich natürlich, aber er hat nie auf etwas verzichtet für dich. Ich frage mich, warum du jetzt darauf verzichten solltest, glücklich zu sein. Er würde ganz bestimmt ein neues Leben beginnen, da hätte ich keine Angst.«

»Aber Schätzchen, man kann doch nicht einfach jemandem seine

Vergangenheit wegamputieren! Wir haben fast dreißig Jahre miteinander gelebt, und alles in allem war unser Zusammenleben ziemlich gut ...«

»Man lebt nicht auf der Grundlage einer Bilanz, selbst wenn sie positiv ist«, sagt Adrienne mit der Brutalität und dem Scharfsinn der Jugend. »Außerdem mag ich die Frau, die du bist, wenn Werner da ist. Und seine Art, mich zu akzeptieren, weil ich zu deinem Leben gehöre, hat mir gefallen. Wir haben uns sehr gut unterhalten, als würde er mich schon immer kennen. Nun denn, natürlich mußt *du* entscheiden, meine arme Mami!«

»Ja, leider ist das nicht so leicht ...«

»In deinem Leben sind jetzt zwei Männer, die dich lieben. In gewisser Hinsicht muß das doch beruhigend sein, oder?«

»In meinem Alter, meinst du?«

Wir lachen wie zwei alte Freundinnen. Nie haben wir uns einander so nah gefühlt. Das eigentlich Beruhigende ist, daß ich Töchter habe, die mir von vornherein verzeihen, wie auch immer ich entscheiden mag. Pauline hat mich am ersten Tag in Locmaria angerufen, um mir zu sagen: »Sei glücklich, Mama, nütz es richtig aus!«

Ausnützen ist leicht, aber es macht die Entscheidung noch schwerer. Werner will sein Haus verkaufen, es ist für ihn allein zu groß geworden. Wo soll er hinziehen? Was meine ich dazu? Arnaud erträgt es immer weniger, daß sein Schicksal nicht mehr von ihm allein abhängig ist, und ich bin nicht begabt, um mit zwei Männern gleichzeitig zu leben. Zwei Frustrierte addieren sich für mich mit Sicherheit nicht zu einem rundherum glücklichen Leben. Aber die Ungewißheit darf nicht noch länger dauern. Schließlich landen wir in einem Nobelrestaurant, »um ernsthaft zu reden«. Was ich zu sagen habe, wäre noch schwerer zu sagen an einem Tisch mit einer Papierdecke, vor einem faserigen Steak mit Püree aus der Tüte. Selbst der Kummer ist anders, wenn er ein Reiche-Leute-Kummer ist. Zu Hause ist es mir nie gelungen, eine wichtige Unterhaltung zu Ende zu führen, ohne daß zwischendurch das Telefon geklingelt hätte: »Wo waren wir stehengeblieben? Ach ja, du sagtest, du liebst mich nicht mehr ...« Im Restaurant konnten wir uns immer Dinge sagen, ohne daß ich aufstehen mußte, um nach den Bratkartoffeln zu sehen. Vorausgesetzt, Arnaud traf keinen Journalisten: »Sag mal, alter Freund, ich müßte dich mal sprechen ...«, oder eine jener zahlreichen Personen des anderen Geschlechts, die er immer auf beide Wangen küßt. »Kennst du meine Frau?« – »Nein«, sage ich kurz und grob. – »Also dann, rufen wir uns zusammen, hm? Unbedingt!« Ich finde, er geht immer gebeugter. Er sollte Gymnastik machen, wenn er nicht wie seine Mutter enden möchte. Aber jetzt ist nicht der richtige Augenblick, um ihm das zu sagen, jetzt wo gerade darüber geredet wird, daß wir vielleicht nicht gemeinsam alt werden.

»Mir scheint, du hast deine Entscheidung schon getroffen?« so fängt er an, kaum daß er mir gegenübersitzt. »Du willst, daß wir uns trennen?«

Er ist es gewohnt, die Rolle des Diskussionsleiters zu spielen; er hat den Ort ausgesucht; jetzt bestimmt er auch gleich den Ton.

»Ich möchte anders leben«, flüstere ich, zitternd fast über meinen Mut. Wie kann ich es nur wagen?

»Du fühlst dich also dazu in der Lage, mit einem Strich fünfundzwanzig Jahre unseres Lebens auszulöschen?«

»Ich lösche die Vergangenheit keineswegs. Die Vergangenheit ist etwas endgültig Erworbenes, Erlebtes, Verdientes. Ich sehe nicht ein, warum sie für nichtig erklärt sein soll, weil einer von uns mit achtundfünfzig Jahren beschließt, einen anderen Weg zu gehen. Wir haben immerhin ein riesiges Stück Leben gemeinsam gelebt, das wichtigste, wahrscheinlich das beste ... auf jeden Fall das, was man das beste Alter nennt.«

»Ich dachte, all die Bindungen, die ein gemeinsames Leben entstehen läßt, würden stark genug sein, um uns bis zum Schluß zusammenzuhalten. Auf jeden Fall stärker als die Verlockungen eines neuen Lebens mit jemandem, den du letzten Endes nicht gut kennst. Ich finde, du gehst ein sehr großes Risiko ein, wenn du meine Meinung wissen willst!«

Bei Arnaud dauert es nie lange, dann sitze ich auf der Anklagebank. Früher bin ich auch ein großes Risiko eingegangen, als ich mich so eifersüchtig zeigte, und vermutlich bin ich jetzt wieder im Begriff, eine große Dummheit zu begehen.

»Jedes Gefühl ist ein Risiko. Ich bin ja auch eines eingegangen, als ich dich geheiratet habe, findest du nicht? Du übrigens auch. Und du weißt genau, daß es mir nicht genügt, mit dem Erreichten zu leben. Das hast du mir oft genug vorgeworfen!«

»Was ich dir immer vorgeworfen habe, ist, daß du die Zukunft immer nur auf den Ruinen der Vergangenheit aufzubauen vermagst. Weil du anderweitig verliebt bist, mußt du mich natürlich verurteilen.«

Er zündet sich eine neue Zigarette an, obwohl die alte noch im Aschenbecher raucht. Ich lehne mich zurück. Auch seinen Qualm mag ich nicht mehr. Ich weiß es zu schätzen, daß Werner nicht raucht.

»Ich verurteile dich nicht. Ich stelle fest, daß nicht mehr viel übrig geblieben ist von unserem gemeinsamen Leben, das ist alles.«

»Es ist deine Schuld. Du hast dich entfernt. Es ist schon schwer genug, ein gemeinsames Leben zu führen, wenn man nicht einmal mehr miteinander schläft. Aber hinzu kommt, daß du keine besondere Achtung mehr vor mir hast. Das ertrage ich sehr schlecht.«

»Es ist mir nie aufgefallen, daß *du* mich achtest.«

»Du bist eine blöde Kuh. Blind bist du.«

»Sagen wir mal so: Ich habe nicht mehr diese absolute Bewunderung für dich, die ich so lange hatte. Ja, ich war eine Blinde. Ich bin egoistischer geworden, und seitdem stelle ich fest, daß ich noch nie soviel bekommen habe wie jetzt, sogar von dir!«

Arnaud schaut mich an mit seinen schönen blassen Augen, Augen, die nicht grau und nicht grün sind, wie in jenem traurigen Lied. Es ist schrecklich, wenn man seine Verwundbarkeit verliert einem Menschen gegenüber, den man so sehr geliebt hat. Er ist im Begriff, im Innern zu zerbrechen. Was er im Augenblick »durchmacht«, ist so unerwartet gekommen, daß es die ganze Konstruktion seines Lebens zerschmettert. Der riesige Platz, den ich heute darin einnehme, nicht als Einzelperson, sondern als mit seinen Strukturen verwobenes Hauptelement, was ist jetzt damit? Das weiß ich alles. Hat es damit zu tun, daß er sich weigert, die Gefühlskarte auszuspielen? Jedenfalls bin ich Zuschauerin, außenstehend. Wir sind wie Feuer und Wasser, die sich gegenseitig vernichten. Aber das Wasser ist nicht im Unrecht ... Das Feuer auch nicht.

»Ich habe auch viel Zeit gebraucht, um weniger egoistisch zu werden«, sagt er.

»Das Ergebnis war, daß wir uns zeitverschoben in die Gegenrichtung bewegt haben. Aber gib zu, es hat lange gedauert, bis du dich in Bewegung gesetzt hast ...«, sage ich und nehme seine Hand. »Wenn wir früher so hätten reden können, wenn du es mir doch nur besser erklärt hättest ...«

»Warum denn alles zerstören? Ich lasse dir doch deine Freiheit. Und ich liebe niemanden außer dir.«

»Was bedeutet das, lieben, wenn man überhaupt nichts mehr teilt? Du brauchst so viele andere Dinge und so andere Menschen ...«

»Du auch«, erwidert Arnaud. »Und weil du unfähig bist, etwas halb zu tun, ist das viel schlimmer. Aber du warst immer von morbider Eifersucht. Ich nicht, wie du siehst.«

»Ich bin überhaupt nicht mehr eifersüchtig, das ist es, was du einfach nicht verstehen willst. Ich habe alles verbraucht, meine ganzen Reserven. Oder vielleicht bin ich jetzt selbstsicher genug, um nicht mehr eifersüchtig sein zu müssen? Es ist mir vollkommen egal heute, und das ist unendlich weniger anstrengend.«

»Wie dem auch sei, ich liebe dich«, sagt Arnaud. »Du weißt es auch. Von mir aus würde ich dich nie verlassen. Nie, zu keinem Zeitpunkt habe ich das Bedürfnis gehabt, dich zu verlassen. Das ist ja nicht neu.«

»Ich weiß, Liebling. Aber was ich wollte, war eigentlich nicht so sehr, daß du bei mir bleibst, sondern daß du mich liebst!«

»Du tust dich eben sehr schwer, die Leute so zu akzeptieren, wie sie sind.«

»Das stimmt. Ich kann es irgendwie nicht fassen, daß sie sind, wie sie sind!«

»Und trotzdem sage ich es dir noch einmal: Ich liebe dich, und ich werde dich mit diesem Geständnis nicht ein drittes Mal langweilen. Ich glaube auch nicht, daß ich es jemals einer anderen Frau geschrieben oder gesagt habe. Viviane vielleicht, und selbst da habe ich meine Zweifel. Ja, so ist das.«

» Oh Barbara, was für ein Unsinn ist der Krieg!★« Diese »Ich-liebe-dichs«, mit denen sie heute nichts mehr anfangen kann, wo sie doch so lange fast verhungert wäre ...

»Eine Liebe für zwei genügt vielleicht nicht, Arnaud, und letzten Endes hatten wir immer nur eine Liebe für zwei, glaubst du nicht?«

★ *Barbara:* Chanson von Jacques Prévert, aus dem Gedichtband *Paroles,* 1949. Anm. d. Ü.

»Wenn du meinst, du mußt es unbedingt so ausdrücken ... Du begeisterst dich an deinen Formulierungen, wie üblich.«

Schweigen. Wir essen unsere Trüffel, unsere Wachteln auf Canapés. Ich ärgere mich über mich selbst, weil ich sie nicht so gut finde, wie sie in Wirklichkeit sind. Bei dem Preis ist es ein Verbrechen, unglücklich zu sein.

»Was hast du eigentlich vor? Was willst du machen? Willst du wieder heiraten?«

»Bist du wahnsinnig? Auf keinen Fall wieder heiraten! Vom Gedanken, noch einmal den Namen zu wechseln, krieg' ich Pickel. Sogar Castéja zu heißen geht mir auf die Nerven. Meine Töchter werden auch nicht mehr Castéja heißen. Warum ich? Ich bin weniger Castéja als sie. Ich sehe weit und breit nichts Castéjahaftes an mir und um mich herum!«

»Das hast du mich auch genügend spüren lassen, keine Angst.«

»Kein Mensch hat von dir verlangt, ein Morvan zu sein. Du machst dir überhaupt keine Vorstellung von dem, was man von einer Frau verlangt.«

Mit Märtyrerblick zieht er die Augenbrauen hoch: Ich soll verstehen, daß die Forderungen der Familie Morvan zwar nichts mit dem Namen zu tun hatten, deshalb jedoch nicht leichter zu erfüllen waren.

»Was willst du nun eigentlich von mir?«

Und weil ich nicht gleich antworte, aus Verkrampfung, aus Unentschlossenheit, aus Angst vor der Zukunft, vor der Vorstellung, einen endgültigen Weg einzuschlagen, fährt er fort:

»Wenn ich mir erlauben darf, dir einen Rat zu geben, Liebling, triff keine überstürzte Entscheidung. Es ist eine schöne Episode, die du mit Werner erlebst. Ich mag Dinge, die von Dauer sind, wie du weißt. Aber du weißt nicht, was es bedeutet, zwei Monate, drei Monate, Jahre mit ihm zu leben. Körperlich klappt es ja allem Anschein nach, aber auch das kann sich ändern, wie du weißt!«

»Das Problem ist, wenn ich ihn nehme, kann ich ihn nicht so leicht wieder abgeben, nach zwei, drei Monaten oder einem Jahr ...«

Unser Lachen klingt ungemein komplizenhaft.

»Es fängt damit an, daß man einen Mieter im Winter nicht vor die Tür setzt. Und für Werner kommt jetzt bald der Winter«, sagt Arnaud mitleidig.

»Du bist widerlich. Er sieht viel jünger aus als du.«
Er hebt den Zeigefinger.
»Er wirkt jung . . . Auch seinen Neigungen nach wirkt er jung . . .
Aber er ist nicht jung!«
Arnaud entspannt sich. Wir bewegen uns wieder auf vertrautem
Boden: dem des Humors.
»Hör mal, genau so wie er ist, geht er mir nah. Er hilft mir, je-
mand zu werden, der ich bisher nie habe werden können, je-
mand, der mir gefällt. Ich glaube, ich habe so richtig Lust, das zu
erleben.«
»Dann tu es«, sagt Arnaud. »Nimm dir ein Jahr frei, noch einmal.
Natürlich verlängerbar. Behalte Locmaria und die Wohnung. Du
weißt, wie schrecklich es für mich wäre, ohne dich in einem
Haus zu leben, in dem wir zusammen gelebt haben.«
»Du hast mir ja immer gesagt, daß du alles verkaufst und ins Hotel ziehst, wenn ich sterbe. Ich finde das entsetzlich. Ich möchte
alles behalten.«
»Ich weiß! Ich mußte sogar in dem Bett schlafen, in dem du
sechs Monate zuvor Jean-Marie geliebt hattest. Und Werner.
Den hätte ich beinah' vergessen.«
»Du hast ja auch mit Jean-Maries Frau geschlafen; ich hatte meine Haut nicht gewechselt. Warum hätte ich die Matratze wechseln sollen?«
»Ich habe dich zwar gefragt, was du vorhast, aber nicht um dich
zu einer Entscheidung zu zwingen. Sondern weil *ich* eine Entscheidung getroffen habe. Ich werde alles wechseln: die Haut
und die Matratze. Ich habe seit langem Lust, ein Jahr auf Tahiti
zu verbringen. Ich habe dort jede Menge Freunde. Ich bin sicher,
daß ich dort arbeiten kann, schreiben kann, was weiß ich, wir
werden sehen. Und ich weiß genausowenig wie du, wo ich in
einem Jahr stehen werde.«
»In einem Monat, in einem Jahr, wie werden wir dann leiden,
Herr . . .«
»Ja, die Titel von Sagan, man hat das Gefühl, sie sind für jedes
Leben maßgeschneidert. Werner hat dich wiedererobert mit der
Frage: ›Lieben Sie Brahms?‹ «
»Und für dich heißt es ›Bonjour Tristesse‹!«
»Und für dich ›Die wunderbaren Wolken‹! Aber wer wird letz-
ten Endes ›Der Hüter des Herzens‹ sein? Ach, ich trinke noch ei-
nen Marc de Bourgogne. Es ist ja alles nicht so lustig!«

Nicht so lustig, gewiß nicht. Aber mein Herz tut einen Sprung, und das Aufblitzen in meinen Augen möchte ich verbergen. Das schräge Messer der Guillotine wird auf keinen niederrasseln. Diesmal bin ich diejenige, die alles behält. Wird es mir besser gelingen als Arnaud? Ich kann es nicht im voraus wissen. Ein Glück genügt für einen Tag!

24
Die Möwen

Jedes Jahr erscheint mir der Herbst schmerzlicher, und zu sehen, wie jeder Tag in die Nacht versinkt, immer unerträglicher. Dauernd stehe ich von meinem Schreibtisch auf, um am Fenster die sterbende Schönheit eines Tages, der sich nicht mehr wehrt, betrachtend zu genießen.

In Locmaria, im Oktober, während die Blätter hinuntersinken, erheben sich die Jachten; sie werden auf dem anderen Ufer vom Kran hochgehievt und schaukeln dann eine Zeitlang armselig zwischen Wasser und Himmel hin und her. Plötzlich erscheinen sie ganz schwerfällig, wie jene Pferde, denen man Gurte um den Bauch legt, um sie auf Schiffe zu verladen, und die sinnlos ihre Beine bewegen.

Die Touristen wurden wieder von ihren jeweiligen Städten aufgesogen, und mein Dorf hat nun wieder Raum und atmet.

Meine Albizzie ist abgestorben; ich werde sie morgen ausgraben und statt dessen einen Eukalyptus pflanzen. Das Problem ist, ich mag sie nur, solange sie jung sind, die Eukalyptus-Bäume, solange ihre Blätter klein und rund und blauschimmernd sind.

Arnaud haßt Gärten in der toten Saison, in Tahiti dürfte er glücklich sein. Ich mag sie so: Ich weiß, was drunter ist, ich weiß von den Stecklingen, von den Blumenzwiebeln, den Wurzelstöcken, die ich da eingegraben habe und die sich auf ein neues Leben vorbereiten. Das ist die Jahreszeit, in der die Gärtner träumen können. Ich möchte auch einen Amberbaum pflanzen, ich habe immer den Wunsch gehabt, einen Amberbaum zu besitzen. Ein Baum mit diesem Namen kann nur atemberaubend sein. Und wenn er es nicht ist, habe ich immerhin die Freude, sagen zu können: »Haben Sie meinen Amberbaum schon gesehen?«

Auf meiner gestreiften Kamelie erkennt man schon genau die

Knospen, die im Februar in Blüte stehen werden. Sie wird wunderschön sein dieses Jahr, ich werde extra für die Kamelie nach Locmaria fahren. Ich kann mir nicht vorstellen, in einem Garten ohne Kamelie zu leben, ohne diesen Mut, mitten im Winter zu blühen und sich mit all diesen flachen, geruchlosen Rosenblüten zu bedecken, die in ihrer rosafarbenen Kälte und auf ihren Blättern von unantastbarem Grün noch vollkommener sind als die Rose. Meine Kamelie wird blühen, wenn Pauline ihr Kind bekommt. Ich hoffe, es wird ein Mädchen sein, um die Kontinuität zu wahren. Danach können sie tun, was sie wollen.

Jeden Morgen knie ich auf der Erde und mache Jagd auf Unkraut, auf die wuchernden Quecken, den Klee mit den gelben Blümchen, den entsetzlichen Löwenzahn, dessen Wurzel man ganz in der Tiefe erwischen muß. Ein Rotkehlchen macht mit bei der Gartenarbeit. Ich glaube, ich kenne es. Es hüpft umher, pickt behend am Boden herum, ohne mich jemals aus dem Auge zu verlieren. Mir ist noch nie so deutlich aufgefallen, daß ein Vogel einen nie von vorne ansieht, nie mit beiden Augen zugleich. Es kommt immer näher, ich spreche es mit Vogelstimme an, und es neigt das Köpfchen; dann setzt es sich auf meinen Korb, auf meine Handschuhe, die ich auf der Mauer habe liegen lassen, es zeigt mir, daß es keine Angst vor mir hat. Der Vogel glaubt allen Ernstes, ich mache diese ganze Arbeit für ihn, um ihm die Würmer an die Oberfläche zu bringen. Ich lasse ihn in dem Glauben. Wir sind sehr zufrieden miteinander.

Der Tag wird noch um acht Minuten kürzer heute. In Philadelphia ist es erst sechs Uhr, und Werner kocht sich vermutlich gerade irgendeine tiefgekühlte Scheußlichkeit mit einer *sweet-sour-sauce* aus dem Beutel und seinem *pumpernickel-bread,* während er zum letzten Mal das Haus betrachtet, das er jetzt verlassen wird. Er klebt sorgfältig – er macht alles sorgfältig – die Etiketten mit der Aufschrift *France* auf seine Koffer und auf sein Schicksal.

Ich höre die dumpfen Pock-pock-pock-Geräusche von Eugènes Dieselmotor; sein Boot fährt ganz gemächlich an meinem Garten vorbei. Er steht aufrecht mit dem Steuer zwischen den Beinen, riggt sein Schleppnetz auf und winkt mir zu. Er geht Seelachs fangen. Sein Hund sitzt wie eine Gallionsfigur am Bug, mit hochgereckter Schnauze und wichtiger Miene wacht er über die grüne Tiefe.

Am andern Ufer, vor der Kneipe, schreien sich zwei Fischer an: Um elf Uhr morgens sind sie schon betrunken. Ein winziges Beiboot löst sich von einem großen Trawler und steuert mit fünf Mann in Richtung Kai. Der hintere rudert, die anderen vier stehen dicht beisammen wie Sardinen in der Büchse. Der Hafen hat jetzt sein winterliches Gesicht: Nur die, deren Beruf das Meer ist, sind noch zu sehen. Die Geräusche sind wieder die vertrauten, ruhigen, notwendigen.

Den Möwen aber ist es egal – sie leben ihr Leben.

Inhalt

Knaur Ⓚ

Benoîte Groult

Foto: Isolde Ohlbaum

Knaur Ⓡ

BENOÎTE GROULT

Ödipus' Schwester

(8020)

Knaur Ⓡ

BENOÎTE UND FLORA GROULT

Juliette und Marianne

ZWEI TAGEBÜCHER EINER LIEBE

(8063)

Knaur Ⓡ

BENOÎTE GROULT

Leben will ich

ROMAN

(8064)

Knaur Ⓡ

BENOÎTE UND FLORA GROULT

Tagebuch vierhändig

ROMAN

(2997)

Knaur Ⓡ

BENOÎTE GROULT

Salz auf unserer Haut

ROMAN

(3113)